D1089177

Le Succès selon Jack

Catalogage avant publication de Bibliothèque et Archives Canada

Canfield, Jack, 1944-

Le succès selon Jack Canfield: pour vous rendre là où vous souhaiteriez être!

(Collection Réussite professionnelle)
Traduction de: The success principles.

Comprend des réf. bibliogr.

ISBN 2-89225-607-0

1. Succès - Aspect psychologique. I. Switzer, Janet, 1953- . II. Titre. III. Collection.

BF637.S8C3614 2005   158.1   C2005-941786-2

Adresse municipale:
Les éditions Un monde différent ltée
3925, Grande-Allée, Saint-Hubert
(Québec), Canada J4T 2V8
Tél.: (450) 656-2660
Téléc.: (450) 445-9098
Site Internet: http://www.umd.ca
Courriel: info@umd.ca

Adresse postale:
Les éditions Un monde différent ltée
C.P. 51546
Succ. Galeries Taschereau
Greenfield Park (Québec)
J4V 3N8

Cet ouvrage a été publié en langue anglaise sous le titre original:
THE SUCCESS PRINCIPLES™: HOW TO GET FROM WHERE YOU ARE TO WHERE YOU WANT TO BE
Published by HarperCollins Publishers, Inc.
10 East 53rd Street, New York, NY 10022
Copyright © 2005 by Jack Canfield
All rights reserved.

©, Les éditions Un monde différent ltée, 2005
Pour l'édition en langue française
Dépôts légaux: 4e trimestre 2005
Bibliothèque nationale du Québec
Bibliothèque nationale du Canada
Bibliothèque nationale de France

Conception graphique de la couverture:
OLIVIER LASSER

Photographie de la couverture:
DEBORAH FEINGOLD

Version française:
PATRICE NADEAU

Photocomposition et mise en pages:
ANDRÉA JOSEPH [PageXpress]

Typographie: Minion corps 11,6 sur 13,9

ISBN 2-89225-607-0
(Édition originale: ISBN 0-06-059488-8, HarperCollins Publishers, Inc., New York)

Nous reconnaissons l'aide financière du gouvernement du Canada par l'entremise du Programme d'aide au développement de l'industrie de l'édition pour nos activités d'édition (PADIÉ).

La *Loi sur le droit d'auteur* interdit la reproduction des œuvres sans autorisation des titulaires de droits. Or, la photocopie non autorisée — le « photocopillage » — s'est généralisée, provoquant une baisse des achats de livres, au point que la possibilité même pour les auteurs de créer des œuvres nouvelles et de les faire éditer par des professionnels est menacée. Nous rappelons donc que toute reproduction, partielle ou totale, par quelque procédé que ce soit, du présent ouvrage est interdite sans l'autorisation écrite de l'Éditeur.

Imprimé au Canada

Jack Canfield et Janet Switzer

Le Succès selon Jack

Pour vous rendre là où vous souhaiteriez être !

UN MONDE DIFFÉRENT

Des éloges pour *Le Succès selon Jack Canfield*

« Les principes de Jack Canfield sont simples, mais les résultats que vous obtiendrez seront, eux, extraordinaires. »

— Anthony Robbins, auteur de *L'Éveil de votre puissance intérieure*
et *Pouvoir illimité*

« Si vous ne deviez lire qu'un seul livre cette année, vous le tenez déjà entre vos mains. »

— Harvey Mackay, auteur du succès de librairie numéro un du *New York Times* :
Nager avec les requins sans se faire manger tout cru

« Lorsque Jack Canfield écrit quelque chose, j'en prends bonne note. Jack vient de produire son meilleur livre et je suis convaincu qu'il aura une influence déterminante sur votre vie. »

— Pat Williams, vice-président à la direction du club Orlando Magic,
de la NBA et auteur de *Les Secrets d'une vie magique*[1]

« Jack Canfield est le maître incontesté de sa discipline. Il offre aux personnes qui ont soif de s'épanouir pleinement, la sagesse, la perspicacité, la compréhension et l'inspiration dont elles ont besoin pour y arriver. Un grand livre, une lecture palpitante, un cadeau précieux pour quiconque désire devenir un maître de la vie ! »

— Micheal E. Gerber, auteur des livres de la série *The E-Myth*

« En un seul livre, *Le Succès selon Jack Canfield,* Jack vous offre non seulement les principes fondamentaux du succès, mais aussi les stratégies avancées qui feront de vous un maître de la vie. J'ai beaucoup appris de Jack et je suis persuadé que vous en ferez autant. »

— John Gray, Ph. D., auteur de *Les hommes viennent de Mars ; les femmes viennent
de Vénus : connaître nos différences pour mieux nous comprendre*

« En termes clairs et faciles à comprendre, Jack Canfield et Janet Switzer dévoilent leur méthode pour connaître le succès. L'approche de Jack est un gage de succès assuré. Ce nouveau livre sera le cadeau idéal à offrir cette année. »

— Ken Blanchard, coauteur de *Le Manager minute* et *Customer Mania*

---

1. Publié aux éditions Un monde différent, Saint-Hubert, 1996, 288 p.

« Mon bon ami Jack Canfield est l'un des conférenciers et professeurs les plus brillants dans le monde aujourd'hui. Lorsque vous aurez passé quelque temps en sa compagnie, à intégrer ses idées et ses intuitions, vous serez positivement transformé pour le restant de votre vie. »

— Brian Tracy, autorité américaine très respectée dans le domaine du développement du potentiel humain et de l'efficacité personnelle. Il est aussi l'auteur de *Success Is a Journey*, *Million Dollar Habits* et *The Traits of Champions*

« Dans le monde très compétitif d'aujourd'hui, les grands gagnants sont ceux qui suivent un plan systématique pour réussir. Dans ce classique de la réussite, le meilleur en son genre de la décennie, Jack Canfield offre dans un langage simple, étape par étape, un plan précis, le tout accompagné d'histoires inspirantes de personnes qui vous ont précédé sur ce sentier. Si votre but est d'accomplir de grandes choses, de gagner plus d'argent, d'avoir plus de temps libres et de subir moins de stress, lisez et appliquez les principes éprouvés contenus dans *Le Succès selon Jack Canfield*. »

— Les Brown, auteur de *Live Your Dreams* et *Conversations on Success*

Ce livre est dédié à tous ces êtres courageux qui ont osé sortir des rangs de la culture dominante de résignation et de médiocrité, et qui ont entrepris de créer la vie de leurs rêves. Je vous rends hommage et je vous salue !

« *La vie se présente comme un coffre-fort protégé par une combinaison secrète ; votre tâche consiste à trouver les bons numéros, dans l'ordre approprié, pour l'ouvrir et obtenir tout ce que vous voulez.* »

BRIAN TRACY

« *Si nous faisions tout ce que nous sommes capables de faire, nous en serions nous-mêmes les premiers étonnés.* »

THOMAS A. EDISON

TABLE DES MATIÈRES

PREMIÈRE PARTIE
LES PRINCIPES FONDAMENTAUX DU SUCCÈS

QUATRIÈME PARTIE
CRÉEZ UN RÉSEAU DE RELATIONS GAGNANTES

CINQUIÈME PARTIE
LE SUCCÈS ET L'ARGENT

SIXIÈME PARTIE
LE SUCCÈS COMMENCE DÈS AUJOURD'HUI

Remerciements

C e livre, comme tout ce que j'ai créé auparavant dans ma vie, est le résultat d'un très grand effort d'équipe. Je voudrais exprimer ma plus sincère gratitude aux personnes suivantes :

Janet Switzer, car sans ses efforts herculéens, ce livre n'aurait jamais été achevé. Merci, Janet, pour votre appui formidable, pour vos intuitions géniales, pour les interminables journées (et nuits !) de travail consacrées à la conception de ce livre, pour la brillante corédaction d'un projet littéraire d'envergure internationale, pour m'avoir convaincu de restreindre mon intarissable production de mots afin de respecter les contraintes de notre éditeur, pour m'avoir rappelé à l'ordre lorsque je m'égarais sur de fausses pistes, pour avoir réalisé le site Internet des *Principes du succès*, et pour la création du plan de marketing original permettant au message de ce livre de toucher des millions de personnes. Vous êtes vraiment exceptionnelle !

Bonnie Solow, mon agente littéraire. Vous êtes bien plus qu'une agente. Vous étiez là, à chaque étape de la réalisation de ce livre, apportant vos commentaires pertinents, votre appui moral, vos encouragements enthousiastes, et votre amitié sincère. J'admire votre intégrité, votre professionnalisme, votre passion pour l'excellence, votre désir sincère de servir, et votre amour de la vie.

Steve Hanselman de HarperCollins, mon brillant éditeur, d'une loyauté à toute épreuve, au jugement fin et sûr. Merci pour votre énergie inépuisable, votre esprit généreux et votre grand dévouement à la cause de l'éducation et de l'élévation de l'humanité par la diffusion du mot écrit.

Mary Ellen Curley, qui a supervisé la production et la mise en marché de ce livre, depuis sa conception jusqu'à sa conclusion. J'ai apprécié au plus haut point votre professionnalisme et vos efforts incessants pour que vivent ce livre et son message. Jane Friedman, PDG de HarperCollins, qui s'est révélée la championne de notre cause dès le début. Merci pour votre travail et la source d'inspiration que représente une entreprise gérée selon les principes que nous défendons. Ce fut un grand honneur de travailler avec vous.

Katharine O'Moore-Klopf, pour la saisie et la révision du manuscrit. Votre œil de lynx et votre souci du détail m'ont renversé. Merci pour ce travail brillamment accompli.

Andrea Brown, qui a conçu la couverture du livre. J'en suis très fier !

Deborah Feingold, qui en a réalisé la photographie. La séance en studio a été un véritable plaisir. Vous êtes sensass !

Brian Grogan, Veronica Gonzalez, Ana Maria Allessi, Andrea Rosen, Paul Olsewski, Shelby Meizlik, Nina Olmsted, Josh Marwell, et tous les autres collaborateurs chez HarperCollins qui ont travaillé sans compter pour que ce livre (et sa version audio) parviennent sur les rayons des librairies et entre les mains des lecteurs. Vous êtes les meilleurs dans votre domaine !

Patty Aubery, présidente de Chicken Soup for the Soul Enterprises, qui m'a « forcé » à écrire ce livre. Merci d'avoir accepté de superviser l'ensemble du projet et, plus particulièrement, de vous être chargée de recueillir tous les témoignages d'appui. Vous êtes une amie et une associée en affaires très spéciale. Aucun mot ne peut exprimer toute ma gratitude pour votre attitude généreuse qui me pousse toujours à fournir le meilleur de moi-même.

Russell Kamalski, le chef des opérations chez *Chicken Soup for the Soul Enterprises*. Merci pour votre sérénité, votre style décontracté et votre maîtrise de soi alors que nous cédions tous à la frénésie du moment. Vous êtes un véritable gentilhomme.

Veronica Romero, mon adjointe de direction, abandonnée à elle-même alors que j'étais enseveli sous le poids de ce projet, et qui s'est assurée de maintenir un semblant de normalité dans ma vie. Merci d'avoir accepté de planifier toutes mes interviews et de vous être chargée d'obtenir toutes les permissions nécessaires. Je vous suis reconnaissant de vous être occupée de mon bien-être, de l'organisation de mes déplacements et de ma carrière de conférencier au cours de cette période. Vos efforts infatigables, votre souci du détail, et votre perfectionnisme me comblent d'admiration. Merci mille fois !

Mike Foster, mon deuxième adjoint de direction, je vous dis merci pour avoir tenu la meute en respect, me laissant ainsi l'espace psychologique nécessaire à la rédaction de ce livre avec un minimum d'interruptions ; pour votre travail de recherche, pour les longues heures consacrées sans compter, pour votre sens de l'humour, et pour avoir accepté de partager ma vision. Votre engagement incessant – toujours bien au-delà de ce que votre devoir demande –, pour assurer la continuité de nos séminaires et maintenir nos ordinateurs en état de marche, m'ont emballé. Merci pour votre professionnalisme et votre loyauté.

Jesse Ianniello, pour toutes les heures vouées à transcrire les centaines d'entrevues enregistrées sur bande magnétique, et pour l'accomplissement sans faille de toutes les autres tâches nécessaires à la réussite de ce projet. Avec vous, même les difficultés en apparence insurmontables semblent faciles. Vous êtes merveilleuse.

Robin Yerian, qui vous êtes chargé de tant d'aspects de ma vie, en particulier des questions budgétaires. Toutes les choses qui devaient être faites l'ont été, sans contretemps ni la moindre anicroche.

Teresa Esparza, pour vous être occupée avec professionnalisme de la logistique de mes tournées de conférences, et pour vous être assurée que tous nos clients nous demeuraient fidèles pendant cette « année du livre ». D'ette Corona, pour avoir supervisé de main de maître le calendrier de production de la série *Bouillon de poulet pour l'âme*[MD], alors que toute mon attention était concentrée sur ce projet. Vous aussi, vous êtes phénoménale !

Heather McNamara, Nancy Mitchell Autio, Leslie Riskin, Stephanie Thatcher, Barbara Lomonaco et Tasha Boucher, qui se sont occupées de tous les détails de la production et de la distribution de la série *Bouillon de poulet*. Sans oublier tous les autres employés de Self-Esteem Seminars et Chicken Soup for the Soul Enterprises.

Erick Baldwin, Kristen Craib, Lauren Edelstein, Devon Foster, Anna Giardina, Chris Muirhead et Danielle Schlapper, nos remarquables stagiaires de l'Université de Californie à Santa Barbara, pour votre travail impeccable de recherche, d'édition et de révision des textes.

Gail Miller, directeur du programme de formation de la société de Janet Switzer. Vous avez su gérer l'entreprise avec brio, libérant Janet des tâches administratives afin qu'elle puisse se consacrer à la création des *Principes du succès*, non seulement du livre, mais aussi des produits éducatifs qui l'accompagnent. Votre intelligence et votre capacité de travail nous ont fortement impressionnés.

Marci Shimoff, qui a consacré une semaine de sa vie pour venir nous aider à restructurer notre livre, nous offrant généreusement tant de commentaires judicieux. Merci pour votre altruisme et votre grandeur d'âme. La profondeur de votre amitié nous a tous beaucoup touchés.

Rick Frischman, David Hahn et Jared Sharpe de Planned Television Arts pour leur appui inestimable lorsque le moment de propager notre message au monde de la radio et de la télévision est arrivé. J'ai adoré travailler avec vous!

Hale Dwoskin, Marshall Thurber et Barbara DeAngelis, pour votre encouragement de tous les instants, et votre soutien désintéressé tout au long de la rédaction de ce livre.

Les personnes qui m'ont accordé une interview, et dont les histoires et les anecdotes honorent les pages de ce livre: Raymond Aaron, Robert Allen, Jeff Arch, John Assaraf, Madeline Balletta, Marty Becker, Arthur Benjamin, Tom Boyer, Lee Brower, Stefen J. Cannell, Frank Corbo, D.C. Cordova, John Demartini, Ira et Linda Distenfeld, Hale Dwoskin, Harv Eker, Tim Ferriss, Ruben Gonzales, Greg Haven, Mike Kelly, Marilyn Kentz, Rick Kinmon, Julie Laippley, Dave Liniger, Debbie Macomber, Fabrizio Mancini, Marcia Martin, John McPherson, Mike Milliorn, David Morris, Chad Pregracke, Monty Roberts, Rudy Ruettiger, Scott Schilling, Jana Stanfield, Joe Sugarman, Marilyn Tam, Marshall Thurber, Diana Von Welanetz Wentworth, Pat Williams, et Wyland.

Les personnes suivantes, qui ont accepté de me rencontrer en entrevue, mais dont les histoires n'ont pas été publiées en raison de contraintes d'espace ou de changements de dernière minute. Soyez assurées que vos idées, vos réflexions et vos idéaux ont été incorporés dans la trame de cet ouvrage: Jennifer Allen, John Anderson, Janet Atwood, Russell Bishop, Stan Dale, Bob Danzig, Roger Dawson, John Dealy, Kent et Kyle Healy, Orrin C. Hudson, Teresa Huggins, Tony O'Donnell, Kevin Ross, Michael Russo, Barry Spilchuk et Gary Tuerack.

Les centaines de personnes qui se sont offertes pour raconter leur histoire – je suis sûr que vous vous reconnaissez – mais que je n'ai pu rencontrer. Je le regrette énormément, car les entrevues ont représenté la partie la plus stimulante de la réalisation de ce livre. Ce projet m'a démontré une fois de plus que nous avons tous un grand trésor d'expériences à partager les uns avec les autres. J'espère avoir l'occasion d'accepter votre généreuse contribution lors d'un prochain ouvrage.

Les personnes suivantes qui ont lu le manuscrit, et qui nous ont fait part de leurs commentaires si précieux: Patty Aubery, Tom Boyer, Mark Donnelly, Eldon Edwards, Mike Foster, Andrew Holmes, Russ Kamalski, Veronica Romero, Zev Saftlas, LeAnn Thieman, Marci Shimoff et Robin Yerian. Merci d'avoir accepté d'amputer de nombreuses heures à vos horaires déjà surchargés – avec un si court préavis – pour nous faire part de vos réactions. Je vous en suis très reconnaissant.

Les personnes suivantes, qui ont directement influencé le développement de mes idées sur la réussite et le succès, que ce soit dans le cadre de leurs ateliers, de leurs séminaires ou de leurs programmes de coaching personnalisés aux cours des années : W. Clement Stone, Og Mandino, Norman Vincent Peale, Marshall Thurber, Mark Victor Hansen, Phil Laut, Leonard Orr, Stewart Emery, Martha Crampton, Russel Bishop, Jim Newman, Lou Tice, John Gray, Tim Piering, Tracy Goss, Martin Rutte, Wayne Dyer, Bob Proctor, Lee Pulos, Brian Tracy, Jim Rohn, Anthony Robbins, Michael Gerber, Dan Sullivan, Les Hewitt, Robert Allen, Hale Dwoskin et John Assaraf. Merci de nous avoir fait partager les découvertes de vos esprits éclairés, pour votre audace et pour votre générosité sans bornes.

Dr Jack Dawson et Dr Bruno Wildhaber, mes deux chiropraticiens, et Wayne Darling, mon massothérapeute, pour vos soins compétents, qui ont permis à mon corps et à mon esprit de conserver leur harmonie au cours des derniers mois remplis de tension.

Les membres de mon cercle de penseurs émérites : John Assaraf, Lee Brower, Declan Dunn, Liz Edlic et Marshall Thurber. J'apprécie le bonheur d'être entouré d'un cercle de sœurs et de frères, aimants et visionnaires.

Mark Victor Hansen et Patty Hansen, pour leur amour, leur amitié, et leur collaboration dans l'odyssée de *Bouillon de poulet pour l'âme*^{MD}, qui s'est révélée la plus grande aventure de ma vie.

Peter Vegso et Gary Seidler de Health Communications Inc., pour avoir cru en ce rêve bien avant tout le monde, et sans qui ce livre n'aurait jamais pu voir le jour. Merci, mes amis ! Et à tous les autres membres de la grande famille HCI qui ont travaillé si dur afin que la série *Bouillon de poulet* devienne un phénomène littéraire mondial.

Tous les membres de ma famille, pour leur amour, leur soutien, et leur compréhension dans ce qui a été, sans l'ombre d'un doute, le plus grand défi professionnel de ma carrière. Merci de votre indulgence pour les longues heures de travail, les week-ends sacrifiés et les deux vacances annulées qui ont été nécessaires pour terminer ce projet à temps. Je vous aime et vous estime tellement.

Inga, mon épouse, que j'adore parce qu'elle me comprend si bien et qui me fait vibrer par son amour inconditionnel, son appui, son humour et ses encouragements. Christopher, mon fils de quatorze ans, pour s'être résigné à tolérer mon obsession pour ce livre. J'espère que nos deux semaines passées en Europe cet été auront suffi pour rattraper un peu le temps perdu au cours des six derniers mois. Riley et Travis, mes deux beaux-fils, qui m'émerveillent toujours par leurs bouffonneries. Merci de m'avoir encouragé vous aussi. Oran et Kyle, mes deux fils aînés. Maintenant, nous aurons le temps de faire ce voyage promis depuis si longtemps à Las Vegas!

Ma sœur Kim, pour son soutien moral et ses encouragements, alors que je ne pouvais entrevoir la lumière au bout du tunnel. C'est un avantage certain de pouvoir compter sur le réconfort d'une sœur qui est également écrivaine. Taylor et Mary, pour avoir pris soin de maman pendant toutes ces années. Rick et Tana, parce qu'il est un si bon frère, et elle, une belle-sœur aussi agréable. Fred Angelis, mon beau-père, pour m'avoir pris sous son aile quand j'avais six ans, et qui m'a inculqué les valeurs et les habitudes qui ne sont pas étrangères au succès que j'ai connu par la suite.

Les membres de la famille de Janet, pour leur appui, leur compréhension, et leur aptitude à conserver leur bonne humeur, malgré les vacances annulées et les interminables discussions au sujet de ce livre à l'occasion des repas. Ses parents, Les et Beverly, qui, très tôt dans sa vie, ont appris à Janet le sens du mot succès, et qui ont su favoriser une atmosphère de réussite à la maison. À ses frères et sœurs, Jennifer et Jeff, pour leur soutien constant et leurs encouragements à chaque étape de la carrière et de la vie de Janet. Et plus spécialement, merci à la nièce de Janet, Brianne, qui non seulement incarne la façon dont les enfants font l'apprentissage du succès, mais nous rappelle gentiment qu'il est aussi important d'en profiter.

Et finalement, merci à tous mes adjoints et aux participants que j'ai eu l'occasion d'accueillir lors de mes séminaires et dans mes ateliers au fil des ans. Merci d'avoir partagé vos rêves, vos difficultés et vos triomphes avec moi. Vos efforts héroïques pour venir à bout de vos croyances défaitistes, votre détermination pour surmonter les obstacles, votre persévérance devant l'adversité, et les vies remarquables que vous avez vécues m'ont incité à écrire ce livre, afin de partager vos idées avec le plus grand nombre. Merci d'être des modèles de vision, de détermination dans la poursuite d'un but, et de passion dans un monde qui en a si désespérément besoin. Sachez que vous êtes tous présents dans ces pages.

Avant-propos

Le Succès selon Jack Canfield est un guide qui s'adresse à tout le monde – depuis les professionnels du marketing jusqu'aux propriétaires de petites entreprises, aux professeurs, aux étudiants et aux parents – à tous ceux et toutes celles qui désirent réaliser leurs ambitions et leurs rêves, tant personnels que professionnels. Jack Canfield propose soixante-quatre principes pratiques et inspirants, touchant tous les aspects de la vie et qui vous mèneront là où vous le désirez vraiment. Voici quelques-uns des thèmes abordés :

- Comment améliorer la qualité de votre vie simplement en changeant votre façon de réagir aux événements.

- Comment faire la connaissance de mentors remarquables et d'amis précieux qui vous ouvriront de nouvelles portes.

- Comment mener à terme vos projets laissés en suspens, régler vos griefs et cicatriser vos vieilles blessures afin de pouvoir enfin aller de l'avant.

- Comment vous préparer à accueillir sur-le-champ les occasions uniques qui viennent frapper à votre porte.

- Comment gérer votre temps de manière à toujours réserver la part du lion à vos projets les plus importants pour votre succès.

- Comment dire « non » à ce qui est bien, pour avoir la possibilité de dire « oui » à ce qui est extraordinaire.

- Comment demander et obtenir tout ce que vous voulez en vous adressant aux personnes qui peuvent vous le donner.

- Comment tirer votre révérence du club des geignards, pour vous entourer de personnes qui respirent le succès, la confiance et la générosité.

- Comment maximiser vos succès financiers, professionnels, personnels et aller plus loin encore !

Les principes du succès

INTRODUCTION

*« Si un homme, pour une raison ou pour une autre,
a la chance de vivre une existence extraordinaire,
il n'a aucun droit d'en garder le secret pour lui-même. »*

JACQUES-YVES COUSTEAU
Le légendaire explorateur et cinéaste sous-marin

*« Si un homme écrit un livre, qu'il se contente de dire ce qu'il connaît
vraiment. Mes propres incertitudes me suffisent. »*

JOHANN WOLFGANG VON GOETHE
Poète, nouvelliste, auteur dramatique et philosophe allemand

Ceci n'est pas un livre de bonnes idées. Il s'agit d'un recueil de principes éternels du succès suivis par des hommes et des femmes de toutes les époques. J'étudie ces règles d'or depuis plus de trente ans et je les ai adoptées dans ma propre vie. Le succès phénoménal que je connais maintenant est le résultat de leur mise en application, jour après jour, depuis que j'ai commencé à m'y intéresser en 1968.

Parmi mes succès, je peux m'enorgueillir d'avoir été l'auteur et l'éditeur de plus de soixante succès de librairie dont quatre-vingts millions d'exemplaires, traduits en trente-neuf langues, ont été vendus dans le monde entier. Le 24 mai 1998, sept de mes livres apparaissaient sur la liste des best-sellers du *New York Times*, un record homologué dans *Le Livre Guinness des records*. Je compte dans mes réussites le fait de toucher un revenu net annuel de plusieurs millions de dollars depuis dix ans, de vivre sur un magnifique domaine en Californie, d'être un invité régulier des plus grands talk-shows télévisés américains (depuis *Oprah* jusqu'à *Good Morning America*).

Je peux me targuer également d'écrire une chronique hebdomadaire lue par des millions de personnes, de pouvoir exiger des honoraires de vingt-cinq mille dollars par conférence, de m'adresser aux dirigeants des entreprises du magazine

Fortune 500 dans le monde entier, d'être le récipiendaire de nombreux prix civiques et professionnels, d'avoir une relation trépidante avec une femme extraordinaire et des enfants merveilleux, et de jouir d'un état durable de bien-être, d'équilibre, de bonheur et de paix intérieure.

Je côtoie régulièrement des présidents d'entreprises du magazine *Fortune 500*, des étoiles du cinéma, de la télévision et du disque, des auteurs célèbres, et certains des professeurs et des maîtres spirituels les plus influents du monde entier. J'ai eu l'occasion de converser avec des députés, des athlètes professionnels, des cadres supérieurs d'entreprises et des étoiles de la vente, dans les lieux de villégiature et de retraite les plus réputés du monde entier – depuis le Four Seasons, à Nevis dans les Antilles britanniques, jusqu'aux hôtels les plus chics d'Acapulco et de Cancún.

Je vais régulièrement skier en Idaho, en Californie, et dans l'Utah, je fais du rafting au Colorado, j'escalade les montagnes de la Californie et de l'État de Washington. J'ai eu la chance d'admirer, pendant mes vacances, les plus beaux panoramas d'Hawaii, de l'Australie, de la Thaïlande, du Maroc, de la France et de l'Italie. Tout bien considéré, je mène une existence palpitante !

Comme la plupart d'entre vous qui lisez ce livre actuellement, ma vie a commencé d'une manière bien modeste. J'ai grandi à Wheeling, en Virginie occidentale, où mon père travaillait dans la boutique d'un fleuriste, pour un salaire de huit mille dollars par année. Ma mère était alcoolique et mon père, un bourreau de travail. Je travaillais l'été pour joindre les deux bouts (comme sauveteur à la piscine municipale et chez le même fleuriste qui employait mon père). Je suis allé au collège grâce à une bourse d'études, et je servais les petits-déjeuners dans l'une des résidences pour payer mes livres, mes vêtements et mes sorties. Personne ne m'a jamais offert quoi que ce soit sur un plateau d'argent.

Au cours de ma dernière année d'études universitaires, j'avais un emploi d'enseignant à temps partiel doté d'un salaire bimensuel de cent vingt dollars. Mon loyer était de soixante-dix-neuf dollars par mois, ce qui me laissait cent soixante et un dollars pour toutes mes autres dépenses. Vers la fin du mois, j'en étais réduit à me sustenter avec, ce que j'appelais, mes « repas à vingt et un sous » – une boîte de pâte de tomates à dix sous, du sel d'ail et de l'eau, mélangés au contenu d'un sac de spaghettis à onze sous. Survivre tant bien que mal au bas de l'échelle sociale n'est pas une expérience qui m'est étrangère.

Après avoir décroché mon diplôme, j'ai commencé à enseigner l'histoire dans une école d'un quartier défavorisé de Chicago. Et c'est alors que j'ai fait la connaissance de mon mentor, W. Clement Stone. M. Stone était un millionnaire qui avait réussi par ses propres moyens. Il m'engagea pour œuvrer dans sa fondation où il m'enseigna les principes fondamentaux du succès, les mêmes que je mets en pratique encore aujourd'hui. Mon travail consistait à essayer de les transmettre à d'autres personnes.

Au cours des années qui ont suivi mon association avec M. Stone, j'ai eu la chance de rencontrer des centaines de personnes dont la vie a été couronnée par la réussite – des athlètes professionnels et olympiques, des artistes de grand renom, des auteurs de livres à succès, des leaders du monde des affaires, des chefs politiques, des entrepreneurs prospères et des vendeurs étoiles.

J'ai lu des milliers de livres (en moyenne deux par semaine) sur le sujet, j'ai assisté à des centaines de séminaires, et j'ai écouté des milliers d'heures d'enregistrements audio pour percer le secret des principes universels du succès et du bonheur. Et j'ai alors intégré les résultats de mes recherches dans mon propre cheminement. J'ai enseigné ceux qui me semblaient être les plus efficaces dans mes conférences, mes séminaires et mes ateliers, à plus d'un million de personnes dans cinquante États américains et dans plus de vingt pays un peu partout dans le monde.

Ces principes et ces techniques ont non seulement été bénéfiques pour moi, mais ils ont aussi aidé des centaines de milliers de mes étudiants à obtenir du succès dans leur carrière, à stabiliser leur situation financière, à trouver plus de satisfaction et de plaisir dans leurs relations, plus de joie et d'épanouissement dans leur vie.

Mes étudiants ont lancé des entreprises prospères, sont devenus millionnaires, ont acquis la renommée sur le plan sportif, ont décroché de lucratifs contrats d'enregistrement des plus grands studios, ont obtenu des premiers rôles à la télévision et au cinéma, ont remporté des élections, ont apporté une contribution significative à leur communauté, ont écrit des livres qui sont devenus des succès, ont été nommés professeurs de l'année dans leur école, ont fracassé tous les records de ventes dans leurs entreprises, ont écrit des œuvres dramatiques primées, sont devenus chefs d'entreprises, ont été acclamés pour leurs œuvres philanthropiques remarquables, ont tissé des liens harmonieux avec leur entourage, et ont élevé des enfants particulièrement heureux et brillants.

SI VOUS LEUR ÊTES FIDÈLE, LES PRINCIPES MARCHENT TOUJOURS

Tous ces résultats sont à votre portée. Je sais d'expérience que vous pouvez, vous aussi, atteindre un niveau de réussite que vous êtes à cent lieues d'imaginer aujourd'hui. Pourquoi ? Parce que les principes et les techniques marchent toujours – tout ce que vous avez à faire, c'est de les mettre à votre service.

Il y a quelques années, j'étais l'hôte d'une émission télévisée à Dallas, au Texas. Je venais d'affirmer que toute personne mettant en pratique les principes que j'enseignais pouvait doubler ses revenus et ses temps libres en moins de deux ans. L'animatrice qui m'interviewait se montra d'abord très sceptique. Je l'ai alors mise au défi d'adopter mes idées et mes techniques au cours des deux prochaines années.

Si, au terme de cette période d'essai, ses revenus et le temps qu'elle pouvait consacrer à ses intérêts personnels n'avaient pas été multipliés par deux, je reviendrais la voir à son émission et je lui ferais un chèque de mille dollars devant les caméras. Si l'expérience avait été concluante, toutefois, elle devrait me réinviter pour attester que mes principes avaient fonctionné dans son cas.

À peine neuf mois plus tard, je l'ai croisée par hasard lors du congrès de la National Speakers Association à Orlando, en Floride. Elle m'annonça qu'elle avait non seulement *déjà* doublé ses revenus, mais qu'elle avait aussi décroché un nouveau poste accompagné d'une importante augmentation de salaire avec une chaîne plus prestigieuse, lancé une carrière parallèle de conférencière, écrit et mis en marché son premier livre – et tout cela en moins de neuf mois!

La réalité, c'est que tout le monde peut obtenir ce genre de résultats de manière pratiquement routinière. Tout ce que vous avez à faire, c'est de décider ce que vous voulez vraiment, croire que vous le méritez, et mettre en pratique les principes de succès de ce livre.

Les principes de base sont les mêmes pour toute personne, quelle que soit sa profession – et ils sont valables même si vous êtes actuellement sans emploi. Peu importe que votre but soit d'être le vendeur étoile de votre entreprise, de devenir un architecte de renom, de vous classer à la tête de votre promotion, de perdre du poids, d'acheter la maison de vos rêves, de vous hisser au sein de l'élite sportive, de devenir une étoile du rock, un journaliste vedette, un multimillionnaire, ou un entrepreneur prospère – les principes et les stratégies demeurent les mêmes. Et si vous les apprenez, les assimilez, et les mettez en application rigoureusement, tous les jours, ils transformeront votre vie au-delà de vos rêves les plus fous.

«VOUS NE POUVEZ EMBAUCHER QUELQU'UN POUR S'ENTRAÎNER À VOTRE PLACE!»

Un philosophe de la motivation, Jim Rohn, l'a déjà fort bien exprimé: «Vous ne pouvez embaucher quelqu'un pour soulever des poids et haltères à votre place.» Vous devez le faire vous-même. Qu'il s'agisse d'entraînement, d'exercices d'étirement, de méditation, de lectures, d'études, de l'apprentissage d'une nouvelle langue, de réunir autour de vous un cercle de collaborateurs, d'établir des buts mesurables, de visualiser votre succès, de répéter des affirmations, ou de mettre en pratique une nouvelle habileté, vous devrez le faire vous-même. Et si vous choisissez de faire les efforts, je vous promets que ceux-ci seront largement récompensés.

COMMENT CE LIVRE EST STRUCTURÉ

Pour vous aider à assimiler rapidement ces puissants principes, j'ai divisé ce livre en six parties. La première partie, intitulée: «Les principes fondamentaux du succès», développe les vingt-quatre éléments de base que vous devez absolument posséder avant d'aller plus loin. Il vous faudra d'abord vous convaincre de l'absolue nécessité d'assumer l'entière responsabilité de votre vie et de votre situation présente. À partir de là, vous apprendrez à clarifier la direction que vous voulez donner à votre vie, votre vision et ce à quoi vous aspirez vraiment.

Puis, nous verrons comment faire naître en vous et en vos rêves une foi indestructible. Je vous enseignerai comment transformer votre vision en un ensemble de buts concrets, et comment établir un plan d'action pour les atteindre. Je vous initierai ensuite au pouvoir incroyable des affirmations et de la visualisation – l'un des secrets du succès de tous les athlètes olympiques, des entrepreneurs qui transforment tout ce qu'ils touchent en or, des leaders mondiaux, et de tant d'autres performeurs de haut niveau.

Les quelques chapitres suivants sont consacrés aux initiatives nécessaires, et parfois angoissantes, qu'il vous faudra prendre pour que vos rêves deviennent réalités. Vous apprendrez à demander ce que vous voulez, à surmonter le rejet, à solliciter des réactions et à y répondre, et à persévérer devant des obstacles qui vous paraissent insurmontables.

La deuxième partie s'intitule: «Transformez-vous pour le succès». Elle traite de l'important travail d'introspection que vous devrez réaliser – travail qui viendra à bout de n'importe quel blocage mental ou émotif qui vous paralyse vis-à-vis la réussite. Il n'est pas suffisant de savoir ce que vous avez à faire. De nombreux livres vous l'enseigneront. Vous devez comprendre l'importance de vous libérer de vos croyances défaitistes, des peurs et des habitudes qui vous empêchent d'avancer.

Un peu comme le frein à main d'une voiture qu'on aurait oublié de désengager, ces obstacles intérieurs peuvent ralentir considérablement votre évolution.

Vous devez apprendre à relâcher ces freins qui font de votre vie une perpétuelle course à obstacles et qui vous empêchent toujours d'atteindre votre but.

Qu'apprendrez-vous dans la deuxième partie? Vous apprendrez comment vous entourer de gens qui connaissent eux-mêmes le succès, à vous accorder tout le crédit pour vos réussites antérieures, à vous libérer des ombres du passé, à affronter ce qui ne fonctionne pas dans votre vie, à embrasser le changement, et à vous engager à évoluer pour le restant de votre existence.

Nous verrons également comment faire le ménage des dégâts, tant physiques qu'émotifs, que vous avez semés derrière vous lors d'étapes antérieures, et aussi, comment compléter les tâches laissées en suspens. Ce passé inachevé vous vole une énergie précieuse qui serait beaucoup plus utile à la réalisation de vos objectifs présents. Je vous montrerai aussi à transformer votre voix intérieure dévalorisante en coach personnalisé positif, et à cultiver d'autres habitudes gagnantes qui changeront votre vie à jamais.

La troisième partie: « Mettez sur pied votre équipe du succès », vous révèle l'importance et la manière de mettre sur pied différents groupes de soutien. Leur rôle est de vous libérer des préoccupations secondaires, de telle sorte que vous puissiez vous concentrer entièrement sur ce qui constitue votre génie propre. Vous apprendrez à redéfinir le temps, comment choisir un coach de vie, et à accéder à votre sagesse intérieure – une ressource inestimable que la plupart des gens laissent inexploitée.

Dans la quatrième partie: « Créez un réseau de relations gagnantes », je vous enseignerai un certain nombre de principes, ainsi que des techniques très pratiques, pour construire et entretenir un réseau de relations personnelles gagnantes. Alors qu'il est de plus en plus question d'alliances stratégiques et de la puissance des réseaux, il vous sera littéralement impossible de construire un succès durable, et à grande échelle, si vous ne cultivez pas assidûment l'art de soigner vos rapports avec autrui.

Enfin, puisque pour la plupart des gens, la réussite et l'argent sont synonymes, et aussi parce que l'argent est essentiel à la survie et à la qualité de la vie, la cinquième partie est consacrée au thème du succès et de l'argent. Je vous enseignerai comment cultiver un rapport plus sain et positif vis-à-vis l'argent, comment faire en sorte que vous ayez toujours suffisamment de liquidités pour jouir du mode de vie que vous aimez, maintenant et après la retraite, et toute l'importance de la pratique de la générosité, et de l'engagement envers la communauté, comme pierres d'assise de votre succès financier.

La sixième partie : « Le succès commence dès aujourd'hui » se résume à deux courts chapitres qui vous inciteront à vous mettre en marche maintenant, et à habiliter les autres à vous imiter dans le processus. Ces chapitres vous propulseront vers la création de l'existence dont vous avez toujours rêvé, mais qui vous échappait, faute de savoir comment la créer.

COMMENT LIRE CE LIVRE

« Ne croyez rien. Peu importe où vous l'avez lu, ou qui vous l'a dit, même si c'est moi qui vous l'ai révélé, à moins que cela ne soit en accord avec votre raison et votre conscience. »

BOUDDHA

Chaque personne apprend à sa façon, et vous connaissez probablement déjà la méthode la plus efficace pour vous. Bien qu'il y ait plusieurs manières d'aborder ce livre, j'aimerais vous faire quelques suggestions qui pourraient vous aider.

Vous pourriez, par exemple, lire ce livre du début à la fin pour avoir une idée d'ensemble du processus, avant de vous engager dans la création de cette existence que vous désirez vraiment. Les principes sont présentés dans un ordre logique et chacun s'appuie sur le précédent. Ils représentent les numéros de la combinaison d'un coffre-fort – vous avez besoin de chacun d'entre eux, et vous devez les connaître dans le bon ordre. Peu importe votre origine ethnique, votre sexe, ou votre âge, si vous connaissez la combinaison, les portes du coffre-fort s'ouvriront pour vous.

Au fur et à mesure de votre lecture, je vous encourage fortement à souligner et à mettre en évidence tout ce qui semble important à vos yeux. Écrivez dans les marges ce que vous prévoyez faire pour mettre une notion quelconque en pratique. Relisez ces notes et les sections qui vous ont particulièrement intéressé, encore et encore. La répétition est la clé de tout apprentissage.

Chaque fois que vous relirez une partie de ce livre, vous « graverez » un peu plus profondément dans votre esprit les gestes que vous devrez poser pour vous arracher à votre situation présente et vous rendre à celle que vous désirez. Comme vous le découvrirez, il est nécessaire de s'exposer plusieurs fois à une nouvelle idée avant que celle-ci devienne une partie intégrante de votre façon d'être et de penser.

Vous verrez aussi que vous êtes déjà familier avec quelques-uns des principes énumérés ici. C'est formidable! Mais demandez-vous alors? «*Est-ce que je les mets actuellement en pratique?*» Sinon, engagez-vous à le faire dès maintenant!

Et rappelez-vous: Les principes marchent toujours, mais seulement si vous les mettez à votre service.

Lorsque vous lirez ce livre pour la deuxième fois, lisez un chapitre à la fois, et prenez le temps qu'il faut pour appliquer le principe présenté. Si vous faites déjà ce qu'on y explique, continuez à le faire. Sinon, commencez maintenant.

Comme plusieurs de mes anciens clients et étudiants, vous résisterez sans doute à adopter certains des comportements que je vous suggère. Mais mon expérience m'a maintes fois démontré que ce sont précisément ceux qui vous font le plus hésiter qui vous seront les plus bénéfiques. Rappelez-vous, lire un livre n'est pas similaire à faire le travail, pas plus que la lecture d'une méthode pour perdre du poids est l'équivalent d'absorber moins de calories, ou de faire plus d'exercices.

Vous trouverez sans doute avantageux de vous associer à une ou deux personnes qui voudront vous accompagner, et qui joueront à votre égard, le rôle de «surveillante», rôle que vous exercerez à votre tour envers elles. C'est le meilleur moyen de vous assurer que vous mettez en pratique ce que vous apprenez. L'apprentissage véritable ne survient que lorsque vous avez assimilé et mis en pratique les nouvelles connaissances – lorsqu'il y a un changement dans votre comportement.

UNE MISE EN GARDE

Bien sûr, tout changement demande un effort soutenu pour surmonter des années de résistances émotionnelles intérieures ou venant de votre entourage. Au début, vous serez sans doute emballé par ce que vous lirez. Vous serez emporté par un élan d'espoir et d'enthousiasme face à la vision de votre nouvelle vie. Tout cela est très bien. Mais soyez conscient que vous pourriez expérimenter d'autres genres d'émotions.

Vous ressentirez peut-être de la frustration de ne pas avoir su tout cela plus tôt, de la colère envers vos parents et vos professeurs, pour avoir négligé de vous enseigner ces importants concepts à l'école et à la maison, ou vous vous ferez peut-être des reproches parce que vous saviez déjà toutes ces choses, mais que vous ne les avez jamais mises en pratique.

Prenez alors une grande respiration et dites-vous que tout ceci fait partie intégrante du voyage que vous avez entrepris. Tout ce qui s'est produit dans le passé a été parfait, en réalité. Les événements de votre passé vous ont conduit à ce moment précis où vous entreprenez votre transformation. Tout le monde – y compris vous – a toujours fait de son mieux avec les moyens du bord de l'époque. Maintenant, vous êtes appelé à en apprendre bien davantage. Bénissez votre nouvelle conscience ! Elle est sur le point de vous libérer.

À certains moments aussi, vous vous interrogerez : « *Pourquoi tout cela ne fonctionne-t-il pas plus rapidement ? Pourquoi n'ai-je pas atteint mes buts ? Pourquoi ne suis-je pas déjà riche ? Pourquoi n'ai-je pas déjà à mes côtés l'homme ou la femme de mes rêves ? Quand atteindrai-je enfin le poids idéal ?* » Le succès exige du temps, des efforts, de la persévérance, et de la patience. Si vous appliquez les principes et les techniques expliqués dans ces pages, vous atteindrez vos buts. Vous réaliserez vos rêves. Mais cela n'arrivera pas du jour au lendemain.

Il est naturel que la réalisation de tout objectif se heurte à des obstacles et que, rendu à certains niveaux, vous aurez l'impression d'être temporairement immobilisé. C'est normal. Quiconque a déjà pratiqué un instrument de musique, un sport, ou un art martial connaît cette sensation, lorsque tout progrès semble irrémédiablement bloqué. Et c'est à ce moment-là que le non-initié abandonne souvent et adopte un nouveau sport ou un nouvel instrument de musique.

Le sage sait que, s'il persévère dans la pratique de cet instrument, ou de ce sport, ou de cet art martial (dans votre cas, des principes du succès de ce livre), il fera bientôt des progrès spectaculaires. Soyez patient. Accrochez-vous. N'abandonnez pas. Vous percerez, vous vaincrez. Les principes marchent toujours.

Allons, il est temps de se mettre en route !

« *Le moment est venu de vivre la vie que vous avez imaginée.* »

HENRY JAMES
Auteur de vingt nouvelles, cent douze histoires et douze pièces de théâtre

PREMIÈRE PARTIE

Les principes fondamentaux du succès

« Apprenez les principes fondamentaux du jeu et n'en dérogez plus. Les solutions improvisées ne marchent jamais. »

JACK NICKLAUS
Légende du golf professionnel

PRINCIPE 1

Assumez l'entière responsabilité de votre vie

« Vous devez admettre votre responsabilité personnelle. Vous ne pouvez modifier les circonstances, les saisons ou le vent, mais vous avez le pouvoir de changer. »

JIM ROHN
Philosophe américain des affaires de tout premier plan

L'un des mythes les plus fermement ancrés dans la culture américaine d'aujourd'hui est que le succès est un droit acquis. D'une façon ou d'une autre, quelqu'un (sûrement pas nous) se chargera de veiller sur notre bonheur, de nous offrir un plan de carrière épatant taillé sur mesure, d'organiser notre emploi du temps pour que nous puissions nous occuper de notre famille, harmonisera nos relations interpersonnelles, et ce, tout simplement parce que nous existons.

Mais la réalité – et il s'agit de la leçon centrale de ce livre – c'est qu'il n'y a qu'une seule personne responsable de la qualité de l'existence que vous menez.

Et cette personne, c'est vous.

Si vous voulez avoir du succès, vous devez assumer la pleine et entière responsabilité de tout ce qui arrive dans votre vie. Ceci inclut vos réalisations passées, les résultats que vous obtenez aujourd'hui, la qualité de vos relations avec les autres, votre état de santé, votre condition physique, vos revenus, vos dettes, vos émotions – tout !

Et ce n'est pas toujours facile à accepter.

En fait, nous avons pris la mauvaise habitude de faire porter aux autres et aux événements la responsabilité des aspects de notre vie que nous n'aimons pas. Nous blâmons nos parents, nos patrons, nos amis, les médias, nos collègues de travail, nos clients, notre conjoint, le temps, l'économie, le signe sous lequel nous sommes nés, notre manque d'argent – toute chose, ou toute personne, à portée de la main, qui peut jouer le rôle de bouc émissaire. Nous ne nous tournons jamais vers la vraie source du problème, c'est-à-dire nous-même.

Il existe une merveilleuse histoire à ce sujet. Une nuit, un passant qui déambule sur le trottoir fait la rencontre inopinée d'un homme agenouillé, qui semble chercher quelque chose sous un lampadaire. Le passant l'interroge et l'autre lui répond qu'il cherche ses clés. En bon samaritain, le passant s'offre de participer aux recherches. Après une heure d'efforts infructueux, il dit : « Nous avons cherché partout et nous n'avons rien trouvé. Êtes-vous certain de les avoir perdues ici ? »

Et l'homme de répondre : « Non, je les ai égarées plus loin, mais il y a davantage de lumière ici, sous ce lampadaire. »

Il est temps de cesser de chercher ailleurs les raisons de votre insatisfaction relativement à ce que la vie vous a apporté jusqu'à maintenant. Vous avez créé les circonstances dans lesquelles vous vivez aujourd'hui, vous êtes l'auteur de ce résultat.

Vous et personne d'autre !

Pour obtenir du succès – pour réaliser ce qui importe le plus à vos yeux – vous devez assumer la pleine et entière responsabilité de votre vie, et cela à cent pour cent. Rien de moins ne fera l'affaire.

UNE PLEINE ET ENTIÈRE RESPONSABILITÉ POUR TOUT

En 1969, comme je le mentionnais dans l'introduction, une année seulement après l'obtention de mon diplôme, j'ai eu le bonheur de travailler pour W. Clement Stone. M. Stone a bâti, sans l'aide de personne, une fortune évaluée à six cents millions de dollars, bien avant la vague des millionnaires « point-coms » des années 1990. W. Clement Stone a aussi été le premier gourou américain de la réussite, l'éditeur de *Success Magazine*, l'auteur du classique *Le Chemin infaillible du succès*, et le coauteur, avec Napoleon Hill, du livre phare *Le succès par la pensée constructive*.

Alors que je complétais ma première semaine d'initiation, M. Stone me demanda si j'acceptais l'entière responsabilité de ma situation présente.

« Je pense bien, lui ai-je répondu.

– Jeune homme, la réponse à cette question est oui ou non. Alors ?

– Eh bien, je n'en suis pas tout à fait certain.

– As-tu déjà blâmé les autres pour certains déboires dans ta vie ? T'es-tu déjà plaint de quelque chose ?

– Hum, ouais, je suppose que c'est déjà arrivé.

– Ne fais pas que supposer. Pense.

– Oui, je l'ai déjà fait.

– C'est ce que je voulais t'entendre dire. Cela signifie que tu n'assumes pas la pleine et entière responsabilité de ta vie. Prendre toute la responsabilité, à cent pour cent, signifie que tu reconnais être l'auteur de tout ce qui est survenu dans ta vie. Cela veut dire que tu admets que tu es la cause de toutes tes expériences, bonnes ou mauvaises.

« Si tu veux connaître le succès, et je sais que c'est le cas, alors tu dois cesser de blâmer les autres, tu dois aussi arrêter de te plaindre. Tu dois accepter l'entière responsabilité des résultats que tu as obtenus dans ta vie – tant les réussites que les échecs. Ceci est la condition préalable à la création d'une vie couronnée de succès. C'est seulement en reconnaissant que tu as provoqué tout ce qui existe dans ta vie présente que tu pourras devenir le maître d'œuvre de ton avenir.

« Vois-tu, Jack, continua-t-il, si tu prends conscience que c'est toi qui es l'auteur des circonstances présentes de ton existence, tu pourras "désassembler" ce qui ne marche pas et tout refaire selon ta volonté. Est-ce que tu comprends cela ?

– Oui, monsieur, je le comprends.

– Est-tu prêt à assumer l'entière responsabilité de ta vie, à cent pour cent ?

– Oui, monsieur, je suis prêt ! »

Et c'est ce que j'ai fait.

VOUS DEVEZ RENONCER À TOUTES VOS EXCUSES

« Quatre-vingt-dix-neuf pour cent de tous les désastres sont causés par des personnes qui ont l'habitude d'inventer des excuses. »

GEORGE WASHINGTON CARVER
Un chimiste de renom qui a découvert trois cent vingt-cinq usages de l'arachide.

Si vous voulez créer la vie de vos rêves, alors vous devrez aussi prendre la pleine et entière responsabilité de vos actions. Cela veut dire, renoncer à toutes vos excuses, à vos histoires de victimes, aux justifications de votre incapacité ou de votre inaction, et à votre répertoire de blâmes dirigés vers des circonstances extérieures. Vous devez y renoncer pour toujours.

Il faut que vous adoptiez le point de vue que vous avez toujours eu le pouvoir de faire les choses différemment, de les faire correctement, et d'obtenir les résultats escomptés. Pour une raison ou pour une autre – l'ignorance, l'inconscience, la peur, le désir d'avoir raison, un excès de prudence –, vous avez renoncé à votre pouvoir. Pourquoi l'avez-vous fait? Cela n'a pas d'importance. On ne peut plus changer le passé. Tout ce qui importe maintenant, c'est que vous choisissiez désormais – il s'agit bien ici d'un choix – d'agir comme si (c'est tout ce qu'il faut – faire comme si) vous étiez responsable à cent pour cent de tout ce qui arrive, ou n'arrive pas, dans votre vie.

Si un événement ne se déroule pas comme vous l'aviez prévu, demandez-vous: *« Comment ai-je créé ce qui vient de se produire? Qu'est-ce que je pensais? Quelles étaient mes convictions? Qu'est-ce que j'ai dit? Qu'aurais-je dû dire à la place? Qu'est-ce que j'ai fait pour que les autres réagissent ainsi? Que dois-je faire autrement la prochaine fois pour obtenir ce que je veux? »*

Quelques années après ma rencontre avec M. Stone, le Dr Robert Resnick, un psychothérapeute de Los Angeles, m'a appris une formule très simple, mais très importante, qui m'a permis de mieux comprendre cette notion de responsabilité à cent pour cent.

É + R = E
(Événement + Réaction = Effet)

L'idée de base est que toutes vos expériences de la vie (que ce soit le succès ou l'échec, la richesse ou la pauvreté, la santé ou la maladie, l'intimité ou l'aliénation, la joie ou la frustration) sont le résultat de vos réactions en réponse à un, ou plusieurs événements antérieurs.

Si vous n'aimez pas les conditions dans lesquelles vous vous trouvez il y a deux manières de réagir.

1. **Vous pouvez accuser l'événement (É) qui est la cause des effets (E) malheureux dans votre vie.** En d'autres termes, vous pouvez vous en prendre à l'économie, au climat, au manque d'argent, à votre formation déficiente, au racisme, au sexisme, au gouvernement actuel, à votre compagnon ou compagne de vie, à l'attitude de votre supérieur, au

climat politique, au système ou à l'absence de système, et ainsi de suite. Si vous êtes golfeur, vous voudrez probablement blâmer vos bâtons, ou l'état des allées. Il n'y a pas de doute que tous ces facteurs sont réels, mais s'ils étaient décisifs et déterminants, personne ne réussirait jamais rien.

Jackie Robinson n'aurait jamais évolué dans les ligues majeures de baseball, Sidney Poitier et Denzel Washington ne seraient jamais devenus des étoiles de cinéma, Dianne Feinstein et Barbara Boxer n'auraient jamais été élues au Sénat, Erin Brockovich n'aurait jamais mis à jour le rôle de l'entreprise PG & E (Pacific Gas & Electricity) dans la contamination de l'eau de la municipalité de Hinkley, en Californie, Bill Gates n'aurait jamais fondé Microsoft, et Steve Jobs n'aurait pas lancé la société Apple. Dès que vous trouvez une excellente raison, « prouvant » l'impossibilité de réussir, vous voyez apparaître des centaines d'exemples de personnes qui ont dû affronter cette même difficulté, et qui ont obtenu du succès malgré tout.

Bien des personnes surmontent ces conditions prétendues adverses ou qui sont des facteurs limitatifs pour d'autres. On ne peut donc pas les considérer comme des obstacles insurmontables. Ce ne sont pas les conditions extérieures qui nous arrêtent – nous nous limitons nous-mêmes ! Nous adoptons des idées défaitistes et des comportements autodestructeurs. Et nous justifions ces comportements (comme boire ou fumer) à l'aide d'une logique indéfendable.

Nous ignorons les commentaires utiles de notre entourage, nous négligeons de continuer à nous instruire, ou d'acquérir de nouvelles compétences, nous gaspillons notre temps à des occupations futiles, nous participons à des commérages sans intérêt, nous mangeons des aliments malsains, nous refusons de nous entraîner, nous dépensons plus d'argent que nous n'en gagnons, nous n'investissons pas intelligemment notre capital, nous attisons des conflits inutiles, nous mentons, nous ne réflé-chissons pas sérieusement à ce que nous voulons – et après, nous nous étonnons que les choses aillent mal.

C'est la manière d'agir de la plupart des gens. Ils font porter le blâme de tout ce qui ne fonctionne pas dans leur vie sur des circonstances ou des événements extérieurs. Ils ont une excuse pour tout.

2. **Vous pouvez, au contraire, tout simplement modifier votre réaction (R) aux événements (É), tels qu'ils se présentent, jusqu'à ce que vous obte-niez l'effet (E) que vous désirez.** Vous pouvez changer votre manière de

penser et de communiquer, votre conception du monde (votre propre image et celle de votre environnement), vous pouvez changer votre comportement à votre gré, et ce que vous faites. Ce sont les seules choses qui soient entièrement en votre pouvoir, de toute manière. Malheureusement, nous sommes en général tellement ancrés dans nos habitudes, que nous sommes incapables de modifier notre comportement.

Nous nous accrochons à nos réactions habituelles, à l'égard de notre époux ou de nos enfants, de nos collègues de travail, de nos clients, de nos étudiants, et du monde en général. Nous sommes un ensemble de réflexes conditionnés agissant indépendamment de notre volonté. Vous devez reprendre le contrôle de vos pensées, de vos images mentales, de vos rêves, de vos rêveries éveillées et de votre comportement. Toutes vos pensées, vos paroles et vos actions doivent désormais être volontaires et mises au service de vos intérêts, de vos valeurs et de vos objectifs.

SI VOUS N'AIMEZ PAS LES EFFETS, RÉAGISSEZ AUTREMENT

Voyons maintenant comment tout cela fonctionne à l'aide de quelques exemples.

Vous souvenez-vous du tremblement de terre de Northridge en 1994? Moi, si! Je l'ai vécu puisque je me trouvais à Los Angeles à ce moment-là. Deux jours plus tard, lors d'un reportage télévisé à CNN, un journaliste interviewait des automobilistes en route vers leur travail. Le séisme avait endommagé l'une des principales autoroutes reliant la ville à sa périphérie. La circulation était complètement paralysée. Un trajet qui prenait normalement une heure à compléter, en demandait maintenant deux ou trois.

Le reporter frappa à la portière d'une voiture immobilisée dans un des bouchons de circulation et demanda à l'automobiliste comment il vivait la situation.

Le conducteur du véhicule répondit d'une voix chargée de colère: « Je déteste la Californie. D'abord, nous avons eu des incendies, ensuite des inondations, et maintenant un tremblement de terre! Peu importe à quelle heure je quitte mon domicile le matin, j'arrive en retard au travail. C'est incroyable! »

Le journaliste posa la même question au conducteur de la voiture qui se trouvait juste derrière. Celui-ci était tout sourire. Il répondit: « Ça ne me dérange pas. Je quitte la maison à cinq heures. Dans les circonstances, je ne peux imaginer que mon employeur puisse en exiger davantage. J'apporte avec moi plusieurs

© 2000 Randy Glasbergen.   www.galsbergen.com

« Ce que je fais à mon travail ? La plupart du temps, nous inventons des excuses. »

cassettes de musique, de même que mon cours d'espagnol enregistré. J'ai aussi mon téléphone cellulaire, du café dans un thermos, un goûter, et même un livre. Alors, ça va très bien. »

Si le séisme ou la paralysie de la circulation avaient vraiment été des facteurs déterminants, alors tout le monde aurait dû être en colère. Mais ce n'était pas le cas. C'était la réaction spécifique de chaque individu qui déterminait les effets particuliers qu'ils produisaient sur chacun d'eux. Les pensées, négatives ou positives, ou le fait de quitter la maison préparés ou non, dictaient les effets sur l'humeur des automobilistes. La différence de perception par rapport à l'expérience vécue était finalement une question d'attitude et de comportement.

« J'AI ENTENDU DIRE QU'UNE RÉCESSION ÉTAIT À NOS PORTES, ET J'AI DÉCIDÉ DE NE PAS Y PARTICIPER ! »

Un de mes amis est propriétaire d'une concession automobile Lexus, dans le Sud de la Californie. Lorsque la guerre du Golfe a éclaté, les gens ont cessé d'acheter des Lexus (ou des Lexi, pour les latinistes parmi vous). Le concessionnaire savait bien que, s'il ne changeait pas sa stratégie de ventes en réaction (R) à cet événement (É), les effets (E) sur ses affaires seraient catastrophiques.

Sa première réaction (R) fut de continuer de faire de la publicité dans les journaux et à la radio. Il s'aperçut rapidement que cela ne fonctionnait pas. L'effet (E) de cette stratégie était une baisse régulière des ventes. Alors, mon ami prit un certain nombre d'initiatives. Celle qui fonctionna le mieux fut de faire défiler une flotte de nouvelles voitures dans les quartiers huppés, là où les gens riches se trouvent – les clubs de loisirs, les marinas, les terrains de polo, dans les fêtes de Beverly Hills et de Westlake Village –, et à inviter ces personnes fortunées à faire une balade en Lexus.

Avez-vous déjà fait l'essai d'une voiture neuve avant de reprendre le volant de votre « vieille » voiture ? Vous connaissez alors ce sentiment d'insatisfaction provoquée par la comparaison entre votre véhicule et le bolide flambant neuf que vous venez de quitter ? Jusque-là, votre automobile vous procurait entière satisfaction. Mais maintenant, vous venez de découvrir quelque chose de mieux – et vous ne pouvez plus vous en passer. Le même phénomène se produisait chez ces personnes. Après une promenade en Lexus, plusieurs en ont acheté ou loué une.

Le concessionnaire a adapté sa réaction (R) à un événement inattendu (É) – la guerre – jusqu'à ce qu'il obtienne l'effet (E) qu'il désirait : une augmentation de ses ventes. En fait, celles-ci ont même augmenté au-delà de ce qu'elles étaient avant le déclenchement du conflit.

TOUT CE QUI ARRIVE AUJOURD'HUI EST LE RÉSULTAT DE CHOIX FAITS HIER

Tout ce que vous vivez aujourd'hui – tant sur le plan de votre bien-être psychologique que de votre prospérité matérielle – est le résultat de l'ensemble de vos réactions aux événements passés.

Événement :	Vous obtenez une prime de 400 $.
Réaction :	Vous faites la fête en ville, et vous la dépensez en une seule soirée.
Effet :	**Vous êtes fauché.**
Événement :	Vous obtenez une prime de 400 $.
Réaction :	Vous l'investissez dans un plan de retraite.
Effet :	**Votre valeur nette vient d'augmenter d'autant.**

Il n'y a que trois choses sur lesquelles vous ayez une maîtrise absolue – vos pensées, les images que vous faites défiler dans votre esprit, les gestes que vous posez (votre comportement). La façon dont vous faites usage de ces trois éléments détermine tout ce qui survient dans votre existence.

Si vous n'aimez pas ce que vous faites, ou ce qui vous arrive, vous devez changer votre manière de réagir aux événements. Transformez vos pensées négatives en pensées positives. Trouvez de nouveaux thèmes à vos rêveries. Adoptez de nouvelles habitudes. Lisez autre chose. Faites-vous de nouveaux amis. Tenez un langage différent.

SI VOUS CONTINUEZ À FAIRE CE QUE VOUS AVEZ TOUJOURS FAIT, VOTRE AVENIR SERA À L'IMAGE DE VOTRE PASSÉ

Les programmes en douze étapes, comme celui des Alcooliques anonymes, définissent la folie de la manière suivante : « Conserver le même comportement, et en attendre des résultats différents. » C'est une impossibilité ! Si vous êtes alcoolique et que vous continuez à boire, votre vie ne s'améliorera pas d'un iota. De la même manière, si vos gestes ou réactions par rapport aux événements demeurent les mêmes, c'est-à-dire contre-productifs, n'escomptez pas de changements positifs dans votre existence.

Le jour où vous déciderez de changer, c'est aussi celui où votre vie changera pour le mieux ! Si ce que vous faites maintenant était vraiment destiné à vous apporter tout ce que vous souhaitez, vos souhaits seraient déjà exaucés ! Si vous désirez que les choses changent, alors vous devez commencer à agir autrement.

VOUS DEVEZ RENONCER À BLÂMER LES AUTRES

« Tout blâme que vous lancez à l'autre est un coup d'épée dans l'eau. Peu importe l'importance de la faute que vous lui attribuez, ou la férocité de vos reproches, cela ne changera rien à votre situation. »

WAYNE DYER
Coauteur de *Comment obtenir ce que vous voulez vraiment, vraiment, vraiment*

Vous n'aurez jamais de succès tant que vous continuerez à blâmer les autres pour tout ce que vous n'avez pas. Si vous voulez vraiment être un gagnant, vous devez être lucide ; c'est vous qui avez posé des gestes, conçu des idées, ressenti des émotions, et fait des choix qui vous ont mené là où vous êtes aujourd'hui.

C'était bien vous!

Vous êtes la personne qui s'est empiffrée de malbouffe.
Vous êtes la personne qui n'a pas su dire non.
Vous êtes la personne qui a accepté le poste.
Vous êtes la personne qui s'est accrochée à cet emploi.
Vous êtes la personne qui a préféré les croire.
Vous êtes la personne qui a fait taire son intuition.
Vous êtes la personne qui a renoncé à ses rêves.
Vous êtes la personne qui a fait l'achat.
Vous êtes la personne qui a été insouciante.
Vous êtes la personne qui a décidé de faire cavalier seul.
Vous êtes la personne qui lui a fait confiance.
Vous êtes la personne qui a accepté d'adopter ses chiens.

En résumé, vous avez eu ces pensées, ressenti ces émotions, fait ces choix, dit ces mots, et c'est pourquoi vous en êtes là maintenant.

VOUS DEVEZ RENONCER À VOUS PLAINDRE

« Le joueur qui se plaint des bonds que fait le ballon est habituellement celui qui l'a échappé. »

LOU HOLTZ
Le seul instructeur de la NCAA qui a conduit six équipes collégiales de football aux séries éliminatoires de fin de saison. Il a aussi remporté un championnat national et le titre d'instructeur de l'année

© Tribune Media Services, inc.
Tous droits réservés.

Réfléchissez un moment à ce qu'implique le fait de se plaindre. Nous manifestons notre insatisfaction de cette manière lorsque nous pensons que quelque chose de meilleur existe. Vous devez avoir un point de repère, une préférence, mais vous refusez d'admettre que c'est votre responsabilité de voir à ce que cela arrive. Examinons cette question de plus près.

Si vous n'étiez pas persuadé que quelque chose de meilleur existe – davantage d'argent, une maison plus spacieuse, un emploi plus gratifiant, un conjoint plus aimant – vous ne vous plaindriez pas. Vous avez en tête l'image d'une situation idéale que vous préférez à votre réalité présente, mais vous ne voulez pas prendre les risques qu'il faut pour vous y rendre.

Réfléchissez à ceci maintenant. Les gens se plaignent seulement des situations qu'ils peuvent changer. Nous ne faisons pas de reproches aux réalités qui échappent entièrement à notre pouvoir. Avez-vous déjà entendu quelqu'un maugréer contre la force de gravité? Non, jamais. Avez-vous déjà vu un vieillard courbé sous le poids des ans s'en prendre à l'attraction terrestre? Bien sûr que non.

Mais pourquoi personne ne le fait? Si la gravité n'existait pas, les gens ne dévaleraient pas les escaliers, les avions ne s'écraseraient pas et nous ne briserions pas la vaisselle. Mais personne ne se plaint de cela. Et la raison, c'est que la gravité existe, point final. Comme nous n'y pouvons rien, nous l'acceptons. En fait, nous cherchons à l'utiliser à notre avantage. Nous construisons des aqueducs à flanc de montagnes pour acheminer l'eau vers nos villes, et nous avons des égouts pour évacuer les déchets de nos maisons.

Plus intéressant encore, nous utilisons la loi de la pesanteur dans nos jeux, pour avoir du plaisir. Presque tous les sports tirent parti de la gravité, d'une manière ou d'une autre. Nous skions, faisons du saut acrobatique, du saut en hauteur, lançons le disque ou le javelot, jouons au basketball, au baseball, et au golf – autant d'activités où le concours de la pesanteur est indispensable.

Par contre, nous nous plaignons de situations qui, de par leur nature même, pourraient être changées – mais que nous avons choisi de laisser telles qu'elles étaient. Vous pouvez trouver un meilleur emploi, rencontrer un partenaire plus aimant, gagner plus d'argent, vivre dans une plus jolie maison, habiter dans un meilleur quartier, ou consommer une nourriture plus saine.

Si nous reprenons un à un les éléments de notre liste précédente, vous voyez que vous pourriez…

… apprendre à préparer des aliments plus sains.

… résister à la pression de vos pairs, et dire non.

… démissionner et trouver un meilleur emploi.

… prendre le temps de faire les choses à fond.

… faire davantage confiance à vos intuitions.

… retourner aux études pour réaliser un rêve.

… mieux entretenir ce que vous possédez.

… demander aux autres leur assistance.

… suivre un cours de croissance personnelle.

… donner ou vendre vos chiens.

Mais pourquoi ne le faites-vous pas, tout simplement? Parce qu'il y a un risque. Vous risquez d'être sans emploi, abandonné, ridiculisé ou jugé. Vous pourriez échouer, provoquer des réactions agressives, ou avoir tort. Votre mère, vos voisins, ou votre conjoint pourraient jeter sur vous des regards désapprobateurs. Le changement demande des efforts, de l'argent, et du temps. La transition peut amener son lot d'inconforts, de difficultés, de confusion. Alors, pour éviter le risque de ces expériences ou émotions désagréables, vous optez pour le *statu quo*, vous ne faites rien… et vous vous plaignez.

Comme je le mentionnais précédemment, le fait de se plaindre suppose l'existence de quelque chose de mieux, qu'on préférerait à la situation actuelle. Mais nous refusons de risquer quoi que ce soit pour l'obtenir. Ou bien vous acceptez que vous avez fait le choix de rester où vous êtes actuellement, que vous êtes responsable de la situation présente, et vous cessez de vous plaindre, ou vous prenez le risque de créer par vos propres moyens la vie dont vous rêvez.

Si vous voulez vous arracher à votre monde actuel, pour aller vers celui dont vous rêvez, vous devez courir ce risque.

Alors, décidez dès aujourd'hui de cesser à tout jamais de vous plaindre, de perdre votre temps avec des geignards, et lancez-vous résolument à l'assaut de vos rêves.

VOUS VOUS PLAIGNEZ À LA MAUVAISE PERSONNE

Avez-vous déjà remarqué que les gens se plaignent presque toujours aux mauvaises personnes – à celles qui ne peuvent absolument rien faire pour les aider? Au travail, ils se plaignent de leur épouse; de retour à la maison, ils critiquent leurs collègues de travail. Pourquoi? Parce que c'est plus facile et surtout beaucoup moins risqué.

Il faut du courage pour dire à la personne qui vit avec vous que vous n'êtes pas heureux avec elle. Il faut de l'audace pour demander des changements de comportements. Il faut du cran pour entrer dans le bureau de votre patron et lui demander de mieux planifier vos tâches, parce que vous en avez assez de devoir travailler tous vos week-ends. Dans ce dernier cas, il n'y a que votre patron qui peut faire quelque chose. Votre épouse et vos collègues n'y peuvent rien.

Apprenez à remplacer les plaintes par des demandes et des gestes concrets afin de produire les effets désirés. C'est ce que toutes les personnes qui ont du succès font chaque jour. Parce que ça marche. Si vous vous trouvez coincé dans une situation qui vous déplaît, vous pouvez essayer de l'améliorer, ou vous en aller.

Faites quelque chose, ou partez. Entendez-vous avec votre conjoint pour améliorer la qualité de votre relation, ou divorcez. Prenez des initiatives pour bonifier vos conditions de travail, ou cherchez un meilleur emploi. D'une façon ou d'une autre, un changement surviendra. Comme le dit la sagesse populaire: «Ne restez pas les bras croisés. Faites quelque chose!» Et gardez toujours à l'esprit que la balle est dans votre camp, c'est à vous de faire les choses différemment. Le monde ne vous doit rien. C'est à vous de le créer tel que vous le voulez.

OU BIEN VOUS CRÉEZ VOTRE VIE, OU BIEN VOUS LA REMETTEZ ENTRE LES MAINS DU HASARD

Vous devez adopter le point de vue que, si vous négligez de créer la vie que vous voulez, vous devrez accepter ce qui vous arrive ensuite, bon gré mal gré. Par créer, j'entends que vous êtes la cause directe de ce qui se produit, que ce soit par votre action, ou par votre inaction. Si vous abordez un homme beaucoup plus costaud que vous, manifestement éméché, et qui est accoudé sur le comptoir d'un bar en lui disant: «Vous êtes bête et méchant!»; vous aurez alors créé de toutes pièces les conséquences fâcheuses qui en résulteront – vous aurez été l'auteur de votre malheur. Voilà un exemple simple à comprendre.

En voici un autre un peu plus difficile à accepter: Vous travaillez dur tous les soirs et vous rentrez toujours à la maison éreinté et épuisé. Vous avalez votre dîner dans un état comateux, et vous vous affalez devant le téléviseur pour regarder un match de basketball. Vous êtes trop fatigué et tendu pour faire autre chose – comme aller faire une grande promenade ou jouer avec les enfants. Le scénario se répète, soir après soir. Votre femme veut en discuter avec vous. Vous lui répondez : « Une autre fois, chérie ! » Trois ans plus tard, vous rentrez à la maison et une note vous attend dans une maison vide. Vous êtes l'auteur de cela aussi !

À d'autres moments, nous permettons simplement aux aléas de la vie de nous atteindre par inertie. Nous ne manifestons pas la volonté nécessaire pour construire, ou conserver, ce que nous aimons :

- Vous n'avez pas donné suite à votre menace de les punir si vos enfants ne rangeaient pas leurs affaires ; la maison ressemblera bientôt à une zone de guerre.
- Vous n'avez pas exigé que votre conjoint consulte un psychologue, ou s'en aille, après un premier acte de violence ; vous êtes maintenant régulièrement victime de ses coups.
- Vous n'avez assisté à aucun séminaire de ventes ou de motivation parce que vous étiez trop occupé ; le nouveau venu vous a rapidement dépassé, et il vient d'être nommé vendeur de l'année.
- Vous n'aviez pas de temps à consacrer au dressage de vos chiens ; ils sont maintenant maîtres de votre maison.
- Vous étiez trop occupé pour faire l'entretien de votre voiture ; vous voilà maintenant immobilisé par une panne en bordure de la route.
- Vous ne vouliez pas retourner à l'université parce que vous vous pensiez trop vieux. La promotion que vous convoitiez tant vient de vous échapper.

Prenez conscience que vous n'êtes jamais une innocente victime dans les situations décrites ci-dessus. Vous êtes demeuré un spectateur passif, et vous avez laissé tout cela vous arriver. Vous n'avez rien dit, rien demandé, rien exigé, rien refusé, rien essayé. Vous êtes resté là, les bras croisés.

LES ALERTES JAUNES

Sachez que les choses ne vous « arrivent » jamais sans crier gare. Tout comme les « alertes jaunes » de la vénérable série télévisée *Star Trek*, vous recevez pratiquement toujours des signes précurseurs – sous la forme d'indices subtils, de commentaires entendus, d'une intuition ou d'un signal de votre « petit doigt » – qui essaient de vous prévenir d'un danger imminent. Cela vous donne le temps de vous protéger de leurs effets dévastateurs.

Vous recevez constamment des « alertes jaunes ». Voici quelques exemples d'indices matériels significatifs :

Il arrive fréquemment tard à la maison, et son haleine empeste l'alcool.

Le premier chèque de votre nouveau client était sans provision.

Vous le voyez engueuler sa secrétaire.

Sa mère vous met en garde à son sujet.

Vos amis vous en parlent.

Et voici des exemples d'alertes jaunes de nature intuitive.

Une étrange sensation dans l'estomac.

Vous avez un soupçon.

Quelque chose vous dit que…

Vous avez une intuition.

Vous ressentez subitement de la peur.

Un rêve étrange vous a tiré de votre sommeil la nuit précédente.

Il existe un langage pour décrire ce genre d'impressions diffuses, qu'on aurait tort d'ignorer :

« J'ai perçu des signes, des indices, j'ai des doutes… »

« Mon petit doigt me dit que… »

« J'ai l'impression que… »

« Je voyais cela venir depuis longtemps… »

« Je me disais bien que… »

Ces signaux d'éveil vous offrent l'occasion de modifier la réponse (R) de l'équation :

$$É + R = E$$

Malheureusement, trop de gens ignorent ces indices précurseurs parce que cela exigerait d'eux qu'ils posent des gestes déplaisants. Il n'est pas agréable de mettre son conjoint au pied du mur et de lui demander des explications au sujet des traces de rouge à lèvres sur son col de chemise. Personne n'aime prendre la parole lors d'une réunion pour exprimer l'opinion que le plan proposé par la direction est irréaliste, surtout si vous êtes le seul à le penser. Il n'est jamais facile de dire, devant une personne, qu'elle ne vous inspire pas confiance.

Alors vous faites semblant de ne pas voir et de ne pas comprendre, parce que c'est plus facile, plus commode, moins dérangeant. Cela vous permet d'éviter un affrontement et vous protège du risque auquel un geste de votre part vous exposerait.

COMMENT SE FACILITER LA VIE

Au contraire, les personnes qui ont l'habitude du succès affrontent la réalité avec lucidité. Elles font ce qu'elles n'ont pas envie de faire, et s'évitent ainsi les conséquences déplaisantes. Ces mêmes personnes n'attendent pas que le désastre frappe à la porte. Elles n'ont pas besoin de chercher ensuite un bouc émissaire.

Lorsque vous prenez l'habitude de répondre rapidement et de façon décidée aux signaux et aux événements, dès qu'ils se produisent, votre vie devient infiniment plus facile. Vous ressentez immédiatement les effets positifs, tant matériels que psychologiques, de cette nouvelle attitude. Les vieilles rengaines que vous ressassiez sans cesse, les : « Je suis une victime ; on m'exploite ; avec moi, rien ne marche », sont bientôt remplacées par : « Je suis bien dans ma peau ; j'ai ma vie bien en main ; j'exerce de l'influence sur mon entourage ».

Les piètres résultats que vous décriviez auparavant en ces termes : « Personne ne franchit le seuil de notre magasin ; nous avons raté notre cible ce trimestre ; les gens se plaignent de la piètre qualité de nos produits », se métamorphosent subitement en : « Nous avons amplement de liquidités à la banque ; je suis le meilleur vendeur de notre entreprise ; les gens s'arrachent nos produits ».

C'EST SI SIMPLE

Vous êtes la personne qui a créé de toutes pièces sa vie actuelle. Votre situation présente est le résultat de toutes vos pensées et de vos actions passées. Vous êtes l'unique responsable, tant de ce que vous dites que de ce que vous faites. Vous êtes le gardien des idées et des images qui franchissent l'enceinte de votre esprit – en choisissant les livres, les magazines que vous lisez, les films et les émissions de télévision que vous regardez, et en choisissant vos fréquentations. Tout ce que vous faites est le fruit de votre volonté. Pour avoir davantage de succès, vous devez agir pour susciter davantage d'effets positifs, de résultats souhaitables.

Voilà ! C'est aussi simple que cela !

CE QUI EST SIMPLE À COMPRENDRE N'EST PAS TOUJOURS FACILE À FAIRE

Même si ce principe est simple à comprendre, il n'est pas nécessairement facile à mettre en pratique. Cela exige une attitude plus éveillée, de la discipline, la volonté d'expérimenter et de prendre des risques. Vous pouvez solliciter les commentaires et les impressions des membres de votre famille, de vos amis, de vos collègues, de vos supérieurs, de vos professeurs, de vos entraîneurs et de vos clients. « Est-ce que j'avance dans la bonne direction ? Comment est-ce que je peux m'améliorer ? Y a-t-il une mauvaise habitude dont je devrais me débarrasser ? Quel facteur me limite le plus ? Quelle est ma responsabilité ? »

N'ayez pas peur de demander. La plupart des gens ont peur de solliciter des commentaires parce qu'ils craignent les réponses. Il n'y a rien qui justifie une telle inquiétude. La vérité n'est rien d'autre que la vérité. Il est toujours préférable de la connaître parce que, lorsque vous la connaissez, vous pouvez réagir. Vous ne pouvez améliorer votre vie, vos relations, votre jeu, ou vos performances au travail, si vous ne demandez jamais d'opinions objectives.

Faites parfois une pause dans vos activités et soyez à l'écoute. La vie vous enverra toujours des signaux révélateurs. Si votre balle au golf persiste à faire ce désastreux crochet vers la droite, si vous n'arrivez pas à conclure vos ventes, si vous ne recevez que la note de passage dans vos cours, si vos enfants vous en veulent, si votre corps est surmené et fatigué, si votre maison est un champ de bataille, ou si vous n'êtes pas heureux – voilà autant de signaux, d'informations, dont vous devez tenir compte. Cela vous indique que quelque chose ne va pas, qu'il est temps pour vous de commencer à réfléchir et à observer plus attentivement ce qui se passe autour de vous.

Demandez-vous : « *Comment est-ce que je peux provoquer ou aider ceci ou cela à se produire ? Qu'est-ce que je fais de particulièrement bien, et que j'aurais intérêt à faire plus souvent ? (M'entraîner, méditer, faire confiance aux autres, être à l'écoute des autres, poser des questions, me concentrer, faire de la promotion, dire "Je t'aime !", surveiller mon alimentation) ?*

« *Qu'est-ce que je fais qui ne marche pas du tout ? Quelles sont les mauvaises habitudes que je devrais laisser tomber ? (Est-ce que je parle trop, est-ce que je regarde trop la télé, est-ce que je dépense sans compter, est-ce que je mange ou bois trop, est-ce que je suis en retard trop souvent, suis-je trop enclin à la médisance, ou ai-je trop tendance à humilier les autres) ?*

« *Qu'est-ce que je ne fais pas actuellement, et que je devrais essayer de faire pour voir si cela fonctionne pour moi ? (Écouter davantage, m'entraîner, m'accorder plus de sommeil, boire plus d'eau, demander de l'aide, faire plus de réclames, lire, planifier, communiquer, déléguer, donner plus de suites à mes initiatives, engager un coach personnel, faire du bénévolat, exprimer plus souvent mon appréciation).* »

Ce livre contient une foule de principes et de techniques dont l'efficacité a été maintes fois démontrée et que vous pouvez immédiatement faire vôtres. Vous devrez faire un acte de foi, suspendre temporairement votre jugement et les adopter afin de les mettre à l'épreuve. C'est seulement à ce moment-là que vous connaîtrez leur efficacité réelle sur votre vie. Vous ne saurez pas s'ils fonctionnent avant de leur avoir accordé une période d'essai. Et voici la pierre d'assise de tout l'édifice : personne ne peut le faire à votre place, vous seul le pouvez.

La formule est simple – répétez ce qui marche bien, évitez ce qui ne fonctionne pas, et mettez à l'essai de nouveaux comportements pour voir s'ils produisent de meilleurs résultats.

SOYEZ ATTENTIF… LES RÉSULTATS NE MENTENT JAMAIS !

La méthode la plus facile, la plus rapide et la plus efficace pour découvrir ce qui fonctionne ou non, c'est d'analyser avec attention l'état de votre vie présente. Ou bien vous êtes riche, ou bien vous ne l'êtes pas. Vous avez de l'autorité, ou vous n'en avez pas. Vous jouez la normale au golf, ou vous n'y arrivez pas. Vous maintenez votre poids santé, ou vous faites de l'embonpoint. Votre vie vous rend heureux, ou vous êtes misérable. Vous avez en ce moment tout ce que vous désirez, ou il vous manque plein de choses. Les faits ne mentent jamais !

Vous devez renoncer aux excuses et aux justifications, et assumer les résultats que vous obtenez actuellement. Si vous êtes au-dessus ou au-dessous de votre poids idéal, les meilleures raisons du monde n'y changeront rien. La seule chose qui puisse modifier votre réalité est un changement de comportement. Faites davantage de sollicitations, assistez à des séminaires sur la vente, peaufinez vos présentations promotionnelles, changez votre régime, absorbez moins de calories, faites de l'exercice plus fréquemment – voilà ce qui provoquera les effets que vous attendez. Mais vous devez d'abord accepter d'examiner lucidement où vous en êtes. Le seul point de départ valable est la réalité elle-même.

Commencez par voir les choses telles qu'elles sont. Jetez un coup d'œil circulaire autour de vous. Quelles sont les personnes qui y gravitent ? Êtes-vous heureux ensemble ? Vivez-vous dans un état d'équilibre, de beauté, de confort et d'aisance ? Est-ce que votre façon de faire marche bien ? Obtenez-vous ce que vous voulez ? Est-ce que votre revenu net augmente ? Est-ce que vos résultats scolaires sont satisfaisants ? Êtes-vous en santé, en pleine forme, éprouvez-vous des douleurs ? Est-ce que vous vous améliorez dans toutes les sphères de vos activités ? Si la réponse à l'une ou l'autre de ces questions est non, alors quelque chose doit être fait, et vous seul pouvez y voir.

Ne vous racontez pas d'histoires. Soyez foncièrement honnête avec vous-même. Faites votre propre bilan.

PRINCIPE 2

Découvrez votre « raison d'être » sur terre

« Apprenez à communier avec le silence intérieur qui vous habite,
et sachez que tout dans la vie a sa raison d'être. »

ELISABETH KÜBLER-ROSS, M.D.
Psychiatre et auteure de l'ouvrage classique *Les derniers instants de la vie*

J'ai la conviction que chacun d'entre nous vient au monde pour y jouer un rôle précis. Déterminer, accepter, et s'engager à demeurer fidèle à ce rôle est le geste fondamental le plus important que tout individu puisse poser pour préparer son succès futur. Cette personne prend le temps de comprendre ce qu'elle est venue faire sur terre, et elle se met ensuite à l'œuvre avec passion et enthousiasme.

QUELLE EST VOTRE « RAISON D'ÊTRE » ?

Il y a bien longtemps, j'ai compris quelle était ma vocation. J'ai découvert mon véritable but, ma « raison d'être ». Cela m'a permis d'ajouter un surcroît d'énergie et de résolution dans chaque activité que j'entreprenais. Et j'ai appris que lorsque notre vie a un sens, chaque geste que l'on pose est une source de satisfaction et d'épanouissement personnel.

Maintenant, je voudrais vous aider à découvrir votre « raison d'être ».

Si vous n'avez aucun but précis dans la vie, vous serez très aisément entraîné dans des voies secondaires. Il est facile de tourner en rond et de dériver au gré du vent, sans jamais arriver nulle part.

Mais lorsque vous avez un objectif, tout devient cohérent et ordonné. Quand vous êtes « branché », vous faites ce que vous aimez, vous le faites bien, et vous êtes persuadé que ce que vous accomplissez est important. Et quand vous atteignez cet « état de grâce », les personnes, les ressources, les occasions, sont naturellement attirées vers vous. Le monde aussi s'enrichit car, lorsque vous agissez dans le sens de votre raison d'être, les autres bénéficient de la valeur de vos réalisations.

QUELQUES ÉNONCÉS D'OBJECTIFS PERSONNELS DE VIE

Mon objectif dans la vie est *de conseiller et de donner aux gens le pouvoir de poursuivre leur plus grand idéal, dans l'amour et la joie.* Je les encourage à s'élever à la hauteur de cette vision (voir le principe 3 : « Décidez de ce que vous voulez dans la vie ») en recueillant et en diffusant les histoires inspirantes contenues dans la série *Bouillon de poulet pour l'âme*MD et lors de mes conférences.

Je leur fournis des outils pour les aider à aller au bout de leurs rêves en écrivant des livres pratiques de développement personnel, tels que *La Force du focus* et *Le Pouvoir d'Aladin* ; en mettant au point des cours destinés aux étudiants du secondaire ; en animant des séminaires et des ateliers conçus pour les adultes afin de leur montrer comment créer l'existence idéale à laquelle ils aspirent.

Voici l'énoncé de la « mission de vie » de quelques-uns de mes amis. Il me semble important d'ajouter qu'ils sont tous devenus millionnaires en se consacrant entièrement à la réalisation de cette vision.

- « Inspirer et donner pleins pouvoirs aux gens afin qu'ils accomplissent leur destinée. »[1]
- « Élever la conscience humaine par la pratique des affaires. »[2]
- « Servir humblement Le Seigneur en étant un exemple aimant, enjoué, puissant et passionné de la joie absolue qui nous est donnée dès que notre cœur accueille avec joie Ses présents, et que nous commençons à aimer, et à servir, à notre tour, chacune de Ses créations. »[3]
- « S'efforcer de laisser le monde dans un meilleur état que celui dans lequel nous l'avons trouvé, pour le bien-être des chevaux, et celui des êtres humains aussi ! »[4]

---

1. Robert Allen, coauteur de *Le Millionnaire minute.*
2. D.C. Cordova, cofondateur de The Excellerated Business School.
3. Anthony Robbins, auteur de *Pouvoir illimité* et *De la part d'un ami, Progresser à pas de géant,* entrepreneur et philanthrope.
4. Monty Roberts, auteur de *L'homme qui savait parler aux chevaux : l'histoire de ma vie.*

- « Inspirer un million de personnes afin qu'elles deviennent millionnaires. Elles donneront ensuite un million de dollars chacune à leur église, ou à des œuvres philanthropiques. »[5]
- « Éduquer les gens et les motiver à poursuivre leur plus grand idéal avec courage, détermination et joie. Les libérer du joug de la peur, du besoin et de la soumission. »[6]

« Décidez du sens que vous entendez donner à votre vie.
Ensuite, organisez toutes vos activités en conséquence. »

BRIAN TRACY
Une des plus grandes autorités aux États-Unis dans le développement
du potentiel humain et de l'efficacité personnelle

Lorsque votre « raison d'être » aura été clairement établie, vos activités diverses seront alors poursuivies en harmonie avec cette notion fondamentale qui sera votre phare. Vos actions doivent en être l'expression. Si l'une d'entre elles ne semble pas cadrer avec votre énoncé, il vous faudra l'abandonner. Point à la ligne.

QUEL EST CE « POURQUOI » QUI VOUS MOTIVE DANS TOUT CE QUE VOUS FAITES?

Si votre vie est dépourvue d'un sens, celui-là même qui sert de boussole pour vous guider, vos buts ponctuels et vos plans d'actions ne vous mèneront pas vers l'épanouissement personnel. Vous ne voulez sûrement pas gravir l'échelle jusqu'à son sommet pour vous rendre compte finalement qu'elle n'est pas appuyée sur le bon mur.

Enfant, Julie Laipply était passionnée par les animaux. Naturellement, on lui répétait souvent: « Julie, tu devrais te diriger vers la profession de vétérinaire. Tu vas exceller dans cette discipline. » Lorsqu'elle fut admise à l'Université de l'Ohio, elle s'inscrivit aux cours de biologie, d'anatomie, de chimie, et elle se lança dans des études de médecine vétérinaire. La prestigieuse bourse Rotary Ambassadorial

---

5. Mark Victor Hansen, coauteur de la série *Bouillon de poulet pour l'âme*[MD]
6. T. Harv Eker, PDG de Peak Potentials et créateur des séminaires « Millionaire Mind ».

lui a ensuite permis d'étudier à Manchester, en Angleterre, au cours de sa dernière année de baccalauréat.

Loin de sa famille et de la pression de ses pairs, elle s'est retrouvée, par une morne journée, assise à son bureau entourée de ses ouvrages de biologie. Perdue dans ses pensées, l'évidence la frappa tout à coup de plein fouet : « *Je me sens tellement malheureuse. Pourquoi suis-je aussi abattue ? Pourquoi est-ce que je fais tout cela ? La vérité, c'est que je n'ai aucune envie de devenir vétérinaire !* »

Julie se posa ensuite la question suivante : « *Quel travail me plairait tellement que j'accepterais de le faire gratuitement ? Certainement pas celui de vétérinaire, en tout cas. Ce n'est pas la bonne profession pour moi.* » Alors elle réfléchit à tout ce qu'elle avait déjà fait dans sa vie, et elle se demanda ce qui l'avait rendue vraiment heureuse. Et la réponse vint rapidement – c'était sa participation bénévole lors de conférences des mouvements de jeunesse, ainsi que les cours optionnels de communication et de leadership qu'elle avait suivis à l'Université d'Ohio.

« *Comment ai-je pu être aussi étourdie ? Je suis arrivée à ma quatrième et dernière année d'études universitaires, et c'est maintenant que je me rends compte que j'ai emprunté la mauvaise voie, que je suis dans un cul-de-sac. C'était l'évidence même, mais malheureusement je n'avais jamais pris le temps d'y réfléchir avant aujourd'hui.* »

Stimulée par cette révélation, Julie passa le restant de l'année en Angleterre pour suivre des cours en communications et en performance médiatique. De retour à l'Université d'État d'Ohio, elle se montra si persuasive que l'administration accepta de la laisser créer son propre programme d'études en « leadership ». Deux années additionnelles lui furent nécessaires pour le compléter.

Aussitôt ses études terminées, elle décrocha un poste de consultante chevronnée en formation et développement du leadership au Pentagone. Elle remporta également le concours Miss Virginia, ce qui lui donna la chance de passer la majeure partie de l'année 2002 à sillonner l'État afin de rencontrer des enfants. Plus récemment, elle a fondé le Role Models and Mentors for Youth Foundation, qui enseigne aux enfants à devenir de meilleurs modèles, les uns pour les autres. En passant, Julie n'a que vingt-six ans – un témoignage éloquent de ce qu'une vision claire du sens que vous voulez donner à votre vie peut apporter.

La bonne nouvelle est que vous n'avez pas à vous expatrier en Angleterre pendant une année pour vous arracher aux pressions de la vie quotidienne afin de réfléchir à ce que vous voulez vraiment faire. Vous n'avez qu'à remplir les deux exercices simples qui suivent pour clarifier la direction que vous entendez donner à votre vie.

VOTRE SYSTÈME D'ORIENTATION INTERNE :
LE THERMOMÈTRE DE VOTRE BONHEUR

« C'est le devoir de l'âme d'être loyale envers ses propres désirs.
Elle doit s'abandonner à sa passion maîtresse. »

DAME REBECCA WEST
Auteure à succès

Vous êtes né avec un système d'orientation interne qui vous indique si vous êtes fidèle ou non à votre véritable vocation. Le bonheur que vous éprouvez vous l'indique immédiatement. Ce qui vous apporte le plus de satisfaction est en harmonie avec votre objectif. Pour vous aider à savoir si vous êtes sur la bonne voie, faites la liste des moments où vous vous êtes senti le plus joyeux, le plus vivant. Quels étaient les éléments communs à toutes ces expériences ? Pouvez-vous imaginer un moyen de gagner votre vie de cette manière ?

Pat Williams est le vice-président directeur de l'équipe de basketball professionnelle Orlando Magic. Il est l'auteur de trente-six ouvrages en plus d'être un conférencier très en demande. Lorsque je lui ai demandé quel était, à son avis, l'élément clé du succès, il m'a répondu : « Essayez de découvrir ce que vous aimez le plus tôt possible dans la vie. Ensuite, organisez votre existence de manière à pouvoir en faire une profession ».

La passion du jeune Pat était le sport – et plus particulièrement, le baseball. Lorsque son père l'a amené voir son premier match de baseball à Philadelphie, il est immédiatement tombé amoureux de ce sport. Il a appris à lire en déchiffrant la colonne des sports du *New York Times*. Il savait que sa future carrière graviterait autour du sport. Il y consacrait presque chaque instant d'éveil. Il collectionnait les cartes à l'effigie des étoiles de baseball, il pratiquait plusieurs sports et écrivait régulièrement des articles dans le journal de son école.

Pat a commencé sa carrière dans les bureaux administratifs des Phillies de Philadelphie, avant d'être embauché par l'équipe de basketball locale, les 76ers. Lorsque la NBA envisagea d'installer une nouvelle franchise à Orlando, Pat était là pour ouvrir la voie. Maintenant dans la soixantaine, Pat compte plus de quarante années d'expérience dans un secteur qu'il aime par-dessus tout, et il affirme en avoir savouré chaque minute. Lorsque vous pouvez nommer sans hésiter ce qui vous procure le plus de joie, vous avez fait un pas de géant vers l'identification du véritable sens de votre vie.

Le deuxième exercice est une façon simple, mais très efficace, de créer un « énoncé de raison d'être », qui vous guidera et vous aidera à structurer vos activités.

EXERCICE[7] POUR DÉTERMINER VOTRE « RAISON D'ÊTRE »

1. Nommez deux de vos qualités dominantes, telles que l'enthousiasme et la créativité.

2. Dites de quelle manière vous aimez exprimer ces qualités lorsque vous interagissez avec les autres, par exemple, soutenir ou inspirer.

3. Imaginez que vous vivez dans un monde idéal. À quoi ressemble-t-il ? Quelles sont les relations que les gens cultivent entre eux ? Comment vous y sentez-vous ? Répondez par un énoncé, écrit au présent, décrivant les conditions idéales, le monde parfait, tel que vous le voyez et le ressentez. N'oubliez pas, un monde idéal doit aussi être un endroit où la vie est agréable.

   EXEMPLE : *Tout le monde est libre d'exprimer ses talents personnels.*
   Les gens travaillent en harmonie et expriment ouvertement leur amour.

4. Combinez les trois sections précédentes en un seul énoncé.

   EXEMPLE : *Je me sens vraiment vivre lorsque j'utilise ma créativité*
   et mon enthousiasme pour soutenir et inspirer les autres.
   Dans ce monde idéal, tous expriment leurs talents,
   d'une manière harmonieuse et aimante.

NE DÉVIEZ PAS DE VOTRE TRAJECTOIRE

Après avoir rédigé votre « énoncé de raison d'être », lisez-le chaque jour, de préférence le matin. Si vous avez un tempérament artistique, ou si vous êtes une personne très visuelle, vous pouvez aussi dessiner, ou peindre, un symbole qui représente votre but dans la vie. Suspendez-le quelque part (sur le réfrigérateur,

---

7. Il y a plusieurs manières de déterminer votre vocation. J'ai appris celle que je propose ici de Arnold M. Patent, coach spirituel et auteur de *You Can Have It All* et *The Journey*, Vous pouvez visiter son site Internet à l'adresse suivante : www.arnoldpatent.com.

en face de votre table de travail, près de votre lit), où il sera à la vue tous les jours. Il vous aidera à garder toujours à l'esprit ce qui compte le plus à vos yeux.

Au cours des chapitres suivants, alors que vous formulerez votre vision et que vous énoncerez vos buts, assurez-vous que ceux-ci demeurent cohérents avec cet énoncé, et qu'ils contribuent à le transformer en réalité.

Une autre approche pour clarifier le sens que vous voulez donner à votre vie, est de vous réserver du temps afin de pouvoir réfléchir en toute tranquillité – une période consacrée à la méditation (voir aussi le principe 47). Lorsque vous êtes bien détendu, dans un état de bien-être et de profonde paix intérieure, posez-vous la question : « *Quel est le sens de ma vie ?* » ou « *Quel rôle unique puis-je jouer dans cet univers ?* » Laissez simplement les réponses s'imposer à vous. Ne restreignez pas votre imagination. Les mots utilisés n'ont pas besoin d'être fleuris ou poétiques ; ce qui compte, c'est qu'ils arrivent à vous inspirer.

PRINCIPE 3

Décidez de ce que vous voulez dans la vie

« Le premier pas indispensable pour obtenir tout ce que vous désirez dans la vie est ceci : déterminez exactement ce que vous voulez. »

BEN STEIN
Acteur et auteur

Maintenant que vous êtes conscient de ce qui vous a amené jusqu'ici, vous devez décider ce que vous voulez faire, être et avoir. Que voulez-vous accomplir ? Quelles expériences voulez-vous vivre ? Quelles possessions voulez-vous acquérir ? Dans ce voyage qui doit vous mener de votre situation actuelle à votre point d'arrivée, vous devez savoir à quoi ressemble cette destination. En d'autres mots, qu'est-ce que le succès représente à vos propres yeux ?

Une des principales raisons pourquoi la majorité des gens n'obtiennent jamais ce qu'ils désirent est simplement qu'ils ne savent pas précisément ce qu'ils veulent. Ils n'ont jamais exprimé leurs désirs en termes clairs et d'une manière détaillée.

L'ÉDUCATION DE LA PETITE ENFANCE EST SOUVENT UN OBSTACLE

Toute personne porte cachée dans un repli de son être la petite semence de ce « moi » qu'elle était destinée à devenir. Malheureusement, elle est généralement profondément enfouie sous les comportements et les réponses apprises pour satisfaire les adultes, parents ou professeurs, qui peuplent l'univers de l'enfance.

Lorsque vous êtes venu au monde, vous saviez exactement ce que vous vouliez. Vous saviez quand vous aviez faim. Vous repoussiez les aliments que vous n'aimiez pas et vous dévoriez ceux dont le goût vous plaisait. Vous n'aviez aucune difficulté à exprimer vos besoins et vos exigences. Vous n'aviez qu'à hurler – sans aucune inhibition – jusqu'à ce qu'on vous obéisse. Votre désir d'être nourri, changé, embrassé et bercé naissait et s'exprimait dans un même souffle. Quelques mois plus tard, vous vous êtes mis à ramper et à vous diriger vers ce qui présentait à vos yeux le plus grand intérêt. Vous saviez clairement ce que vous vouliez, et vous vous dirigiez droit sur l'objet de votre convoitise.

Qu'est-ce qui a bien pu se passer depuis ce temps ?

Quelque part, en cours de route, quelqu'un a dit :

« Ne touche pas à ça ! »

« Éloigne-toi de là. »

« Enlève ta main de là. »

« Mange tout ce qu'il y a dans ton assiette, que ça te plaise ou non. »

« Tu n'as pas le droit de ressentir les choses de cette façon. »

« Ce n'est pas vraiment cela que tu veux. »

« Tu devrais avoir honte de toi. »

« Cesse de pleurer. Tu n'es plus un bébé. »

En vieillissant, vous avez entendu :

« Tu ne peux obtenir tout ce que tu veux, simplement parce que tu le désires. »

« L'argent ne pousse pas dans les arbres. »

« Tu ne penses qu'à toi ! »

« Cesse d'être aussi égoïste ! »

« Arrête de faire ce que tu fais et viens faire plutôt ce que je te demande. »

NE VIVEZ PAS LES RÊVES DE QUELQU'UN D'AUTRE

Après plusieurs années de ce genre de conditionnement, la plupart d'entre nous perdons contact avec nos besoins physiques et les désirs de notre cœur ; nous cherchons davantage à deviner ce que les autres attendent de nous. Nous apprenons à agir pour obtenir leur approbation. Par conséquent, nous faisons maintenant bien des choses que nous ne voulons pas faire, mais qui correspondent aux désirs de notre entourage :

- Vous avez fréquenté l'école de médecine pour que votre père soit fier de vous.
- Vous vous êtes marié pour faire plaisir à votre mère.
- Vous avez décroché un « vrai » emploi, plutôt que de poursuivre votre rêve de devenir un artiste.

- Vous avez commencé votre maîtrise dès la fin de votre baccalauréat, plutôt que de prendre une année sabbatique pour visiter l'Europe.

Dans votre empressement de toujours vous montrer raisonnable, vous avez fini par étouffer vos propres désirs. Il n'est donc pas étonnant que, si vous demandez à tant d'adolescents ce qu'ils veulent faire plus tard, ceux-ci vous répondent le plus sérieusement du monde : « Je n'en sais rien ». Trop de couches de « tu devrais », « il faut », et « tu ferais mieux de » sont empilées sur leurs véritables intérêts, et cela les étouffe.

Alors, que doit-on faire pour reprendre possession de nos véritables désirs ? Comment revenir vers ce que vous voulez vraiment, sans peur, sans honte, et sans inhibition ? Comment renouer avec vos véritables passions ?

Vous pouvez commencer sur une échelle plus modeste en affichant vos préférences en toutes circonstances – les grandes comme les petites. Ne rejetez pas vos fantaisies personnelles du revers de la main, comme quelque chose d'insignifiant. Peu importe si elles sont sans intérêt pour quelqu'un d'autre. Ce qui compte, c'est qu'elles soient très importantes pour vous.

ARRÊTEZ DE VOUS CONTENTER DE MOINS

Si votre intention est de vous réapproprier votre puissance et d'obtenir davantage de la vie, vous devrez cesser de dire : « Je ne sais pas », « Peu m'importe », « C'est sans importance à mes yeux », ou encore, cette expression favorite des adolescents : « Je m'en balance ! » Lorsque vous vous trouvez devant un choix, aussi modeste soit-il, tâchez d'exprimer une préférence. Demandez-vous : « *Si j'étais mieux informé, qu'est-ce que je choisirais ? Si cela m'importait, quelle serait ma préférence ? Si cela représentait un intérêt capital, qu'est-ce que je ferais ?* »

Ne pas exprimer clairement ce que vous voulez, ou faire passer les désirs et les besoins des autres avant les vôtres, est une simple question d'habitude. Vous rompez avec elle en adoptant l'attitude opposée.

LE CALEPIN JAUNE

Il y a de cela plusieurs années, j'ai participé à un atelier animé par la grande experte en estime de soi et en motivation, Chérie Carter-Scott, auteure de *Dix règles pour réussir sa vie : si la vie est un jeu, en voici les règles*. Lorsque notre groupe de 24 personnes a franchi le seuil de la salle de cours le premier matin, on nous a demandé de nous asseoir sur l'une des chaises disposées à l'avant. Sur chacune d'entre elles se trouvait un calepin à reliure spirale. Il y en avait de trois couleurs différentes : bleu, jaune, et rouge. Celui qui m'avait été attribué était jaune. Je me souviens de ma réaction : « *Je déteste le jaune. J'aurais préféré le bleu.* »

C'est alors que Chérie a dit quelque chose qui devait changer ma vie à tout jamais : « Si vous n'aimez pas la couleur de votre calepin, échangez-le avec celui de quelqu'un d'autre. Vous méritez d'avoir exactement ce que vous voulez dans la vie. »

Quel concept radical ! Pendant plus de vingt ans, j'avais fonctionné sur la base de la prémisse inverse. J'avais fait mienne la notion que je n'aurais jamais tout ce que je voulais.

Je me suis alors tourné vers ma voisine de droite, et lui ai dit : « Voudriez-vous échanger votre cahier avec le mien ? »

Elle m'a répondu : « Avec plaisir. Je préfère le jaune. J'aime l'éclat de cette couleur. Elle reflète vraiment mon caractère. » Et c'est ainsi que j'ai obtenu mon cahier bleu, un succès bien modeste dans le grand ordre des choses, il faut bien l'admettre. Mais c'est à ce moment que j'ai repris possession de mon droit inné de manifester mes préférences, et d'obtenir exactement ce que je voulais.

Jusqu'à cet instant, j'avais toujours tenu cette attitude pour infantile. Je me taisais quand j'étais mécontent et j'aurais continué sans doute toute ma vie à étouffer mes véritables désirs. Ce jour a été un point tournant dans ma vie – celui où j'ai commencé à accepter que j'avais non seulement des préférences, mais aussi le droit d'insister pour qu'elles soient satisfaites.

FAITES DES LISTES DE CE QUE VOUS VOULEZ

Une des méthodes les plus faciles pour mettre à jour ce que vous voulez vraiment est de dresser une liste de trente activités que vous voudriez faire, de trente objets que vous voudriez avoir, et de trente rôles que vous voudriez jouer, avant votre mort. C'est une méthode infaillible pour mettre la balle en jeu.

Une autre technique puissante pour exprimer vos désirs est de demander à un ami de vous aider à dresser cette liste. Demandez-lui de vous questionner avec insistance : « Que veux-tu ? Que veux-tu ? » pendant dix ou quinze minutes, et écrivez spontanément vos réponses. Vous constaterez que les premiers éléments sont rarement très profonds.

En fait, la plupart des gens répondront d'abord: «Je veux une Mercedes. Je veux une villa avec vue sur l'océan.» Et ainsi de suite. Toutefois, vers la fin des quinze minutes, votre vrai moi commence à émerger: «Je veux que les gens m'aiment». «Je veux pouvoir m'exprimer». «Je veux avoir une influence». «Je veux me sentir capable.» Il s'agit là de l'expression véritable de vos valeurs profondes.

LA PRÉOCCUPATION DE DEVOIR GAGNER VOTRE VIE VOUS ARRÊTE-T-ELLE?

Ce qui freine souvent les gens dans l'expression de leurs véritables désirs est la crainte de ne pouvoir gagner leur vie de cette manière.

«Rechercher la compagnie d'autres personnes pour leur parler, voilà ce que j'aime faire par-dessus tout», penserez-vous peut-être.

Eh bien, c'est exactement ce que fait Oprah Winfrey pour gagner sa vie. Et mon amie, Diane Brause, qui est guide touristique internationale, mérite son salaire en visitant les lieux de villégiature les plus excitants et les plus exotiques du monde entier.

La pratique du golf procure beaucoup de plaisir à Tiger Woods. Ellen DeGeneres adore faire rire les gens. Ma sœur préfère concevoir des bijoux et échanger avec les adolescents. Donald Trump est passionné par les affaires et la construction de gratte-ciel. J'aime lire et partager avec les autres ce que j'ai appris, en écrivant des livres, en prononçant des conférences, ou en animant des ateliers. Il est possible de vivre de ce que l'on aime vraiment faire.

Faites la liste des vingt activités que vous préférez faire entre toutes. Essayez ensuite d'imaginer un moyen de générer des revenus en pratiquant ces activités. Si vous aimez les sports, vous pouvez vous y adonner, devenir un journaliste sportif, ou gérer une équipe. Vous pourriez aussi devenir entraîneur, gérant, éclaireur, commentateur, opérateur de caméras lors de la télédiffusion de manifestations sportives, ou agent de relations publiques. Il y a un nombre infini de façons de gagner de l'argent dans n'importe quel domaine que vous aimez.

Pour l'instant, décidez simplement ce que vous voudriez faire, et, dans les chapitres suivants, je vous montrerai comment avoir du succès et vous enrichir en vous consacrant à ce que vous aimez le plus.

AYEZ UNE VISION CLAIRE DE VOTRE VIE IDÉALE

Le thème central de ce livre est de vous rendre là où vous désirez, à partir de votre situation actuelle. Pour y arriver, il y a deux choses que vous devez savoir – où vous en êtes maintenant, et où vous voulez aller. Votre vision est une description détaillée de votre destination. C'est un tableau précis de votre vie idéale, incluant les états d'âme et d'esprit que vous éprouverez lorsque vous y serez.

Pour que votre vie soit équilibrée et couronnée de succès, votre vision doit englober les sept dimensions suivantes : votre travail et votre carrière ; vos objectifs financiers ; vos loisirs et vos passe-temps ; votre santé et votre condition physique ; vos relations avec votre entourage ; vos objectifs personnels et votre contribution à la communauté.

À cette étape de votre voyage, il n'est pas nécessaire de savoir exactement par quels moyens vous arriverez à vos fins. Le plus important est de vous représenter votre destination. Lorsque votre vision sera parfaitement claire, le « comment » s'imposera de lui-même, le moment venu.

VOTRE SYSTÈME DE POSITIONNEMENT GLOBAL INTERNE

Le processus pour atteindre votre destination ressemble au fonctionnement du système de positionnement mondial (GPS) qui équipe les automobiles récentes. Pour jouer son rôle, le système doit connaître votre position actuelle et votre destination. Il est capable de déterminer l'endroit où vous vous trouvez grâce aux signaux provenant de trois satellites en orbite autour de la Terre.

C'est avec ces données que l'ordinateur de bord calcule les coordonnées de votre position. Mais c'est vous qui devez l'informer de votre destination. Le système est alors en mesure d'établir le meilleur itinéraire pour aller là où vous voulez. Vous n'avez plus qu'à suivre les directives qui s'affichent à l'écran.

Le succès s'obtient de la même manière. La recette est simple : Choisissez votre destination en clarifiant votre vision ; gardez votre regard rivé sur la cible en tout temps par la visualisation et l'affirmation répétées de vos objectifs ; et faites dès aujourd'hui un premier pas dans la bonne direction. Votre système de positionnement mondial (GPS) interne vous indiquera automatiquement la prochaine étape de votre route.

En d'autres termes, lorsque vos buts seront clairs, il vous suffira de ne plus jamais les perdre de vue (et je vous montrerai plusieurs techniques pour vous en

© 2001 Randy Glasbergen.   www.galsbergen.com

GLASBERGEN

« Je suis riche au-delà de mes rêves les plus fous.
Malheureusement, mes rêves n'ont jamais été très excitants. »

assurer). Les détails de la marche à suivre s'imposeront alors d'eux-mêmes à chaque carrefour. Si vous savez clairement ce que vous voulez, et si votre esprit est entièrement tendu vers la réalisation de ce but, l'explication du comment surgira toujours au moment opportun – parfois, au moment précis où vous en avez besoin, et pas avant.

VOS RÉALISATIONS SONT LE REFLET DE VOTRE VISION

« Le plus grand danger qui nous guette n'est pas de viser un but trop élevé et de le manquer, mais plutôt de choisir une cible trop modeste et de l'atteindre. »

MICHEL-ANGE

Je vous exhorte à ne pas restreindre votre vision d'aucune manière. Laissez-la prendre toute l'expansion qu'elle souhaite. Dave Liniger, le président de RE/MAX, la plus grande société immobilière du pays, m'a dit un jour en entrevue : « Rêvez toujours grand. Ce sont les grandes visions qui attirent les personnes remarquables. » Le général Wesley Clark me disait récemment : « Il ne faut pas plus d'énergie pour accomplir un grand rêve que pour en réaliser un petit. »

Mon expérience m'a démontré que l'une des seules différences qui existent entre les individus plus grands que nature et le reste du monde, c'est tout simplement que les premiers voient plus grand et plus loin. John F. Kennedy projetait d'envoyer un homme sur la Lune. Martin Luther King Jʳ rêvait d'une société libérée des préjugés et de l'injustice. Bill Gates envisageait un monde dans lequel chaque foyer disposerait d'un ordinateur connecté au réseau Internet. Buckminster Fuller imaginait un monde où l'énergie électrique serait à la portée de tous.

Ces grands visionnaires voient le monde d'une perspective originale – ils l'imaginent comme le théâtre d'événements extraordinaires, une terre sur laquelle des milliards d'êtres humains jouissent d'une existence plus douce, un univers où les technologies transforment notre façon de vivre, et comme un écosystème dans lequel les ressources communes sont intelligemment exploitées pour le bénéfice du plus grand nombre. Ils croient que tout est possible, et ils sont persuadés qu'ils ont un rôle essentiel à jouer.

Quand Mark Victor Hansen et moi avons lancé notre série *Bouillon de poulet pour l'âme*ᴹᴰ, notre vision, baptisée «Vision 2020», était aussi très ambitieuse – notre intention déclarée était d'atteindre l'objectif d'un milliard d'exemplaires vendus et de verser cinq cents millions de dollars à des œuvres de charité, à même nos profits, avant 2020. Notre vision était, et demeure encore maintenant, parfaitement claire.

« Si vous limitez vos choix à ce qui est possible et raisonnable, vous vous détachez de ce que vous voulez véritablement, et votre vie n'est plus alors qu'une suite de compromis. »

ROBERT FRITZ
Auteur de *Apprenez à devenir la force créatrice de votre vie*

Certaines personnes vont essayer de vous convaincre que votre vision est absurde. Elles vous diront que c'est de la folie, et que cela ne peut être fait. D'autres riront de vous et voudront vous abaisser à leur propre niveau. Mon ami, Monty Roberts, l'auteur du livre *L'homme qui savait parler aux chevaux: l'histoire de ma vie*, appelle ces gens les «voleurs de rêves». Faites-leur la sourde oreille.

Un jour, un des professeurs de Monty à l'école secondaire a demandé à ses étudiants de rédiger une composition décrivant ce qu'ils souhaitaient faire lorsqu'ils seraient devenus des adultes. Monty a expliqué qu'il voulait posséder son propre ranch de deux cents arpents pour y élever des chevaux de course. Son professeur lui a attribué un échec, en lui expliquant que la note était le reflet du manque de réalisme de son rêve.

En effet, aux yeux de son professeur, un garçon qui vivait dans une autoca-ravane n'arriverait jamais à accumuler l'argent nécessaire pour faire l'acquisition d'un ranch, se procurer des chevaux reproducteurs, et payer les salaires des employés. Lorsqu'il offrit à Monty la chance de réécrire son texte afin d'obtenir une meilleure note, le garçon rétorqua : « Reprenez votre échec ; moi, je garde mes rêves ! »[8]

Aujourd'hui, dans son ranch de cent cinquante-quatre arpents, Flag Is Up Farms in Solvang, en Californie, Monty élève des chevaux de course et forme également des centaines d'entraîneurs, leur faisant embrasser une philosophie plus « chevaline » du dressage !

L'EXERCICE DE LA VISION

« Créez votre avenir dans le futur, pas dans votre passé. »

WERNER ERHARD
Fondateur du programme de formation EST et du Landmark Forum

L'exercice suivant est conçu pour vous aider à clarifier votre vision du succès. Bien que vous puissiez le faire comme un exercice essentiellement intellectuel, en réfléchissant aux questions et en mettant vos réponses par écrit, je vous encou-rage à faire un pas de plus. Si vous faites cet effort supplémentaire, vos réponses seront plus profondes, et elles vous seront plus utiles par la suite.

D'abord, installez-vous confortablement dans un endroit où vous ne serez pas dérangé, et laissez-vous bercer par une douce musique d'ambiance, si vous le désirez. Fermez alors les yeux et demandez à votre subconscient de produire des images d'une vie idéale, dans chacune des dimensions suivantes :

1. Concentrez-vous sur l'aspect financier de votre vie. Quel est votre revenu annuel ? Quelles sont vos sources de revenus ? Quelle est la valeur de vos avoirs et de vos investissements ? Quelle est votre valeur nette ?

---

8. Pour en apprendre davantage sur Monty et son travail, visitez son site http://www.montyroberts.com. Je vous suggère aussi de lire un de ses livres : *L'homme qui savait parler aux chevaux : l'histoire de ma vie*, *Horse Sense for People*, *Shy Boy* et *From My Hands to Yours*.

Ensuite... à quoi ressemble votre maison? Où est-elle située? Offre-t-elle une vue agréable? Quelle est la dimension de votre de terrain et son aménagement paysager? Avez-vous une piscine ou encore une écurie pour vos chevaux? De quelles couleurs sont vos murs? Quel est l'état de votre mobilier? Avez-vous des tableaux de valeur accrochés aux murs? Que voyez-vous d'autres? Marchez dans la maison de vos rêves, et donnez-en tous les détails.

À cette étape-ci, ne vous inquiétez pas de la manière dont vous accéderez à cette propriété. Ne sabotez pas immédiatement votre entreprise en vous disant: «*Je ne peux pas vivre à Malibu, je n'en aurai jamais les moyens*». Lorsque vous aurez imaginé le tableau idéal, toutes les ressources de votre esprit se mobiliseront pour solutionner le problème du «manque de moyens».

Maintenant, visualisez le genre de voiture que vous conduisez, ou toute autre possession de valeur que vous avez maintenant la possibilité de vous offrir.

2. Imaginez votre emploi, ou votre carrière idéale. Où travaillez-vous? Que faites-vous? Quels sont vos collaborateurs? Qui sont vos clients? Quel est votre salaire approximatif? Est-ce votre propre entreprise?

3. Pensez maintenant à vos temps libres, vos heures de loisirs. Que faites-vous avec votre famille et vos amis maintenant que vous disposez de tout ce temps? Quels sont vos passe-temps? Où allez-vous en vacances? Que faites-vous pour avoir du plaisir?

4. Passons maintenant à votre condition physique idéale et à votre santé. Menez-vous une vie saine? Quelle sera votre longévité? Avez-vous l'esprit ouvert, êtes-vous détendu, vivez-vous dans un état de plénitude et de joie à longueur de journée? Êtes-vous plein d'énergie? Êtes-vous à la fois souple et fort? Faites-vous de l'exercice, vous alimentez-vous bien, buvez-vous beaucoup d'eau?

5. Ayons à présent une vision idéale de vos relations avec votre famille et avec vos amis. Comment qualifieriez-vous vos relations familiales? Qui fréquentez-vous? Vos amis sont-ils proches de vous? Comment décririez-vous ces amitiés: aimantes, stimulantes, enrichissantes? Quelles activités faites-vous ensemble?

6. Et qu'en est-il de votre vie personnelle? Envisagez-vous de retourner aux études; d'obtenir une formation; d'assister à des ateliers;

d'entreprendre une thérapie pour vous libérer de souffrances passées ou grandir spirituellement? Méditez-vous, ou participez-vous à des retraites spirituelles avec votre église? Avez-vous décidé d'apprendre un instrument de musique, ou d'écrire votre autobiographie? Voulez-vous courir le marathon ou assister à des conférences sur les arts? Désirez-vous visiter des pays étrangers?

7. Finalement, concentrez-vous sur la communauté dans laquelle vous vivez, celle que vous avez choisie. À quoi ressemble-t-elle quand les relations sont harmonieuses? Quelles sont les principales activités pratiquées en commun? Qu'en est-il de vos actions charitables? Que faites-vous pour aider les autres ou exercer une influence positive? À quelle fréquence posez-vous ces gestes? Qui aidez-vous?

Vous pouvez rédiger vos réponses au fur et à mesure, ou faire l'exercice au complet une première fois, ouvrir ensuite les yeux, et mettre vos réflexions sur papier. Dans un cas comme dans l'autre, assurez-vous de n'avoir rien omis quand vous aurez fini votre travail.

Repassez dans votre esprit la vision que vous venez de décrire, et ce, tous les jours. Cela contribuera à garder votre esprit conscient et votre subconscient littéralement braqués sur votre rêve. Au fur et à mesure que vous mettrez en application les autres principes de ce livre, vous verrez les différents aspects de votre idéal commencer à se matérialiser.

PARTAGEZ VOTRE IDÉAL POUR OBTENIR UN PLUS GRAND EFFET

Lorsque vous aurez terminé de rédiger votre vision d'un monde idéal, partagez-la avec un ami en qui vous avez confiance et qui saura se montrer positif et encourageant. Peut-être craignez-vous que cette personne trouve vos visées trop extravagantes, trop idéalistes, irréalisables, ou matérialistes. Presque toutes les personnes sont anxieuses lorsqu'elles envisagent d'aborder le sujet de ce qu'elles désirent vraiment.

Mais la vérité, c'est que la plupart des gens, au plus profond d'eux-mêmes, veulent la même chose que vous. Nous voulons tous vivre dans la prospérité, être logés dans une maison confortable, pratiquer une profession valorisante, jouir d'une bonne santé, avoir du temps pour nos loisirs, cultiver des relations enrichissantes avec nos amis et nos familles, et avoir la chance d'apporter une contribution à la communauté. Mais rares sont ceux et celles qui l'admettent ouvertement.

Vous constaterez que, lorsque vous aurez révélé votre idéal, les gens vous aideront à le réaliser. On vous présentera à des amis, ou on mettra à votre disposition des ressources qui vous aideront. Vous découvrirez aussi que, plus vous parlerez de votre projet de vie, plus celui-ci y gagnera en clarté, et plus votre confiance de le voir se réaliser un jour augmentera. Le fait d'en discuter renforcera votre croyance subconsciente que vous pouvez y parvenir, et c'est pourquoi vous ne devez pas hésiter à le faire.

PRINCIPE 4

C'EST POSSIBLE. CROYEZ-Y !

*« Le principal obstacle qui empêche la majorité des gens de réussir
est leur manque de confiance en eux. »*

ARTHUR WILLIAMS
Fondateur de la compagnie d'assurance A. L. Williams, vendue à Primerica
pour la somme de quatre-vingt-dix millions de dollars en 1989

Napoleon Hill a dit un jour : « Tout ce que l'esprit peut concevoir et croire, il peut aussi le réaliser. » En fait, l'esprit est un outil si puissant qu'il peut littéralement vous apporter sur un plateau d'argent tout ce que vous voulez. Mais vous devez d'abord croire que c'est possible.

VOS RÉSULTATS SONT LE REFLET DE VOS ANTICIPATIONS

Les scientifiques ont longtemps cru que les êtres humains réagissaient à l'information en provenance du monde extérieur. Mais aujourd'hui, ils apprennent que nous réagissons aux attentes formées dans le cerveau lui-même, aux anticipations fondées sur nos expériences antérieures.

Ainsi, des médecins du Texas, voulant étudier les effets de la chirurgie par arthroscopie, ont soumis des patients, dont les genoux étaient sérieusement abîmés, à l'une des trois procédures suivantes : ablation des tissus endommagés, curetage ou simulation d'une véritable intervention.

Au cours de l'intervention consistant à ne « rien faire du tout », les médecins anesthésiaient le patient et pratiquaient trois incisions au niveau du genou pour livrer passage aux instruments, afin de simuler une opération véritable. Deux ans plus tard, les patients ayant subi l'opération fictive déclaraient avoir constaté la même atténuation de l'enflure et de la douleur, que ceux qui avaient réellement subi l'intervention. Le cerveau anticipait une amélioration, et celle-ci avait eu lieu.

Pourquoi le cerveau fonctionne-t-il de cette manière? Les neuropsychologues qui ont étudié la théorie des attentes suggèrent que c'est parce que notre existence se déroule dans un univers de conditionnements. Au fil d'une existence ponctuée d'événements et d'expériences de toutes sortes, notre cerveau apprend à anticiper ce qui doit logiquement arriver par la suite, que cela se produise ou non. Puisque nous prévoyons la suite des événements, nous obtenons souvent exactement ce que nous avions envisagé.

C'est la raison pour laquelle il est important d'entretenir des attentes positives dans votre esprit. Lorsque vous remplacerez vos anciennes anticipations négatives par d'autres plus positives, lorsque vous commencerez à croire que ce que vous voulez est possible, votre appareil cérébral se mettra au travail pour que cela arrive. Mieux encore, vous en arriverez à considérer la réalisation de vos attentes comme faisant partie de l'ordre normal des choses.[1]

« TU DOIS Y CROIRE! »

« Vous pouvez devenir la personne que vous aimeriez être, à la condition
d'y croire avec suffisamment de conviction et d'agir en accord avec votre idéal.
Tout ce que l'esprit peut concevoir, tout ce en quoi il peut croire,
il peut aussi le réaliser. »

NAPOLEON HILL
Auteur du grand succès *Réfléchissez et devenez riche*

Lorsque le lanceur des Phillies de Philadelphie, Tug McGraw, le père du légendaire chanteur de musique country Tim McGraw, retira sur trois prises Willie Wilson, procurant aux Phillies les honneurs de la Série mondiale de 1980, le magazine *Sports Illustrated* capta l'image immortelle de la joie qu'il exultait au monticule. Mais ce que peu de gens savent, c'est que ce scénario s'était déroulé exactement comme Tug McGraw l'avait imaginé.

Lorsque j'ai eu l'occasion de rencontrer Tug un an plus tard à New York, je lui ai demandé de me relater l'expérience qu'il avait vécue cette journée-là, sur le terrain.

---

1. Adapté de l'article : « Les placebos sont si efficaces que même les experts sont surpris : De nouvelles recherches explorent les triomphes du cerveau sur la réalité », par Sandra Blakeslee, *New York Times*, le 13 octobre 1998, section F, page 1.

«J'avais l'impression de m'être déjà trouvé à ce même endroit des milliers de fois auparavant, me dit-il. Lorsque j'étais encore un gamin, je m'exerçais à lancer des balles avec mon père dans la cour arrière. Nous imaginions toujours que nous étions en neuvième manche de la partie décisive de la Série mondiale, avec deux retraits et trois coureurs sur les buts. Je retirais alors le dernier frappeur et j'étais le héros du jour.» Parce que Tug a conditionné son esprit, jour après jour, alors qu'il était encore gamin, l'événement qu'il imaginait s'est finalement produit, et il a réalisé son rêve.

Tug MacGraw avait établi sa réputation de penseur positif sept ans auparavant, lors du championnat de la Ligue nationale de 1973, alors qu'il évoluait avec les Mets de New York. Il avait lancé, lors d'une réunion de l'équipe, une petite phrase qui est restée associée à son nom : «Tu dois y croire!» Cette même équipe, qui croupissait au dernier rang du classement un mois avant la fin de la saison régulière, s'était ressaisie pour remporter le championnat de sa division, au mois d'août. Elle avait même failli gagner la Série mondiale, avant de s'incliner finalement lors de la septième et décisive partie devant les A's d'Oakland.

Il y a une autre anecdote illustrant l'attitude résolument optimiste de Tug McGraw, résumée dans cette petite phrase toute simple : «Tu dois y croire!» Ce fut le discours prononcé lors d'un banquet de la Petite ligue de baseball, au cours duquel il a déclaré : «Les enfants devraient apprendre à autographier des balles. Il s'agit d'une compétence trop souvent négligée dans la ligue mineure.» Et il accompagna cette boutade de son irrésistible sourire.

FAITES-VOUS CONFIANCE ET FONCEZ!

«Tôt ou tard, ceux qui gagnent sont ceux qui s'en croient capables.»

RICHARD BACH
Auteur du grand succès *Jonathan Livingston, le Goéland*

Tim Ferriss avait confiance en lui. En fait, il était si sûr de son talent qu'il remporta le championnat national de kick-boxing San Shou, six semaines seulement après avoir été initié à ce sport!

Judoka accompli et capitaine de son équipe à l'Université de Princeton, Tim avait toujours rêvé d'un championnat national. Il y avait travaillé toute sa vie et il excellait dans son sport. Mais des blessures multiples, subies au cours de plusieurs années consécutives, l'avaient empêché de réaliser son rêve.

Lorsqu'un de ses amis l'a invité à venir le voir combattre au championnat national de kick-boxing qui devait avoir lieu six semaines plus tard, il décida sans hésitation de prendre part à la compétition.

Comme il n'avait jamais participé à un combat impliquant des échanges de coups auparavant, il s'informa auprès de la USA Boxing pour savoir où se trouvaient les meilleurs entraîneurs. Il se rendit dans un quartier mal famé de Trenton, au New Jersey, pour apprendre à boxer auprès d'entraîneurs qui avaient déjà formé des médaillés d'or olympiques.

Après quatre heures de combats épuisants dans le ring, il se rendait à la salle de musculation pour continuer son régime d'entraînement draconien. Pour compenser son manque d'expérience, ses entraîneurs l'encourageaient à exploiter ses forces, plutôt que d'essayer de corriger toutes ses faiblesses.

Tim ne voulait pas seulement participer. Il voulait gagner.

Lorsque le premier jour de la compétition arriva enfin, Tim infligea la défaite à trois adversaires très coriaces, ce qui lui permit d'accéder à la grande finale. Alors qu'il réfléchissait à ce qu'il devait faire pour remporter ce combat décisif, il ferma les yeux et il visualisa la défaite qu'il faisait subir à son opposant dès le premier assaut.

Plus tard, Tim me confia qu'il était persuadé que la plupart des gens échouaient, non pas parce qu'ils n'avaient pas suffisamment de talents ou d'aptitudes pour atteindre leur but, mais bien plutôt parce qu'ils n'étaient pas suffisamment convaincus de pouvoir y parvenir. Tim, lui, y avait cru. Et il avait remporté la victoire.

VOUS POSSÉDEZ UN GRAND AVANTAGE SI QUELQU'UN CROIT EN VOUS

Lorsque Ruben Gonzalez, alors âgé de vingt ans, se présenta au centre d'entraînement de l'équipe olympique américaine, à Lake Placid, dans l'État de New York, il avait en poche la carte de visite professionnelle d'un homme de Houston qui croyait en son rêve olympique. Ruben était là pour s'initier à la luge, un sport que neuf athlètes sur dix abandonnent dès la première saison.

Presque tous les aspirants lugeurs se fracturent plus d'un membre avant de réussir à maîtriser un engin conçu pour dévaler les pistes de glace et de ciment en circuit fermé à plus de quatre-vingt-dix kilomètres à l'heure. Mais Ruben avait un rêve, une passion, et il s'était promis de ne pas laisser tomber. Il pouvait aussi compter sur le soutien enthousiaste de son ami Craig, là-bas, à Houston.

Lorsque Ruben se retira dans sa chambre à la fin de la première journée d'entraînement, il téléphona à Craig.

« Craig, je suis en train de devenir cinglé. Mes côtes me font terriblement souffrir. Je pense que je me suis cassé un pied. C'est décidé. Je reprends le football ! »

Craig l'interrompit. « Ruben, place-toi devant un miroir !

– Quoi ?

– Fais ce que je te dis. Mets-toi en face du miroir ! »

Ruben se leva, tira sur le fil du téléphone, et se plaça devant un grand miroir, où il pouvait se voir de la tête aux pieds.

« Maintenant, Ruben, répète après moi : *"Peu importe les difficultés, peu importe la douleur, je vais y arriver !"* »

Ruben se sentait un peu ridicule dans cette position, à se contempler ainsi dans la glace, et il marmonna sans conviction : « Peu importe les difficultés, peu importe la douleur, je vais y arriver !

– Allons, Ruben, lui dit Craig, fais-le correctement. Tu es Monsieur Jeux olympiques, oui ou non ? Tu ne parles que de cela ! Veux-tu prononcer cette phrase ? »

Ruben commença à retrouver son aplomb. « Peu importe les difficultés, peu importe la douleur, je vais y arriver !

– Encore une fois !

– Peu importe les difficultés, peu importe la douleur, je vais y arriver ! »

Et il répéta la phrase encore, encore et encore.

Alors qu'il répétait l'affirmation pour la cinquième fois, il se dit : « *Ça alors ! Ça fait vraiment du bien. Je me tiens déjà un peu plus droit* ». Après la dixième répétition, il bondit dans les airs et cria : « *Je me fous de ce qui peut m'arriver. Je vais y parvenir. Je peux me briser les deux jambes. Les os guérissent. Je serai de retour demain et je vais leur montrer. Je participerai aux Jeux olympiques !* »

Il est étonnant de voir ce qu'il advient de votre confiance lorsque vous vous regardez littéralement droit dans les yeux, et que vous vous répétez avec force que, peu importe les difficultés, vous allez y arriver. Quel que soit le rêve que vous caressiez, regardez-vous dans la glace et déclarez avec fermeté que vous allez réussir – peu importe le prix à payer.

Ruben Gonzalez a déclaré haut et fort qu'il allait réussir, et cela a changé sa vie. Il a participé aux compétitions de luge lors des Jeux olympiques de Calgary, en 1988, d'Albertville, en 1992, et de Salt Lake City, en 2002. Et il s'entraîne maintenant en vue des Jeux olympiques d'hiver de Torino, en 2006. Il aura alors 43 ans, et il sera en compétition avec des athlètes qui n'auront que la moitié de son âge.

PRINCIPE 5

CROYEZ EN VOUS

« Vous n'êtes pas venu au monde par accident. Vous n'avez pas été produit en série sur une chaîne de montage. Vous avez été conçu par une volonté pensante, des dons spéciaux vous ont été accordés, et vous avez été placé sur terre par la main aimante du Maître Créateur. »

MAX LUCADO
Auteur à succès

Si vous tenez à avoir du succès dans la création de la vie de vos rêves, vous devez d'abord croire que vous en êtes capable. Vous devez être persuadé que vous possédez l'étoffe qu'il faut pour arriver à vos fins. Il vous faut croire en vous. Que vous appeliez cet état d'esprit, la confiance en soi, l'estime de soi ou l'assurance, il est le reflet de la profonde conviction que vous possédez tout ce qui est nécessaire – les compétences, les ressources personnelles, les talents, les connaissances pour réussir.

CROIRE EN SOI EST UN ÉTAT D'ESPRIT

Croire en soi est un choix. Il s'agit d'un état d'esprit que l'on développe avec le temps. Bien sûr, vous serez avantagé si vous avez eu la chance d'avoir des parents positifs et beaucoup de soutien. Mais il n'en demeure pas moins que l'immense majorité des parents transmettent inconsciemment à leurs enfants leurs propres doutes et les réflexes négatifs acquis dans leur jeunesse.

Mais n'oubliez jamais que le passé est le passé. Il ne vous sert à rien de blâmer tous et chacun pour le peu de confiance que vous avez en vous-même. C'est maintenant votre responsabilité de mettre en valeur vos idées et vos croyances. Vous devez prendre la décision de croire que vous pouvez accomplir tout ce que votre esprit peut imaginer – absolument tout – parce qu'en vérité, vous en êtes capable. Cela vous encouragera sans doute d'apprendre que les recherches les plus récentes en physiologie du cerveau démontrent qu'avec un dialogue intérieur positif, la pratique de la visualisation, un entraînement approprié, un bon instructeur et une attitude persévérante, n'importe qui peut apprendre à faire à peu près n'importe quoi.

Lors de mes recherches dans la préparation de ce livre, j'ai eu l'occasion d'interviewer des centaines d'individus ayant à leur actif des succès hors du commun. Presque tous m'ont affirmé : « Je n'étais pas la personne la plus brillante ou la plus douée dans mon domaine, mais j'ai choisi de croire que tout était possible. J'ai étudié, pratiqué, et travaillé plus dur que les autres, et c'est ainsi que je suis parvenu là où je suis ». Si un jeune Texan dans la vingtaine peut décider de s'adonner à la luge et devenir un athlète olympique ; si un décrocheur peut devenir milliardaire ; si un étudiant dyslexique, ayant échoué trois fois à l'école, peut devenir un auteur à succès et un producteur de télévision ; alors, vous aussi, pouvez accomplir n'importe quoi, à la condition bien entendu, de croire que c'est possible.

LE CHOIX DE VOS CONVICTIONS VOUS APPARTIENT

Stephen J. Cannell a échoué sa première, sa quatrième, et sa dixième année à l'école. Il était incapable de lire et de comprendre au même rythme que les autres enfants. Même s'il consacrait cinq heures à se préparer à un examen, aidé par sa mère, il échouait malgré tout. Lorsqu'il demanda à un camarade, qui avait obtenu un A, combien d'heures il avait étudiées avant cet examen, celui-ci répondit : « Je ne me suis pas préparé ». Stephen en conclut qu'il n'était tout simplement pas intelligent.

« Mais j'ai décidé volontairement de chasser cette pensée de mon esprit, m'a-t-il dit. J'ai carrément refusé de m'arrêter à mes insuccès scolaires. J'ai plutôt concentré mes efforts sur ce que je faisais le mieux, c'est-à-dire jouer au football. Si je n'avais pas excellé dans ce sport, je ne sais pas ce qui me serait arrivé. Mon estime personnelle reposait sur mes habiletés sportives. »

Consacrant toutes ses énergies au football, il remporta bientôt de nombreux honneurs dans les ligues interscolaires, à la position de demi à l'attaque. C'est par la pratique du sport qu'il apprit que l'application au travail menait au succès.

Grâce à sa confiance retrouvée, il se mit à écrire des scénarios pour la télévision, une initiative étonnante compte tenu de ses antécédents. Il obtint un si grand succès qu'il décida de lancer son propre studio de production. Au cours des années, il créa, écrivit et réalisa plus de trois cent cinquante scénarios pour trente-huit émissions de télévision différentes, incluant *The A-Team*, *The Rockford Files*, *Baretta*, *21 Jump Street*, *Renegade*, et *Silk Stalkings*. Au sommet de sa carrière de producteur, il avait plus de deux mille employés à son service. Par la suite, il vendit son entreprise et écrivit onze romans à succès !

Stephen illustre à merveille le fait que ce ne sont pas les cartes que la vie met entre vos mains qui importent le plus, mais bien votre manière de réagir, tant mentalement que physiquement, vis-à-vis la donne dont vous héritez.

« Je suis toujours à la recherche du plus grand nombre d'hommes qui jouissent d'une capacité infinie d'ignorer ce qui ne peut être fait. »

HENRY FORD

VOUS DEVEZ RENONCER À DIRE : « JE NE PEUX PAS »

« La phrase : "Je ne peux pas" est la force de négation la plus puissante de la psyché humaine. »

PAUL R. SCHEELE
Président de Learning Strategies Corporation

Si vous êtes fermement décidé à réussir, vous devez renoncer une fois pour toutes à l'expression : « Je ne peux pas ! » et à toutes ses variantes, comme par exemple : « J'aimerais tant pouvoir faire cela ! » En fait, ces expressions minent vos capacités. Le simple fait de les prononcer vous affaiblit.

Dans mes séminaires, j'utilise une technique empruntée à la kinésiologie pour mesurer la tension musculaire des participants pendant qu'ils prononcent certaines phrases. D'abord, je leur demande de lever le bras gauche latéralement, puis je tente de l'abaisser de ma main gauche, afin d'en éprouver la vigueur. Ensuite, je leur demande de décrire une activité qu'ils estiment être au-delà de leurs capacités, comme par exemple : « Je ne pourrais jamais jouer du piano ». Au même moment, j'appuie de nouveau sur ce bras et je perçois invariablement une baisse de la tension musculaire. Au contraire, lorsqu'ils affirment : « Je suis capable de faire ceci ou cela », la résistance à la pression que j'applique augmente toujours.

Votre cerveau a été conçu pour solutionner n'importe quel problème ou atteindre tout but que vous lui présentez. Les mots auxquels vous pensez, ou que vous exprimez, ont un effet réel sur votre corps. C'est un phénomène facilement observable chez les enfants. Quand vous n'étiez qu'un bambin, rien ne pouvait vous arrêter. Vous étiez persuadé de pouvoir escalader tous les obstacles. Aucune barrière n'était assez haute pour vous faire reculer. Puis petit à petit, ce sentiment d'invincibilité s'est graduellement érodé à cause des abus physiques et émotifs que vous subissiez au sein de votre famille, ou aux mains de vos amis et professeurs. Un beau jour, vous avez cessé de croire en votre pouvoir.

Il vous faut prendre la décision de retirer l'expression : « *Je ne peux* » pas de votre vocabulaire. Dans les années 1980, j'ai assisté à un séminaire de Tony Robbins, dans lequel nous avons appris à marcher sur des charbons ardents. Au début, nous étions tous effrayés, persuadés de ne pouvoir réussir pareil exploit, que nous sortirions de l'expérience les pieds carbonisés. Au cours de sa présentation, Tony nous a fait mettre par écrit tous nos « *Je ne peux pas* » : « *Je ne peux pas trouver un emploi que j'aime vraiment* », « *Je ne peux pas devenir millionnaire* », « *Je ne peux pas trouver le compagnon idéal* », puis nous les avons lancés dans les flammes.

Deux heures plus tard, les trois cent cinquante personnes présentes défilaient sur les charbons, sans subir la moindre brûlure. Lors de cette soirée, nous avons tous appris que l'affirmation : « *Je ne peux pas marcher sur des charbons ardents* » était un mensonge, ainsi que toutes les autres croyances négatives et limitatives qui sont ancrées en nous.

NE PERDEZ PAS VOTRE TEMPS À CROIRE QUE VOUS NE POUVEZ PAS

En 1977, à Tallahassee, en Floride, Laura Shultz, alors âgée de soixante-trois ans, souleva l'arrière de sa Buick pour dégager le bras de son petit-fils qui s'y trouvait coincé. Avant de réussir cet exploit, un gros sac de nourriture pour animaux de vingt-cinq kilos avait été l'objet le plus lourd qu'elle était jamais parvenue à soulever.

Le Dr Charles Garfield, auteur de *Maxi-performance* et *Peak Performers*, l'a rencontrée en entrevue peu après avoir lu son histoire dans le *National Enquirer*. Lorsqu'il se présenta à sa résidence, celle-ci se montra d'abord très réticente à parler de ce qu'elle appelait, « l'événement ». Elle insista pour que Charlie avale le petit-déjeuner qu'elle lui avait préparé, et l'appelle Granny, ce qu'il fit volontiers.

Enfin, il parvint à lui arracher sa version de « l'événement ». Elle lui confia qu'elle n'aimait pas y penser, parce que cela bouleversait ses croyances au sujet de ce qu'elle pouvait ou ne pouvait pas faire, ce qui était possible ou impossible. Elle dit : « Si j'ai été capable d'accomplir cet exploit, alors que j'étais persuadée du contraire, que dire alors du reste de ma vie. Est-ce que je l'aurais déjà gâchée parce que je me croyais inapte à réaliser mes rêves ? »

Charlie la persuada que sa vie était loin d'être terminée, et qu'elle pouvait encore accomplir tout ce qu'elle voulait. Il lui demanda ce qui l'intéressait le plus, s'il y avait un sujet qui la passionnait. Elle lui répondit qu'elle s'était toujours intéressée à l'étude des roches. Elle voulait devenir géologue mais ses parents, qui n'étaient pas assez riches pour envoyer leurs deux enfants au collège, avaient accordé la préséance à son frère.

Encouragée par Charlie, elle décida de retourner à l'école pour étudier la géologie. Elle obtint son diplôme quelques années plus tard, et elle enseigne aujourd'hui dans un collège communautaire de sa région.

N'attendez pas d'avoir 63 ans avant de décréter que vous pouvez faire tout ce que vous voulez. Cessez de gaspiller de précieuses années de votre vie. Décidez dès maintenant que vous pouvez réussir tout ce que vous souhaitez, et mettez-vous au travail sans perdre une seconde pour y arriver.

TOUT EST UNE QUESTION D'ATTITUDE

Un journaliste posa la question suivante au joueur de baseball légendaire Ty Cobb, qui avait alors soixante-dix ans : « Si vous jouiez au baseball aujourd'hui, quelle serait votre moyenne au bâton ? »

Au cours de sa carrière, Ty Cobb avait conservé une moyenne cumulative de .367. Il répondit :

« Probablement autour de .290, peut-être .300. »

Le reporter répliqua avec bienveillance : « Le baseball moderne est en effet bien différent de celui de votre époque. Il faut maintenant compter avec de longs déplacements, les parties ont lieu en soirée sur des surfaces synthétiques, et les lanceurs ont mis au point des lancers redoutables.

– Non, non, vous n'y êtes pas du tout ! répondit Ty Cobb. Mes performances seraient un peu plus modestes aujourd'hui parce que j'ai soixante-dix ans. »

Voilà ce que j'appelle avoir confiance en soi !

UN DIPLÔME UNIVERSITAIRE N'EST PAS TOUJOURS NÉCESSAIRE

Voici une autre statistique qui montre que la confiance en soi est plus importante que les connaissances, la formation, ou la scolarité pour réussir : vingt pour

Désavantagé par une piètre estime de lui-même,
Bob a choisi la profession de ralentisseur
(bosse antivitesse).

cent des millionnaires américains n'ont jamais mis les pieds dans un collège, vingt et un des deux cent vingt-deux milliardaires que comptait ce pays en 2003 n'avaient pas de diplôme universitaire ; deux d'entre eux n'ont même jamais fini leur cours secondaire !

Bien que l'éducation et l'engagement ferme d'apprendre toute sa vie durant soient essentiels au succès, une reconnaissance scolaire formelle n'est pas un préalable obligatoire. Ceci est vrai même dans l'univers de la haute technologie, comme le réseau Internet. Larry Ellison, président et fondateur de la société Oracle, a abandonné ses études à l'Université de l'Illinois. Au moment d'écrire ces lignes, sa valeur nette était de dix-huit milliards de dollars. Bill Gates, un des plus célèbres décrocheurs de l'Université Harvard, est le fondateur de Microsoft. Aujourd'hui, il est considéré comme l'homme le plus riche du monde et sa fortune personnelle est évaluée à quarante-six milliards de dollars.

Même le vice-président Dick Cheney a abandonné ses études universitaires en cours de route. Lorsque l'on sait que le vice-président des États-Unis, que l'homme le plus riche en Amérique, que nombre d'acteurs qui touchent un cachet de vingt millions de dollars pour jouer dans un film, et que quelques-uns des plus grands musiciens et des plus grands athlètes d'aujourd'hui sont des décrocheurs, force est d'admettre que vous pouvez, vous aussi, accéder à une vie extraordinaire, peu importe votre point de départ.[1]

CE QUE LES AUTRES PENSENT DE VOUS, CELA NE VOUS REGARDE PAS

─────────

« Vous devez croire en vous, même si vous êtes seul à le penser.
C'est ce qui fera de vous un gagnant. »

VENUS WILLIAMS
Médaillée d'or olympique et championne de tennis professionnel

S'il était nécessaire pour réussir dans la vie que les autres croient en nous et en nos rêves, bien peu de gens connaîtraient le succès. Vous devez plutôt fonder vos décisions sur ce que vous voulez faire, sur vos buts et vos désirs – et non pas sur les buts, les désirs, l'opinion et le jugement de vos parents, de vos amis, de vos conjoints, de vos enfants et de vos collègues de travail. Arrêtez de vous préoccuper de l'opinion des autres. Écoutez plutôt votre cœur.

J'aime bien la règle 18/40/60 du Dr Daniel Amen : Quand vous avez 18 ans, vous vous inquiétez de ce que les autres pensent de vous ; à 40 ans, vous êtes complètement indifférent à l'opinion des autres ; et finalement, à 60 ans, vous vous rendez compte que personne ne se préoccupait de vous !

Surprise ! Surprise ! La plupart du temps, on ne songe même pas à vous ! En effet, les gens sont bien trop préoccupés par leur propre sort. Et si par hasard, ils pensent à vous, c'est parce qu'ils se demandent ce que vous pouvez bien penser d'eux. Les gens s'intéressent à eux-mêmes, pas à vous. Pensez-y un moment – tout ce temps que vous perdez à vous préoccuper de l'opinion des autres à propos de vos idées, vos buts, votre habillement, vos cheveux, ou votre maison, pourrait être bien mieux utilisé à réfléchir à ce que vous devriez faire pour réussir ce qui est vraiment important pour vous.

─────────

1. Ces données proviennent des sources suivantes : « Some Billionaires Choose School of Hard Knocks », 29 juin 2000 ; Forbes.com, 2003, « Forbes 400 Richest People in America ». Statistiques revues en tenant compte de l'édition 2003 de « Forbes 400 Richest People in America ».

PRINCIPE 6

SOYEZ TOUT L'OPPOSÉ D'UN PARANOÏAQUE !

« J'ai toujours été l'opposé d'un paranoïaque. Je pars du principe que chaque personne que je rencontre fait partie d'un vaste complot pour améliorer ma vie. »

STAN DALE
Fondateur de *The Human Awereness Institute* et auteur de *Fantasies Can Set You Free*

On a dit de mon premier mentor, W. Clement Stone, qu'il pratiquait la paranoïa à rebours. Il avait choisi de croire que le monde entier complotait pour améliorer son bien-être, plutôt que de conspirer à sa perte. Les situations difficiles et les défis ne l'effrayaient pas, bien au contraire. Il se mettait immédiatement à la recherche des avantages qu'il pouvait en tirer – davantage de richesses, de nouvelles compétences, se gagner la bonne volonté des gens, etc.

Quel exemple extraordinaire de croyance positive !

Imaginez combien plus facile serait la vie si nous pouvions toujours compter sur l'appui du monde entier dans nos entreprises.

C'est précisément ce que font les gens qui ont du succès.

Certaines recherches indiquent, en effet, que les attentes positives des personnes qui voient l'avenir avec optimisme constituent une « force » qui attire les expériences heureuses.

Tout à coup, les obstacles et les contrariétés ne vous semblent plus être de nouvelles manifestations du fameux syndrome : « On le sait bien, tout le monde me déteste ». Ils vous offrent, au contraire, des occasions de grandir, de changer et de réussir.

Si votre voiture tombe soudainement en panne, et que vous êtes immobilisée le long de l'autoroute, plutôt que de vous imaginer qu'un violeur en série sortira de nulle part pour profiter de votre infortune, songez plutôt à la possibilité que le bon samaritain qui vous viendra en aide puisse être l'homme de votre vie, et votre futur mari.

Si votre employeur supprime votre poste, vos chances de trouver enfin l'emploi de vos rêves, plus valorisant et mieux rémunéré, pourraient subitement venir de s'améliorer. Si on vous annonce que vous avez le cancer, il est possible que l'obligation de réorganiser votre vie pour guérir créera chez vous des habitudes de vie plus saines, qui vous permettront de redécouvrir vos vraies valeurs.

Réfléchissez à cette nouvelle façon de voir les choses.

S'est-il déjà produit dans votre vie un événement terrible qui s'est révélé être une véritable bénédiction par la suite?

« Tout événement négatif contient la semence d'un bienfait, au moins égal, sinon supérieur, aux inconvénients immédiats qui l'accompagnent. »

NAPOLEON HILL
Auteur du succès classique *Réfléchissez et devenez riche*

Le point tournant dans ma vie est survenu en 1978, au moment de la fermeture du Job Corps Center, à Clinton, en Iowa. Je participais alors au développement de nouveaux programmes pédagogiques révolutionnaires pour les étudiants en difficultés d'apprentissage. Je bénéficiais du soutien inconditionnel de l'administration, j'œuvrais au sein d'une équipe dynamique de jeunes gens brillants. Nous partagions la même vision, le même enthousiasme: bref, j'adorais mon travail.

Puis, du jour au lendemain, le gouvernement a décidé de déménager le centre. Cela signifiait que j'allais être sans emploi pendant au moins six mois. Au début, cette décision m'a mis en colère. Mais lors d'un atelier de motivation auquel je participais à la fondation W. Clement & Jesse V. Stone à Chicago, j'ai eu l'occasion de confier mon désarroi à l'animateur, qui était justement le vice-président de l'organisation.

En guise de réponse, il m'a offert un emploi: «Nous aimerions beaucoup avoir un associé comme vous, une personne qui a déjà œuvré dans les quartiers urbains défavorisés auprès de jeunes gens d'origine latino-américaine et afro-américaine. Venez donc travailler avec nous.» On m'a offert sur-le-champ un meilleur salaire, un budget illimité, la possibilité d'assister à tous les ateliers, séminaires ou congrès, que je désirais et, en prime, j'allais avoir le privilège de collaborer avec W. Clement Stone lui-même qui m'avait déjà initié aux principes de la réussite.

Pourtant, lorsqu'on m'avait annoncé la réimplantation du centre, et mon licenciement imminent, j'avais éprouvé de la colère et de l'angoisse. J'étais complètement désemparé. J'étais persuadé qu'il s'agissait là d'une véritable catastrophe pour moi. Ce même événement allait plutôt se révéler le point tournant de ma vie. En moins de trois mois, ma situation allait passer de bonne à extraordinaire. Pendant deux ans, j'ai collaboré avec quelques-unes des personnes les plus remarquables que j'aie connues avant d'entreprendre des études de doctorat en psychologie de l'éducation à l'Université du Massachusetts.

Maintenant, lorsque quelque chose de « défavorable » m'arrive, je pense toujours au fait que tout ce qui s'est produit dans ma vie contenait le germe de quelque chose de mieux. Je cherche donc les avantages plutôt que les inconvénients qu'apporte chaque nouvelle situation. Je me demande : « *Quels sont les principaux bienfaits qui résulteront pour moi de ce concours inattendu de circonstances ?* »

Je suis persuadé que vous pouvez, vous aussi, vous rappeler d'occasions où vous pensiez que la fin du monde venait de s'abattre sur vous – un échec scolaire, un divorce, un congédiement, la mort d'un ami, une faillite, la maladie, une blessure grave, ou un incendie qui a tout rasé – pour vous rendre compte par la suite que c'était là un mal pour un bien.

L'astuce, c'est de comprendre que tout ce que vous subissez maintenant est le prélude d'un avenir meilleur. Imaginez toujours le goût délicieux de la citronnade dans l'aigreur du citron. En vous appliquant à chercher constamment le bon côté des choses, vous arriverez à les découvrir plus rapidement et plus souvent. Puis, si vous adoptez l'attitude que des choses meilleures sont sur le point de frapper à votre porte, vous serez moins vulnérable au découragement et à la colère pendant la période d'attente.

COMMENT POURRAIS-JE RETOURNER CETTE SITUATION À MON AVANTAGE ?

« Lorsque la vie vous envoie un citron, pressez-le et obtenez-en de la citronnade ! »

W. CLEMENT STONE
Multimillionnaire et ex-éditeur de *Success Magazine*

Le capitaine Jerry Coffee, pilote de l'armée de l'air américaine pendant la guerre du Viet Nam, a été fait prisonnier au cours d'une mission quand son appareil a été abattu. Il a été détenu sept ans, comme prisonnier de guerre, dans les conditions de détention les plus infernales qu'on puisse imaginer. On l'a battu, privé de nourriture, et isolé de tout contact humain pendant de longues périodes de temps. Mais si vous lui parlez de cet épisode de sa vie, il vous dira qu'il s'agit de l'expérience de transformation personnelle la plus marquante de son existence.

En pénétrant dans sa cellule pour la première fois, il s'est bien rendu compte qu'il allait y séjourner seul pendant un bon moment. Il s'est alors demandé : « *Comment puis-je utiliser cette expérience à mon avantage ?* » Il a décidé de considérer sa détention comme une occasion à saisir, et non comme une tragédie – une chance de connaître profondément les deux seuls êtres avec lesquels il serait en contact pendant de longues années, Dieu et lui-même

Tous les jours, le capitaine Coffee consacrait plusieurs heures à réfléchir aux interactions qu'il avait eues avec les personnes qu'il avait rencontrées dans sa vie. Graduellement, il commença à mieux cerner les causes de ses succès et de ses échecs. Au fil des jours, en se livrant à une profonde autoanalyse, il a appris à mieux se connaître.

Il s'est réconcilié petit à petit avec tous les aspects de sa personne, et, perçant à jour sa véritable nature, il éprouva du même coup un profond sentiment de compassion pour l'humanité tout entière. Il devint l'un des individus les plus sages, les plus humbles et les plus pacifiques que j'aie jamais eu l'occasion de rencontrer. L'amour et la spiritualité irradient littéralement de sa personne.

Même s'il admet qu'il ne voudrait jamais revivre pareille expérience, il s'empresse d'ajouter qu'il n'échangerait pour rien au monde son expérience de prisonnier de guerre. Cette exploration obligée au cœur de lui-même l'a transformé, faisant de lui l'homme qu'il est maintenant – un bon père de famille heureux et profondément spirituel, un auteur à succès et l'un des conférenciers les plus motivants et inspirants que je connaisse.

CHERCHEZ LE CÔTÉ AVANTAGEUX DE TOUTE SITUATION

Qu'arriverait-il si vous accueilliez chaque événement de votre vie par la question : « Quel bénéfice potentiel se cache dans cette situation ? » Les gens qui connaissent un immense succès abordent chaque expérience comme s'il s'agissait d'une occasion unique. Ils s'engagent dans chaque conversation, persuadés que quelque chose de bien en résultera pour eux. Ils savent que ce qu'ils cherchent et ce qu'ils anticipent se produira tôt ou tard.

Si vous adoptez le point de vue que le « bien » n'est pas un accident, que la présence de chaque chose et de chaque personne dans votre vie a sa raison d'être, que l'univers vous conduit vers votre destinée ultime d'apprentissage, de croissance et de réussite, vous commencerez à considérer chaque événement, même s'il est déplaisant et vous plonge dans un embarras momentané, comme une occasion d'enrichissement et de progrès personnels.

Écrivez une petite carte ou une petite affiche contenant ces mots : « Quelle chance à saisir se cache dans ce qui vient d'arriver ? » Placez-la sur votre bureau, ou collez-la sur votre ordinateur. Ainsi, vous n'oublierez jamais de toujours chercher le côté avantageux de toute situation.

Vous pouvez commencer votre journée en répétant la phrase : « *Je suis persuadé que le monde conspire pour mon bien aujourd'hui. Je suis impatient de savoir ce qu'il m'a préparé.* » Soyez alors bien attentif pour ne rien laisser s'échapper et profitez du miracle lorsqu'il se produit.

IL A SAISI LA CHANCE DE SA VIE

Mark Victor Hansen, mon associé et coauteur de tous les livres de la série *Bouillon de poulet pour l'âme*^{MD}, aborde chaque rencontre comme une occasion à saisir. Il suggère aux gens de déclarer spontanément : « J'aimerais être votre associé dans cette affaire. Je connais plusieurs façons de développer votre idée, de rejoindre plus de personnes, et de faire plus d'argent. » Et c'est ainsi qu'il est devenu mon associé dans la saga *Bouillon de poulet*.

Un jour, alors que nous prenions le petit-déjeuner ensemble, il m'a demandé : « Qu'est-ce que vous mijotez ces jours-ci ? Quel projet excitant êtes-vous en train de concocter ? » Je lui ai répondu que je réunissais toutes les anecdotes motivantes et inspirantes que j'utilisais lors de mes conférences et que j'allais les publier sous dans un livre, sans autre commentaire. Il s'agirait tout simplement d'un recueil d'histoires que les gens pourraient utiliser à leur guise. Après avoir écouté mon projet, il me dit : « Je veux devenir votre associé. J'aimerais vous aider à écrire ce livre ».

Je lui ai répondu : « Mark, le manuscrit est déjà à moitié terminé. Pourquoi prendrais-je un associé à ce stade-ci du projet ?

– D'abord, répliqua-t-il, plusieurs des histoires que vous utilisez proviennent de moi. Et j'en ai bien d'autres encore dont vous n'avez jamais entendu parler. Je sais aussi comment obtenir une foule d'anecdotes supplémentaires des autres conférenciers dans le domaine de la motivation. Je peux vous aider à mettre ce livre en marché et à le vendre à des endroits dont vous ne soupçonnez même pas l'existence. »

Au fur et à mesure que la conversation progressait, il devenait de plus en plus évident que Mark serait un ajout formidable au sein du projet. Non seulement est-il un représentant hors pair, mais son énergie inépuisable et son style de promoteur toujours sur la brèche, représentaient autant d'atouts gagnants à mes yeux. Nous avons alors conclu l'affaire. Cette seule conversation a rapporté à Mark des dizaines de millions de dollars en revenus de droits d'auteur.

Voyez-vous, quand vous abordez chaque occasion qui se présente comme la chance de votre vie, vous lui accordez l'importance qu'elle mérite. Grâce à sa très grande perspicacité, Mark a vu dans mon projet une occasion unique à saisir, et il a abordé notre entretien dans cette perspective. Le résultat : Une formidable relation d'affaires, très profitable, qui dure maintenant depuis une douzaine d'années.

« DIEU ME GARDE EN RÉSERVE POUR QUELQUE CHOSE DE BIEN MEILLEUR ! »

En 1987, j'ai présenté ma candidature, en compagnie de quatre cent douze autres personnes, pour faire partie d'un comité de trente membres : Le groupe de travail pour la promotion de l'estime de soi, de la responsabilité personnelle et sociale de l'État de la Californie.[1] J'ai eu le bonheur d'être sélectionné ; toutefois, Peggy Bassett, mon amie de longue date, la populaire ministre du culte d'une église comptant des dizaines de milliers de fidèles, n'a pas eu cette chance.

J'ai été très surpris, car je pensais qu'elle représentait la personne idéale pour siéger au sein de ce comité. Lorsque je lui ai demandé comment elle réagissait à cette étonnante décision, elle m'a donné une réponse que je n'ai jamais oubliée. Je l'utilise d'ailleurs constamment depuis lors. Elle m'a souri et elle m'a dit : « Jack, je me sens très bien, je vous remercie. Cela signifie simplement que Dieu me garde en réserve pour quelque chose de bien meilleur. »

---

1. California State Task Force to Promote Self-Esteem and Personal and Social Responsibility.

Au plus profond de son cœur, elle était consciente qu'elle avait toujours été guidée vers les expériences qui lui convenaient le mieux. Ses attentes positives, et sa croyance que tout ce qui arrive est dans l'ordre divin des choses, ont toujours été une source d'inspiration pour tous ceux qui la connaissaient. Et c'est pourquoi son église a connu une telle croissance. Il s'agit là du principe fondamental de son succès.

PRINCIPE 7

DÉPLOYEZ LA TOUTE-PUISSANCE DES BUTS DÉCLARÉS

« Si vous voulez être heureux, fixez-vous un objectif qui monopolisera votre attention, vous insufflera de l'énergie, et vous inspirera de l'espoir. »

ANDREW CARNEGIE
L'homme le plus riche de l'Amérique, au début du XXᵉ siècle

Lorsque vous avez décidé du sens que vous voulez donner à votre vie, exprimé votre vision, clarifié vos véritables besoins et reconnu vos désirs profonds, vous êtes maintenant prêt à vous fixer des buts et des objectifs précis et mesurables. Vous prendrez ensuite l'engagement inébranlable de les atteindre, avec la certitude que vous y parviendrez.

Les experts qui ont étudié les facteurs du succès ont bien compris que le cerveau est un organe conçu pour atteindre des buts. Quel que soit l'objectif que vous confiez à votre esprit, il travaillera jour et nuit pour qu'il se réalise.

COMBIEN, QUAND?

Pour vous assurer qu'un but libérera toute la puissance de vos facultés conscientes et inconscientes, il doit respecter deux critères. Votre objectif doit être formulé de telle sorte que n'importe qui puisse le mesurer à un moment précis. *« Je vais perdre cinq kilos »* n'est pas aussi fort que: *« Je pèserai 60 kilos, le 30 juin 2006, à 17 heures »*.

En effet, le deuxième objectif est plus clair parce qu'un témoin peut, à la date et à l'heure convenues, venir lire l'aiguille de votre pèse-personne. Celle-ci indiquera le poids annoncé, ou non. Notez que les deux critères de précision sont: *combien* (une quantité qui peut être mesurée, par exemple, des pages, des kilos, des dollars, des euros, des mètres carrés, des points, etc.), et *quand* (un moment déterminé, une date, une heure, etc.).

Soyez aussi précis que possible lorsque vous décrivez les différentes aspects de vos buts – spécifiez la marque, la couleur, l'année, et les caractéristiques (les dimensions, le poids, la forme) et tous les autres détails auxquels vous pouvez penser. Rappelez-vous : des buts vagues et confus donnent en général des résultats approximatifs et décevants.

LA DIFFÉRENCE ENTRE UN BUT ET UNE BONNE IDÉE

Lorsqu'il n'y a pas de critère de mesure, votre but n'est rien d'autre qu'un souhait, une préférence, une bonne idée. Pour occuper l'attention de votre esprit inconscient, un but ou un objectif doit être mesurable. Voici quelques exemples :

UNE BONNE IDÉE	UN BUT OU UN OBJECTIF
J'aimerais posséder une belle maison au bord de la mer.	Je serai propriétaire d'une maison d'une superficie de 700 mètres carrés sur Pacific Coast Highway, à Malibu en Californie, le 30 avril 2007, à midi.
Je veux perdre du poids.	Je pèserai 85 kilos, le 1er janvier 2006, à 17 heures.
Je dois mieux traiter mes employés.	Je manifesterai publiquement ma reconnaissance envers 6 employés pour leur contribution à l'entreprise, ce vendredi à 17 heures.

ÉCRIVEZ TOUS LES DÉTAILS

Une excellente façon de clarifier et de mieux préciser vos buts est de les rédiger dans les moindres détails, comme si vous étiez en train d'établir les spécifications d'un bon de travail ou d'une commande. Pensez à une requête que vous adresseriez à Dieu, ou à un esprit universel capable de vous exaucer. N'omettez rien.

Si vous pensez à la maison que vous aimeriez posséder, décrivez-la en détail, en utilisant des adjectifs vivants et colorés : l'emplacement, le paysage, l'ameublement, les décorations, la chaîne haute-fidélité, et le plan de chaque étage. Si une photographie existe, obtenez-en une reproduction. Si cette propriété est le produit

BANQUE
DE
SPERME

© Dayton Daily News 1980

«Mais ma chère dame, c'est vous qui avez spécifié que le donneur devait être une étoile du
cinéma, avec des cheveux noirs, un nez rond et un regard sombre.»

de votre imagination, fermez les yeux et visualisez-la dans les moindres détails.
Enfin, décidez de la date à laquelle vous voudriez l'occuper.

En mettant tout sur papier, vous fournissez à votre subconscient un matériau
avec lequel il peut travailler. Il se mettra immédiatement à l'affût des bonnes
occasions à saisir au vol.

VOUS AVEZ BESOIN D'OBJECTIFS QUI VOUS FERONT ÉVOLUER

Lorsque vous formulez vos buts, assurez-vous d'en choisir quelques-uns de
très ambitieux, qui vous inciteront à vous surpasser. Vous y gagnerez en
choisissant des objectifs que vous ne pourrez atteindre que si vous évoluez comme
personne. C'est une bonne chose d'avoir des projets qui vous donnent le trac.
Pourquoi? Parce que le but ultime de la démarche, en plus de vous aider à réaliser
vos ambitions matérielles, est de passer maître au jeu de la vie.

Et pour y arriver, il vous faudra acquérir de nouvelles compétences, élargir vos
horizons, développer de nouvelles relations, apprendre à surmonter vos peurs et
vos préjugés, en plus d'abattre tous les autres obstacles qui se dresseront sur votre
route.

CONCEVEZ UN BUT QUI REPRÉSENTE
POUR VOUS UNE PROGRESSION

En plus des objectifs quantifiables trimestriels, hebdomadaires et quotidiens que vous établissez de manière routinière, je vous encourage aussi à vous fixer un but qui représente une percée, un progrès, un véritable «bond en avant» sur le plan personnel ou professionnel. La plupart de nos projets ne visent qu'à introduire de modestes changements dans nos vies. Ils sont comme ces jeux prudents et sûrs qui permettent d'effectuer des gains minimes au football. Mais qu'arriverait-il si, d'entrée de jeu, vous tentiez d'effectuer une longue passe pour marquer le touché? Cela pourrait inaugurer un passage dans une toute nouvelle dimension de votre vie.

De même qu'il existe des manœuvres audacieuses permettant de gagner beaucoup de terrain en un seul essai au jeu, il y a des stratégies qui accomplissent le même résultat dans la vie. Il peut s'agir, par exemple, de la décision de perdre trente kilos, d'écrire un roman, de vous faire inviter à l'émission *Oprah*, de remporter une médaille d'or aux Jeux olympiques, de créer le site Web de l'année, de décrocher votre maîtrise ou votre doctorat, d'obtenir une licence, d'ouvrir votre propre station thermale, de vous faire élire président de votre syndicat ou de votre association professionnelle, d'animer votre propre émission de radio, etc.

La réussite d'une seule de ces entreprises de grande envergure révolutionnera votre vie. N'est-ce pas là justement le genre d'ambition qu'il vaut la peine de poursuivre avec passion, précisément le type de projet auquel on se consacre corps et âme jusqu'à ce qu'il soit réalisé?

Si vous êtes un représentant professionnel, et sachant que vous pourriez obtenir un meilleur secteur de vente, une commission plus substantielle avec prime, peut-être même une promotion, après avoir atteint un objectif de ventes très audacieux, ne vaudrait-il pas la peine de travailler jour et nuit pour y arriver?

Si vous êtes une mère de famille au foyer, dont le mode de vie et la situation financière s'amélioreraient considérablement grâce à ces mille dollars par mois additionnels que vous pourriez gagner en adhérant à une entreprise de marketing de réseau, ne feriez-vous pas tout en votre pouvoir pour l'obtenir?

C'est ce que j'entends par un but qui représente une percée, un bond en avant. Il s'agit d'un objectif qui change votre vie, provoque l'apparition d'occasions inespérées et met enfin sur votre route les bonnes personnes. Il élève le niveau de votre activité, transforme vos rapports avec les gens et vous incite à vous engager activement dans votre milieu.

Quelle progression voudriez-vous réaliser? Taylor, mon jeune frère qui habite la Floride, est professeur en éducation spécialisée. Il vient de terminer une formation de cinq ans en administration scolaire, ce qui signifiera éventuellement pour lui des revenus annuels additionnels de 25 000 $ par année. Il s'agit pour lui d'une percée, qui se traduira par une augmentation importante de son salaire et de son influence dans le système scolaire!

Pour Mark Victor Hansen et moi, l'écriture d'un livre à succès a représenté une véritable révolution dans nos vies. Grâce à la série *Bouillon de poulet pour l'âme*[MD], notre statut est passé de celui d'individus jouissant d'une bonne réputation dans certains domaines, à celui de personnalités mondialement reconnues. Cet événement a stimulé la demande pour nos cassettes audio, nos conférences et nos séminaires à un niveau sans précédent. Les revenus additionnels nous ont permis de changer notre mode de vie, de planifier notre retraite, d'engager plus d'employés, d'embrasser d'autres projets et de rayonner à l'échelle planétaire.

RELISEZ VOS BUTS TROIS FOIS PAR JOUR

Lorsque vous aurez rédigé tous vos objectifs, les plus grandioses comme les plus modestes, la prochaine étape de votre voyage vers la réussite consistera à recourir et à exploiter la puissance créatrice de votre subconscient. Vous y arriverez en relisant votre liste deux ou trois fois par jour. Lisez-la, un élément à la fois, et si vous êtes dans un endroit qui le permet, faites-le à haute voix, avec passion et enthousiasme. Fermez les yeux et imaginez chaque objectif comme s'il s'agissait d'un fait déjà accompli. Prenez quelques secondes de plus pour vous imprégner pleinement des émotions que vous ressentiriez alors.

En observant quotidiennement cette loi du succès, vous stimulerez la puissance de vos désirs. Cette discipline accroîtra ce que les psychologues appellent la « tension structurelle » dans votre cerveau. Ce dernier cherche toujours à combler l'écart qui existe entre la réalité présente et votre vision de l'avenir.

En affirmant et en visualisant inlassablement votre but, comme s'il était déjà réalisé, vous ferez croître cette tension structurelle. À son tour, celle-ci aura pour effet de stimuler votre motivation et votre créativité. Elle aiguisera vos perceptions, ce qui vous permettra de déterminer instantanément toute ressource utile dans votre environnement pour vous aider à réaliser votre objectif.

Assurez-vous de relire vos buts au moins deux fois par jour, le matin au saut du lit, et le soir avant de vous coucher. J'écris les miens sur de petites fiches de carton que je place sur ma table de chevet. Je les relis une à la fois le matin et le soir avant le coucher. Je les apporte aussi lors de mes déplacements.

Placez vos buts dans votre agenda personnel et sur votre calendrier en fonction de la date prévue de réalisation. Vous pouvez aussi créer un écran de veille à l'ordinateur qui les énumère périodiquement. L'important est de faire en sorte que vous les ayez sous les yeux le plus souvent possible.

Lorsque Bruce Jenner, le médaillé d'or du décathlon olympique, a demandé à son auditoire de jeunes espoirs olympiques s'ils avaient déjà rédigé leurs buts, ils ont tous levé la main. Puis, il leur a demandé qui avait sa liste en sa possession à ce moment-là. Un seul s'est manifesté. C'était Dan O'Brien, celui-là même qui a remporté l'épreuve du décathlon aux Jeux olympiques d'Atlanta, en 1996. Ne sous-estimez jamais la puissance des buts. Revoyez-les chaque fois que vous en avez l'occasion.

CRÉEZ VOTRE CAHIER D'OBJECTIFS

Une autre méthode efficace pour accélérer la réalisation de vos désirs est de vous fabriquer un «cahier d'objectifs». Procurez-vous une reliure à anneaux, un album, ou un cahier ordinaire. Consacrez une page entière à chacun de vos buts. Écrivez l'objectif tout en haut de la page, et illustrez-le ensuite à l'aide d'images, de mots, de phrases découpées dans des magazines, des catalogues et des brochures. Il s'agit de représentations visuelles de vos buts menés à bien. Au fur et à mesure que de nouveaux objectifs et de nouveaux désirs naissent en vous, consacrez-leur une nouvelle page dans votre «cahier d'objectifs».

GARDEZ TOUJOURS VOS BUTS LES PLUS IMPORTANTS
DANS VOTRE PORTEFEUILLE

Lorsque j'ai commencé à travailler pour W. Clement Stone, il m'a conseillé d'écrire mes objectifs prioritaires au verso de ma carte de visite professionnelle afin de toujours les avoir avec moi. De cette façon, dès que j'ouvrais mon portefeuille, mes buts les plus importants me revenaient à l'esprit.

Lorsque j'ai rencontré Mark Victor Hansen, j'ai découvert qu'il utilisait lui aussi la même technique. Après avoir terminé notre premier *Bouillon de poulet pour l'âme*[MD], nous avons écrit sur nos cartes de visite respectives : «Je célèbre la vente d'un million et demi d'exemplaires de la série *Bouillon de poulet pour l'âme^MD*, ce 30 décembre 1994 ». Puis, nous avons signé chacun nos cartes avant de les insérer dans notre portefeuille. Je l'ai fait encadrer depuis et elle est maintenant fixée au mur dans mon bureau.

Même si notre éditeur s'est bien amusé de nos prétentions, nous traitant d'illuminés, nous sommes néanmoins parvenus à vendre un million trois cent mille exemplaires dans les délais prévus. Certains diront peut-être : « Vous avez raté votre cible de deux cent mille ventes ». Sans doute, mais l'écart était minime, surtout si on tient compte du fait que nous devions éventuellement écouler huit millions d'exemplaires, en trente langues, un peu partout dans le monde. Croyez-moi, je peux très bien vivre avec ce genre « d'échec » !

UN SEUL BUT N'EST PAS SUFFISANT

« Si vous vous ennuyez, si vous ne bondissez pas hors de votre lit le matin, animé du désir brûlant d'accomplir quelque chose, c'est que vous n'avez pas suffisamment de buts. »

LOU HOLTZ
Le seul instructeur de la NCAA qui ait mené six équipes collégiales de football différentes aux séries éliminatoires de fin de saison. Il a aussi remporté un championnat national, en plus d'avoir été choisi « instructeur de l'année »

Lou Holtz, le remarquable coach de football de l'université Notre Dame, est aussi passé à la légende dans l'art de créer des buts. Sa conviction dans la toute-puissance des objectifs est le résultat d'une leçon apprise alors qu'il n'avait que vingt-huit ans. Il venait d'être embauché à titre d'entraîneur adjoint à l'Université de la Caroline du Sud. Sa femme, Beth, était enceinte de huit mois de leur troisième enfant, et Lou avait dépensé son dernier dollar en versant l'acompte de leur maison. Un mois plus tard, l'entraîneur en chef qui avait embauché Lou, démissionna et son second se retrouva lui aussi sans emploi.

Afin de l'aider à retrouver le moral, sa femme lui offrit *La Magie de voir grand*[1] de David Schwartz. Ce livre disait, en substance, qu'il fallait mettre par écrit tous les buts que l'on voulait atteindre dans la vie. Lou s'attabla dans la cuisine et laissa libre cours à son imagination. Lorsqu'il s'arracha à sa rêverie, il

---

1. Publié aux éditions Un monde différent, Saint-Hubert, Québec, 1983, 368 pages, et sous format de cassette audio.

avait jeté sur papier cent sept exploits qu'il voulait réaliser avant de mourir. Ces buts touchaient différentes facettes de sa vie.

Sa liste comprenait une invitation à dîner à la Maison-Blanche, une entrevue télévisée avec Johnny Carson, une audience avec le pape, le poste d'instructeur en chef à Notre Dame, un championnat et un trou d'un coup au golf. À ce jour, Lou en a réalisé quatre-vingt-un, incluant le trou d'un coup, pas seulement une fois, mais à deux reprises !

Prenez quelques minutes pour dresser la liste de cent un buts que vous voulez atteindre dans votre vie. Décrivez-les minutieusement, indiquez clairement où cela se produira et à quel moment. S'il y a lieu, spécifiez la quantité, le modèle, les dimensions, etc. Écrivez-les sur des fiches de carton, sur une feuille, ou dans votre « cahier d'objectifs ». Chaque fois que vous en réalisez un, cochez-le avec la mention *Victoire !* Je me suis fait une liste de cent un buts significatifs, ceux que je veux réaliser de mon vivant. J'en ai maintenant atteint cinquante-huit en moins de quatorze ans, incluant un safari en Afrique, l'apprentissage du vol à voile et du ski, d'avoir assisté aux Jeux olympiques d'été et la rédaction d'un livre pour enfants.

LA LETTRE DE BRUCE LEE

Bruce Lee, sans doute le plus grand artiste des arts martiaux de tous les temps, connaissait aussi la puissance des buts déclarés. Si vous avez la chance de vous rendre au restaurant Planet Hollywood à New York, jetez un coup d'œil à la lettre que Bruce s'est écrite à lui-même. Il l'a rédigée le 9 janvier 1970 et elle s'intitule : *Secret*. Bruce y écrit : « Avant 1980, je serai l'étoile de cinéma d'origine orientale la plus connue en Amérique et j'aurai accumulé dix millions de dollars [...] En retour, je m'engage à être le meilleur acteur possible chaque fois que je serai devant une caméra. Je vivrai une existence de paix et d'harmonie. »

Bruce a joué dans trois films et, en 1973, il réalisa *Opération Dragon*, qui prit l'affiche l'année de sa mort alors qu'il n'était âgé que de 33 ans. Ce film obtint un énorme succès et lui assura sa renommée internationale.

FAITES UN CHÈQUE À VOTRE NOM

Au début des années 1990, Jim Carrey, un jeune humoriste sans-le-sou originaire du Canada essayant de percer à Hollywood, avait l'habitude de gravir la célèbre Mulholland Drive au volant de sa vieille Toyota. Un soir, contemplant la ville à ses pieds et emporté par ses rêves de gloire, il signa un chèque de dix millions de dollars à son propre profit, encaissable le Jour d'action de grâces 1995.

Jim Carrey conserva précieusement ce chèque sur lequel il avait ajouté la remarque «honoraires d'acteur», dans son portefeuille. La suite, comme l'affirme le dicton, appartient à l'histoire. L'optimisme et la ténacité de Jim Carrey ont finalement été récompensés. À la suite du grand succès remporté par ses films *Ace Ventura mène l'enquête*, *Le Masque*, et *Dumb & Dumber*, il peut maintenant exiger un cachet de vingt millions de dollars par film. Lorsque son père est décédé en 1994, Jim Carrey a placé le chèque de dix millions dans son cercueil. C'était un hommage rendu à celui qui avait fait naître et nourri son rêve de devenir une étoile de cinéma.

LES OBJECTIONS, LES PEURS ET LES OBSTACLES

Il est important de savoir que, dès que vous énoncez un but, trois phénomènes se produisent. Ils arrêtent la plupart des gens en cours de route, mais pas vous. Si vous êtes conscient qu'ils font partie du processus qui mène à la réalisation de toute entreprise d'envergure, vous les apprécierez dans leur juste perspective, des faits dont il faut tenir compte, et non des barrières insurmontables.

Ces trois embûches sur la route du succès sont les objections, les peurs et les obstacles.

Réfléchissez-y un moment. Dès que vous aurez énoncé votre objectif de doubler vos revenus annuels, des objections vont surgir dans votre esprit:

« Je devrai travailler deux fois plus dur et je n'aurai plus de temps à consacrer à ma famille », ou: *« Ma femme va me tuer si elle apprend cela »*, ou encore: *« J'ai déjà exploité mon secteur de vente au maximum, je ne peux pas imaginer convaincre un seul acheteur de plus »*.

Si vous envisagez de courir le marathon, une petite voix intérieure vous soufflera immanquablement à l'oreille: *« Tu vas te blesser, c'est insensé ! »* ou: *« Tu devras t'entraîner sans arrêt pour y parvenir »*. Cette voix pourrait même vous suggérer que vous êtes trop vieux pour commencer à courir. Ces pensées, ce sont des objections. Ce sont autant de raisons de ne pas tenter d'atteindre ce but, autant de preuves qu'il s'agit d'une impossibilité.

Étaler à la lumière du jour toutes ces objections est une bonne chose. Parce que ce sont les mêmes qui, inconsciemment, vous ont toujours tenu en échec.

Maintenant que vous en avez pris conscience, vous pouvez composer avec elles, prouver qu'elles ne sont pas fondées et en faire abstraction.

Les peurs, par contre, sont des émotions. Vous pouvez éprouver la peur du rejet, de l'échec, ou la crainte de vous rendre ridicule. Il se peut que vous craigniez de subir des blessures physiques ou émotionnelles, ou bien un revers financier. Ces peurs ne sont pas exceptionnelles. Elles font simplement partie du processus.

Finalement, vous allez prendre conscience des obstacles qui se trouveront inévitablement sur votre route. Il s'agit de circonstances purement extérieures qui ne font pas partie de vos discours intérieurs ou de vos émotions. Par exemple, il est possible que personne ne veuille participer à votre projet ou que vous n'ayez pas suffisamment de ressources pour démarrer. Il se peut que vous ayez besoin du concours d'autres investisseurs ou que des lois interdisent le genre d'activités que vous projetez. Vous aurez peut-être même à faire signer une pétition pour faire changer la législation.

Stu Lichtman, un expert en redressement d'entreprises, avait été mandaté pour prendre les commandes d'une usine de fabrication de chaussures bien connue du Maine. La situation financière de l'entreprise était si critique que ses jours semblaient comptés. L'entreprise devait des millions de dollars à ses créanciers et il lui manquait deux millions de dollars pour faire face à ses obligations à court terme. Un des éléments du plan de sauvetage de Stu était la vente d'une usine inutilisée, près de la frontière canadienne, pour la somme de six cent mille dollars. Mais l'État du Maine avait un droit de créance privilégié sur ce bâtiment. Son exercice aurait simplement annulé le produit de la transaction.

Stu sollicita un entretien avec le gouverneur pour l'informer du dilemme de l'entreprise :

« D'une part, nous pouvons déclarer faillite, dit-il, auquel cas, près d'un millier de résidents perdront leurs emplois. L'État sera alors contraint de venir en aide aux chômeurs ce qui lui coûtera des millions de dollars. D'autre part, l'entreprise et le gouvernement peuvent s'associer dans le plan de relance que je propose. L'économie locale en serait la première bénéficiaire. Les employés conserveraient leur emploi, en attendant qu'un acheteur sérieux se porte acquéreur de l'entreprise. »

L'unique façon d'atteindre cet objectif était de surmonter, vous l'aurez deviné, l'obstacle que constituait la créance privilégiée de l'État. Plutôt que d'abdiquer devant cette difficulté légale et financière, Stu était allé voir la seule personne ayant le pouvoir de l'aplanir. Le gouverneur décida finalement de renoncer à ses droits dans l'intérêt de ses citoyens.

Naturellement, il est peu probable que vous ayez jamais à frapper à la porte du gouverneur d'un État pour abattre ou contourner un obstacle, mais si vos objectifs sont suffisamment ambitieux, il se peut fort bien que vous ayez vraiment à le faire un jour!

Un obstacle est simplement une circonstance matérielle qui s'oppose à vos intentions – il pleut le jour prévu d'un spectacle en plein air, votre épouse ne veut pas déménager au Kentucky, vous n'arrivez pas à obtenir le financement dont vous avez besoin, et ainsi de suite. Vous devez composer avec les obstacles pour aller de l'avant. Quelle que soit la nature de votre projet, vous en rencontrerez infailliblement en cours de route.

Malheureusement, lorsque les objections, les peurs et les obstacles font leur apparition, la plupart des gens les interprètent comme une condamnation sans appel de leur projet. Ils se disent: «*Je pense ceci, je ressens cela, on m'a dit ceci, peut-être devrais-je renoncer après tout.*» Vous ne devez pas voir les objections, les peurs et les obstacles comme des signaux vous ordonnant de vous arrêter, mais comme des étapes normales du processus dans lequel vous êtes engagé.

Lorsque vous rénovez votre cuisine, vous acceptez la poussière et les quelques inconvénients qui accompagnent les travaux comme une partie du prix à payer pour améliorer le décor dans lequel vous vivez. Vous apprenez simplement à vivre avec la situation. Et la même chose est vraie des objections, des peurs et des obstacles. Vous apprenez simplement à coexister avec eux.

En fait, leur apparition est un bon signe. S'il n'y en a pas, cela veut dire que votre défi est sans doute trop timide. Il ne vous offrira pas la chance d'évoluer et de grandir autant que vous l'auriez souhaité. En d'autres termes, vous ferez peu de progrès, même si vous réussissez.

J'accueille toujours volontiers les objections, les peurs et les obstacles lorsqu'ils surgissent. Très souvent, en effet, ce sont les mêmes qui m'ont déjà empêché de progresser par le passé. Quand je vois clairement les pensées négatives, les peurs et les écueils, lorsque j'en suis pleinement conscient, je peux les affronter et les surmonter. Et lorsque j'y parviens, je suis encore plus confiant de réussir le but suivant de ma liste.

LE VRAI BUT : C'EST LA MAÎTRISE DE LA VIE

« Les buts que vous vous fixez doivent être suffisamment audacieux pour que, dans le processus qui mène à leur réalisation, vous deveniez une personne de grande valeur. »

JIM ROHN
Millionnaire qui ne doit sa réussite qu'à lui-même, coach de succès et philosophe

La récompense ultime que vous récoltez quand vous surmontez les objections, les peurs et les obstacles, c'est d'avoir évolué au cours du processus. L'argent, les voitures, les maisons, les partenaires séduisants, le pouvoir, la gloire, tout cela peut vous être retiré un jour, parfois en un clin d'œil. Mais personne ne pourra jamais vous enlever ce que vous êtes devenu en cours de route.

Pour atteindre des objectifs encore plus formidables, vous devrez nécessairement grandir comme individu. Vous devrez acquérir de nouvelles connaissances, cultiver de nouvelles attitudes et développer de nouvelles compétences. Vous devrez évoluer, et, une fois le but atteint, vous serez à tout jamais une personne plus différente.

Le 20 octobre 1991, un feu de forêt dévastateur fit rage dans les collines enchanteresses surplombant Oakland et Berkeley, en Californie. Pendant les dix heures que dura l'incendie, un immeuble devenait la proie des flammes à toutes les onze secondes. Plus de deux mille huit cents maisons et appartements furent complètement rasés. Un de mes amis, qui est aussi écrivain, a perdu tout ce qu'il possédait, incluant sa bibliothèque, tous ses dossiers de recherche et le manuscrit pratiquement complété auquel il travaillait.

Évidemment, il fut profondément attristé par la perte de tout ce qu'il possédait. Cependant, il se rendit bientôt compte que l'être humain qu'il était devenu, ce qu'il avait appris, toutes ses compétences, l'assurance qu'il avait acquise en écrivant et en faisant la promotion de ses livres, tout cela était demeuré intact. Ça ne pouvait pas périr dans un incendie.

Vous pouvez perdre des possessions matérielles, mais vous ne perdrez jamais ce que vous maîtrisez : ce que vous avez appris et ce que vous êtes devenu pendant la conquête de vos objectifs.

Je crois que nous sommes sur cette terre, en partie pour pouvoir devenir « maître » dans une ou plusieurs disciplines. Le Christ était un maître qui pouvait transformer l'eau en vin, guérir les malades, marcher sur les eaux, et apaiser les tempêtes. Il a affirmé que vous et moi avions aussi le pouvoir d'accomplir un grand nombre de choses extraordinaires. J'ai l'intime conviction que nous possédons ce potentiel.

Dans un square, en Allemagne, se trouve une statue du Christ dont les mains ont été détruites lors des bombardements intensifs de la Seconde Guerre mondiale. Les habitants de cette ville auraient pu restaurer la statue, il y a plusieurs décennies, mais ils ne l'ont pas fait. Ils ont plutôt choisi de poser une plaque au pied du monument, sur laquelle on peut lire : « Le Christ n'a pas d'autres mains que les vôtres ». Ils ont voulu, par ce geste, démontrer qu'ils avaient appris cette grande leçon : Dieu a besoin de nos mains pour compléter Ses œuvres sur Terre. Mais pour devenir maîtres en quoi que ce soit, pour accomplir de grands projets, il faut avoir le courage de venir à bout des objections, des peurs et des obstacles.

FAITES-LE MAINTENANT !

Avant de passer au prochain chapitre, rédigez dès maintenant la liste de vos objectifs. Formulez des buts mesurables (combien ? quand ?) couvrant chaque aspect de votre vision de l'avenir. Ensuite, déterminez lequel de ces objectifs représente une percée significative pour vous. Écrivez-le au verso d'une carte de visite professionnelle et insérez-la dans votre portefeuille.

Faites aussi la liste des cent un exploits que vous voulez réaliser avant de mourir. Une compréhension claire du sens que vous voulez donner à votre vie vous propulsera immédiatement parmi les trois pour cent d'individus les plus performants de la planète. Ce sont les buts que vous vous fixerez, et ce que vous devrez accomplir pour les atteindre, qui vous hisseront au sein de la petite élite d'un pour cent occupant le sommet.

Récapitulons le processus. Si vous connaissez votre destination et l'itinéraire pour vous y rendre, alors une progression régulière dans la bonne direction vous y mènera, lentement peut-être, mais inévitablement. Si, en partant de Santa Barbara, je me dirige vers le nord en avançant de quelques mètres quotidiennement, j'atteindrai San Francisco un jour. Alors, décidez de ce que vous voulez, écrivez les objectifs que vous voulez réaliser, relisez-les constamment, et faites quelques gestes tous les jours pour vous en rapprocher.

PRINCIPE 8

Divisez pour régner !

---

*« Le secret pour arriver bon premier est de prendre un bon départ.
Le secret pour démarrer du bon pied est de subdiviser vos entreprises
complexes en petites tâches facilement réalisables.
Et alors, commencez par la première. »*

MARK TWAIN
Auteur et humoriste américain bien connu

Il arrive souvent que les buts auxquels nous tenons le plus nous apparaissent écrasants. Nous les envisageons rarement comme une série de petites tâches simples à mener à bien une après l'autre. Pourtant, scinder un projet complexe en plusieurs petits travaux faciles, et les faire un à la fois, est précisément la méthode qui permet de réaliser les plans les plus ambitieux. Après avoir décidé de ce que vous désirez vraiment, après avoir formulé un ensemble d'objectifs clairs comportant des échéances précises, passez à la prochaine étape et précisez l'ordre dans lequel vous allez procéder.

COMMENT « DIVISER POUR RÉGNER »

Il y a plusieurs façons de procéder pour diviser un projet d'envergure en tâches élémentaires. La première est d'interroger des gens qui l'ont déjà fait, afin de connaître la démarche qu'ils ont suivie. Ils partageront volontiers avec vous leurs expériences, vous expliqueront leur cheminement, et vous indiqueront les obstacles à éviter. On peut aussi se procurer un guide d'utilisation, si le sujet s'y prête.

Vous pouvez aussi imaginer que votre projet est déjà terminé ; vous progressez ensuite à rebours. Imaginez que vous êtes transporté dans l'avenir et que votre but est atteint. Revoyez mentalement les étapes que vous avez dû franchir pour vous rendre là où vous êtes. Qu'avez-vous fait juste avant ? Et qu'est-ce qui a précédé ?

Répétez ce processus jusqu'à ce que vous arriviez à la toute première tâche. Alors, faites-la.

Rappelez-vous qu'il est tout à fait normal de ne pas savoir comment s'y prendre pour faire quelque chose de nouveau. Et il n'y a absolument rien de mal à demander l'aide de quelqu'un qui en a déjà fait l'expérience. Parfois, vous obtiendrez des conseils gratuitement; à l'occasion, vous devrez payer pour les obtenir.

Prenez l'habitude de poser des questions telles que: « Pourriez-vous me parler de… ? », « Pourriez-vous m'expliquer comment je dois m'y prendre pour… ? », « Comment avez-vous fait… ? » Continuez votre recherche et informez-vous jusqu'à ce que vous ayez en main un plan d'action réalisable qui vous mènera de l'endroit où vous êtes vers celui que vous voulez atteindre.

Qu'est-ce que vous aurez à faire? Combien d'argent vous faudra-t-il, quelle somme devrez-vous emprunter? Quelles nouvelles compétences vous sera-t-il nécessaire d'acquérir? À quelles ressources vous faudra-t-il faire appel? Qui devrez-vous recruter pour votre projet? À qui devrez-vous demander assistance? Quelle discipline, ou quelles nouvelles habitudes, devrez-vous cultiver?

Enfin, dresser la « carte mentale » d'un projet est une technique très utile pour échafauder un plan d'action.

FAIRE LA CARTE MENTALE DU CHEMIN QUI MÈNE AU BUT

Dresser une carte mentale est une méthode simple, mais très efficace, pour préparer une liste détaillée de choses à faire pour atteindre un objectif. Elle vous permet de préciser l'information dont vous aurez besoin, d'établir les personnes à rencontrer, les tâches à effectuer, le financement à trouver, l'échéancier à respecter, et ainsi de suite, et ce, pour chacun de vos buts.

Lorsque j'ai entrepris la création de mon premier album d'enregistrements audio éducatifs – une percée pour mon entreprise et moi-même et qui devait être à l'origine de gains très importants – j'ai utilisé une carte mentale pour m'aider à diviser un but très ambitieux en un ensemble de tâches élémentaires que j'aurais à réaliser pour produire un album complet.[1]

---

1. Une des meilleures introductions à cette technique est *The Mind Map Book: How to Use Radiant Thinking to Maximise Your Brain's Untapped Potential*, par Tony Buzan et Barry Buzan (New York: Penguin Plume, 1996).

La carte conceptuelle que j'ai dressée au tout début de mon projet de création d'un programme éducatif audio est présentée à la page suivante. Pour obtenir une «image mentale» claire de tout ce qui doit être fait, procédez de la manière suivante :

1. **Tracez un cercle au centre de la feuille :** À l'intérieur de celui-ci, inscrivez le nom du projet, dans le cas présent : *Créer un programme éducatif audio*.

2. **Tracez les cercles secondaires :** Divisez le projet en grands thèmes, dans notre exemple : *Choix du titre, enregistrement en studio, choix des sujets, auditoire,* etc.

3. **Tracez les rayons :** Tracez ensuite les rayons émanant de chacun des cercles secondaires, et assurez-vous de leur attribuer une étiquette (*Rédaction du scénario, réalisation de la photographie en couleurs pour le verso de l'emballage, invitations à dîner, etc.*). Tracez autant de rayons autour de chaque cercle qu'il y a de tâches à réaliser. Subdivisez les tâches en activités précises, et écrivez-les sur de petites lignes individuelles émanant des rayons. Ce sont ces activités qui vous permettront de rédiger la liste des choses à faire quotidiennement.

DRESSEZ VOTRE LISTE DE CHOSES À FAIRE POUR LA JOURNÉE

Après avoir dessiné la carte conceptuelle de votre projet, convertissez les activités énumérées en actions quotidiennes à accomplir, en les écrivant sur une liste. Pour chacune d'elles, prévoyez une date précise de réalisation et inscrivez-la à votre agenda. De cette manière, vous avez toujours en main une liste des tâches à abattre au jour le jour.

DÉBUTEZ PAR LE COMMENCEMENT

Le but de cet exercice est de vous aider à vous mettre en marche sans délai afin de pouvoir respecter votre échéancier. De plus, vous serez certain de compléter les choses les plus importantes en premier. Dans son excellent livre : *Avaler le crapaud ! 21 bons moyens d'arrêter de tout remettre au lendemain pour accomplir davantage,* Brian Tracy nous révèle non seulement comment venir à bout de la procrastination, mais aussi comment établir nos priorités et achever les tâches que nous devons faire.

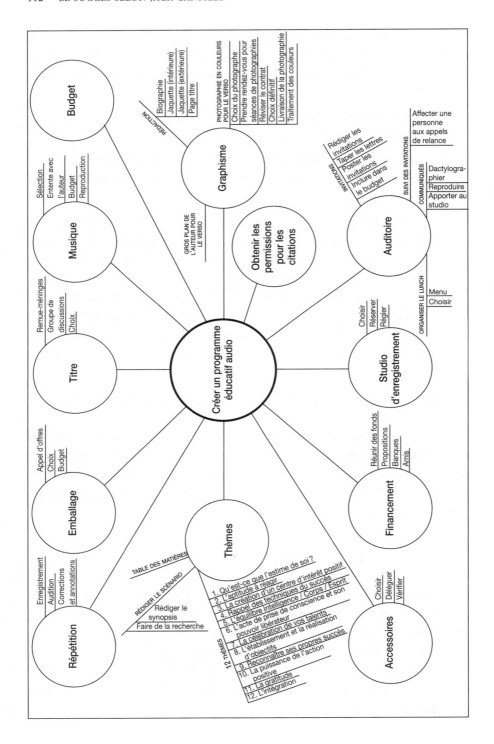

Dans son système unique, Brian propose de déterminer une à cinq tâches qui doivent absolument être accomplies dans la journée. Vous isolez ensuite celle qui, à vos yeux, est la plus importante de toutes, donc la première à faire. Il s'agit là du « crapaud » le plus gros et le plus hideux, celui que, pour reprendre le langage imagé de Brian, vous devez d'abord avaler. Lorsque c'est chose faite, le reste de la journée se déroule agréablement. Voilà une stratégie gagnante.

Malheureusement, la plupart d'entre nous gardent le pire crapaud pour la fin, en espérant qu'il s'en ira de lui-même pour nous être agréable. Mais, voilà qui est regrettable, ce n'est jamais le cas. Accomplissez donc la corvée la plus désagréable en premier, car cela donne le ton au reste de la journée. Vous lui imprimerez un rythme plus dynamique et votre confiance grandira, autant d'atouts qui vous permettront d'atteindre votre but plus facilement et beaucoup plus rapidement.

PLANIFIEZ VOTRE JOURNÉE LA VEILLE

L'une des techniques les plus puissantes que les gens efficaces utilisent pour se simplifier la vie, tout en augmentant leur productivité, est de planifier leur journée du lendemain le soir précédent. Deux raisons expliquent le succès de cette méthode :

1. Si vous planifiez votre journée du lendemain la veille – en dressant la liste des choses à faire, et en essayant de visualiser exactement son déroulement – votre subconscient travaillera pour vous toute la nuit pour qu'elle se passe comme vous l'avez prévue. Il s'activera à imaginer des solutions créatives pour venir à bout de toutes les difficultés et de tous les obstacles. Et si on en croit les nouvelles théories de la physique quantique, il émettra des vagues d'énergie capables d'attirer les personnes et les ressources dont vous aurez besoin dans vos démarches[2].

2. En outre, en créant votre liste la veille, vous êtes prêt dès le réveil à commencer sans délai. Vous savez exactement ce que vous allez faire et l'ordre

---

2. Voir *Les Sept Lois spirituelles du succès*, par Deepak Chopra, publié sous format de disque compact et de cassette audio aux éditions Un monde différent, Saint-Hubert, Québec ; *The Spontaneous Fulfillment of All Desire : Harnessing the Infinite Power of Coincidence*, par Deepak Chopra ; *Le Pouvoir de l'intention : apprendre à cocréer le monde à votre façon*, par Wayne W. Dyer ; et *The 11ᵗʰ Element : The Key to Unlocking Your Master Blueprint for Wealth and Success*, par Robert Scheinfeld.

dans lequel vous allez procéder. Vous avez aussi tout ce qu'il vous faut pour démarrer sur-le-champ. Par exemple, si vous avez cinq appels importants à faire cette journée-là, votre liste est déjà prête, vous avez sous la main les noms, les numéros de téléphone et l'information complémentaire dont vous avez besoin.

Dès le milieu de la matinée, vous serez bien en avance sur la plupart des gens qui sont en train de perdre les heures précieuses du début de la journée à ranger leur bureau, à préparer des listes et à chercher les dossiers dont ils ont besoin, bref, à se préparer à entreprendre leur travail.

ADOPTEZ LE SYSTÈME DES PERFORMEURS

Les Hewitt, de la société Achievers Coaching Program, a développé un outil très valable pour vous aider à garder les yeux rivés sur vos objectifs, comprenant les sept domaines dont nous avons parlé précédemment (Principe 3: votre vision). Il s'agit d'un formulaire que vous pouvez utiliser pour planifier et mesurer votre progrès pendant treize semaines consécutives. Vous pouvez télécharger gratuitement une copie de ce guide et les instructions qui l'accompagnent (en anglais), depuis le site www.thesuccessprinciples.com.

PRINCIPE 9

LE SUCCÈS LAISSE TOUJOURS SA MARQUE

« Le succès laisse toujours sa marque. »
ANTHONY ROBBINS
Auteur de *Pouvoir illimité*

Un des grands avantages de vivre dans un monde d'abondance et d'infinies possibilités est que tout ce que vous voulez accomplir, ou presque, a probablement déjà été fait par quelqu'un d'autre. Peu importe qu'il s'agisse de perdre du poids, de courir le marathon, de lancer une entreprise, d'accéder à la sécurité financière, de triompher du cancer du sein, ou de maîtriser l'art d'être un hôte parfait, quelqu'un, quelque part, l'a déjà fait, et il a laissé des traces, sous forme de livres, de manuels, de programmes vidéo ou audio, de cours universitaires, de cours en ligne, de séminaires, d'ateliers, ou autres.

QUI A DÉJÀ FAIT CE QUE VOUS VOULEZ FAIRE ?

Si votre désir est de devenir millionnaire avant de prendre votre retraite, par exemple, il y a des milliers de livres qui vous y aideront, depuis *Le Millionnaire automatique : un plan efficace en une étape pour vivre dans l'abondance*, de David Bach, en passant par l'incontournable *Le Millionnaire minute : en route vers la richesse*, ainsi qu'une foule de séminaires, dont celui de Harv Eker « Millionnaire Mind », ou « Money and You », de Marshall Thurber et D.C. Cordova.[1] Il existe des

---

1. Toute l'information au sujet des livres, séminaires et des programmes de coaching mentionnés dans ce livre est réunie dans la section « Lectures suggérées et ressources additionnelles pour le succès », en annexe à cet ouvrage. Vous avez accès également à une liste mise à jour de toutes sortes de ressources à : www.thesuccessprinciples.com.

ressources qui vous enseignent comment faire fortune dans l'immobilier, investir dans les valeurs mobilières, démarrer votre propre entreprise, devenir vendeur étoile, et même lancer votre entreprise de marketing sur Internet.

Si vous voulez améliorer vos relations avec votre conjoint, vous pouvez plonger dans le livre de John Gray: *Les hommes viennent de Mars, les femmes viennent de Vénus: connaître nos différences pour mieux nous comprendre*; participer à des ateliers; ou vous inscrire au cours en ligne de Gay et Kathlyn Hendrick: «The Conscious Relationship».

Pour pratiquement chaque projet que vous pouvez imaginer, il existe des livres et des cours sur la façon de faire. Mieux encore, il suffit souvent d'un simple coup de fil pour découvrir des personnes qui ont de l'expérience, qui ont eu du succès dans le domaine qui vous intéresse et qui offrent maintenant leurs services comme professeur, facilitateur, conseiller, accompagnateur, ou consultant.

Lorsque vous apprenez à puiser à toutes ces sources d'information, vous découvrez que la vie n'est guère plus compliquée que ce jeu où vous devez relier des points numérotés pour reproduire une image. Chacun des points est une étape qui a déjà été déterminée et organisée par quelqu'un d'autre. Tout ce qu'il vous reste à faire est de suivre ce plan, d'employer ce système, ou d'apprendre à utiliser ce programme.

POURQUOI LES GENS NE SE METTENT-ILS PAS À LA RECHERCHE D'INDICES?

Alors que je me préparais à me présenter sur le plateau d'une émission d'information matinale à Dallas, j'ai demandé à la maquilleuse quels étaient ses projets à long terme. Lorsqu'elle m'a dit qu'elle avait toujours rêvé d'ouvrir son propre institut de beauté, je l'ai interrogée au sujet des démarches qu'elle avait entreprises en ce sens.

«Rien, m'a-t-elle répondu, car je n'ai aucune idée de ce que je dois faire.»

Je lui ai suggéré d'inviter la propriétaire d'un salon à déjeuner, et de lui demander comment elle avait fait pour lancer son entreprise.

«On peut faire cela?» me demanda la maquilleuse interloquée.

Vous pouvez très certainement le faire. Vous avez probablement déjà envisagé de consulter un expert pour obtenir des conseils. Mais vous avez ensuite rejeté l'idée du revers de la main, en vous disant: *«Pourquoi une personne perdrait-elle son temps à m'expliquer ce qu'elle a fait?»* ou encore: *«Qui serait assez bête pour dévoiler ses secrets à un futur concurrent?*» Chassez de telles idées de votre esprit. Vous découvrirez plutôt que la plupart des gens adorent raconter de quelle manière ils ont démarré leur entreprise, ou atteint leur but.

Mais malheureusement, tout comme cette maquilleuse de Dallas, la plupart des gens ne tirent pas avantage des ressources disponibles, pourtant à portée de la main. Plusieurs raisons expliquent ce comportement:

- L'idée ne nous a jamais traversé l'esprit. Nous ne voyons personne y recourir, alors nous n'avons personne à imiter. Nos parents ne nous l'ont jamais appris.

- L'initiative demande des efforts. Il faudrait nous rendre à la librairie, à la bibliothèque, dans un collège local, ou encore traverser la ville pour participer à une rencontre. Et que dire du temps sacrifié que nous préférons volontiers passer devant le téléviseur, en famille ou avec des amis.

- Demander des conseils nous oblige à affronter notre peur du rejet. Nous craignons d'en prendre le risque.

- Joindre les points, c'est-à-dire suivre notre nouveau plan, signifie que nous devons accepter le changement, et ce dernier, même s'il est dans notre propre intérêt, est toujours une source d'angoisse.

- Faire toutes ces recherches est un travail ardu, et, pour dire les choses franchement, la plupart des gens n'aiment pas faire des efforts.

PARTEZ À LA CHASSE AUX INDICES

Voici trois méthodes qui vous aideront à dénicher des indices très utiles:

1. Mettez-vous à la recherche d'un professeur, d'un accompagnateur, d'un coach ou d'un mentor, d'un manuel, d'un livre, d'un cours audio, ou d'une ressource disponible sur Internet, capable de vous aider à atteindre un de vos objectifs majeurs.

2. Partez à la découverte d'une personne qui a déjà réussi dans le domaine où vous voulez vous lancer. Sollicitez une entrevue d'environ une demi-heure avec elle, afin qu'elle vous explique la meilleure façon de procéder.

3. Demandez à une personne que vous aimeriez prendre comme modèle la permission de la suivre dans ses activités pendant une journée de travail normale. Ou offrez vos services comme bénévole, aide, ou stagiaire auprès d'une personne que vous estimez être particulièrement compétente dans le secteur qui vous intéresse.

PRINCIPE 10

Relâchez les freins

*« Tout ce que vous désirez se trouve tout juste à l'extérieur
de votre zone de confort. »*

ROBERT ALLEN

Coauteur de *Le Millionnaire minute : en route vers la richesse*

Avez-vous déjà conduit votre voiture pendant un certain temps, pour vous rendre compte soudainement que vous aviez oublié de dégager le frein à main ? Votre réaction a-t-elle été d'appuyer encore davantage sur l'accélérateur, pour surmonter la résistance additionnelle ? Bien sûr que non. Vous avez simplement supprimé la source de friction et votre voiture s'est mise à accélérer sans effort supplémentaire.

La plupart des gens agissent comme si un frein psychologique les ralentissait constamment. Ils s'accrochent à l'image négative qu'ils ont d'eux-mêmes et continuent à subir les effets d'expériences traumatisantes qu'ils n'ont pas su surmonter. Ils demeurent à l'intérieur d'une zone de confort qu'ils ont eux-mêmes créée. Ils entretiennent de fausses croyances au sujet de la réalité, ruminent des sentiments de culpabilité et doutent constamment d'eux-mêmes. Et lorsqu'ils essaient de réaliser leurs rêves, ces images négatives, et la force d'attraction de leur zone de confort, annulent leurs bonnes intentions, peu importe l'intensité de leurs efforts.

Au contraire, les gens qui connaissent le succès ont appris qu'un surcroît d'efforts volontaires n'était pas le moteur de la réussite. Ils ont découvert qu'il était bien plus facile d'y arriver en « relâchant les freins » ; en d'autres termes, en abandonnant les croyances qui les limitent et en modifiant l'image qu'ils ont d'eux-mêmes.

SORTEZ DE VOTRE ZONE DE CONFORT

Pensez à votre zone de confort comme à une prison dans laquelle vous êtes enfermé – une enceinte fortifiée que vous avez construite, pierre par pierre. Ces briques, ce sont les *« je ne peux pas, je dois, il ne faut pas »*, et toutes les autres croyances non-fondées, nées de vos pensées négatives et de vos décisions passées, qui se sont accumulées et cimentées avec les années.

On vous a peut-être même éduqué pour que vous restiez enfermé à l'intérieur d'étroites limites.

NE SOYEZ PAS AUSSI BÊTE QU'UN ÉLÉPHANT DE CIRQUE

Dès sa naissance, le bébé éléphant est dressé pour demeurer confiné dans un espace très restreint. Le dompteur lui attache une patte à un piquet de bois, profondément enfoui dans le sol, à l'aide d'une courte corde. La longueur de la corde détermine l'aire de jeu de l'éléphanteau, sa zone de confort en quelque sorte. Au début, le jeune animal tentera de rompre le filin, mais, n'y parvenant pas, il conclura que c'est impossible. Il apprend de cette manière à ne jamais essayer d'aller au-delà de la surface limitée par la corde.

Lorsque l'éléphant devient à l'âge adulte un colosse de cinq tonnes qui pourrait arracher le piquet et la corde sans effort, il ne le fait pas pourtant parce qu'il a appris, tout jeune éléphanteau, que c'était impossible. Et c'est ainsi qu'un puissant éléphant finit par rester docilement attaché toute sa vie à un fragile filin.

Peut-être que cette histoire décrit aussi votre vie, vous demeurez prisonnier dans votre zone de confort, retenu par un obstacle aussi chétif et insignifiant que la corde et le piquet qui paralysent l'éléphant. La seule différence, c'est que le cordon qui vous immobilise est fait des croyances étroites qu'on vous a inculquées et des images héritées de votre enfance. Si ceci décrit bien votre situation, la bonne nouvelle est que vous pouvez modifier votre zone de confort. Comment ? Il y a trois façons d'y parvenir :

1. En écrivant des phrases affirmatives, des discours positifs, dans lesquels vous déclarez que vous possédez déjà ce que vous voulez, que vous faites ce que vous aimez faire, et que vous êtes, dès maintenant, la personne que vous rêvez de devenir.

2. En créant dans votre esprit des images fortes et saisissantes décrivant votre nouveau moi, évoluant dans l'univers auquel vous aspirez réellement.

3. Vous pouvez tout simplement changer de comportement.

Ces trois approches vous éjecteront hors de votre zone de confort.

CESSEZ DE RÉPÉTER LES MÊMES EXPÉRIENCES, ENCORE ET ENCORE!

Un autre concept important que les personnes qui ont du succès saisissent bien, est que vous n'êtes jamais vraiment *en panne*. Vous ne faites que revivre les mêmes expériences, ressasser les mêmes idées, nourrir les mêmes préjugés, répéter les mêmes mots et refaire les mêmes choses.

Trop souvent, vous êtes prisonnier d'une boucle infinie de comportements qui vous entraînent constamment le long d'une spirale descendante. Nos idées bornées engendrent des images déprimantes dans notre esprit, et ces représentations gouvernent notre comportement. À leur tour, nos comportements habituels renforcent les mêmes idées appauvries, fermant le cercle vicieux. Imaginez un moment que vous êtes persuadé d'avoir des trous de mémoire lors de votre prochaine présentation chez un client.

Cette pensée évoque une situation dans laquelle vous perdez le fil de vos idées. La peur fait son apparition. Vous devenez confus et vous ne trouvez plus vos mots, ce qui renforce votre crainte initiale d'être victime d'un «trou». Et vous vous dites alors : « *Vous voyez! Je savais bien que je ne pouvais pas m'exprimer convenablement en public.* »

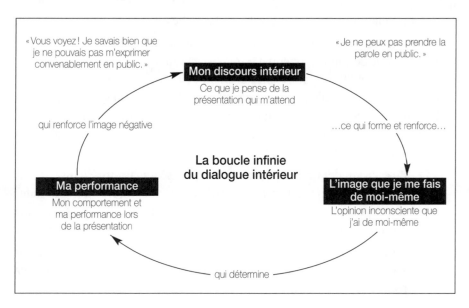

Tant que vous vous plaindrez de votre situation présente, vous ne ferez qu'envenimer les choses. En parlant, en pensant, en décrivant ce que vous vivez maintenant, vous ne faites que renforcer les mêmes chaînes neuroniques de votre cerveau qui vous ont mené là où vous êtes aujourd'hui. Vous continuerez d'émettre le même genre de vibrations qui attireront dans votre sillage les personnes, et les circonstances, que vous avez toujours connues jusqu'à maintenant.

Pour rompre ce cycle, vous devrez plutôt vous appliquer à ne penser, à ne parler et à n'écrire qu'au sujet de la réalité que vous désirez. Vous devez submerger votre inconscient de pensées et d'images de cette nouvelle situation.

« Les problèmes importants auxquels nous devons faire face ne peuvent être solutionnés au même niveau de réflexion que celui qui leur a donné naissance. »

ALBERT EINSTEIN
Gagnant du prix Nobel de physique

COMMENT FONCTIONNE VOTRE THERMOSTAT FINANCIER ?

Votre zone de confort psychologique fonctionne de la même manière que le thermostat de votre système de climatisation. Lorsque le thermostat détecte que la température ambiante approche de l'une des limites de votre « zone de confort », il envoie un signal électrique, soit à votre appareil de chauffage central, ou à votre climatiseur, pour le mettre en marche ou l'arrêter. Au gré des fluctuations de la température, votre thermostat continue d'émettre des signaux de commande en réaction à ces changements. Ainsi, la température ambiante reste toujours agréable.

De la même manière, vos possédez un thermostat psychologique interne qui ajuste votre niveau de performance à la vie réelle. Plutôt que de vous envoyer des signaux électriques, votre régulateur interne vous communique des sensations de bien-être, ou de malaise, qui vous incitent à demeurer dans votre zone de confort. Lorsque votre comportement, ou votre performance, s'approche de l'une des frontières de cette zone, vous commencez à ressentir de l'anxiété.

Si la situation que vous vivez ne correspond pas à l'image inconsciente que vous avez de vous-même, votre corps vous enverra des signaux, sous la forme d'angoisses ou de symptômes physiques d'inconfort. Pour mettre un terme à ces sensations déplaisantes, vous vous retirez alors de cette situation pour revenir vers ce qui vous est familier.

Mon beau-père, qui était directeur régional des ventes pour NCR, avait remarqué que chacun de ses représentants chérissait une certaine idée de sa valeur en tant que vendeur, une image fondée sur l'anticipation d'un certain montant de commissions mensuelles, par exemple deux ou trois mille dollars.

Ainsi, un représentant estimant son talent à « trois mille dollars de commissions par mois », et qui réalise une première semaine de ventes fulgurantes, relâchera immanquablement ses efforts dans les semaines suivantes.

D'un autre côté, le même vendeur, n'ayant réalisé que mille cinq cents dollars de gains vers la fin du mois courant, travaillera seize heures par jour et les weekends, multipliera les démarches et fera des pieds et des mains pour ne pas déchoir de son « statut » imaginaire, et atteindre le plateau de trois mille dollars de commissions mensuelles.

Peu importent les circonstances, un vendeur qui est persuadé de pouvoir réaliser des ventes mensuelles de trente-six mille dollars y parviendra. Toute autre performance créera chez lui un sentiment d'inconfort.

À l'occasion d'une soirée du Nouvel An, mon beau-père s'était absenté pour vendre des caisses enregistreuses. Il était déjà largement passé minuit, mais il était bien décidé à compléter les deux ventes qui lui manquaient pour gagner le voyage annuel à Hawaii, offert à tous les représentants qui réalisaient leur quota. Il avait déjà gagné ce voyage plusieurs années d'affilée et il ne pouvait admettre d'échouer cette année-là. Il vendit finalement ses machines et obtint son voyage. Il aurait glissé à l'extérieur de sa zone de confort s'il n'y était pas parvenu.

Imaginez un scénario semblable, mais avec vos épargnes, cette fois-ci. Certaines personnes se sentent à l'aise si elles disposent d'un montant de deux mille dollars dans leur compte en banque. D'autres ressentiront de l'anxiété si elles ne disposent pas de l'équivalent de huit mois de revenus, par exemple, trente-deux mille dollars, en lieu sûr. D'autres, par contre, s'accommodent très bien d'un compte bancaire à sec conjugué à des dettes de cartes de crédit de vingt-cinq mille dollars.

Si la personne qui tient absolument à disposer d'une réserve de trente-deux mille dollars, doit subitement payer seize mille dollars de frais médicaux, elle sabrera dans ses dépenses, accumulera les heures supplémentaires, bradera ses antiquités, fera tout ce qui sera nécessaire pour ramener le solde de son compte d'épargne à son niveau habituel. Et si cette personne touche inopinément un héritage substantiel, elle se lancera dans toutes sortes de dépenses futiles pour réintégrer sa zone de confort économique, qu'elle ne saurait quitter.

Vous avez sans doute déjà entendu parler de ces gagnants à la loterie qui ont perdu, semé aux quatre vents, dilapidé, ou simplement donné tout l'argent qui leur était tombé du ciel, quelques années seulement après l'avoir gagné. En fait, quatre-vingt pour cent des gagnants de loterie nord-américains déclarent faillite moins de cinq ans plus tard !

Ceci s'explique par le fait qu'ils n'ont pas développé une mentalité de million-naires. Conséquemment, ils ont inconsciemment recréé la situation corres-pondant à leur ancienne vision du monde. Ils se sentaient mal à l'aise avec tout cet argent, et ils ont donc trouvé un moyen de réintégrer leur zone de confort en dilapidant rapidement leur fortune.

Nous avons tous des zones de confort similaires, quant aux restaurants que nous fréquentons, aux hôtels où nous logeons, aux marques de voiture que nous conduisons, aux maisons dans lesquelles nous vivons, aux vêtements que nous portons, aux endroits où nous passons nos vacances, et aux personnes avec lesquelles nous nous associons.

Si vous avez déjà franchi le seuil d'une boutique haut de gamme de Fifth Avenue, à New York, ou de Rodeo Drive, à Beverly Hills, peut-être ne vous sentiez-vous pas à l'aise dans cet endroit. L'établissement vous semblait trop huppé. Vous veniez de transgresser votre zone de confort.

CHANGEZ DE COMPORTEMENT

Lorsque j'ai déménagé à Los Angeles en 1981, mon nouveau patron m'a invité à le suivre dans une boutique de vêtements pour hommes les plus coûteux de Westwood. Auparavant, je n'avais jamais dépensé plus de trente-cinq dollars pour une chemise de soirée chez Nordstrom. La chemise au meilleur prix à cet endroit coûtait quatre-vingt-quinze dollars ! J'étais pétrifié et je me suis mis à avoir des sueurs froides. Tandis que mon patron faisait ses emplettes comme il en avait l'habitude, je me suis aventuré à acheter une chemise italienne griffée de quatre-vingt-quinze dollars. J'étais bien loin de ma zone de confort. J'avais peine à respirer.

La semaine suivante, j'ai porté ma nouvelle chemise pour la première fois, et j'ai été agréablement surpris par la coupe, la sensation qu'elle me procurait et l'allure que j'avais en la portant. Après l'avoir mise une fois par semaine pendant un certain temps, je ne pouvais plus m'en passer. Je m'en suis acheté une nouvelle un mois plus tard. L'année suivante, je ne portais plus que des chemises griffées. Ma zone de confort avait lentement évoluée, je m'étais habitué à un produit de plus grande qualité, bien que plus cher.

Quand j'étais formateur pour deux organisations qui avaient pour mission d'aider les gens à devenir millionnaires, Million Dollar Forum et Income Builders International, tous nos ateliers avaient lieu au Ritz-Carlton de Laguna Beach, en Californie, à l'hôtel Hilton de l'île principale de l'archipel de Hawaï, ou dans d'autres centres de villégiature prestigieux. La raison de ce choix était d'habituer les participants à jouir d'un traitement royal. Cela faisait partie du processus consistant à «étirer» leur zone de confort en changeant l'image qu'ils avaient d'eux-mêmes. Les réunions se terminaient toutes par une soirée de gala. Pour plusieurs personnes, il s'agissait de leur première participation à un événement mondain, un autre exercice d'assouplissement de leur zone de confort.

CHANGEZ VOTRE DIALOGUE INTÉRIEUR GRÂCE À DES AFFIRMATIONS

« J'ai toujours cru en la puissance de la magie. Lorsque je n'avais rien à faire dans cette ville, je me rendais tous les soirs au sommet de Mulholland Drive, et, jetant un regard sur la ville, j'étendais les bras et je disais à haute voix: "Tout le monde veut travailler avec moi. J'ai un talent naturel d'acteur. Je reçois des offres géniales pour jouer au cinéma." Je ne faisais que répéter ces phrases, encore et encore, me convainquant littéralement moi-même que j'avais déjà décroché quelques rôles. Je redescendais de la colline, prêt à me lancer à la conquête de l'univers, me répétant: "Les propositions affluent vers moi. Je ne les perçois pas encore, mais elles existent." Il s'agissait d'affirmations extravagantes, contraires à tout ce que j'avais appris dans mon milieu familial. »[1]

JIM CARREY
Acteur

Une façon d'agrandir votre zone de bien-être est de bombarder votre subconscient de nouvelles pensées et de nouvelles images, celles d'un compte en banque bien garni, d'un corps ferme et souple, d'un travail palpitant, d'amis stimulants, de vacances mémorables, de buts déjà réalisés. La technique de choix à employer est celle des affirmations. Une affirmation est un énoncé qui décrit un but souhaité, comme s'il s'agissait d'un fait déjà accompli. Par exemple: «J'admire un magnifique coucher de soleil depuis la véranda de mon luxueux condo, avec

---

1. Tiré de l'entrevue accordée à *Movieline*, juillet 1994.

vue sur la mer, de la côte Ka'napali de l'île Maui », ou bien : « Je célèbre la merveilleuse sensation d'aisance et de légèreté que me procure mon corps en parfaite forme de soixante-deux kilos ».

LES NEUF RÈGLES POUR FORMULER DES AFFIRMATIONS EFFICACES

Pour produire les effets que vous attendez, vos affirmations doivent être conçues en respectant les neuf règles suivantes :

1. **Commencez par les mots « *Je suis* ».** Les mots « *Je suis* » sont les plus puissants dans toute langue. Le subconscient interprète toutes les phrases qui débutent par « *Je suis* » comme un ordre, et il l'exécute.

2. **Utilisez le temps présent.** Décrivez ce que vous voulez, comme si vous le possédiez déjà, ou comme un fait déjà accompli.

    À éviter : « J'aurai bientôt une Porsche 911 Carrera. »

    Préférable : « Je savoure la conduite au volant de ma Porsche 911 Carrera flambant neuve. »

3. **Utilisez toujours une formulation positive.** Parlez de ce que vous voulez et non de ce que vous ne voulez pas. Le subconscient n'entend pas le mot « non ». Pour lui, la phrase : « Ne claque pas la porte ! » devient : « Claque la porte ! » Il ne voit que les images qui lui sont présentées, et l'ordre de ne pas claquer la porte évoque simplement, à son niveau, une porte qu'on ferme avec fracas. L'affirmation : « Je n'ai plus peur de voler », suggère la crainte de l'avion, tandis que la phrase : « J'adore la sensation de voler », évoque le plaisir de se retrouver entre ciel et terre.

4. **Soyez concis.** Pensez à votre affirmation comme à un slogan publicitaire. Formulez-la comme si chaque mot coûtait mille dollars. Elle doit être assez courte et assez percutante pour pouvoir être facilement mémorisée.

5. **Soyez précis.** Les affirmations vagues produisent des résultats peu convaincants.

    À éviter : « Je possède une toute nouvelle voiture rouge. »

    Préférable : « Je suis l'heureux propriétaire d'une Porsche 911 Carrera rouge et flambant neuve. »

6. **Utilisez des verbes d'action.** Les verbes d'action évoquent plus puissamment une situation qui se déroule maintenant.

   À éviter: « Mes relations avec les autres sont plus franches et plus honnêtes. »

   Préférable: « En toutes circonstances, je m'exprime franchement et honnêtement. »

7. **Incluez au moins une expression, ou un mot, qui suggère une vive émotion.** Décrivez l'état émotionnel que vous éprouverez lorsque le but sera finalement atteint. Quelques noms, verbes, adverbes ou locutions couramment employés sont les suivants : avec plaisir, dans la joie, en m'amusant, célébrant, avec fierté, calmement, dans la paix, être ravi, avec enthousiasme, amoureusement, sûrement, sereinement, et triomphant.

   À éviter: « Je maintiens un poids idéal de quatre-vingts kilos. »

   Préférable: « Je me sens fort et souple à quatre-vingts kilos. »

   Si vous vous sentez l'âme d'un poète, ou d'un publiciste, vous pouvez aussi ajouter des rimes à vos affirmations. Le subconscient adore le rythme et les rimes, alors ne vous privez pas d'en faire usage pour égayer vos affirmations.

8. **Faites des affirmations qui vous concernent, et non les autres.** Vos affirmations doivent décrire vos comportements, et non ceux des autres.

   À éviter: « J'observe avec satisfaction Jean en train de ranger sa chambre. »

   Préférable: « Je communique plus efficacement mes besoins et mes désirs à Jean. »

9. **Ajoutez à la fin de votre affirmation : « *...ou quelque chose de mieux encore!* »** Lorsque vos affirmations décrivent une situation spécifique (un emploi, une occasion d'affaires, des vacances), ou un objet matériel (une maison, une voiture, un bateau), ajoutez toujours : « ou quelque chose (ou quelqu'un) de mieux encore », à la toute fin. Parfois, les critères choisis sont dictés par notre ego, ou notre peu d'expérience. Quelque chose, ou une personne, qui dépasse nos rêves les plus fous peut apparaître inopinément. Pour ne pas rejeter machinalement de telles occasions, ajoutez cette courte formule lorsqu'il est approprié de le faire.

   Exemple: « J'habite dans une magnifique villa au bord la mer, sur la côte de Ka'anapali de l'île Maui, ou dans un endroit plus enchanteur encore. »

UNE MÉTHODE SIMPLE POUR CRÉER DES AFFIRMATIONS

1. Visualisez ce que vous avez l'intention d'accomplir. Imaginez les choses telles que vous voudriez qu'elles soient. Imaginez-vous au centre de la scène, et observez tout autour de vous. Si c'est une voiture que vous aimeriez avoir, imaginez que vous êtes au volant et que vous voyez le monde depuis le siège du conducteur.

2. Évoquez aussi les sons que vous entendriez si vous étiez où vous désirez être.

3. Essayez de ressentir les émotions que vous éprouveriez dans cette situation.

4. Décrivez ce que vous vivez en une courte phrase, sans oublier de mentionner ce que vous ressentez.

5. Si nécessaire, réécrivez votre affirmation, jusqu'à ce qu'elle respecte toutes les directives énumérées ci-dessus.

COMMENT UTILISER LES AFFIRMATIONS ET LA VISUALISATION

1. Revoyez vos affirmations une à trois fois par jour. Les meilleurs moments sont le matin au lever, au milieu de la journée pour vous donner de l'allant, et peu de temps avant le coucher.

2. Si les circonstances le permettent, lisez vos affirmations à haute voix.

3. Fermez les yeux et imaginez-vous dans la situation que votre affirmation décrit. Portez votre regard vers l'extérieur, comme si vous y étiez et que vous regardiez autour de vous. Voyez la scène comme si vous étiez en train de la vivre.

4. Évoquez et écoutez tous les sons que vous entendriez, comme si votre affirmation décrivait un fait réel : le roulement des vagues sur la plage, le rugissement de la foule, l'orchestre entamant les premières mesures de l'hymne national. Vous entendez les voix de personnes qui comptent pour vous, qui vous félicitent, et vous disent à quel point elles sont fières de votre succès.

5. Vivez toutes les émotions qui accompagnent votre succès. Plus vos émotions seront fortes, plus le processus sera efficace. Si vous avez de la difficulté à vous laisser emporter par vos émotions, créez une affirmation pour vous aider : « J'éprouve de la joie à savourer les émotions que me procurent mes affirmations. »

6. Répétez le processus pour chacune de vos affirmations.

D'AUTRES FAÇONS DE RÉPÉTER LES AFFIRMATIONS

1. Écrivez vos affirmations sur de petites fiches de carton et épinglez-les un peu partout dans la maison.

2. Accrochez des photographies et des illustrations représentant ce que vous voulez aux murs de votre maison. Vous pouvez inclure une photographie de vous-même dans l'illustration.

3. Répétez vos affirmations « à temps perdu », lorsque vous attendez en file, lorsque vous faites de l'exercice, ou au volant. Vous pouvez les répéter à haute voix, ou silencieusement.

4. Enregistrez vos affirmations, et écoutez-les au travail, au volant, ou avant de vous endormir. Vous pouvez employer un enregistrement sans fin, un magnétophone MP3 ou un iPod.

5. Demandez à des membres de votre famille d'enregistrer des paroles d'encouragement que vous aimeriez entendre de leur part, ou toutes paroles ou permissions susceptibles de vous aider.

6. Répétez vos affirmations à la première personne : « Je suis… », à la deuxième personne : « Tu es… », et à la troisième personne : « Il ou elle est… »

7. Faites en sorte que l'écran de veille de votre ordinateur présente une liste de vos affirmations. De cette manière, vous les verrez chaque fois que vous regagnerez votre poste de travail.

LES AFFIRMATIONS, ÇA MARCHE !

J'ai entendu parler pour la première fois de la puissance des affirmations lorsque W. Clement Stone m'a mis au défi de me fixer des buts sans commune mesure avec ce que je vivais à ce moment-là, des objectifs qui me laisseraient littéralement abasourdi si je parvenais à les réaliser. Malgré tout son mérite, je n'ai mis en pratique ce conseil que bien des années plus tard, alors que j'ai décidé que mon revenu passerait de vingt-cinq mille à cent mille dollars par année, ou plus.

La première chose que j'ai faite a été de composer soigneusement une affirmation, en m'inspirant d'un exemple de Florence Scovell Shinn :

> « Dieu est une source infinie d'abondance, et d'importantes sommes d'argent arrivent à moi par la grâce de Dieu, pour le plus grand bien de tous et de

toutes. Dans l'aisance et dans la joie, je gagne, j'économise, et j'investis cent mille dollars par année. »

Ensuite, j'ai créé une réplique en grande dimension d'un billet de cent mille dollars que j'ai épinglée au mur, au-dessus de la tête de mon lit. Au réveil, la vue du billet me rappelait mon affirmation, que je répétais en fermant les yeux. Je visualisais le nouveau style de vie auquel ce revenu me permettrait d'accéder. J'imaginais la maison dans laquelle je vivrais, l'ameublement et les œuvres d'art qu'elle contiendrait, la voiture que je conduirais et les vacances que je m'offrirais. Je faisais surgir en moi les émotions que me procurerait mon nouveau train de vie.

Peu de temps après, je me suis réveillé avec une première idée en tête valant cent mille dollars. Je me suis dit que si j'arrivais à vendre quatre cent mille exemplaires de mon livre, *100 Ways to Enhance Self-Concept in the Classroom*, et pour lequel je recevais des droits d'auteur de vingt-cinq sous l'exemplaire vendu, j'empocherais cent mille dollars. J'ajoutai donc à ma visualisation matinale la scène de mes livres s'envolant des rayons des librairies. Je m'imaginai un éditeur signant à mon intention un chèque de cent mille dollars de droits d'auteur. C'est alors qu'un journaliste pigiste me contacta. Il écrivit un article qui fut publié dans le *National Enquirer*, ce qui entraîna plusieurs milliers de ventes additionnelles ce mois-là.

Presque tous les jours, une ou plusieurs idées surgissaient dans mon esprit. Par exemple, je plaçai de petites annonces et je commençai à vendre mon livre moi-même, ce qui avait l'avantage de me rapporter trois dollars l'exemplaire. Je mis sur pied un catalogue d'ouvrages ayant pour thème l'estime de soi, et mes revenus firent un nouveau bond. Lorsque l'université du Massachusetts eut vent de mon entreprise, on m'invita à venir vendre mes livres lors d'un séminaire qui avait lieu un week-end. J'ai gagné plus de deux mille dollars en deux jours, en plus de développer une nouvelle stratégie pour atteindre mon objectif.

En même temps que je visualisais une augmentation de mes ventes de livres, l'idée m'est aussi venue qu'il me serait possible d'augmenter mon revenu grâce aux ateliers et aux séminaires que j'animais déjà. Je pris la décision de m'informer auprès d'un ami, qui faisait un travail similaire, pour savoir s'il m'était possible d'augmenter mes honoraires. Il me révéla qu'il exigeait déjà le double de ce que je demandais pour mes services ! Encouragé par ce que je venais d'apprendre, j'ai alors décidé de tripler mes taux séance tenante. J'ai par la suite découvert que certaines institutions disposaient de budgets encore plus importants pour inviter des conférenciers.

Mon affirmation s'avérait toujours plus rentable. Cependant, si je ne m'étais pas fixé le but de gagner cent mille dollars, et si je ne m'étais pas appliqué à le réaffirmer et à le visualiser jour après jour, je n'aurais jamais augmenté mes honoraires de conférencier, je n'aurais pas lancé mon service de ventes de livres par correspondance, on ne m'aurait pas invité à cette conférence universitaire, et je n'aurais jamais été interviewé par un journaliste.

Le résultat de tous ces efforts, c'est que mes revenus sont passés de vingt-cinq mille à quatre-vingt-douze mille dollars par année !

Bien sûr, j'ai raté ma cible de huit mille dollars, mais je peux vous assurer que je n'en ai pas fait une dépression nerveuse. Au contraire, j'étais enchanté. J'avais pratiquement quadruplé mes revenus en moins d'une année, en utilisant la puissance de la visualisation et des affirmations, conjuguées à la ferme résolution d'agir quand une idée « géniale » surgissait dans mon esprit.

Après ce premier succès, ma femme m'a demandé : « Si les affirmations fonctionnent quand l'objectif est de cent mille dollars, ne penses-tu pas qu'elles seraient aussi efficaces s'il était d'un million de dollars ? » Les affirmations et la visualisation nous ont ultérieurement permis de réaliser cette ambition, et, depuis lors, notre revenu annuel n'a jamais été inférieur à un million de dollars.

PRINCIPE 11

Imaginez ce que vous voulez, et obtenez-le !

« L'imagination est tout. C'est l'avant-première
des grands spectacles de la vie. »

ALBERT EINSTEIN
Gagnant du prix Nobel de physique

L a visualisation, l'art de créer des images d'un attrait irrésistible dans votre esprit, est sans doute l'outil du succès le plus méconnu, et pourtant l'un des plus puissants. Il accélère considérablement votre marche vers la réussite de trois manières :

1. La visualisation stimule la puissance créatrice de votre subconscient.

2. La visualisation permet à votre cerveau de travailler plus efficacement en programmant son système d'activité réticulaire (SAR), dont le rôle est de détecter dans l'environnement des ressources qui ont toujours été présentes mais qui passaient inaperçues auparavant.

3. La visualisation exerce un effet « magnétique » qui attire vers vous les personnes, les ressources et les occasions dont vous avez besoin pour atteindre votre but.

Les scientifiques ont découvert que, lorsque vous exécutez une tâche, le cerveau met en branle les mêmes processus que si vous étiez simplement en train de visualiser avec intensité cette activité. En d'autres mots, le cerveau ne voit aucune différence entre visualiser une action ou la faire.

Ce principe s'applique aussi lorsque vous apprenez quelque chose de nouveau. Les chercheurs de l'Université de Harvard ont constaté que des étudiants qui visualisaient à l'avance certaines tâches les exécutaient ensuite avec une précision presque parfaite (cent pour cent), tandis que ceux qui ne faisaient pas l'exercice n'obtenaient qu'un taux de réussite de cinquante-cinq pour cent.

La visualisation permet simplement au cerveau d'accomplir davantage. Bien que cette technique ne fasse partie d'aucun programme d'études, les psychologues sportifs et les experts en performance de pointe ont fait connaître le pouvoir de la visualisation dès les années quatre-vingt. Presque tous les athlètes, tant olympiques que professionnels, utilisent aujourd'hui cette technique.

Jack Nicklaus, le joueur de golf légendaire, qui a remporté plus de cent victoires et récolté des gains de cinq millions sept cent mille dollars en carrière, a déclaré un jour: «Je ne frappe jamais un coup, pas même à l'entraînement, sans m'en être d'abord fait une image précise et parfaitement claire dans mon esprit. D'abord, je vois la balle au point d'arrivée, ronde et blanche, là où je désire qu'elle s'immobilise sur le vert chatoyant. Puis, la scène se modifie rapidement, et je vois maintenant la balle en mouvement: son trajet et sa forme apparente dans le ciel, y compris son comportement lorsqu'elle touche sol. Il se produit alors un très bref intermède, et je me vois ensuite en train d'effectuer l'élan approprié pour que toutes les scènes précédentes se réalisent.»

COMMENT LA VISUALISATION AMÉLIORE LES PERFORMANCES

Lorsque vous visualisez vos buts tous les jours, non comme des rêveries, mais comme s'il s'agissait de faits bien réels, il se produit alors un conflit dans votre subconscient, en raison de l'écart qui existe entre ces images et votre situation actuelle. Il tentera alors de résoudre cette tension, en transformant votre réalité, pour la rendre conforme à cette vision stimulante que vous lui proposez.

Ce conflit, qui s'intensifie avec le temps par la pratique constance de la visualisation, provoque trois phénomènes dans votre cerveau:

1. Le cerveau programme le système d'activité réticulaire (SAR) pour que vous puissiez percevoir, au niveau conscient, tout élément de l'environnement qui pourrait vous aider à atteindre vos buts.

2. Votre esprit inconscient se met alors en activité et commence à imaginer des solutions. Vous vous éveillez bientôt avec de bonnes idées en tête. Vous avez soudainement un «éclair de génie», sous la douche, au cours d'une longue promenade, ou en vous rendant au travail.

3. Votre motivation est portée soudainement à un tout autre niveau. Vous constatez que vous posez spontanément des gestes qui vous rapprochent de votre but. Du jour au lendemain, vous vous surprenez à lever la main en classe, à prendre des initiatives au travail, à intervenir lors des réunions

du personnel, à exprimer plus fermement vos exigences, à économiser dans certains buts précis, à rembourser vos dettes, ou à prendre davantage de risques dans votre vie personnelle.

Examinons plus attentivement la façon dont le SAR (système d'activité réticulaire) fonctionne. À chaque instant, l'équivalent de huit millions de bits d'information affluent vers votre cerveau – information dont vous ne tenez pas compte, car vous n'en sauriez que faire. C'est le rôle du SAR de tamiser toutes ces données, et de ne dévoiler à votre conscience que les signaux nécessaires pour votre survie, ou la réussite de vos objectifs prioritaires.

Alors, comment le SAR fait-il pour savoir ce qu'il doit laisser passer, et ce qu'il doit bloquer? Il laisse filtrer dans votre conscience tout ce qui peut vous aider à réaliser les buts que vous vous êtes fixés, ceux que vous visualisez, et affirmez constamment. Le SAR cherchera aussi des indices pour confirmer vos intuitions, l'image que vous avez de vous-même et des autres, ainsi que votre conception de la vie en général.

Lorsque vous offrez à votre cerveau des images précises, colorées et irrésistibles de vos désirs – il se met à l'affût des plus infimes possibilités, et il saisira la moindre bribe d'information qui pourrait vous aider à transformer cette vision en réalité. Si vous présentez à votre esprit un problème d'une valeur de dix mille dollars, il mijotera des solutions de dix mille dollars. Si vous lui lancez un défi d'un million de dollars, il vous soufflera à l'oreille des solutions d'une valeur équivalente.

Si vous présentez à votre esprit les images d'une maison magnifique, d'un conjoint ou d'une conjointe aimante, d'une carrière pleine de défis, ou de vacances dans des lieux exotiques, il se mettra au travail pour vous les obtenir. Par contre, si vous le nourrissez constamment d'images négatives, anxieuses et dévalorisantes, vous devinez sans doute la suite, il s'empressera de combler vos attentes.

VISUALISEZ VOTRE AVENIR

Visualiser le succès est en fait un processus très simple. Vous n'avez qu'à fermer les yeux et à imaginer que tous vos buts sont déjà atteints.

Si l'un de vos objectifs est de posséder une belle maison sur les rives d'un lac, alors fermez les yeux et imaginez que vous l'habitez déjà. Représentez-vous-la jusque dans les moindres détails. À quoi ressemble-t-elle, vue de l'extérieur?

Quel est l'aménagement paysager? De quel panorama jouissez-vous lorsque vous regardez par la fenêtre de la salle de séjour? À quoi ressemblent le salon, la cuisine, la chambre à coucher des maîtres, la salle à dîner, la salle de séjour, le petit salon familial? Comment est-elle meublée? Déplacez-vous dans toutes les pièces et décrivez tout ce que vous voyez, sans rien omettre.

Faites en sorte que cette image soit aussi précise et claire que possible. Cela s'applique à chaque but que vous vous fixez – que ce soit dans le domaine du travail, des loisirs, de la famille, des finances, des relations personnelles, ou des activités philanthropiques. Rédigez tous vos objectifs, passez-les ensuite en revue, affirmez-les et visualisez-les quotidiennement.

Tous les matins, au réveil, et tous les soirs, avant d'aller au lit, lisez votre liste de buts à voix haute, faites une pause entre chacun d'eux, fermez les yeux pour recréer dans votre esprit l'image du but à atteindre. Arrêtez-vous à chaque élément de votre liste, jusqu'à ce que vous les ayez tous imaginés, comme autant de rêves réalisés, autant de faits accomplis. Le processus au complet prendra entre dix et quinze minutes, en fonction du nombre de vos projets. Si vous vous adonnez à la méditation, faites votre visualisation tout de suite après. La méditation vous plongera dans un état d'esprit très favorable à l'exercice de l'imagination.

AJOUTEZ DES SONS ET DES ÉMOTIONS À VOS IMAGES

Pour obtenir une plus grande efficacité encore, faites intervenir des sons, des odeurs, des goûts, et des émotions dans vos mises en scène. Quelles odeurs, quelles saveurs, quels sons, et – plus important encore – quelles émotions et sensations physiques percevrez-vous et ressentirez-vous dans ce cadre idéal, où tous vos buts auront été réalisés?

Si votre imagination projette l'image de la maison de vos rêves avec vue sur la mer, complétez la scène avec le son des vagues qui viennent mourir sur la plage, les rires de vos enfants s'ébattant sur le sable, et la voix de votre épouse vous remerciant de lui offrir une telle existence.

Et puis, ajoutez la fierté d'être propriétaire, la satisfaction d'avoir atteint vos objectifs, la douce sensation du soleil caressant la peau de votre visage, alors que vous êtes assis sur la véranda, admirant le magnifique coucher de soleil.

« Ne dérange pas ton père. Il est en train de visualiser un succès sans pareil dans le monde des affaires, et, par ricochet, une meilleure vie pour nous tous. »

CHARGEZ VOS IMAGES D'ÉMOTIONS

J'entends ici les émotions qui vous propulseront vers l'avant. Des études ont confirmé que les images accompagnées d'émotions intenses s'impriment dans la mémoire à tout jamais.

Je suis persuadé que vous vous souvenez de l'endroit exact où vous étiez lorsque John. F. Kennedy a été assassiné en 1963, ou lorsque le World Trade Center s'est effondré le 11 septembre 2001. Votre cerveau en a retenu tous les détails, non seulement parce que l'information pouvait être d'une grande valeur pour votre survie pendant ces moments tragiques, mais aussi parce que ces images étaient accompagnées de sentiments très intenses.

Les émotions fortes stimulent la croissance de protubérances sur les dendrites des neurones du cerveau, provoquant la création de connexions additionnelles. Ces interconnexions plus nombreuses fixent l'événement solidement dans la mémoire pour toujours. Vous pouvez imprégner vos visualisations d'une plus grande intensité émotive, en les baignant dans une musique inspirante, en les aromatisant de parfums agréables, en les ensoleillant de passions enivrantes, ou même en les ensevelissant sous les cris d'un enthousiasme délirant. Plus vous canaliserez de passion, d'ardeur, et d'énergie dans le processus, plus le résultat final sera éloquent.

LA VISUALISATION FONCTIONNE

Le médaillé d'or Peter Vidmar nous décrit le rôle joué par la visualisation dans la réalisation de son rêve olympique :

« Afin de ne jamais perdre de vue notre but olympique, nous avions décidé de terminer nos entraînements par la visualisation de notre rêve. Nous nous imaginions déjà en compétition aux Jeux olympiques, dans la mise en scène la plus spectaculaire possible.

« Je disais : "D'accord, Tim, nous participons maintenant à la grande finale par équipe des Jeux olympiques. L'équipe des États-Unis s'apprête à compléter sa dernière épreuve de la soirée : la barre fixe. Les représentants américains en lice sont Tim Daggett et Peter Vidmar. Nous sommes ex æquo avec l'équipe de la République populaire de Chine, championne du monde en titre, et nous devons exécuter notre programme à la perfection pour remporter la médaille d'or."

« À ce moment-là du scénario fictif, nous pensions tous deux en notre for intérieur : *"Nous ne parviendrons jamais à la finale sur un pied d'égalité avec ces types-là. Ils ont tout raflé au Championnat du monde à Budapest, tandis que notre équipe n'a pas remporté la moindre médaille. Cela n'a aucune chance de se produire."* »

« Mais si le miracle se produisait ? Comment réagirions-nous alors ? »

« Nous fermions les yeux et, dans le gymnase désert, à la fin d'une longue journée d'entraînement, nous imaginions dans l'amphithéâtre olympique plein à craquer, avec ses treize mille places combles, tandis que deux cents millions de personnes assistaient à l'épreuve en direct à la télévision. Alors, nous répétions notre rituel. Je jouais d'abord le rôle d'annonceur, et, utilisant mes mains en guise de porte-voix, je disais à voix haute : "Le prochain participant, représentant les États-Unis d'Amérique, Tim Daggett". Alors Tim s'exécutait, présentait son enchaînement tout comme si c'était la réalité.

« Puis, Tim se dirigeait vers le coin du gymnase, répétait le manège du porte-voix et de sa plus belle voix d'annonceur lançait : "Le prochain participant, représentant les États-Unis d'Amérique, Peter Vidmar."

« C'était maintenant mon tour. Dans mon esprit, tout était clair. Je ne disposais que d'un seul essai pour réussir mon programme de façon impeccable et ainsi permettre à notre équipe de remporter la finale. Si j'échouais, nous perdions.

« Alors, Tim annonçait : "Feu vert !" Je jetais un coup d'œil à l'arbitre en chef, dont le rôle était habituellement tenu par Mako, notre entraîneur. Je levais la main et il me faisait signe que je pouvais commencer. Je me tournais vers l'appareil et j'exécutais mon exercice.

« Puis, le jour de vérité arriva ! Grâce à ce rituel de visualisation et à tous nos efforts, en cette soirée du 31 juillet 1984, une chose absolument incroyable se produisit. L'imagination et la réalité se conjuguèrent pour ne devenir qu'une.

« Nous participions aux Jeux olympiques pour lesquels nous nous étions préparés avec tant d'acharnement. La finale des épreuves mettant en scène les équipes masculines de gymnastique battait son plein au pavillon Pauley de l'Université de la Californie, à Los Angeles. Les treize mille sièges étaient tous occupés et plus de deux cents millions de personnes suivaient le drame qui se déroulait à ce moment-là, par le truchement de la télévision.

« Notre équipe se trouvait sur le plateau de compétition pour la toute dernière épreuve de la soirée : la barre fixe. Et les deux derniers représentants américains étaient Tim Daggett et Peter Vidmar. Et comme nous l'avions imaginé, nous étions ex æquo avec la République Populaire de Chine. Aucune erreur ne nous était permise si nous espérions mériter la médaille d'or.

« Je jetai un coup d'œil en direction de Mako, mon instructeur depuis 12 ans. Posément, il me dit : "Vas-y, Peter, c'est à ton tour. Tu connais ta routine. Tu l'as déjà fait des milliers de fois au gymnase pendant l'entraînement. Allons ! Une dernière fois, et on rentre à la maison. Tu es prêt !"

« Et il avait raison. J'avais vécu pour ce moment-là et je l'avais visualisé des centaines de fois. J'étais prêt. À cet instant précis, je me suis transporté par la pensée au gymnase de l'université, à la fin d'une longue journée d'entraînement, tandis qu'il ne restait plus que deux athlètes dans la salle déserte, Tim et moi.

« Lorsque l'annonceur officiel a dit : "Représentant les États-Unis d'Amérique, Peter Vidmar", je me suis imaginé que c'était mon copain Tim Daggett qui venait de me présenter. Et lorsque la lumière verte s'est allumée, ce que je voyais, c'était l'image de Tim criant : "Lumière verte !" Et, dans mon esprit, lorsque j'ai levé la main en direction du juge de l'Allemagne de l'Est, c'était mon coach que j'avisais, comme je le faisais tous les jours à la fin de chaque entraînement. Lors de cette finale olympique, je me suis replongé, en imagination, dans le gymnase familier.

« Je me suis retourné, face à la barre, et j'ai bondi pour la saisir. J'ai entrepris le même enchaînement que j'avais pratiqué jour après jour à l'entraînement. Je m'exécutais de mémoire, repassant par le même chemin que j'avais parcouru un si grand nombre de fois. Je franchis rapidement l'étape du double saut périlleux qui avait ruiné mes chances aux championnats mondiaux. Je complétai ma prestation sans heurts et je réussis une sortie impeccable. Je restai sur place, attendant anxieusement la décision des juges.

« Une voix grave annonça dans le haut-parleur : "Peter Vidmar : 9,95". J'ai laissé échapper un cri enthousiaste : « Oui ! J'ai réussi ! « La foule s'est déchaînée tandis que mon équipe et moi laissions éclater notre joie.

« Trente minutes plus tard, nous nous sommes présentés sur le podium de l'amphithéâtre, sous le regard des treize mille spectateurs présents et des deux cents millions de téléspectateurs, pour la remise officielle des médailles. Nous arborions fièrement notre médaille d'or, tandis que l'hymne national américain se faisait entendre et qu'on hissait le drapeau des États-Unis. C'était un moment que j'avais visualisé et répété des centaines de fois à l'entraînement. Mais cette fois-ci, c'était vrai ! »

QUE FAIRE SI JE NE VOIS RIEN LORSQUE JE VISUALISE ?

Certaines personnes possèdent ce que les psychologues appellent une faculté de visualisation eidétique. Lorsqu'elles ferment les yeux, elles voient des images claires en trois dimensions et vivement colorées. La majorité d'entre nous ne possèdent pas cette aptitude. Ce qui veut dire que nous ne voyons pas vraiment les images, mais nous y pensons. Et c'est tout à fait normal. Le résultat est le même. Faites vos séances de visualisation et imaginez vos buts comme s'il s'agissait de faits réels de la vie de tous les jours, et vous obtiendrez les mêmes bienfaits que les personnes qui déclarent vraiment « voir » des images.

UTILISEZ DES PHOTOGRAPHIES POUR VOUS AIDER

Si vous avez de la difficulté à « voir » vos buts, utilisez des photographies, des images, des symboles que vous choisirez pour aider votre conscient et votre subconscient à ne jamais perdre vos vrais objectifs de vue. Par exemple, si l'une de vos ambitions est de posséder une Lexus LS-430, vous pouvez vous rendre chez votre concessionnaire Lexus avec un appareil photo et demander au vendeur de vous photographier derrière le volant.

Si vous nourrissez le rêve de faire un voyage à Paris, dénichez une photo de la tour Eiffel, puis trouvez ensuite une petite photographie de vous-même et collez-la au pied du célèbre monument, comme si elle avait été prise lors d'un voyage précédent. Il y a quelques années, j'ai employé cette technique en juxtaposant ma photo à celle de la maison de l'Opéra de Sydney. Moins d'une année plus tard, j'étais à Sydney, exactement à cet endroit-là.

Si votre ambition est de devenir millionnaire, signez un chèque d'un million de dollars à votre nom, ou « fabriquez » un relevé bancaire indiquant un solde de ce montant.

Mark Victor Hansen et moi avons créé une liste factice des succès de librairie du *New York Times*, en tête de laquelle se trouvait notre premier *Bouillon de poulet pour l'âme*MD. Quinze mois plus tard, notre rêve devenait réalité. Quatre années plus tard, la présence de sept de nos livres au même palmarès fut homologuée dans le fameux *Livre Guinness des records*.

Lorsque vous aurez fabriqué ces images, vous pourrez les disposer, à raison d'une par page, dans le cahier à anneaux que vous feuilletez chaque jour. Ou vous pourrez les coller sur un « tableau de rêves » ou sur une « carte au trésor », un collage qui trouvera sa place sur un tableau d'affichage, au mur de votre chambre, ou sur la porte du réfrigérateur, un endroit où vous serez certain de les voir quotidiennement.

Lorsque la NASA s'activait à envoyer un homme sur la Lune, on a disposé d'immenses images de l'astre des nuits, couvrant des murs entiers, dans l'aire principale de construction. Le but était clair pour tous et chacun, et il fut atteint deux ans plus tôt que prévu !

DES TABLEAUX DE VISIONS DE RÊVES ET UN LIVRE DE BUTS ONT TRANSFORMÉ LEURS RÊVES EN RÉALITÉS

En 1995, John Assaraf a créé un « tableau de visions de rêves », et il l'a accroché sur l'un des murs de son bureau à la maison. Dès qu'il voyait un objet matériel qu'il désirait acquérir, ou une destination qui l'intéressait, il s'en procurait une photo et la collait sur son tableau. Il s'imaginait alors l'heureux propriétaire de l'objet de son désir.

En mai 2000, alors qu'il venait tout juste d'emménager dans sa nouvelle maison de la Californie du Sud, assis à son bureau à sept heures et demie le matin, Keenan, son fils de cinq ans, vint le retrouver. Il se hissa sur des boîtes qui avaient été remisées en entrepôt pendant plus de quatre ans. Keenan demanda à son père ce qu'il y avait dans ces cartons. Lorsque John lui dit qu'ils contenaient ses « tableaux de visions de rêves », son fils s'exclama : « Tes tableaux de quoi ? »

John ouvrit l'une des boîtes pour montrer à son fils de quoi il s'agissait. John ne put réprimer un sourire en jetant un coup d'œil au premier tableau, où les photographies d'une Mercedes sport, d'une montre de luxe, et de quelques autres objets dont il avait fait l'acquisition par la suite étaient collées.

En saisissant le second tableau, il se mit à pleurer. Sur celui-ci se trouvait la photographie de la propriété qu'il venait d'acheter et dans laquelle il vivait actuellement! Non pas la représentation d'une maison comme la sienne, mais bien sa maison. Il l'avait découpée quatre ans auparavant dans le magazine *Dream Homes*. Il s'agissait d'une habitation de deux mille deux cents mètres carrés, qui se dressait au beau milieu de vingt-cinq mille mètres carrés de paysages spectaculaires, entourée d'une maison pour les invités de neuf cent soixante-quinze mètres carrés, d'un immeuble commercial, d'un court de tennis, et de trois cent vingts orangers!

Caryl Kristensen et Marilyn Kentz, mieux connues sous le sobriquet «The Mommies», parce qu'elles font fortune en faisant des blagues au sujet de leurs enfants, de la vie en famille, et du stress de la vie des mères modernes, connaissent bien la puissance des images pour transformer leurs rêves en réalités. Leur amitié et leur carrière ont débuté dans la petite ville rurale de Petaluma, en Californie, où elles étaient voisines. Lorsqu'elles ont décidé de se lancer dans le monde du spectacle, et de monter leur propre numéro, elles ont créé leur «album de buts», dans lequel elles ont énuméré systématiquement tout ce qu'elles entendaient accomplir, illustrant chaque objectif par une image. Tout ce qu'elles ont inscrit dans ce livre est devenu réalité, sans aucune exception!

Leurs réalisations incluent *The Mommies*, une comédie de situation diffusée sur NBC de 1993 à 1995, le *Caryl & Marilyn Show*, des infovariétés présentées sur les ondes du réseau ABC de 1996 à 1997, des émissions spéciales de divertissements et de rencontres avec des personnalités connues offertes sur les réseaux de télévision câblés, et leur livre à grand succès *The Mother Land*.

Caryl et Marilyn étant toutes les deux illustratrices, il leur était facile de représenter leurs rêves, mais vous n'avez pas besoin de talents artistiques pour réaliser votre «album de buts». Elles se sont appliquées à décrire leurs rêves en utilisant le temps présent et en semant un peu partout de petites phrases optimistes, telles que: «Je me sens satisfaite et reconnaissante», «Je suis détendue et d'humeur joyeuse», ou encore: «Vivre dans cette maison magnifique est tellement agréable!» Chaque page se terminait toujours par la remarque: «Cela, ou quelque chose de mieux se présente, pour le plus grand bien de tous et de toutes.»

Et c'est toujours ce qui est arrivé.

COMMENCEZ DÈS MAINTENANT

Consacrez un peu de temps chaque jour à la visualisation de chacun de vos buts, comme s'ils étaient déjà une réalité. Voilà l'une des choses les plus importantes à faire si vous voulez qu'ils se réalisent. Certains psychologues affirment même qu'une heure de visualisation produit les mêmes résultats que sept heures d'efforts physiques. Il ne s'agit là que d'une hypothèse, mais elle illustre un point très important : la visualisation est l'une des techniques les plus importantes dans votre coffre à outils du succès. Servez-vous-en !

Vous n'avez pas besoin d'imaginer vos succès futurs pendant des heures. Dix ou quinze minutes suffisent. Azim Jamal, un conférencier canadien de renom, recommande de vous réserver ce qu'il appelle une «heure de puissance» qui se divise ainsi : vingt minutes de visualisation et de méditation, vingt minutes d'exercices, et vingt minutes de lectures inspirantes ou instructives. Imaginez ce qui se produira dans votre vie si vous suivez ce judicieux conseil.

PRINCIPE 12

FAITES COMME SI...

« Pensez et agissez comme s'il était impossible d'échouer. »
CHARLES F. KETTERING
Inventeur et détenteur de cent quarante brevets et
de doctorats honorifiques de trente universités.

L'une des stratégies éprouvées pour connaître le succès est de commencer à agir *comme si vous étiez déjà arrivé là où vous voulez vous rendre.* Cela veut dire penser, parler, s'habiller, agir, et ressentir comme celui ou celle qui a déjà réalisé le rêve de sa vie. *Faire comme si* envoie de formidables signaux à votre subconscient qui se met alors à la recherche de solutions originales pour réaliser vos buts. Cette attitude a pour effet de stimuler le système d'activité réticulaire (SAR) de votre cerveau qui se met dès lors à noter tous les éléments de votre environnement qui pourraient vous servir. Il émet aussi des « vibrations » contagieuses annonçant à l'univers que ce but vous tient vraiment à cœur.

COMMENCEZ À AGIR *COMME SI...*

J'ai constaté ce phénomène pour la première fois alors que je me trouvais dans une banque de ma région. Parmi les caissiers qui y travaillaient, j'en ai remarqué un qui portait toujours un complet-veston fait sur mesure. Contrairement à ses autres collègues masculins, vêtus simplement en chemise et cravate, il avait vraiment l'air d'un cadre supérieur d'entreprise.

Un an plus tard, j'ai appris qu'il avait été promu, et qu'il occupait un bureau où il recevait les demandes d'emprunt. Deux ans plus tard, il était responsable des prêts et, quelque temps après, il fut nommé directeur de la succursale. Je lui ai alors parlé de ce tout premier jour où je l'avais aperçu derrière son guichet, tiré à quatre épingles, habillé avec un soin méticuleux.

Il m'a répondu qu'il avait toujours su qu'il deviendrait un jour directeur de succursale. Il avait donc étudié attentivement la tenue vestimentaire de son supérieur pour se vêtir de la même façon. Il avait aussi observé son comportement avec les clients et il s'appliquait à l'imiter dans ses relations avec les gens. Il s'était mis à agir comme s'il était déjà directeur de succursale longtemps avant de le devenir effectivement.

« Pour voler plus vite que la pensée, pour aller dans tous les endroits qui existent, on doit commencer par s'imaginer qu'on y est déjà. »

RICHARD BACH
Auteur de *Jonathan Livingston le Goéland*

COMMENT DEVENIR UN CONSULTANT INTERNATIONAL

Vers la fin des années 70, j'ai fait la connaissance d'un conférencier qui revenait tout juste d'Australie. J'ai alors décidé que, moi aussi, je voulais travailler et répandre mes idées dans le monde entier. Je me suis ensuite demandé ce que je devais faire pour devenir consultant international. J'ai contacté le bureau des passeports pour que l'on m'envoie un formulaire de demande, je me suis acheté une montre qui affichait les fuseaux horaires terrestres et je me suis fait imprimer des cartes de visite professionnelles portant le titre de consultant international.

Ayant finalement décidé que l'Australie serait ma première destination, je me suis rendu dans une agence de voyages et je me suis procuré une immense affiche touristique montrant l'Opéra de Sydney, le rocher d'Ayers et un panneau de signalisation routière annonçant un passage de kangourous. Tous les matins, tandis que je prenais mon petit-déjeuner, je regardais l'affiche que j'avais collée sur le réfrigérateur et je m'imaginais que j'étais en Australie.

Moins d'une année plus tard, j'étais invité à animer des séminaires à Sydney et à Brisbane. Dès que je me suis mis à me comporter comme un consultant international, l'univers a réagi en me traitant comme tel : c'était la puissante loi de l'attraction en action.

La loi de l'attraction est tout simplement une façon de dire que les semblables s'attirent. Plus les vibrations, les états mentaux et affectifs qui accompagnent la possession de quelque chose sont intenses, plus vite vous l'attirez vers vous. Il s'agit d'une loi immuable de l'univers essentielle à connaître pour accélérer votre réussite.

FAITES COMME SI... VOUS ÉTIEZ UN GOLFEUR DE LA PGA

Fred Couples et Jim Nantz étaient des gamins qui aimaient le golf et qui avaient aussi de très grands rêves. L'ambition de Fred était de remporter le Tournoi des Maîtres, tandis que Jim ne vivait que pour le jour où il serait commentateur sportif à la télévision. Alors que les deux amis partageaient la même chambre à la résidence des étudiants de l'Université de Houston, au Texas, vers la fin des années soixante-dix, ils avaient l'habitude de monter une petite mise en scène, dans laquelle le gagnant du Tournoi des Maîtres était escorté jusqu'à la célèbre « Butler Cabin » pour y recevoir le fameux veston vert et accorder l'entrevue du vainqueur au présentateur de CBS.

Quatorze ans plus tard, cette scène qu'ils avaient répétée si souvent devenait réalité sous les regards du monde entier. Fred Couples remporta le Tournoi des Maîtres et un directeur de tournoi l'escorta au lieu convenu, où il fut interviewé par nul autre que le présentateur sportif de la CBS, Jim Nantz. Lorsque les caméras de télévision cessèrent de tourner, les deux vieux amis s'embrassèrent, les larmes aux yeux. Ils avaient toujours su que Fred gagnerait un jour le Tournoi des Maîtres et que Jim serait présent pour couvrir l'événement. Ils avaient « fait comme si... », démontrant ainsi l'efficacité étonnante de ce principe du succès.

LE COCKTAIL DES MILLIONNAIRES

Dans plusieurs de mes séminaires, nous faisons un exercice que j'appelle « le cocktail des millionnaires ». Tous les participants se lèvent et bavardent entre eux, comme s'ils se trouvaient réellement dans une soirée mondaine. Cependant, ils doivent se comporter comme s'ils avaient déjà réalisé tous leurs objectifs financiers. Ils agissent alors comme s'ils possédaient déjà tout ce qu'ils désirent – la maison de leurs rêves, une résidence à la campagne, la voiture de leurs rêves, une carrière à la hauteur de leurs aspirations – comme s'ils avaient accompli tous les objectifs personnels, professionnels ou humanitaires les plus importants à leurs yeux.

Immédiatement, tous les participants se montrent plus animés, plus dynamiques, plus enthousiastes, plus sociables et plus extravertis. Ceux qui, un moment auparavant, étaient repliés sur eux-mêmes s'ouvrent aux autres et se présentent avec assurance. L'énergie et le volume des conversations dans la pièce atteignent des sommets. Les gens parlent avec animation de leurs réalisations, s'invitent mutuellement à leurs résidences secondaires à Hawaii ou aux Bahamas, discutent de leurs récents safaris en Afrique et de leurs missions philanthropiques dans les pays du tiers-monde.

Au bout de cinq minutes, j'interromps l'exercice et je demande aux gens de décrire ce qu'ils ressentent. Ils affirment alors se sentir enthousiastes, passionnés, optimistes, coopératifs, généreux, heureux, confiants et satisfaits.

Je leur fais alors remarquer que ce qu'ils éprouvent intérieurement – tant sur le plan physiologique que psychologique – est très différent de ce qu'ils ressentaient quelques minutes auparavant. En réalité, leur situation matérielle est restée inchangée bien sûr. Ils ne sont pas vraiment devenus millionnaires dans la vie réelle, mais ils se sentent riches parce qu'ils agissent comme s'ils l'étaient.

SOYEZ, FAITES ET POSSÉDEZ TOUT CE QUE VOUS VOULEZ… MAINTENANT!

Vous pouvez commencer dès maintenant à agir comme si vous aviez déjà réalisé toutes vos ambitions. En vous appliquant «à faire comme si…», vous susciterez en vous un état d'esprit, une mentalité de millionnaire, par exemple, qui vous portera rapidement vers cette situation.

Lorsque vous avez choisi ce que vous voulez être, ce que vous voulez faire, et ce que vous voulez avoir, il suffit d'agir comme si vous l'étiez déjà, comme si vous le faisiez déjà, comme si vous le possédiez déjà.

Comment vous comporteriez-vous si vous étiez déjà le tout premier de votre promotion, un vendeur étoile, un consultant richement rémunéré, un entrepreneur prospère, un athlète d'élite, un auteur à succès, un artiste de réputation internationale, un conférencier recherché, un acteur célèbre ou un musicien virtuose? Comment penseriez-vous, parleriez-vous, agiriez-vous, vous comporteriez-vous, vous habilleriez-vous, comment traiteriez-vous les autres, comment géreriez-vous votre argent, vous alimenteriez-vous, vivriez-vous, voyageriez-vous, et ainsi de suite?

Lorsque vous avez une image claire de tout cela dans votre esprit, commencez à la personnifier dès maintenant!

Ceux qui connaissent le succès rayonnent de confiance, expliquent clairement ce qu'ils préfèrent, et disent franchement ce qu'ils n'aiment pas. Ils croient que tout est possible, ils prennent des risques, et ils fêtent leurs réussites. Ils économisent une partie de leurs revenus et en partagent une autre avec autrui. Vous pouvez commencer à faire tout cela, avant même d'être riche et d'avoir réalisé vos ambitions. Toutes ces choses ne coûtent rien, elles exigent seulement de la volonté. Et dès que vous commencerez à agir comme si..., vous attirerez vers vous les personnes et les ressources qui vous aideront à réaliser vos objectifs.

Rappelez-vous l'ordre chronologique des gestes à poser : Commencez dès maintenant à être cette personne que vous avez envie de devenir, et ensuite, agissez comme elle le ferait. Bientôt, vous découvrirez que vous pouvez avoir tout ce que vous voulez dans la vie : la santé, la richesse et des relations stimulantes.

LA FÊTE QUI POURRAIT CHANGER VOTRE VIE

En 1986, j'ai assisté à une fête offerte par Diana von Welanetz et Inside Edge qui devait avoir une influence profonde sur la vie de toutes les personnes présentes. Le thème de la fête était : « Venez tel que vous serez en 1991 ». Elle avait lieu sur le paquebot Queen Mary, à Long Beach, en Californie. Les invités devaient imaginer ce qu'ils seraient devenus en 1991, c'est-à-dire cinq ans plus tard. D'abord, nous devions esquisser un tableau idéal de notre avenir. Ensuite, par un effort additionnel d'imagination, nous devions voir encore plus grand.

Lors de la fête, nous devions nous comporter comme si nous étions réellement en 1991 et que notre vision s'était accomplie entre-temps. Nous devions être habillés *comme si*, parler *comme si*, et nous devions nous munir d'accessoires prouvant notre réussite : de faux livres publiés, des prix prestigieux fictifs, et des chèques factices de montants considérables à notre nom. Nous devions passer la soirée à faire étalage de nos réalisations, à célébrer tant nos réussites que celles des autres, à raconter à quel point nous étions heureux et épanouis, à discuter de la prochaine étape de notre vie. Il nous était interdit de déchoir de notre piédestal cette soirée-là.

Lorsque nous nous sommes présentés, nous avons été accueillis par vingt personnes, hommes et femmes, jouant le rôle d'adulateurs et de paparazzis. Les flashs des appareils photo nous éblouissaient et nos admirateurs hurlaient notre nom, en quête d'autographes.

Pour l'occasion, je personnifiais un auteur célèbre. J'avais avec moi plusieurs critiques élogieuses de mon dernier succès de librairie primé par le *New York Times* et que j'exhibais fièrement. Un homme incarnait un multimillionnaire habillé comme un vacancier à la plage – sa conception d'une retraite de rêve – et il distribuait de vrais billets de loterie à tout venant. Une femme avait apporté avec elle un faux numéro du magazine *Time*, avec sa photographie sur la couverture, soulignant un prix prestigieux reçu pour sa contribution au mouvement de la paix mondiale.

Un homme, dont le rêve était de prendre sa retraite et de consacrer le reste de sa vie à la sculpture, s'est présenté portant tablier de cuir, marteau, ciseau, lunettes protectrices, ainsi que des photographies de ses réalisations. Un autre encore, dont l'ambition était de devenir un riche courtier en valeurs mobilières, a passé la soirée à répondre aux appels de son téléphone cellulaire, parlant avec animation, donnant ses instructions: «Achetez cinq mille actions de…», ou: «Vendez dix mille actions de…». Il avait engagé un complice qui lui donnait un coup de fil à toutes les quinze minutes pendant la fête, afin de donner de la crédibilité à son personnage.

Un producteur de films fit son entrée en smoking, car il avait imaginé que sa première coproduction avec les Russes serait couronnée d'un prix prestigieux. Son épouse, qui venait tout juste d'entreprendre une carrière d'écrivaine et qui n'avait pas encore vendu un seul livre, arriva les bras chargés de trois faux bouquins, dont elle était évidemment «l'auteure».

Jouant le jeu qui voulait qu'on soutienne les rêves des uns et des autres, des gens ont alors mentionné l'avoir vue lors de son passage aux émissions télévisées *Oprah*, *Sally Jesse Raphael*, et le *Today Show*. D'autres l'ont félicitée parce que l'un de ses livres était un best-seller en vogue et qu'elle avait gagné le prix Pulitzer. (Plusieurs d'entre vous connaissent cette auteure, Susan Jeffers, qui suite à cette soirée de transformation, a écrit dix-sept livres incluant le best-seller international *Tremblez mais osez*).

Et comme vous le savez, si vous m'avez lu jusqu'ici, il m'est aussi arrivé la même chose. J'ai écrit, compilé et édité plus de quatre-vingts livres, dont onze se sont retrouvés en tête de liste des best-sellers du *New York Times*. Cette fête, au cours de laquelle nous avons tenu pendant plus de quatre heures le rôle de la personne que nous voulions devenir, a submergé notre subconscient d'images irrésistibles de nos aspirations devenues réalités. Toutes ces mises en scène, illuminées par l'afflux d'émotions positives générées pendant la soirée, ont renforcé les chaînes neuroniques de nos cerveaux, forgeant, ou approfondissant en nous l'idée que nous étions destinés aux plus grandes réussites.

Mais le plus important, c'est que cela a fonctionné. Tous les participants à cette fête ont réalisé le rêve qu'ils avaient mis en scène ce soir-là, et souvent bien davantage.

Prenez la résolution d'organiser une fête semblable, au cours de laquelle les gens se présentent «tels qu'ils seront», et invitez votre cercle d'amis intimes, vos collègues, vos associés, vos camarades de promotion, ou votre club des «grands esprits». Pourquoi ne pas l'intégrer à vos congrès annuels et à vos réunions de représentants des ventes? Songez à toute l'énergie créatrice, aux prises de conscience salutaires, et à la solidarité que cela déclencherait dans votre milieu.

Vous pourriez utiliser le modèle suivant pour vos invitations.

VENEZ TEL QUE VOUS SEREZ… EN 2010!

~

Joignez-vous à nous pour une célébration qui enflammera
votre imagination et vous projettera dans votre propre avenir.

~

Où:

Quand:

Votre hôte:

R.S.V.P. avant:

Présentez-vous tel que vous serez dans cinq ans. Mettez vos plus beaux vêtements. Au cours de toute la soirée, ne parlez qu'au temps présent, comme si vous étiez déjà en 2010. Tous vos buts ont été réalisés et tous vos rêves sont maintenant réalités!

Vous serez filmé à votre arrivée. Apportez des accessoires comme preuves de vos réalisations des cinq dernières années: les livres que vous avez écrits, la page couverture des magazines sur lesquels vous apparaissez, les prix que vous avez remportés, et les photographies ou l'album de toutes vos œuvres. Tout au long de la soirée, vous aurez l'occasion d'applaudir les succès des autres et de recevoir leurs félicitations

ET LA FÊTE CONTINUE

Quelques années après la fête de Long Beach, j'ai été invité à l'émission *Caryl & Marilyn* sur ABC et j'ai partagé avec elles l'expérience vécue sur le Queen Mary. Elles ont immédiatement été emballées par cette idée et elles ont décidé d'organiser une fête semblable pour leur équipe et leurs amis. Voici ce que Marylin a écrit à ce sujet six ans plus tard, dans son livre *Not Your Mother's Midlife* :

« Je ne peux m'empêcher de rigoler dès que je pense à cette fameuse fête que nous avons organisée et ayant pour thème : « Présentez-vous tel que vous serez dans cinq ans ». Caryl et moi avions fait les choses en grand, avec de faux paparazzis, des interviews simulées à la télévision et un tapis rouge à l'entrée.

« J'avais fait parvenir des télégrammes venant de célébrités à l'endroit où devait avoir lieu la fête félicitant tout le monde pour leurs succès. Caryl et moi faisions la distribution des exemplaires de notre dernier livre intitulé *Mommy Book*. J'avais fabriqué un livre factice et, sur la couverture, il y avait une photographie complètement loufoque de nous deux arborant un flamand rose en guise de couvre-chef – la seule photo que j'avais pu trouver cet après-midi-là. Nous n'avions même pas esquissé le plan d'un tel livre, encore moins signé de contrat pour l'écrire.

« Deux ans plus tard, HarperCollins publiait notre livre *The Mother Load*, et, par pure coïncidence, de toutes les photos que nous avions soumises pour la jaquette du livre, c'est précisément celle de notre livre « fictif » qui a été retenue. Le livre a très bien marché – il a été réédité trois fois et une édition de poche a aussi été lancée un peu plus tard [...]

« Il y a six ans, ma fille, qui avait alors dix ans, fréquentait l'école élémentaire. Parce que j'avais peur qu'elle devienne une adolescente ignoble, idiote et insupportable, j'ai embauché pour l'occasion une jeune fille de quinze ans pour jouer le rôle de ma fille adolescente, attachante, adorable, "bonne fille mais normale toute de même". Je lui ai fourni le script qu'elle devait suivre.

« Elle faisait irruption dans la maison, m'embrassait sur les joues, et elle me disait alors à quel point elle était heureuse que nous puissions partager une relation aussi privilégiée. Elle pouvait se confier à cœur ouvert et nous ne nous disputions à peu près jamais. Elle me disait aussi qu'elle ne pouvait rester longtemps, car elle s'en allait à une fête avec un ami. Je ne devais pas m'inquiéter, car même si elle était une adolescente en pleine santé et parfaitement normale, elle ne se laissait jamais entraîner à boire de l'alcool ou à fumer de la marijuana. J'ai aussi ajouté ce petit passage : Elle m'expliquait qu'elle allait y voir le fils de Denzel Washington. Toute cette petite mise en scène fut accueillie par de grands éclats de rire.

« Faisons maintenant un bond de six ans dans l'avenir. D'abord, ma fille et moi avons cette relation spéciale dont je rêvais. Je ne peux expliquer pourquoi, mais nous parlons vraiment d'absolument tout. (D'accord, je ne suis pas si bête… certains sujets sont réservés pour ses meilleures amies et ses frères). Nous nous disputons rarement. Elle est intelligente, possède un bon jugement, et elle va aussi à des fêtes en compagnie… du fils de Denzel Washington. C'est vrai ! Lorsque j'avais imaginé mon petit scénario, je n'avais aucune idée de l'endroit où habitait Denzel, ici à Los Angeles, ou à New York. Je ne savais même pas s'il avait des enfants. Quelle était la probabilité que ma fille fréquente la même école secondaire que son fils ? Je garderai longtemps le souvenir de cette fameuse fête ! »[1]

Le but de cette simulation, dans laquelle vous vous projetez « tel que vous serez dans cinq ans », est de créer une expérience chargée d'émotions où vous apparaissez au faîte de votre réussite et ayant réalisé tous vos rêves. Lorsque vous passez une soirée complète à mener le style de vie que vous convoitez, et que vous méritez, vous gravez en profondeur dans votre subconscient un puissant schéma. Celui-ci vous aidera au moment opportun à reconnaître les bonnes occasions qui se présentent, à imaginer des solutions ingénieuses, à attirer les bonnes personnes et à poser les gestes nécessaires pour atteindre vos buts et réaliser vos ambitions.

Naturellement, une seule fête comme celle-là n'est pas suffisante à elle seule pour modifier tout le cours de votre vie future. Il y a d'autres choses que vous devrez faire pour que cela se produise. Toutefois, il s'agit d'un élément important dans le cadre de cette stratégie très puissante pour transformer vos rêves en réalités, et qui consiste à *agir comme si…*

---

1. Nancy Alspaugh et Marilyn Kentz, *Not Your Mother's Midlife: A Ten-Step Guide to Fearless Aging*, Kansas City, Mo. : Andrews McMeel Universal, 2003, pp.180-181.

PRINCIPE 13

PASSEZ À L'ACTION

_____

« *Il se peut que de bonnes choses arrivent à ceux qui attendent,
mais il s'agit de celles que les plus rapides ont laissées derrière eux.* »

ABRAHAM LINCOLN
Seizième président des États-Unis

« *Ce que nous pensons, ce que nous savons, ce en quoi nous croyons,
est finalement de fort peu d'importance. Ce qui importe,
c'est ce que nous faisons.* »

JOHN RUSKIN
Auteur, critique d'art et commentateur social anglais

En règle générale, on ne vous rémunère pas pour ce que vous savez; on vous paye pour ce que vous faites. Un axiome du succès, dont la valeur ne se dément jamais, s'énonce ainsi: «L'univers récompense vos actions.» Aussi simple et vrai que puisse être ce principe, il est malgré tout étonnant de voir que tant de gens s'embourbent dans l'analyse, la planification, et l'organisation, alors qu'il leur faudrait tout simplement passer aux actes.

Lorsque vous agissez, vous déclenchez toute une série d'actions et de réactions qui vous porteront inévitablement vers le succès. En vous voyant agir, ceux qui vous entourent savent que vous êtes sérieux dans vos intentions. Vous attirez l'attention et les gens remarquent ce que vous faites. Ceux dont les buts sont semblables aux vôtres se joignent à vous.

L'expérience vous enseigne ce que vous n'apprendrez jamais des autres, ou dans les livres. Vous recevez des signaux de contre-réactions qui vous permettent de vous améliorer, d'être plus efficace et plus rapide. Les choses qui vous paraissaient confuses deviennent claires. Ce qui vous semblait difficile devient plus facile. Vous attirez vers vous des gens qui vous soutiennent et vous encouragent. Toutes sortes de bonnes choses affluent vers vous lorsque vous passez à l'action.

LES PAROLES ONT PEU DE VALEUR

Après des années d'enseignement et d'accompagnement dans le cadre de mon entreprise et dans mes séminaires, je suis arrivé à la conclusion que le facteur prépondérant qui sépare les vainqueurs des perdants est la volonté des premiers de passer à l'action. Ils se lèvent et font tout simplement ce qui doit être fait. Dès qu'ils ont échafaudé un plan, ils l'exécutent. Ils se mettent en mouvement. Même si les débuts sont parfois laborieux, ils apprennent de leurs erreurs, apportent les corrections nécessaires, se relancent dans la mêlée, poursuivent sur leur lancée en accélérant le tempo, jusqu'à ce que, finalement, ils accomplissent ce qu'ils s'étaient proposés de faire, ou dépassent ce qu'ils avaient originalement envisagé.

Pour connaître le succès, imitez les gens qui réussissent, car ce sont des personnes qui sont résolument orientées vers l'action. Dans les pages précédentes, j'ai expliqué comment créer une vision, établir des buts et les subdiviser en tâches simples; comment prévoir les obstacles et composer avec eux; comment visualiser et affirmer votre succès. Vous devez croire en vous et en vos rêves. Maintenant, il est temps de mettre l'épaule à la roue. Inscrivez-vous à ce cours qui vous tient à cœur, obtenez la formation que vous désirez, appelez votre agent de voyages, commencez à écrire ce fameux livre, mettez dès aujourd'hui de l'argent de côté pour l'acompte de la maison de vos rêves, inscrivez-vous au centre de conditionnement physique, à ce cours de piano qui vous tente, ou rédigez cette proposition d'affaires excitante.

RIEN N'ARRIVERA AVANT QUE VOUS N'AGISSIEZ

« Si le navire de la chance n'arrive pas jusqu'à votre quai, nagez à sa rencontre. »

JONATHAN WINTERS
Comédien gagnant d'un Grammy, acteur, écrivain et artiste

Durant mes séminaires, pour démontrer la puissance de l'action, je tire de mon portefeuille un billet de cent dollars que j'exhibe bien haut devant l'auditoire. Je demande alors: «Qui veut ce billet de cent dollars?» Invariablement, la plupart des gens lèvent la main. Certains l'agitent vigoureusement pour se faire remarquer; d'autres vont même jusqu'à crier: «Je le veux!» ou: «Je le prends!» ou: «Donnez-le-moi!» Mais je reste là calmement et je continue de tenir le billet devant leurs regards hypnotisés; éventuellement, quelqu'un se lève de son siège, se présente à l'avant de la scène, et m'arrache le billet.

Lorsque cette personne a regagné sa place, maintenant plus riche de cent dollars grâce à ses efforts, je demande à l'auditoire : « Qu'est-ce que Mary a fait que nulle autre personne dans cette salle n'a osé faire ? Elle a pris la décision de se lever et elle est passée à l'action. Elle a fait la chose à faire pour obtenir ce billet de cent dollars. Et c'est précisément ce comportement qu'il faut imiter pour avoir du succès dans la vie. Vous devez agir et la plupart du temps, le plus tôt sera le mieux. » Puis, je pose cette question : « Combien d'entre vous ont été sur le point de se lever pour venir prendre le billet, mais se sont retenus de le faire ? »

Je leur demande alors de dévoiler la pensée qui les a cloués à leur siège.

Les réponses sont généralement les suivantes :

« Je ne voulais pas donner l'impression de tenir aussi désespérément à ce cent dollars. »

« Je ne savais pas si votre intention était vraiment de nous le donner. »

« J'étais assis loin au fond de la salle. »

« D'autres en ont sûrement plus besoin que moi. »

« Je ne voulais pas avoir l'air cupide. »

« J'avais peur de faire une gaffe et que l'on me juge ou qu'on se moque de moi. »

« J'attendais des directives supplémentaires. »

Je leur fais alors remarquer que les prétextes invoqués pour ne pas venir chercher le billet de cent dollars sont les mêmes qui les empêchent d'agir dans leur vie.

Une des grandes vérités universelles est la suivante : « Votre manière de faire une chose, c'est votre manière de faire toutes choses ». Si vous avez été prudent cette fois-là, vous l'êtes sans doute dans tout ce que vous faites. De même, si la peur du ridicule vous a arrêté à ce moment précis, elle vous bloque sans doute tout le temps. Vous devez reconnaître ces schémas dans votre comportement et les surmonter. Le moment est venu de cesser de vous retenir et de viser l'or.

RUBEN GONZALEZ Y VA POUR L'OR AUX JEUX OLYMPIQUES

Dès sa troisième année à l'école primaire, Ruben Gonzalez savait qu'il voulait être un athlète olympique. Il admirait les participants aux Jeux olympiques parce qu'ils étaient l'exemple même de ce en quoi il croyait – ils avaient le courage de s'engager à atteindre un but, de persévérer dans l'adversité et de toujours se relever après avoir subi un échec jusqu'à la victoire finale.

Mais c'est seulement lorsque qu'il était à l'université et qu'il assista aux exploits de Scott Hamilton aux Jeux olympiques de Sarajevo de 1984, que Ruben décida finalement de s'entraîner sérieusement. Il se dit alors : « *Si ce gringalet peut y arriver, je peux le faire aussi ! Je serai des prochains Jeux olympiques ! C'est décidé. Il ne me reste plus qu'à trouver un sport.* »

Après avoir fait un peu de recherches sur les sports olympiques, Ruben a compris qu'il devait en choisir un qui mettrait ses atouts en valeur. Il savait qu'il était un athlète honnête, mais pas un champion naturel. Sa principale qualité était la persévérance. Il n'abandonnait jamais. On l'avait d'ailleurs surnommé « Bulldog » à l'école secondaire. Il décida qu'il lui fallait trouver un sport si dur, un sport où les fractures étaient si fréquentes, que la plupart des athlètes renonçaient en cours de route. Il serait celui qui survivrait à l'hécatombe ! Il fixa finalement son choix sur la luge.

Ensuite, il écrivit au magazine *Sports Illustrated* (ceci se passait avant l'arrivée du réseau Internet), et demanda : « Où doit-on aller pour apprendre à faire de la luge ? » On lui a répondu : « À Lake Placid, dans l'État de New York, là où les Jeux olympiques d'hiver ont eu lieu en 1936 et en 1980. La piste de luge s'y trouve. » Aussitôt, Ruben téléphona à Lake Placid :

« Je suis un athlète et j'habite à Houston. Je voudrais apprendre à faire de la luge pour participer aux Jeux olympiques dans quatre ans. Voulez-vous m'aider ? »

Son interlocuteur lui demanda : « Quel âge avez-vous ?

– Vingt et un ans.

– Vingt et un ans ? Mais vous êtes beaucoup trop vieux. Vous arrivez dix ans trop tard, mon gars. Nous prenons les jeunes espoirs sous notre aile dès l'âge de dix ans. Oubliez ça. »

Mais il en fallait davantage pour décourager Ruben. Pour gagner du temps, il commença à raconter à cet homme l'histoire de sa vie, espérant que quelque chose lui viendrait entre-temps à l'esprit. Pendant son récit, il mentionna qu'il était né en Argentine.

Tout à coup, la voix à l'autre bout du fil s'anima.

« L'Argentine ? Pourquoi ne pas l'avoir dit plus tôt ? Si vous décidez de représenter l'Argentine, nous vous aiderons ! »

En effet, la luge risquait d'être retirée des Jeux olympiques en raison du petit nombre de pays qui participaient au niveau international. « Si vous représentez l'Argentine et que nous parvenons, d'une manière ou d'une autre, à vous hisser

« Je me demandais pourquoi ça sentait si mauvais ici. »

parmi les cinquante premiers lugeurs du monde en moins de quatre ans, condition nécessaire pour participer aux Jeux, un nouveau pays entrera en lice et la situation de la luge sera moins précaire. Si vous réussissez, vous aiderez du même coup l'équipe américaine. »

Il ajouta ensuite : « Avant de vous présenter à Lake Placid, vous devez savoir deux choses. D'abord, si vous voulez réussir en quatre ans, étant donné votre âge, l'entraînement sera impitoyable. Neuf athlètes sur dix abandonnent. Ensuite, attendez-vous à vous rompre quelques os ! »

Ruben se dit alors : « *Fantastique ! C'est exactement ce que je voulais entendre. Je ne suis pas un lâcheur. Plus l'affaire sera rude, mieux cela vaudra pour moi.* »

Quelques jours plus tard, Ruben Gonzalez arpentait Main Street, à Lake Placid, à la recherche du Centre d'entraînement de l'équipe olympique américaine. Le lendemain, il se joignait à un groupe de débutants en compagnie de quatorze autres aspirants. La première journée fut si éprouvante qu'il songea même à tout laisser tomber. Toutefois, grâce à l'aide d'un ami, il retrouva sa ferveur olympique et compléta le camp d'entraînement d'été. Tous les autres renoncèrent dès la première année.

Après quatre années éprouvantes, Ruben Gonzalez réalisait enfin son rêve en défilant avec les autres athlètes lors des cérémonies d'ouverture des Jeux olympiques d'hiver de Calgary, en 1988. Il participa aussi aux Jeux d'Albertville, en 1992, et à ceux de Salt Lake City, en 2000. Parce qu'il a agi sans hésiter et qu'il

a persévéré malgré tous les obstacles, Ruben Gonzalez sera à tout jamais
« participant aux Jeux olympiques à trois reprises ».

LES GENS QUI RÉUSSISSENT PRÉFÈRENT L'ACTION

La plupart des personnes qui réussissent ne tolèrent pas très longtemps la
planification excessive et les analyses qui n'en finissent plus. Ils ont hâte de
commencer. Ils sont impatients de sauter dans l'arène. Le fils de mon ami Bob
Kriegel, Otis, en est un bon exemple. Lorsqu'il revint à la maison avec sa nouvelle
petite amie pour les vacances d'été après sa première année universitaire, ils se
sont mis tous les deux en quête de travail.

Tandis qu'Otis décrochait le téléphone pour proposer ses services un peu
partout, sa copine consacrait sa première semaine à rédiger son curriculum vitæ.
Dès la fin de la deuxième journée, Otis décrochait son emploi. Son amie en était
à réécrire la énième version de son C.V. Otis était passé à l'action. Il s'était dit
que si on lui demandait un tel document, il le rédigerait en temps opportun.

La planification est importante, mais il faut faire la part des choses. Certaines
personnes consacrent leur vie entière à attendre l'occasion parfaite pour se lancer.
En fait, il y a rarement un moment « idéal » pour faire quoi que ce soit. Ce qui
importe, c'est de commencer. Jetez-vous dans la mêlée. Sautez dans l'arène.
Lorsque vous l'aurez fait, les réactions et les commentaires que vous obtiendrez
vous aideront à faire les corrections nécessaires et à vous améliorer. Lorsque vous
serez dans le feu de l'action, votre apprentissage se fera à un rythme accéléré.

« PRÊTS ? FEU ! EN JOUE ! »

Nous sommes pour la plupart familiers avec l'expression : « Prêts ? En joue !
Feu ! » Malheureusement, trop de personnes gaspillent leur vie à viser sans jamais
appuyer sur la détente. Elles se préparent interminablement jusqu'à ce que tout
soit parfait. La façon la plus rapide de faire mouche est de tirer d'abord, de noter
le point d'impact du projectile et de corriger son tir ensuite. Si la balle s'est logée
sur la cible cinq centimètres trop haut, il faut viser un peu plus bas. Faites feu de
nouveau. Où est-elle maintenant ? Tirez et rectifiez le tir s'il le faut. Bientôt, vous
atteindrez le centre de la cible. Ce principe s'applique dans toute situation.

Lorsque nous avons lancé notre premier *Bouillon de poulet pour l'âme*MD,
l'idée m'est venue d'en offrir gratuitement de courts extraits à de petites

publications et aux journaux locaux. En échange, je leur demandais d'ajouter un petit message à la fin de l'article, informant le lecteur que ce texte était tiré d'un livre que l'on pouvait se procurer à la librairie locale, ou en utilisant notre ligne téléphonique sans frais.

Je n'avais jamais rien fait de semblable auparavant, et je ne savais pas s'il y avait une manière consacrée pour soumettre une histoire à un magazine ou à un journal. J'ai simplement fait parvenir l'article intitulé : « Rappelez-vous, vous élevez des enfants, vous ne cultivez pas des fleurs », texte que j'avais écrit au sujet de mon voisin et son fils. Je l'ai envoyé, accompagné d'une courte lettre de présentation, à l'éditeur du magazine *L.A. Parent*.

Elle se lisait comme suit :

Le 13 septembre 1993

Monsieur Jack Bierman

L.A. Parent

Cher Jack,

Je désire soumettre ce texte pour publication dans *L.A. Parent*. J'ai aussi inclus une brève biographie. J'aimerais que vous insériez la petite notice publicitaire que j'ai rédigée au sujet de mon nouveau livre, *Bouillon de Poulet pour l'âme*^{MD}, à la suite de l'article. Si vous en désirez un exemplaire, je me ferai un plaisir de vous le faire parvenir.

Merci de m'avoir consacré un peu de votre temps,

Bien à vous,

Jack Canfield

p.j. « Rappelez-vous, vous élevez des enfants, vous ne cultivez pas des fleurs ! »

Quelques semaines plus tard, j'ai reçu cette réponse :

Cher Jack,

J'ai été très importuné par votre lettre. Comment avez-vous pu oser me demander d'ajouter cette « petite réclame publicitaire » pour votre livre dans ma revue ? Comment avez-vous pu présumer que votre texte m'intéresserait ?

Eh bien, j'ai lu votre article. Inutile d'ajouter que j'imprimerai aussi votre réclame, et que j'en rajouterai encore un peu !

J'ai été ému par votre propos et je suis persuadé qu'il ira droit au cœur de nos deux cent mille lecteurs de la région de San Diego.

Votre article a-t-il déjà paru dans une autre publication destinée à notre clientèle cible? Si oui, laquelle? C'est avec grand plaisir que j'envisage de collaborer avec vous, pour élever des enfants, et non pas cultiver des fleurs.

Amitiés,

Jack Bierman
Éditeur en chef

Je ne savais pas comment présenter pareille requête à un rédacteur en chef. Il y avait un protocole à respecter que je ne connaissais pas. J'ai tout de même agi. Un peu plus tard, lors d'une conversation téléphonique, Jack Bierman m'a gentiment expliqué la façon correcte de soumettre un article à un magazine. Il m'a offert ses commentaires pour que je puisse faire mieux la fois suivante. Le plus important, c'est que j'avais plongé tête première dans la mêlée et que, maintenant, je bénéficiais des leçons de cette expérience. «Prêts? Feu! En joue!»

Moins d'un mois plus tard, j'ai soumis le même article à plus de cinquante magazines régionaux et nationaux destinés aux parents, un peu partout aux États-Unis. J'ai reçu trente-cinq réponses positives, et c'est ainsi que la série *Bouillon de poulet pour l'âme*^{MD} a rejoint plus de six millions de parents.

N'ATTENDEZ PLUS

Le moment est venu de cesser d'attendre:

la perfection;
l'inspiration;
la permission;
le soutien moral;
que quelqu'un change;
que la bonne personne apparaisse;
que les enfants quittent la maison;
l'alignement parfait des astres;
qu'un nouveau gouvernement soit élu;
qu'il n'y ait plus aucun risque;
que quelqu'un vous découvre;
des instructions précises;
que vous ayez davantage confiance en vous;
que la douleur disparaisse.

Faites-le maintenant!

SATISFACTION RIME AVEC ACTION

Mon mentor, W. Clement Stone, avait l'habitude de distribuer des épinglettes portant la mention « Faites-le maintenant ! » Lorsque vous ressentez l'impulsion de faire quelque chose, agissez tout de suite. Ray Kroc, le fondateur de l'empire McDonald's disait : « Les trois clés du succès sont les suivantes : 1. Être au bon endroit au bon moment. 2. En être conscient. 3. Agir. »

Le 24 mars 1975, Chuck Wepner, un boxeur peu connu, donné perdant à trente contre un, a réussi ce que personne n'attendait de lui – il a tenu tête pendant quinze rounds au champion du monde de la catégorie poids lourd, Muhammad Ali. Au neuvième round, il a atteint le menton d'Ali avec un crochet de droite, projetant le champion au tapis, et plongeant du même coup dans la stupeur les dizaines de milliers d'amateurs qui étaient témoins de la scène. Chuck Wepner est passé à quelques secondes de devenir le champion mondial de cette catégorie poids lourd. Muhammad Ali parvint à se ressaisir et remporta finalement la victoire au quinzième assaut, conservant son titre.

À plus de mille six cents kilomètres de distance, un acteur obscur, nommé Sylvester Stallone, suivait le combat avec attention, sur l'écran d'un téléviseur qu'il venait d'acheter. Stallone avait déjà jonglé avec l'idée d'écrire un scénario mettant en vedette un boxeur marginal et désespéré remportant, contre toute attente, le titre mondial. Avant d'assister au combat entre Chuck Wepner et Muhammad Ali, il croyait qu'une telle histoire ne serait pas plausible.

Toutefois, dès que le combat fut terminé, après avoir vu un boxeur en qui personne ne croyait tenir tête au plus grand boxeur de tous les temps, il se mit au travail. Il commença à l'écrire le soir même, et, trois jours plus tard, il avait complété le scénario de *Rocky*, qui devait remporter trois oscars, incluant celui du meilleur film, et lancer par le fait même la carrière multimillionnaire de Sylvester Stallone au cinéma.

« ACCORDE-MOI UNE FAVEUR ! »

Il existe une historiette amusante au sujet d'un homme qui se présente à l'église pour y faire cette prière : « Dieu, accorde-moi une faveur. Je dois gagner à la loterie cette fois-ci. Je compte sur toi, mon Dieu. » N'ayant pas remporté le gros lot, il retourna à l'église la semaine suivante pour répéter sa demande. « Dieu, c'est au sujet de la loterie… J'ai été gentil avec mon épouse. J'ai cessé de boire. J'ai été généreux. Accorde-moi une faveur, mon Dieu, fais que je gagne à la loterie. »

Soudainement, les cieux s'entrouvrirent et un rayon de lumière blanche aveuglante, accompagné d'une musique céleste, enveloppa l'homme, tandis qu'une voix grave et profonde se faisait entendre: «Mon fils, accorde-moi une faveur! Achète un billet!»

TRÉBUCHER VERS L'AVANT

«Jamais un homme n'a accédé à la grandeur ou à la bonté autrement que par de graves et nombreuses erreurs.»

WILLIAM E. GLADSTONE
Ex-premier ministre de Grande-Bretagne

Bien des gens n'agissent pas car ils ont peur d'échouer. Ceux qui réussissent comprennent que les revers sont une composante essentielle du processus d'apprentissage. Ils savent que l'échec fait partie de tout enseignement, par essais et erreurs. Non seulement devons-nous cesser de craindre l'échec, mais il nous faut aussi apprendre à l'accepter, mieux encore, à le souhaiter parfois. J'ai l'habitude de décrire un échec instructif comme une «chute vers l'avant». Mettez-vous en marche, commettez des erreurs, recevez les commentaires et les réactions des autres, corrigez-vous, et faites un nouveau pas vers votre but. Toute expérience vous procurera de l'information utile dont vous pourrez faire usage la prochaine fois.

C'est dans le domaine du démarrage d'entreprises que ce principe s'applique sans doute de la manière la plus convaincante. Par exemple, la plupart des investisseurs en capital risque savent bien que la majorité des nouvelles entreprises échouent. Mais une statistique très intéressante émerge aujourd'hui. Si l'entrepreneur a plus de cinquante-cinq ans, les chances de survie de son entreprise s'améliorent de soixante-treize pour cent. Ces femmes et ces hommes d'affaires plus mûrs ont appris de leurs échecs passés. À travers une longue vie d'erreurs et d'apprentissages, ils ont développé un savoir, accumulé un bagage de compétences, et cultivé une confiance en leurs moyens qui leur permettent maintenant de surmonter les obstacles qui se dressent sur la route du succès.

« Vous ne pouvez jamais apprendre moins; vous pouvez seulement apprendre davantage. La raison pour laquelle j'en sais autant, c'est que j'ai fait beaucoup d'erreurs. »
BUCKMINSTER FULLER
Mathématicien et philosophe. Même s'il n'a jamais complété d'études universitaires, on lui a décerné quarante-six doctorats honorifiques

L'une de mes histoires favorites est celle de ce scientifique de renom qui a fait plusieurs découvertes importantes dans le domaine de la médecine. Un journaliste lui a un jour demandé pourquoi, à son avis, il avait accompli bien plus que la plupart des gens. En d'autres mots, pourquoi était-il différent des autres?

Il répondit que cela provenait d'une leçon que sa mère lui avait apprise lorsqu'il avait deux ans. Il avait essayé de prendre une bouteille de lait dans le réfrigérateur mais elle lui avait échappé des mains, et tout le contenu s'était déversé sur le plancher de la cuisine. Plutôt que de le gronder, sa mère lui avait dit: « Quel merveilleux dégât! J'ai rarement vu une telle mare de lait de toute ma vie. Eh bien, le dommage est déjà fait. Veux-tu jouer un peu dans le lait avant que nous nettoyions le plancher ensemble? »

Naturellement, il ne pouvait refuser pareille invitation. Après quelques minutes, sa mère continua: « Écoute, chaque fois qu'on fait un gros dégât, il faut le nettoyer ensuite. Alors, comment veux-tu t'y prendre: avec un chiffon, une éponge, ou une vadrouille? Qu'est-ce que tu préfères? »

Après qu'ils eurent essuyé le plancher, elle lui dit: « Nous venons d'être témoins d'une expérience infructueuse sur le transport d'un gros contenant de liquide à l'aide de deux petites mains. Allons dans la cour arrière et remplissons la bouteille avec de l'eau. Voyons si tu trouveras un moyen de l'apporter sans l'échapper ». Et c'est ce qu'ils firent.

Frank et Ernest

© 1990 Thaves. Reprinted with permission. Newpaper dist. by NEA, Inc.

Quelle leçon merveilleuse!

Le scientifique souligna que c'est à ce moment-là qu'il avait appris à ne pas craindre de faire des erreurs. Il s'était plutôt rendu compte que les erreurs étaient des occasions privilégiées d'apprendre quelque chose de nouveau, ce qui est, après tout, la définition même de toute expérience scientifique.

Le contenant de lait renversé a été le point de départ d'une vie entière consacrée à la recherche, une succession d'expériences qui l'ont conduit aux nombreuses découvertes scientifiques auxquelles il doit sa renommée mondiale!

PRINCIPE 14

Foncez! Allez à la rencontre du succès

« Vous ne pouvez traverser un océan simplement en le contemplant. »

RABINDRANATH TAGORE
Prix Nobel de littérature en 1913

Très souvent, le succès arrive simplement parce que vous allez à sa rencontre, en vous ouvrant aux occasions, en ayant la volonté de faire un pas de plus pour l'obtenir, sans contrat, sans aucune promesse de réussite, sans la moindre attente. Vous vous mettez simplement en marche. Vous foncez. Vous allez de découverte en découverte et vous choisissez de poursuivre ou non, au lieu de rester immobile, à faire du surplace, à délibérer, à réfléchir, à examiner.

EN FONÇANT, VOUS METTEZ L'UNIVERS EN MOUVEMENT

Un des plus grands avantages de « foncer », c'est que vous mettez en mouvement le monde qui vous entoure – vous libérez une vague d'énergie invisible qui attire vers vos rivages de nouvelles occasions, des ressources, ou des personnes qui peuvent vous aider, et souvent au moment opportun.

De brillantes carrières d'acteurs, des réussites commerciales, de grands projets philanthropiques, ainsi qu'une multitude d'autres « succès instantanés » sont survenus simplement parce que quelqu'un a prêté favorablement l'oreille à une question anodine comme : « Avez-vous déjà envisagé de… ? » ou : « N'êtes-vous pas persuadé que… ? » ou : « Pourquoi ne jetez-vous pas un coup d'œil à… ? » Et alors, ils se sont élancés.

AYEZ LE COURAGE DE VOUS LANCER DANS LA COURSE, MÊME SI VOUS NE VOYEZ PAS LE FIL D'ARRIVÉE

« Faites le premier pas en toute confiance. Il n'est pas nécessaire de voir tout l'escalier. Montez seulement la première marche. »

MARTIN LUTHER KING JUNIOR
Leader historique de la défense des droits et des libertés civiles

Naturellement, se lancer tête baissée dans un projet ou saisir une occasion, cela peut aussi signifier que vous êtes disposé à commencer sans connaître tout le chemin jusqu'au fil d'arrivée. C'est ce que vous devez accepter si vous voulez voir ce qui arrivera par la suite.

Souvent, nous nourrissons un rêve, mais, parce qu'il nous est impossible de voir comment nous allons le réaliser, nous avons peur de faire le premier pas. Nous craignons de nous engager car le chemin est obscur et le résultat incertain. Votre volonté de plonger malgré tout vous entraînera dans un monde d'explorations : vous naviguerez dans des eaux inconnues, dans l'espoir qu'une terre nouvelle émergera à l'horizon.

Commencez tout simplement, avancez en faisant le pas logique suivant et le voyage vous conduira éventuellement vers votre but ou vers quelque chose de mieux encore.

PARFOIS, IL N'EST MÊME PAS NÉCESSAIRE D'AVOIR UN RÊVE QUI SOIT CLAIR

Aussi loin que remontent ses souvenirs, Jana Stanfield voulait être chanteuse. Elle ignorait où son rêve allait finalement la mener, mais elle savait qu'elle devait le découvrir. Elle a plongé d'emblée en suivant quelques leçons de chant, pour ensuite décrocher un engagement pour chanter la fin de semaine dans un centre de loisirs local. À vingt-six ans, elle fit un autre pas lorsqu'elle emballa ses affaires et déménagea à Nashville, au Tennessee, afin de poursuivre son rêve de devenir auteure-compositrice-interprète et d'enregistrer ses chansons sur disque.

Elle a vécu et travaillé pendant trois longues années à Nashville, au cours desquelles elle a vu des centaines d'artistes au talent exceptionnel se disputer quelques rares contrats avec une maison de disques. Jana se représentait l'industrie de la musique comme une vaste salle remplie de machines à sous, laissant échapper tout juste assez de pièces pour leurrer les artistes, afin qu'ils continuent à jouer. Un producteur vous assure qu'il aime ce que vous faites; un chanteur connu envisage d'inclure l'une de vos chansons dans son prochain album; le représentant d'une compagnie de disques vous affirme que vous êtes génial, mais ces machines impersonnelles laissent rarement échapper le gros lot, le contrat d'enregistrement tant convoité.

Après avoir travaillé pendant quelques années pour une compagnie de promotion de disques, afin d'apprendre «les ficelles du métier», Jana dut se rendre à l'évidence. Il n'existait aucune certitude qu'elle allait réaliser son rêve, elle pouvait tout aussi bien jeter pièce après pièce dans la machine à sous et vieillir à Nashville.

À la fin, elle accepta d'admettre que de s'obstiner à essayer d'enregistrer un album était aussi insensé que de se frapper la tête contre un mur. Elle n'avait pas encore compris que les obstacles n'apparaissent souvent que pour vous forcer à emprunter une autre route, le chemin qui vous mènera à votre véritable destination.

« Pour tout chemin menant à l'échec, il existe une autre voie plus prometteuse. C'est à vous de la trouver. Lorsque vous vous heurtez à un barrage, faites un détour. »

MARY KAY ASH
Fondatrice des Cosmétiques Mary Kay

À LA RECHERCHE DE SES MOTIVATIONS PROFONDES

Jana avait appris ce que tant de gagnants savent déjà: même si la route est bloquée, vous pouvez bifurquer à droite ou à gauche, mais vous devez rester en mouvement. Elle avait pris conscience dans un cours de développement personnel que, dans notre précipitation pour réaliser notre rêve, nous nous enfermons dans le piège qui consiste à croire qu'il ne peut prendre qu'une seule forme, dans son cas: un contrat avec une maison de disques.

Mais, comme Jana devait bientôt l'apprendre, il y a plusieurs manières de réaliser un rêve, à la condition de bien connaître le but ultime que l'on poursuit. Derrière son désir de décrocher un contrat se cachait une autre motivation, un besoin plus profond, le vrai motif de son rêve: élever, inspirer et donner de l'espoir aux autres grâce à sa musique.

« Je veux allier la musique, la comédie, la fiction et la motivation dans mon œuvre », écrivit-elle dans son journal. *« Je suis une artiste et mon art s'épanouit devant mes yeux. Les obstacles qui me paralysaient sont maintenant levés. »*

Enhardie par sa découverte, Jana commença à se produire partout où on lui en offrait l'occasion. Sa maxime devint : « Dès que deux personnes ou plus sont réunies, je sors ma guitare. » Elle organisait des concerts improvisés dans les salons des résidences privées, sous les porches, dans les écoles, les églises, partout où c'était physiquement possible !

« JE NE SUIS PAS ÉGARÉE, J'EXPLORE »

Mais Jana était toujours bien en peine de trouver une formule qui lui permettrait de mettre son talent au service des autres, tout en lui procurant un modeste revenu. Il n'y avait personne d'autre qui faisait ce qu'elle envisageait de faire – combiner la musique, la comédie, la fiction, et la motivation. Il n'y avait pas de plan de carrière préétabli, pas de sentiers déjà battus à emprunter. Elle explorait un territoire complètement nouveau. Elle ne savait pas où elle s'en allait exactement, ni quelle forme son rêve prendrait, mais elle persistait à aller de l'avant.

PERSÉVÉREZ ET VOUS TROUVEREZ LE SENTIER

Jana commença à accepter toutes sortes de petits travaux – sans jamais abandonner son rêve – essayant d'imaginer un moyen de concilier sa passion pour son art et son désir d'aider les gens, tout en arrivant à en vivre. *« Je suis déterminée à me servir de mes talents pour faire de ce monde un meilleur endroit où vivre »*, confia-t-elle à son journal. *« Je ne sais pas exactement comment m'y prendre pour y arriver, mais Dieu sait maintenant que je suis prête. »*

Jana persévéra. Elle communiqua avec des pasteurs, leur disant : « Si vous me permettez de chanter deux chansons pendant votre service religieux, vous aurez la chance de mieux me connaître et de voir comment je pourrais vous être utile. Peut-être me réinviterez-vous dans quelques mois pour donner un véritable concert en matinée ».

LE POINT TOURNANT

Après avoir entendu quelques-unes de ses compositions, des fidèles s'approchaient pour lui demander s'il existait un enregistrement des chansons qu'elle venait d'interpréter. Il y avait une chanson en particulier intitulée : « Si seulement j'avais su ! », qu'on lui demandait plus fréquemment que les autres.

Une personne lui dit un jour : « J'ai remarqué que plusieurs pleuraient lorsque vous interprétiez cette chanson. J'ai subi une perte si douloureuse que je ne m'abandonnerai jamais à pleurer ici, dans l'église, parce que je ne sais pas si j'arriverais à m'arrêter. Auriez-vous la gentillesse de m'en faire un enregistrement afin que je puisse l'écouter dans l'intimité, et laisser libre cours aux émotions qu'elle m'inspire ? »

Jana passait des heures à enregistrer des cassettes et à les expédier à ceux qui lui en faisaient la demande. Ses amis lui disaient souvent : « Tu possèdes déjà quantité d'enregistrements de démonstration datant de l'époque où tu essayais de décrocher un contrat pour faire un disque. Réunis ce matériel et crée ton propre album. »

Jana pensa alors : « *Oh non ! je ne pourrai jamais faire cela. Ce ne sera pas un vrai album, réalisé par une maison de production. Il ne comptera pas vraiment. Un tel enregistrement serait simplement le symbole de mon échec* ». Mais ses amis insistèrent et elle fonça de nouveau.

Elle paya un ingénieur du son cent dollars pour qu'il rassemble sur une seule cassette dix mélodies, qu'elle désigna plus tard, avec une touche d'humour, « l'anthologie de mes dix chansons les plus rejetées ». Elle fabriqua la pochette chez Kinko et enregistra cent cassettes : « Un stock suffisant pour le restant de mes jours », raconte-t-elle aujourd'hui en riant. De salon en salon, d'église en église, elle exhibait ses cassettes sur une table de jeu et les vendait après ses concerts.

Et c'est alors qu'arriva le point tournant.

« Mon mari m'accompagnait dans une église de Memphis, se rappelle Jana. Mon étalage de cassettes, disposé sur une table de jeu à l'intérieur de l'église, indisposait un peu les gens. On a alors décidé de déplacer le tout à l'extérieur dans une nouvelle aire de stationnement. On venait d'en faire le revêtement, et, sous une chaleur accablante, l'asphalte était devenu brûlant, noir et gluant. Lorsque le stationnement s'est finalement vidé, nous avons trouvé refuge dans la voiture, mis en marche le climatiseur, et compté nos gains. »

À son plus grand étonnement, Jana constata qu'elle avait réalisé trois cents dollars de ventes, soit cinquante dollars de plus que son salaire hebdomadaire de pigiste à la télévision, travail qu'elle avait accepté à l'époque où elle peinait à joindre les deux bouts. Jana tenait les trois cents dollars entre ses mains et elle se rendit compte pour la première fois qu'elle pouvait gagner sa vie en faisant ce qu'elle aimait.

Aujourd'hui, l'entreprise de Jana, Keynote Concerts[1] produit plus de cinquante concerts de motivation par année dans le monde entier. Elle a démarré sa propre maison de production de CD, Relatively Famous Records, qui a déjà produit huit albums de Jana, dont cent mille exemplaires ont été vendus. Les chansons de Jana ont été interprétées par Reba McEntire, Andy Williams, Suzy Bogguss, John Schneider et Megon McDonough. Elle s'est produite en première partie du spectacle de Kenny Loggins et elle a effectué une tournée avec l'auteure Melody Beatty. On a pu entendre sa musique très inspirée aux émissions *Oprah*, *20/20*, *Entertainment Tonight*, à la radio à travers toute l'Amérique, et dans la trame sonore du film *8 seconds*.

Jana Stanfield a réalisé son rêve de devenir auteure-compositrice-interprète parce qu'elle a foncé et qu'elle s'est engagée avec confiance sur les chemins qui se sont présentés à elle. Vous aussi, vous pouvez vous rendre de l'endroit où vous êtes vers celui où vous voulez aller si vous osez faire le saut. Tôt ou tard, la route s'ouvrira devant vous aussi. À certains moments, vous aurez l'impression de conduire à travers un épais brouillard où la visibilité est réduite à moins de dix mètres. Mais si vous continuez d'avancer, la route se révélera petit à petit et vous atteindrez votre but.

Choisissez une dimension de votre vie que vous aimeriez explorer : votre carrière, votre situation financière, vos relations, votre forme physique, votre santé, vos loisirs ou votre apport à la communauté, et foncez !

---

1. Pour en savoir plus long sur le travail de Jana et ses CD, consultez son site web : www.janastanfield.com.

PRINCIPE 15

TREMBLEZ, MAIS OSEZ QUAND MÊME !

*« Nous ne venons ici qu'une seule fois. Nous pouvons marcher sur
la pointe des pieds, et espérer que la mort nous surprendra sans trop
de meurtrissures, ou nous pouvons vivre pleinement, atteindre nos buts
et vivre nos rêves les plus fous. »*

BOB PROCTOR
Millionnaire qui a réussi par ses propres moyens, personnalité de la radio
et de la télévision, et maître à penser en matière de succès

*« Il m'arrive de manquer d'assurance. Mais lorsque je suis devant
quelque chose qui m'angoisse, je ne l'analyse pas. Je plonge au contraire,
en me disant : "Mais de quoi ai-je donc peur ?" Je parie que toute personne
ayant connu du succès vous dira qu'elle a échoué bien plus souvent
qu'elle a réussi. C'est sûrement mon cas. Pour chaque contrat publicitaire
que j'ai décroché, j'ai dû essuyer deux cents refus. Vous devez vous lancer
à l'assaut de ce qui vous fait peur. »*

KEVIN SORBO
Acteur de la série télévisée *Hercule : L'Odyssée légendaire*

À mesure que vous avancerez sur le chemin que vous avez choisi, vous allez devoir affronter vos peurs. Il s'agit d'un phénomène naturel. Dès que vous entreprenez un nouveau projet, que vous prenez une initiative, ou que vous vous exposez à un risque quelconque, vous éprouvez généralement de la peur. Malheureusement, beaucoup se laissent subjuguer par la crainte, ce qui les empêche de poser les gestes nécessaires pour réussir.

Par contre, ceux qui ont du succès la ressentent comme nous tous, mais cela ne les empêche pas de faire ce qu'ils veulent ou ce qu'ils doivent faire. Ils comprennent que la crainte est un sentiment qui doit être accepté, ressenti et reconnu comme faisant partie de l'ordre normal des choses. Ils ont appris, comme le suggère l'auteure Susan Jeffers, à « trembler mais à oser quand même ».

POURQUOI AVONS-NOUS SI PEUR?

Il y a des millions d'années, la peur nous gagnait lorsque nous nous aventurions à l'extérieur de notre territoire habituel. Nos sens en alerte nous signalaient les dangers possibles et la peur injectait dans nos veines le surplus d'adrénaline nécessaire pour fuir à toutes jambes. Si cette réponse était appropriée à l'époque où les bêtes féroces nous donnaient la chasse, il faut bien admettre que la plupart des menaces que nous affrontons aujourd'hui ne sont pas des questions de vie ou de mort.

De nos jours, la peur est plutôt un signal qui nous incite à rester vigilants et prudents. Nous pouvons ressentir de la peur, mais nous allons de l'avant quand même. Pensez à vos craintes comme à un enfant de deux ans qui ne veut pas vous accompagner au marché. Vous ne laisseriez pas les caprices d'un bambin dicter votre vie. Parce que vous devez faire votre marché, vous l'amènerez simplement avec vous. La peur n'est pas différente. En d'autres mots, reconnaissez son existence, mais ne la laissez pas vous empêcher de faire les choses qui importent.

VOUS DEVEZ ACCEPTER DE RESSENTIR DE LA PEUR

Certaines personnes feront n'importe quoi pour éviter cette émotion très déplaisante qu'est la peur. Si vous êtes de ce nombre, vous courez de fortes chances de ne jamais obtenir ce que vous voulez dans la vie. La plupart des choses qui en valent la peine sont risquées. Il est dans la nature même d'une entreprise courageuse d'échouer à l'occasion. Des gens perdent leurs investissements, un comédien oublie son texte, un alpiniste fait une chute, un accident emporte un automobiliste. Mais, comme le dit si bien ce sage proverbe: «Qui ne risque rien n'a rien».

Lorsque j'ai rencontré en entrevue Jeff Arch, l'auteur du scénario du film *La magie du destin,* il m'a parlé de son projet actuel:

> «Je suis sur le point de prendre le plus grand risque de ma vie – écrire et diriger une comédie, un projet de deux millions de dollars, alors que je n'ai jamais dirigé auparavant. J'y investis mon argent, en plus d'autres fonds que je suis parvenu à emprunter. C'est pourquoi il faut que je réussisse à tout prix. Il s'agit d'une situation du "tout ou rien". En ce moment, je vis l'expérience de la peur, une facette très importante du succès, dont les auteurs oublient trop souvent de parler. Je suis terrifié et j'accepte de l'être. Je suis terrorisé par ce que je suis en train de faire. Mais je ne suis pas "pétrifié". C'est une "saine" terreur. C'est le genre de peur qui incite à garder les deux yeux grands ouverts.

« Je sais que je dois foncer parce que j'ai déjà en tête une vision très claire de mon projet. Je suis prêt à faire cavalier seul, sans le soutien de l'industrie. J'ai appris que c'était la chose à faire lorsque j'essayais de vendre l'idée du film *La magie du destin* à des producteurs. Croyez-moi, lorsque vous tentez d'intéresser les gens à une histoire d'amour, où les personnages principaux ne se rencontrent jamais, personne ne veut vous écouter. Tout le monde me disait : "Tu as complètement perdu la tête !" »

« J'ai aussi découvert que, lorsque les gens pensent que vous avez perdu la raison, c'est que vous avez probablement flairé une bonne piste. Cette expérience-là m'a servi de point de repère. J'étais le seul à y croire et j'avais raison. J'ai appris qu'on doit croire en ses rêves. Parce que même si tous croient que vous avez tort, cela ne signifie peut-être rien du tout. Il se peut aussi que vous ayez raison.

« Il arrive un moment où vous vous dites : "Je joue le tout pour le tout. Il faut que ça marche." Je pense à l'histoire du conquistador, Hernando Cortez, en 1519. Pour chasser de son esprit toute idée d'abandonner sa mission et de retourner dans son pays, il a incendié ses vaisseaux. Eh bien, je viens de louer plusieurs bateaux juste pour pouvoir y mettre le feu. J'ai contracté des prêts en donnant en garantie des navires qui n'étaient pas les miens. Je joue mon argent, ma réputation, absolument tout ce que je possède, dans mon nouveau projet. Et ce sera un coup de circuit ou un retrait sur des prises, un simple coup sûr est exclu.

« Ce que je fais me flanque une frousse terrible, mais il me reste malgré tout une certitude. Je sais que je n'en mourrai pas. Cette aventure peut engloutir tout ce que je possède, me cribler de dettes, détruire ma réputation et rendre un éventuel retour beaucoup plus ardu. Contrairement à l'entreprise de Cortez, toutefois, on ne tue pas les gens qui se gourent dans cette industrie. Je pense que l'un des secrets de mon succès est que j'accepte d'être terrifié, et je pense aussi que la plupart des gens n'aiment pas être effrayés à ce point. Et c'est pourquoi ils ne réalisent jamais de grandes ambitions. »

LES FABULATIONS QUI ONT L'APPARENCE DE LA RÉALITÉ

Notre évolution nous a conduits au point où presque toutes nos peurs sont maintenant le fruit de notre imagination. Nous nous effrayons en envisageant toutes sortes de conséquences désastreuses dès que nous projetons une nouvelle expérience ou une activité inhabituelle. Heureusement, puisque nous sommes les seuls responsables de toutes ces peurs, nous avons aussi le pouvoir de les faire taire. Plutôt que de nous laisser emporter par notre imagination, nous avons la faculté de retrouver notre lucidité et notre sérénité en examinant les faits réels. Nous choisissons d'avoir peur. Les psychologues se plaisent à dire que le terme anglais FEAR (peur en anglais) est un acronyme formé par les mots suivants:

Des Fabulations dont l'Extérieur a l'Apparence de la Réalité.

Pour vous aider à mieux comprendre comment des craintes non-fondées entrent dans votre vie, faites une liste de tous les gestes que vous avez peur de poser. Il ne s'agit pas de choses qui vous FONT peur, comme la peur des araignées, mais du geste de SAISIR une araignée entre vos doigts. Par exemple, *j'ai peur*:

- de demander une augmentation à mon patron;
- d'inviter Sally à une soirée;
- de sauter en parachute;
- de confier mes enfants à une gardienne;
- de laisser tomber cet emploi que je déteste;
- de m'absenter du bureau pendant deux semaines;
- de présenter à mes amis une proposition d'affaires;
- de déléguer une partie de mon travail à quelqu'un d'autre.

Maintenant, reprenez chacune des peurs précédentes, et reformulez-les de la manière suivante:

« Je voudrais…, mais je laisse la peur l'emporter en imaginant que… »

Les mots-clés sont « *mais je laisse la peur l'emporter en imaginant que* ». Nous créons nous-mêmes toutes nos angoisses en imaginant quelque conséquence désastreuse dans le futur. En reformulant quelques-unes des peurs énumérées ci-dessus, nous obtenons les résultats suivants:

- « Je veux demander une augmentation à mon patron, mais je laisse la peur l'emporter en imaginant qu'il va me dire non, et qu'il sera en colère contre moi parce que je l'ai demandée. »
- « Je veux inviter Sally à cette soirée, mais je laisse la peur l'emporter en imaginant qu'elle refusera et que je serai humilié. »
- « J'aimerais faire du saut en parachute, mais je laisse la peur l'emporter en imaginant qu'il ne s'ouvrira pas et que je vais me tuer. »

- « Je voudrais confier mes enfants à la gardienne, mais je laisse la peur l'emporter en imaginant que quelque chose de terrible se produira en mon absence. »

- « Je voudrais laisser tomber cet emploi que je déteste pour réaliser mes rêves, mais je laisse la peur l'emporter en imaginant que je vais faire faillite et perdre ma maison. »

- « Je voudrais présenter cette proposition d'affaires à mes amis, mais je laisse la peur l'emporter en imaginant qu'ils penseront que j'essaie seulement de leur soutirer de l'argent. »

Voyez-vous maintenant que vous avez créé vous-même toutes ces peurs ?

COMMENT VOUS DÉBARRASSER DE VOS PEURS

*« J'ai eu une longue existence, parsemée de nombreux écueils,
dont la plupart ne se sont jamais matérialisés. »*

MARK TWAIN
Célèbre auteur et humoriste américain

Une bonne façon de faire disparaître vos craintes est de préciser le produit de votre imagination qui vous fait peur et de le remplacer par son opposé.

Lors d'un vol en partance pour Orlando où j'allais faire une conférence, j'ai remarqué que ma voisine immédiate s'agrippait si fermement aux accoudoirs de son siège que les jointures de ses doigts en blanchissaient. Je me suis alors présenté, je lui ai parlé de mon occupation et j'ai ajouté que je n'avais pu m'empêcher de remarquer ses mains.

Je lui ai alors demandé : « Avez-vous peur ? »

– Oui

– Auriez-vous la gentillesse de fermer les yeux, et de me dire quelles sont les pensées et les émotions qui vous habitent en ce moment ? »

Elle ferma les yeux et me dit : « Je ne peux m'empêcher d'imaginer que l'avion n'arrivera pas à décoller et s'écrasera au sol.

– Je vois. Dites-moi, qu'est-ce qui vous amène à Orlando ?

– Je vais passer quatre jours en compagnie de mes petits-enfants à Disney World.

– Bien! Et quel est votre manège préféré à Disney World?

– Le Petit Monde.

– Formidable! Et pouvez-vous vous voir dans Le Petit Monde en ce moment, dans l'une des gondoles avec vos petits-enfants?

– Oui.

– Pouvez-vous voir les sourires et les regards émerveillés de vos petits-enfants à la vue des marionnettes et des personnages des quatre coins du monde qui surgissent de nulle part et font des pirouettes?

– Hi! Hi!»

À ce moment de la conversation, j'ai commencé à fredonner: «C'est un bien petit monde après tout; un bien petit monde...»

Son visage commença à se détendre, sa respiration devint plus profonde et ses mains relâchèrent les accoudoirs.

Dans son esprit, elle était déjà à Disney World. Au scénario catastrophique d'un écrasement fatal, elle avait substitué des images heureuses représentant le but de son voyage. Les peurs s'étaient évanouies instantanément.[1]

Vous pouvez utiliser la même technique pour tuer dans l'œuf toute peur que vous pourriez ressentir.

REMPLACEZ LES SENSATIONS PHYSIQUES PRODUITES PAR LA PEUR

Une autre technique très efficace pour venir à bout des craintes injustifiées est de vous concentrer sur les *sensations physiques* que vous éprouvez, les sensations que vous associez à la peur. Ensuite, concentrez-vous sur celles que vous *aimeriez* éprouver à la place: l'audace, la confiance en soi, le calme, la joie.

Imprégnez-vous fermement de deux de ces impressions. Allez et venez ensuite de l'une à l'autre en vous concentrant sur une sensation particulière pendant quinze secondes avant de passer à la suivante. Au bout d'une minute, la peur se dissipe et vous vous sentez calme et serein.

---

1. Ron Nielsen, Tim Piering, et moi avons utilisé cette technique pour mettre au point un programme destiné à aider les gens qui souffrent de la phobie de l'avion à vaincre leur peur de voler. Pour obtenir davantage d'informations, ou pour acheter un exemplaire de *Chicken Soup for Soul's Fearless Flightkit* [MD], pour vous-même ou un ami, veuillez consulter le site Internet suivant: www.fearless-flight.com.

RAPPELEZ-VOUS CE MOMENT OÙ VOUS AVEZ VAINCU LA PEUR

Vous êtes-vous déjà élancé du haut d'un plongeoir ? Si c'est le cas, vous vous rappelez probablement lorsque vous avez marché jusqu'à son extrémité et jeté un coup d'œil en bas pour la première fois. L'eau vous semblait bien plus profonde qu'elle ne l'était en réalité. Et en ajoutant la hauteur de votre perchoir à votre propre taille, la distance à parcourir devait vous apparaître bien terrifiante.

Vous aviez peur. Avez-vous alors jeté un coup d'œil du côté de votre père, ou de votre mère, ou en direction de l'instructeur, pour leur dire : « Vous savez, j'ai très peur de faire le saut maintenant. Je pense que je devrais faire une thérapie pour me libérer de mes angoisses. Je réessaierai quand j'aurai résolu mes problèmes… ? »

Non ! Ce n'est pas ce que vous avez dit.

Vous éprouviez de la peur mais vous avez rassemblé tout votre courage et vous avez sauté à l'eau. Vous aviez peur, mais vous l'avez fait quand même.

Et lorsque vous êtes remonté à la surface, vous avez probablement pataugé à toute allure vers le bord de la piscine pour prendre une grande respiration bien méritée. Pendant que vous réalisiez votre exploit, vous avez ressenti une petite poussée d'adrénaline, le frisson qui accompagne les entreprises risquées, la volupté de vous trouver un court moment entre ciel et terre. Et moins d'une minute après, vous avez probablement replongé, encore et encore, jusqu'à ce que cela devienne un jeu vraiment amusant. La peur avait disparu et vous vous élanciez sans retenue, éclaboussant les baigneurs, essayant peut-être même quelques acrobaties.

Si vous arrivez à vous souvenir de cette expérience, ou de la première fois que vous avez conduit une automobile, ou de votre premier baiser, vous avez là un modèle universel qui peut vous servir en toute circonstance. Toutes les nouvelles expériences seront toujours un peu angoissantes. C'est la nature même de la nouveauté. Chaque fois que vous ressentez de la peur et que vous faites quand même ce qui vous effraie, vous fortifiez votre confiance en vos capacités.

MINIMISEZ LES RISQUES

Anthony Robbins a dit : « Si vous ne pouvez pas, vous devez ; et si vous devez, vous pouvez ». Je suis d'accord. Ce sont précisément les choses que nous craignons le plus de faire qui nous libèrent et nous permettent de grandir.

Si vous éprouvez une peur si grande qu'elle vous paralyse complètement, atténuez le niveau de risque. Attaquez-vous à des défis plus modestes, et progressez à votre rythme. Si vous faites vos débuts dans la vente, contactez d'abord les clients potentiels qui vous semblent les plus faciles à convaincre. Si vous voulez collecter des fonds pour votre entreprise, commencez par les sources de financement sur lesquelles vous comptez le moins. Si vous êtes nerveux à l'idée d'assumer des responsabilités additionnelles au travail, demandez la gestion d'un projet modeste qui vous intéresse. Si vous pratiquez un nouveau sport, contentez-vous d'abord de bien réussir les coups de débutants. Maîtrisez les habiletés de base, surmontez vos peurs, et puis attaquez-vous à de plus grands défis.

LORSQUE VOTRE PEUR EST EN RÉALITÉ UNE PHOBIE

Certaines peurs sont si intenses qu'elles peuvent littéralement vous paralyser sur place. Si vous êtes aux prises avec une véritable phobie, comme la peur de voler en avion ou de vous trouver dans un ascenseur, vos espoirs de succès peuvent s'en trouver sérieusement compromis. Heureusement, il existe une solution simple pour se débarrasser de la plupart des phobies. La « cure de cinq minutes pour guérir les phobies », développée par le Dr Roger Callahan, est si facile à apprendre qu'on peut se l'enseigner soi-même. On peut aussi choisir de se faire accompagner par un professionnel.

J'ai appris cette technique magique dans les livres et les vidéos du Dr Callahan, et je l'ai utilisée avec succès dans mes séminaires pendant plus de quinze ans. Le processus consiste à donner de petits coups sur des points précis du corps tout en imaginant, ou en faisant l'expérience, de ce qui cause votre peur irraisonnée. Cela fonctionne un peu comme un « virus » informatique qui court-circuite le « programme », ou la séquence normale d'événements, entre la perception de la chose qui vous effraie (la vue d'un serpent, la cabine d'un avion), et le malaise physique (transpiration abondante, tremblements, souffle court, jambes flageolantes) que vous éprouvez.

Alors que j'animais un séminaire réunissant un groupe d'agents immobiliers, une participante me confia qu'elle avait la phobie des escaliers. Elle en avait d'ailleurs subi les effets le matin même. Ayant demandé son chemin à un chasseur de l'hôtel, celui-ci lui avait indiqué le grand escalier. Heureusement, il y avait aussi un ascenseur, et c'est ainsi qu'elle avait pu se rendre jusqu'à la salle de conférence.

Si cela n'avait pas été le cas, elle aurait tout simplement rebroussé chemin et serait rentrée chez elle. Elle a aussi admis qu'elle n'était jamais montée au deuxième étage d'aucune des maisons qu'elle avait vendues. Elle prétendait qu'elle les avait déjà visitées, les décrivait aux acheteurs potentiels à partir de la fiche descriptive, et elle les laissait explorer les lieux.

J'ai fait la cure de cinq minutes pour guérir les phobies avec elle, puis j'ai entraîné les cent participants de notre groupe vers le grand escalier qui l'avait paralysée le matin même. Sans aucune hésitation, sans respiration oppressée ou mise en scène dramatique, elle a gravi et descendu les marches deux fois de suite sans coup férir. C'était tout simple.[2]

FAITES LE SAUT DANS L'INCONNU

Venez sur le bord, dit-Il.
Ils lui répondirent : Nous avons peur.
Venez sur le bord, dit-Il.
Ils vinrent. Il les poussa,
Alors, ils se mirent à voler…

GUILLAUME APOLLINAIRE
Poète français d'avant-garde

Toutes les personnes que je connais à qui la réussite a fini par sourire ont eu le courage de courir un risque, de faire un acte de foi, même si elles avaient peur. Parfois, elles avaient le trac, mais elles savaient que, si elles ne faisaient rien, l'occasion leur filerait entre les doigts. Elles ont écouté leur intuition et ensuite, elles ont fait le saut.

« Le progrès et le risque sont indissociables ; vous ne pouvez voler
le deuxième but en gardant le pied sur le premier. »

FREDERICK WILCOX

---

2. Si vous êtes aux prises avec une phobie qui vous paralyse, visitez le site Web de Roger Callahan, www.tftrx.com, ou téléphonez au numéro sans frais 800-359-2873, pour commander la bande vidéo *Five-Minute Phobia Cure* ou prendre un rendez-vous avec le Dr Callahan. Vous pouvez aussi utiliser n'importe quel moteur de recherches en utilisant l'expression « five-minute phobia cure » ou « Thought Field Therapy », pour trouver un praticien près de chez vous.

Mike Kelley vit dans un véritable paradis et possède plusieurs entreprises regroupées sous la raison sociale de Beach Activities of Maui. Avec une seule année d'université à son actif (il n'y est jamais retourné pour obtenir son diplôme), Mike a quitté Las Vegas à l'âge de dix-neuf ans en direction des îles Hawaii, où il a débuté en affaires en vendant de la lotion solaire sur les bords de la piscine d'un hôtel local.

Mike est aujourd'hui à la tête d'une entreprise de cent soixante-quinze employés, qui génère des revenus annuels de cinq millions de dollars, en proposant aux vacanciers des expériences récréatives (des excursions en catamaran et des plongées sous-marines autonomes). Il met également à la disposition des nombreux hôtels de l'île des services de conciergerie et des centres d'affaires.

Mike attribue son succès à sa volonté de toujours faire un pas de plus lorsque c'est nécessaire. Alors que son entreprise cherchait à prendre de l'expansion, il avait dans sa mire un hôtel important, mais ce dernier était desservi par le même compétiteur depuis plus de quinze ans. Toujours à la recherche de nouvelles occasions d'affaires, Mike lit régulièrement les publications de l'industrie et s'informe sur tout ce qui touche son secteur d'activité.

Un jour, il a appris qu'un nouveau directeur, habitant Copper Mountain, au Colorado, allait venir prendre les rênes de cet hôtel. Mike se tint le raisonnement suivant : Puisqu'il est toujours excessivement difficile de franchir les lignes d'accès érigées autour d'un directeur, il vaudrait sans doute mieux essayer d'entrer en contact avec lui avant son arrivée à Hawaii. Il jongla avec les diverses possibilités qui s'offraient à lui. Devait-il envoyer une lettre ou donner un coup de téléphone? C'est alors qu'un de ses amis lui suggéra : « Pourquoi ne pas simplement sauter dans un avion et aller lui parler? »

Toujours prompt à joindre le geste à la parole, Mike rédigea rapidement une proposition d'affaires et s'envola dès le lendemain soir. Après avoir passé la nuit à bord de l'avion, il loua une voiture dès son arrivée et roula pendant deux heures jusqu'à Copper Mountain, où il se rendit directement chez le directeur, sans être annoncé. Il se présenta, félicita son hôte pour sa nouvelle promotion, lui affirma qu'il avait bien hâte de l'accueillir à Maui, et sollicita un peu de son temps pour lui parler de son entreprise et des services qu'elle pouvait rendre à son hôtel.

Il ne décrocha pas le contrat dès cette première rencontre. Toutefois, le fait que ce jeune homme ait manifesté assez de confiance en lui, et en ses services, pour se donner le mal de voler jusqu'à Denver et rouler ensuite jusqu'au beau milieu du Colorado dans l'espoir bien mince de le rencontrer, impressionna vivement le nouveau directeur. Lorsqu'il vint finalement s'installer à Hawaii, il accorda le contrat à Mike, une entente qui devait générer des centaines de milliers de dollars de profits additionnels pour son entreprise au cours des quinze années suivantes.

FAIRE LE SAUT PEUT CHANGER VOTRE VIE

« Vingt pour cent de l'autorité est donnée ; l'autre quatre-vingt pour cent appartient à qui s'en saisit… alors, saisissez-la ! »

PETER UEBERROTH

Organisateur des Jeux olympiques d'été de 1984 et commissaire
de la ligue majeure de baseball, de 1984 à 1988

Quels que soient vos critères de succès, la vie du Dr John Demartini est une réussite éclatante. Multimillionnaire, il est aussi l'époux d'une femme brillante et magnifique – Athena Starwoman, la célèbre astrologue de réputation mondiale dont les consultations et les chroniques paraissent dans vingt-quatre magazines prestigieux, incluant *Vogue*. Le couple est aujourd'hui propriétaire de plusieurs maisons en Australie. À chaque année, pendant soixante jours, ils sillonnent les océans du globe dans leur appartement de luxe de trois millions de dollars, à bord du paquebot de cinq cent cinquante millions de dollars, *World of ResidenSea* – un « pied-à-terre » qu'ils ont acheté après avoir vendu leur appartement de Trump Tower, à New York.

Auteur de cinquante-quatre programmes de formation et de treize livres, John se déplace continuellement dans le monde entier pour donner des conférences et animer des cours sur le succès financier et la maîtrise de la vie.

Mais John n'a pas débuté dans la vie, riche et prospère. À l'âge de sept ans, on diagnostiqua chez lui un trouble d'apprentissage et on lui annonça qu'il ne pourrait jamais lire, écrire ou communiquer normalement. Il abandonna l'école dès l'âge de quatorze ans, quitta son Texas natal et se dirigea vers la côte californienne. On le retrouve à dix-sept ans, surfant sur les vagues de la célèbre côte nord de l'île Oahu, dans l'archipel de Hawaii, où il est presque emporté par un empoisonnement à la strychnine. Sa route vers la guérison le conduisit vers le Dr Paul Bragg, un homme de quatre-vingt-treize ans, qui bouleversa sa vie en lui donnant une simple affirmation à répéter quotidiennement : « Je suis un génie et je mets ma sagesse en pratique. »

Inspiré par l'exemple du Dr Bragg, John retourne aux études, décroche un baccalauréat de l'Université de Houston, et, plus tard, un doctorat du Texas College of Chiropractic.

La première clinique que John inaugura à Houston n'occupait qu'une maigre surface de quatre-vingt-dix mètres carrés. En neuf mois, elle avait déjà doublé de superficie. John commença aussi à donner des cours sur l'art de vivre sainement. Devant l'afflux des participants, il décida d'agrandir de nouveau sa clinique. C'est alors qu'il prit une initiative qui devait changer à tout jamais le cours de sa carrière.

« C'était un lundi, raconte John. Le magasin de chaussures qui occupait le local voisin du mien avait fermé ses portes le week-end précédent. Alors, je me suis dit : *« Quel endroit idéal pour donner mes conférences ! »* » Il téléphona immédiatement à l'entreprise de location.

Comme personne ne le rappelait, John en conclut que le local pourrait bien demeurer inoccupé un bon moment encore. Il a donc décidé de jouer d'audace.

« J'ai fait appel à un serrurier pour me donner accès au local. J'ai pensé que la pire chose qui pouvait m'arriver était de devoir en payer le loyer », m'expliqua-t-il.

Il aménagea rapidement les lieux pour en faire une salle de conférence, et, quelques jours plus tard, il y animait quotidiennement ses causeries gratuites. Comme l'endroit était situé à proximité d'un cinéma, il installa un haut-parleur de sorte que les cinéphiles puissent l'entendre en allant ou en revenant de leur soirée. Plusieurs se mirent à fréquenter ses rencontres et devinrent ses patients par la suite.

La clientèle de John continua d'augmenter rapidement. Six mois après la décision de John d'occuper le local désaffecté, le gérant de l'immeuble vint jeter un coup d'œil.

« Vous avez eu beaucoup de cran, dit-il à John. Vous êtes un peu comme moi ! » En fait, il avait été si impressionné par l'audace de John, qu'il lui accorda six mois de loyer gratuits !

« Quiconque fait preuve d'autant de culot le mérite bien ! » affirma-t-il. Par la suite, le même gérant invita John dans son bureau, et lui offrit un quart de million de dollars pour venir travailler avec lui. John déclina poliment l'offre, car il avait d'autres projets en tête. Ce geste représentait une confirmation éclatante de la pertinence de sa décision peu ordinaire.

Sa détermination devait aider John à bâtir une pratique florissante, qu'il vendit par la suite pour offrir des services de consultations à plein temps aux autres chiropraticiens.

« Faire le saut dans l'inconnu m'a ouvert la porte, se rappelle aujourd'hui John. Si je m'étais abstenu, si j'avais été prudent, je n'aurais pas réalisé la percée qui m'a conduit au mode de vie que j'ai aujourd'hui. »

MAIS QU'ATTENDEZ-VOUS ? FONCEZ !

« Voulez-vous jouer de prudence et être bon, ou bien voulez-vous courir des risques et être extraordinaire ? »

JIMMY JOHNSON

Instructeur des Cowboys de Dallas, il a mené son équipe à deux championnats
consécutifs du Superbowl, en 1992 et 1993

Lorsque Richard Paul Evans écrivit son premier livre *Le Coffret de Noël*, il s'agissait simplement d'un geste d'amour à l'endroit de ses deux jeunes sœurs. Plus tard, il en fit des photocopies pour sa famille et ses amis, et les éloges au sujet de ce conte si touchant se sont rapidement répandus dans son entourage. Encouragé par les réactions positives, Rick s'est mis à la recherche d'un éditeur pour le livre. Comme personne ne manifestait d'intérêt, il décida de le publier à compte d'auteur.

Pour en faire la promotion, il réserva un kiosque lors d'une conférence de l'American Booksellers Association. Des séances de dédicaces avec des auteurs de renom faisaient partie des activités. Rick constata que les écrivains prestigieux étaient les seuls à recevoir l'attention de la presse. Il remarqua aussi qu'à l'heure prévue pour l'arrivée d'un groupe de célébrités, l'un des invités était absent.

Étouffant ses craintes sous une bonne de dose d'audace et de foi en son rêve, Rick décida de foncer. Il s'empara de deux boîtes de livres, s'installa dans le siège vacant, et commença à signer des exemplaires de ses contes.

Une responsable de l'événement, le voyant à cette table, s'approcha et lui demanda de s'en aller. Sans se départir de son calme, Richard Paul Evans leva les yeux et lança : « Désolé d'être en retard » avant même qu'elle ait pu ajouter quoi que ce soit. Ébahie par tant d'aplomb, la dame lui demanda simplement : « Puis-je vous apporter quelque chose à boire ? »

L'année suivante, Richard Paul Evans était l'auteur vedette de l'événement, son livre s'étant hissé au sommet de la liste des succès de librairie du *New York Times*. Depuis lors, plus de huit millions d'exemplaires du *Coffret de Noël* ont été vendus, et il a été traduit en 18 langues. Le film, réalisé pour la télévision, a remporté un prix Emmy. Les droits du livre, que plusieurs maisons d'édition avaient d'abord rejeté, ont été acquis par Simon & Schuster pour la somme record de quatre millions deux cent mille dollars.

*« Vivre dangereusement, c'est se jeter dans le vide du haut de la falaise,
et laisser croître ses ailes pendant la chute. »*

RAY BRADBURY
Auteur de plus de cinq cents œuvres littéraires

MISEZ TOUT SUR VOTRE RÊVE

« Seuls ceux qui osent échouer lamentablement réussissent avec éclat. »

ROBERT F. KENNEDY
Ancien procureur général et sénateur américain

En janvier 1981, l'investisseur immobilier Robert Allen releva un défi en plaçant sa tête sur le billot. Ce coup d'audace allait lancer, ou faire sombrer, sa nouvelle carrière d'auteur et de conférencier. Il cherchait des moyens de faire la promotion de son livre *Achetez une maison sans cash*. Peu enthousiasmé par la campagne publicitaire que le service des relations publiques de son éditeur avait conçue, Bob se mit fiévreusement à la recherche d'une formule appropriée pour lancer son livre :

« Nous devons faire la démonstration qu'il est possible d'acheter une propriété sans verser d'acompte, dit-il à son éditeur

– Que voulez-vous dire ?

– Je ne suis pas trop certain, répondit Bob. Quelque chose comme : « Emmenez-moi en ville, prenez mon portefeuille et remettez-moi cent dollars. J'achèterai alors une maison. »

– Combien de temps cela vous prendrait-il ?

– Je n'en sais rien, une semaine, trois ou quatre jours peut-être soixante-douze heures.

– Pouvez-vous vraiment faire ça ? »

Bob sentait bien qu'il s'avançait en direction d'un précipice sans fond, sachant qu'il n'avait jamais réussi pareil exploit auparavant. Il ignorait s'il en était capable ou non. Sa raison lui disait de battre en retraite, son cœur l'enjoignait de s'élancer.

Finalement, il se fia à son intuition et dit : « Oui, je peux probablement y arriver.

– Eh bien, répliqua l'éditeur, si vous pouvez y parvenir, voici le texte de l'annonce que nous allons publier : « Alors, ce type m'a dit qu'il allait prendre mon portefeuille, me refiler un billet de cent dollars, et que je pourrais acheter une maison sans que j'aie à débourser un dollar de mon propre argent ! »

Bob donna sa réponse : « C'est d'accord, faites-le ! » L'annonce fut publiée, et la campagne publicitaire eut beaucoup de succès. Quelques mois après sa sortie, le livre était en tête des succès de librairie de la revue *Times* et figura pendant quarante-six semaines au palmarès du *New York Times*.

Plus tard, au cours de la même année, il reçut un coup de téléphone d'un journaliste du *Los Angeles Times*, qui lui lança : « Nous ne croyons pas que vous pouvez faire ce que vous affirmez. »

Bob répliqua : « Eh bien, je serais ravi de relever le défi ». Il ajouta en plaisantant : « Prenons un rendez-vous, disons en 2050 ? » Mais le *Times* était sérieux – sérieux dans ses intentions d'essayer de démasquer Bob. Le reporter lui dit : « Je veux mettre fin à vos activités. Nous n'aimons pas votre publicité. Nous croyons qu'il s'agit d'une arnaque, et nous allons vous dénoncer. » Effrayé, mais prêt à relever le défi, il fixa une rencontre qui aurait lieu quatre semaines plus tard.

Le 12 juin 1981, le reporter du *Times* le rencontra à l'hôtel Marriott, situé à l'est de l'aéroport international de Los Angeles. Bob n'avait pas beaucoup dormi la veille. En fait, il avait difficilement pu trouver le sommeil le mois précédent. Il demeurait éveillé et se demandait bien comment il allait se tirer d'affaire en si peu de temps. Accepter le défi lui était apparu la chose à faire, mais il ne savait toujours pas s'il pourrait y arriver.

Ils prirent un vol ensemble en direction de San Francisco et, dès leur arrivée, Bob commença sa course frénétique contre la montre. Il se rendit immédiatement chez un agent immobilier et commença à faire des offres d'achat sans acompte. On le reconduisit poliment vers la sortie. « Cela n'avait pas très bien commencé ! » se rappelle Bob aujourd'hui.

Bob se disait alors : « *Oh ! Oh ! Je suis dans de beaux draps maintenant. Je suis sur le point de tout perdre. C'est fini. Je ne me sortirai pas vivant de cette sale affaire. Mais à quoi ai-je donc pensé ?* » Était-il effrayé ? Oh oui ! Mais il fit appel après appel, et, finalement, vers la fin de la journée, une lueur d'espoir apparut à l'horizon : quelqu'un se disait prêt à lui vendre sa propriété. Dès le lendemain matin, il avait en poche une offre de vente dûment signée.

Ainsi, en moins de vingt-quatre heures, Bob avait acheté sa première maison. Mais il ne s'arrêta pas en si bon chemin. « Nous n'avons pas encore fini. Vous m'avez accordé soixante-douze heures. J'ai consacré ma vie à préparer ces trois jours. Voyons jusqu'où nous pouvons aller. » À ce moment-là, le journaliste s'était déjà transformé en fervent supporter de Bob. Après tout, il avait déjà perdu son pari ; plus il perdrait gros, meilleur serait son article.

Peu de temps auparavant, il disait à Bob : « Je vais en finir avec vous ». Maintenant, son discours était complètement différent : « Allez Bob, pas de quartier. Si tu dois me battre, écrase-moi ! » Et c'est ce que Bob fit. Il acheta sept propriétés d'une valeur globale de sept cent mille dollars en cinquante-sept heures et il remboursa au journaliste vingt dollars des cent dollars avancés.

L'article qui parut, publié simultanément dans le *Los Angeles Times* et une douzaine d'autres journaux dans le pays, propulsa la carrière de Bob vers les sommets. Il avait joué le tout pour le tout, et il avait raflé le gros lot ! Plus d'un million d'exemplaires de son livre *Acheter une maison sans cash* ont été vendus, ce qui le classe au onzième rang de tous les succès de librairies des années quatre-vingt, dans la catégorie des livres reliés.[3]

LE DÉFI

« Si vous êtes déterminé à réaliser de grandes choses, vous devrez accepter de courir des risques. »

ALBERTO SALAZAR

Gagnant de trois marathons de New York consécutifs, en 1980, 1981 et 1982, et porte-parole de Nike

---

3. Si l'investissement immobilier vous intéresse, procurez-vous le dernier livre de Robert, *Nothing Down for the 2000s : Dynamic New Wealth Strategies in Real Estate* (New York : Simon & Schuster, 2004).

La vie de Robert G. Allen apparaît comme une succession de sauts dans le vide, destinés à prouver que ses méthodes peuvent marcher. Toute personne, quelle que soit sa situation, peut accéder à la richesse et à l'abondance en les adoptant dans sa vie. Même après son exploit époustouflant, l'achat de sept maisons en soixante-douze heures dans la région de San Francisco, sans verser un dollar d'acompte, la presse continua de le talonner. « Évidemment, *v*ous pouvez y arriver, mais Monsieur Tout-le-monde ne le pourrait pas. » Le message de Bob était que n'importe qui pouvait acheter une propriété sans acompte, mais la presse ne l'entendait pas de cette oreille. « Vous n'êtes pas n'importe qui », écrivait-elle.

Bob me raconta : « Je devins si furieux contre les journalistes, que j'ai alors lancé : "Présentez-moi n'importe quel groupe de chômeurs", et je me vois encore en train de débiter tout cela, sans savoir d'où je le prenais, "et j'en choisirai un au hasard qui est fauché, sans travail, et découragé. En deux jours, je lui enseignerai les secrets de la prospérité et je vous assure qu'en trois mois, il sera retombé sur ses pieds, aura cinq mille dollars en banque, et ne remettra plus jamais les pieds dans un centre d'emploi de toute sa vie !" »

Bob se rendit à St. Louis et demanda à l'ex-maire d'être témoin de son projet, avant de se diriger vers le centre d'emploi de la ville. Il distribua mille deux cents prospectus, dans lequel il offrait d'enseigner aux gens comment devenir financièrement indépendants. Anticipant que le public se présenterait en foule, il avait fait placer trois cents chaises dans une salle. Seulement cinquante personnes se présentèrent, dont la moitié quittèrent dès la première pause, en apprenant la somme de travail que cela exigeait.

Au terme d'un processus intensif d'entrevues et de sélection, trois couples demeurèrent en lice, que Bob prit sous son aile. Même s'ils parvinrent tous à conclure des transactions à l'intérieur du délai de quatre-vingt-dix jours, un seul couple franchit le seuil des cinq mille dollars d'épargnes. Mais tous persévérèrent l'année entière et leur vie changea de diverses façons. Le couple qui était parvenu à empocher cinq mille dollars en trois mois, poursuivit sur sa lancée et fit des gains de cent mille dollars la même année. Là encore, n'hésitant pas à mettre sa réputation en jeu, Bob avait fait le saut dans l'inconnu. Il avait enfin atteint son objectif de faire taire ses détracteurs pour de bon !

Il écrivit un livre au sujet de cette expérience, intitulé *The Challenge*[4] (Le Défi). Même si ce dernier a été moins populaire que les autres, seulement soixante-cinq mille exemplaires ont été vendus, il fut néanmoins le plus profitable

---

4. *The Challenge*, par Robert Allen (New York : Simon & Schuster, 1987).

de tous. En effet, comme son nom, son adresse et son numéro de téléphone étaient indiqués, plus de quatre mille lecteurs ont communiqué avec Bob pour s'inscrire à ses programmes de formation, au coût de cinq mille dollars par participant. L'opération se solda par un bénéfice de vingt millions de dollars – une récompense intéressante pour avoir accepté de poser sa tête sur le billot une fois de plus.

<hr>

« Le secret de mon succès est que j'ai les yeux plus gros que la panse,
et que j'engloutis tout ce que je vois. »

PAUL HOGAN
Acteur ayant joué le rôle de Crocodile Dundee

AYEZ D'ABORD DE HAUTES VISÉES ET PRENEZ LES CHOSES COMME ELLES SE PRÉSENTENT

Si vous voulez traverser la vie calmement et sereinement, ayez de hautes visées mais apprenez aussi à accepter les choses comme elles se présentent. Vous faites tout ce dont vous êtes capable pour atteindre vos objectifs les plus ambitieux ; vous laissez ensuite les événements suivre leur cours. Parfois, vous n'obtiendrez pas les résultats désirés selon l'échéancier prévu. C'est la vie.

Vous continuez à avancer vers votre but jusqu'à ce que vous arriviez à destination. Il arrive que l'univers ait d'autres plans pour vous, et qu'ils soient encore meilleurs que ceux que vous aviez en tête. C'est pourquoi je vous suggère de toujours ajouter « …ou quelque chose de mieux » à la fin de vos affirmations.

Il y a deux ans, lors d'une croisière en famille à Tahiti, mon fils Christopher, mon beau-fils Travis, âgés tous les deux de douze ans à l'époque, et moi avons décidé de participer à un tour guidé de l'île Bora Bora, de la Polynésie française à bicyclette, en compagnie de quelques autres vacanciers de notre navire. Mon intention était de vivre une expérience qui resserrerait les liens entre mes fils. Le vent soufflait violemment cette journée-là et la randonnée était difficile.

Soudain, un membre de notre groupe, Stevie Eller, qui avançait péniblement en compagnie de son petit-fils de onze ans, fit une vilaine chute et s'infligea une profonde entaille à la jambe. Parce que nous étions peu nombreux à l'arrière du peloton, nous sommes restés auprès d'elle pour lui venir en aide.

Il n'y avait aucune habitation en vue et, pour ainsi dire, aucune circulation dans cette région éloignée de l'île. Il n'y avait donc aucun moyen d'obtenir du secours. Après avoir prodigué des premiers soins rudimentaires à la blessée, nous avons décidé de conjuguer nos efforts pour l'aider à avancer. Frustrés par la lenteur de notre progression, mes deux fils nous distancèrent, tandis que je passai les quelques heures suivantes à marcher et à pédaler en compagnie de ma nouvelle amie.

Nous sommes enfin parvenus à un hôtel, d'où elle a pu téléphoner à un taxi. Nous sommes allés rejoindre mes fils qui s'étaient arrêtés pour faire une baignade dans l'océan, et nous avons complété le tour de l'île ensemble. Ce soir-là, Stevie et son mari Karl, nous ont invités à nous joindre à leur famille pour le dîner.

Stevie et Karl m'ont appris qu'ils étaient membres du comité organisateur du «Sommet international de la réussite» commandité par «l'Académie de la réussite». La mission de cette institution est «d'inspirer la jeunesse en lui proposant de nouveaux rêves, dans un monde aux possibilités infinies». Au cours du Sommet, les délégués de plus de deux cents universités et facultés à travers le monde rencontrent des leaders contemporains ayant mené à bien des entreprises audacieuses, parfois d'une exceptionnelle difficulté, au service de l'humanité.

À la fin de la soirée, ils m'ont offert de soutenir ma candidature pour devenir membre de l'Académie et recevoir la Plaque d'Or, m'associant ainsi à des noms aussi prestigieux que Bill Clinton, Placido Domingo, George Lucas, l'ex-maire de New-York, Rudolph Giuliani, le sénateur américain John McCain, l'ex-premier ministre d'Israël, Shimon Peres, et l'archevêque Desmond Tutu.

Ma nomination fut acceptée et j'ai été invité à assister à l'événement annuel de quatre jours. J'ai eu l'occasion de rencontrer quelques-uns des plus brillants espoirs et certaines des personnalités les plus intéressantes et les plus remarquables de la planète. Il s'agit d'un privilège à vie. Mes fils pourront même m'accompagner lors de futurs sommets!

Si je m'étais limité à poursuivre obstinément mon objectif de la journée avec mes deux fils, et que j'avais laissé à quelqu'un d'autre le soin de s'occuper de Stevie, nous aurions laissé filer cette chance extraordinaire qui s'est présentée de façon tout à fait inattendue. J'ai appris avec les années que, lorsqu'une porte semble se fermer, il y en a une autre qui s'ouvre au même moment. Vous n'avez qu'à garder un esprit positif, rester attentif, et examiner ce qui se présente. Plutôt que de vous mettre en colère lorsque les choses ne se déroulent pas comme cela est prévu, posez-vous toujours la question: «Quelles sont les possibilités cachées dans cette situation?»

PRINCIPE 16

Soyez prêt à payer le prix de l'excellence

« Si les gens savaient à quel point j'ai dû travailler pour maîtriser mon art, ils en perdraient toute admiration. »

MICHEL-ANGE

Peintre et sculpteur de la Renaissance qui a consacré quatre années de sa vie à peindre la voûte de la chapelle Sixtine.

Derrière toute grande réalisation, il y a une histoire de formation, d'apprentissage, de répétitions, de discipline et de sacrifices. Vous devez être prêt à payer le prix de l'excellence.

Ce prix sera peut-être de vous consacrer exclusivement à une seule activité, à mettre en veilleuse vos autres intérêts. Peut-être devrez-vous risquer toute votre fortune personnelle ou toutes vos économies. Vous devrez peut-être renoncer à la sécurité de votre situation présente.

Même si de nombreuses autres qualités sont nécessaires pour aspirer au succès, votre volonté de faire tout ce qui est nécessaire ajoute une dimension additionnelle à l'ensemble, un surcroît d'intensité dans l'effort qui vous permet de persévérer malgré l'adversité, les revers, la douleur, et même les blessures physiques.

LA DOULEUR PASSE RAPIDEMENT...
LES LAURIERS DE LA VICTOIRE SONT ÉTERNELS

Je garde un vif souvenir de la finale de la compétition masculine de gymnastique des Jeux olympiques de 1976, qui avait tenu en haleine le monde entier jusqu'à la toute fin. Acclamé par une foule en délire, le japonais Shun Fujimoto avait réussi un exploit spectaculaire au terme de son programme aux anneaux pour arracher la médaille d'or par équipe. Le visage contorsionné par la douleur, tandis que ses coéquipiers retenaient leur souffle, Shun Fujimoto compléta son enchaînement, exécuté avec brio, par une finale époustouflante sur un genou droit déboîté. Voilà une démonstration extraordinaire de courage et de détermination.

Lors d'une entrevue accordée à la suite de sa prouesse, Shun Fujimoto a confié que, même s'il s'était blessé au genou lors d'une épreuve précédente de gymnastique au sol, il devenait de plus en plus évident, alors que la soirée progressait, que c'est la compétition aux anneaux – sa spécialité – qui déciderait de la médaille d'or. « La douleur était si vive que j'avais l'impression qu'on m'enfonçait un couteau dans le genou, dit-il. J'en avais les larmes aux yeux. Mais maintenant, j'ai une médaille d'or et le mal s'est envolé. »

Qu'est-ce qui a donné à M. Fujimoto ce courage extraordinaire, devant une douleur atroce et au risque réel d'une blessure plus grave ? C'est sa détermination d'accepter de payer le prix qu'il fallait pour l'emporter et, sans doute aussi, une longue histoire de sacrifices quotidiens sur le chemin menant à une participation aux Jeux olympiques.

PRATIQUEZ, PRATIQUEZ, PRATIQUEZ !

« Lorsque j'ai joué avec Michael Jordan au sein de l'équipe olympique, il était clair qu'il y avait un immense fossé entre ses aptitudes et celles des autres joueurs qui étaient pourtant tous de très grands athlètes. Mais plus remarquable encore, il était toujours le premier à sauter sur le terrain et le dernier à le quitter. »

STEVE ALFORD
Médaillé d'or olympique, joueur professionnel de basket-ball
de la NBA et instructeur à l'Université de l'Iowa

Avant d'être élu sénateur du New Jersey, Bill Bradley était un merveilleux joueur de basket-ball. Joueur étoile de l'Université Princetown, il a remporté une médaille d'or olympique en 1964 avant de porter les couleurs des Knicks de New York. À la fin de sa carrière, il a été admis au Temple de la renommée du basket-ball. Pour que ce portrait soit complet, il faut aussi ajouter que, lorsqu'il était à l'école secondaire, Bill s'entraînait quatre heures par jour.

Dans son autobiographie *Time Present, Time Past*, Bill Bradley nous fait le compte rendu suivant de son régime d'entraînement : « Après le départ de mes coéquipiers, je restais sur le terrain pour m'entraîner davantage. Je me lançais le défi de réussir quinze paniers consécutifs de cinq positions différentes sur l'aire de jeu». S'il manquait un seul lancer, il devait tout reprendre depuis le début. Il a été fidèle à ce rituel pendant toute sa carrière collégiale et professionnelle.

Sa passion pour l'entraînement est née lors d'un camp d'été animé par Ed Macauley des Hawks de St. Louis. C'est lui qui en a fait comprendre toute l'importance au jeune athlète. «Si vous ne vous entraînez pas, vous pouvez être sûr qu'il y a quelqu'un, quelque part, qui s'entraîne maintenant. Et lorsque vous serez face à face, à talent égal, il vaincra.» Bill a pris cet avertissement au sérieux. Les heures et les heures d'exercices, inlassablement répétés, finirent par porter fruits. Bill Bradley a marqué plus de trois mille points au cours de ses quatre années de basket-ball collégial.

LES ATHLÈTES OLYMPIQUES PAIENT LE PRIX

« J'ai compris que la seule manière d'arriver à quelque chose dans la vie est de travailler très dur. Que vous soyez musicien, écrivain, athlète, homme ou femme d'affaires, il s'agit là d'une condition incontournable. Si vous le faites, vous gagnerez, si vous ne le faites pas, vous perdrez. »

BRUCE JENNER
Médaillé d'or au décathlon olympique

Selon l'estimation de John Troup, parue dans *USA Today* : «Le participant moyen aux Jeux olympiques s'entraîne quatre heures par jour, au moins trois cent dix jours par année, pendant six ans, afin de pouvoir s'assurer d'une participation aux Jeux. Pour s'améliorer, il doit travailler tous les jours. Dès sept heures du matin, la plupart des athlètes ont accompli davantage que la majorité des gens en une journée entière».

À talent égal, l'athlète le mieux entraîné surclassera celui qui n'a pas été aussi sérieux dans ses efforts. Il est aussi plus confiant lorsqu'il se présente à la ligne de départ. Durant les quatre années qui ont précédé les Jeux olympiques, Greg Louganis a répété chacun de ses plongeons trois mille fois ; Kim Zmeskal a fait au moins vingt mille pirouettes en répétant ses programmes de gymnastique ; la coureuse Janet Evans a complété au-delà de deux cent quarante mille tours de piste.

L'entraînement donne des résultats, mais ce n'est jamais facile ou simple. Les nageurs parcourent en général dix-sept kilomètres par jour en piscine, à une vitesse moyenne de huit kilomètres à l'heure. Cela ne vous semble peut-être pas très rapide, mais pour soutenir cette cadence, le rythme cardiaque doit s'élever à cent soixante pulsations par minute. Essayez de gravir des escaliers en courant et prenez ensuite votre pouls. Alors, imaginez-vous ce que cela représente de le faire pendant quatre heures. Les marathoniens courent environ deux cent soixante kilomètres par semaine, à la vitesse moyenne de seize kilomètres à l'heure.[1]

Même si vous ne participerez jamais aux Jeux olympiques, et que vous n'en avez pas l'ambition, vous pouvez atteindre le sommet mondial dans votre domaine, votre discipline ou votre profession, si vous avez la ferme résolution de ne pas ménager les efforts pour exceller. Pour gagner, quel que soit le jeu auquel vous participez, vous devez être prêt à payer le prix de l'excellence.

« Ce n'est pas seulement la volonté qui importe, tout le monde en possède, dans une certaine mesure. Ce qui importe, c'est la volonté de se préparer pour gagner. »

PAUL « BEAR » BRYANT
L'entraîneur de football collégial ayant remporté le plus de victoires avec un palmarès de trois cent vingt-trois gains, six championnats nationaux et treize titres de la division Southeastern

DIX EXÉCUTIONS IMPECCABLES D'AFFILÉE

« Si je rate une journée de répétitions, je le sais. Si j'en manque deux, mon imprésario s'en rend compte. Et si j'en saute une troisième, le public s'en aperçoit. »

ANDRÉ PREVIN
Pianiste, chef d'orchestre et compositeur

Aujourd'hui, Tom Boyer est un consultant en productivité qui met ses connaissances au service de grandes entreprises, comme Siemens, Motorola, Polaroid, et Weyerhaeuser. Mais pendant son adolescence, et dans les premières années de la vingtaine, Tom se consacrait entièrement à la clarinette. Parce qu'il n'hésitait pas pratiquer deux heures par jour – y compris pendant les vacances familiales, il remporta systématiquement toutes les compétitions musicales de l'Ohio.

---

1. John Troup, *USA Today*, 29 juillet 1992, page 11E.

Un jour, le chef de l'orchestre de son école secondaire décida, sans trop peser la portée de son geste, d'inclure l'ouverture de «Semiramide» de Rossini au programme du concours annuel. Il estimait qu'aucun élève d'une autre école ne pouvait jouer avec autant de brio que Tom. Ce qu'il ne savait pas, c'est que même si ce solo ne dure que de vingt à trente secondes, il est incroyablement difficile à interpréter – il s'agit sans doute du passage de clarinette le plus ardu du répertoire.

Lorsque Tom arriva à sa leçon, il lança d'un ton désespéré à son professeur Robert Marcellus, le clarinettiste de l'orchestre de Cleveland à l'époque: «Comment vais-je faire pour réussir ça?»

Marcellus lui répondit: «Si tu arrives à exécuter ce solo sans une seule erreur dix fois d'affilée en répétition, alors tu as une chance de le réussir sur scène». Et il ajouta: «Joue-le!» Lorsque Tom l'eut terminé sans fausse note, il leva un doigt, et dit: «Et de un. Joue-le encore!» Quand Tom eut terminé, il leva un deuxième doigt. Et le scénario se répéta une troisième fois. C'est alors que Tom commit une erreur.

Robert Marcellus ferma le poing, signifiant le retour à la case départ. «Recommence. Joue-le encore… Un. Encore… Deux. Encore…» Après quarante-cinq minutes, Tom parvint à exécuter impeccablement le solo de trente secondes, dix fois de suite. Son professeur se contentait de tenir le score, en levant les doigts ou en fermant le poing, une, deux, trois, etc. Et lorsque Tom a enfin réussi son solo dix fois d'affilée, son professeur le regarda avec un léger sourire aux lèvres, et lui dit: «Maintenant, explique-moi ce que tu as appris.» Et c'est uniquement à ce moment-là qu'il donna à Tom quelques conseils pour lui faciliter l'exécution du solo infernal.

Tom brilla lors du concours et, après six années d'études au Cleveland Institute of Music, il décrocha un poste dans l'orchestre de Cleveland, où il est demeuré quelques années.

———

« Une admiratrice d'un certain âge du légendaire Isaac Stern vint à sa rencontre à la fin d'un concert. Elle s'exclama: «Oh! je donnerais ma vie pour jouer comme vous le faites! » «« Ma chère dame, répliqua Stern, c'est ce que j'ai fait! » »

DEVENIR UN ARTISTE À N'IMPORTE QUEL PRIX

Cela se passait dans les années soixante-dix. Wyland, l'archétype de l'artiste miséreux, misait le tout pour le tout sur son rêve. Il peignait fébrilement et il se démenait tout autant. Il improvisait des expositions à l'école secondaire de son patelin où il vendait ses toiles originales pour à peine trente-cinq dollars. Il savait bien que la seule manière de développer son talent était de toucher ce qu'il pouvait de ses œuvres, afin de pouvoir se procurer le matériel nécessaire pour en créer de nouvelles.

Le moment de vérité pour le jeune artiste a été ce jour où sa mère lui a dit: «L'art n'est pas vraiment du travail; c'est un passe-temps. Maintenant, commence à te chercher un vrai job.» Le lendemain, elle le déposa à la porte du bureau de placement de Détroit. Il dénicha trois emplois, mais, à son grand désarroi, il fut congédié chaque fois. Il ne réussissait pas à s'intéresser à l'ennuyeux travail d'usine – il voulait être créatif et peindre. Une semaine plus tard, il décida d'aménager un studio dans un appartement de sous-sol et il y travailla jour et nuit afin de se créer un portfolio. Ses efforts lui valurent une bourse d'études pour fréquenter l'École des beaux-arts de Détroit.

Wyland peignait sans arrêt. Il parvenait bien à vendre quelques toiles ici et là, mais pendant des années, il survécu à grand-peine. Parce qu'il était déterminé à devenir un artiste peintre, à l'exclusion de toute autre occupation, il continua à travailler et à peaufiner sa technique.

Un jour, Wyland comprit qu'il devait se rendre là où les autres artistes s'épanouissent et où de nouvelles idées voient le jour. Il se dirigea vers la colonie artistique bien connue de Laguna Beach, en Californie. Toujours animé par la même ferveur créatrice, il emménagea dans un minuscule studio où il peignit et vécut pendant plusieurs années. Il parvint finalement à se faire inviter au festival d'art annuel, où il apprit à parler de son travail et à entrer en contact avec les collectionneurs.

Peu de temps après, une galerie d'art d'Hawaii remarqua son travail. Malheureusement, il ne touchait souvent rien des tableaux qu'elle vendait, sous prétexte de frais d'exploitation très élevés. Frustré de voir ses œuvres s'arracher au prix fort et de ne rien toucher lui-même de tout cet argent, il décida d'ouvrir sa propre galerie. Il se dit qu'il pourrait ainsi contrôler tous les aspects de la mise en marché de ses œuvres – l'encadrement, leur mise en valeur, comment et par qui elles seraient vendues, etc. Aujourd'hui, vingt-six ans après avoir ouvert sa première galerie à Laguna Beach, il produit plus de mille œuvres d'art annuellement (dont le prix de vente atteint parfois deux cent mille dollars), en plus de participer à des projets artistiques en collaboration avec les gens de Disney. Il possède des maisons à Hawaii, en Californie, et en Floride et jouit maintenant de l'existence dont il a toujours rêvé.

Peut-être réussirez-vous, comme Wyland, à transformer votre passe-temps en carrière lucrative. Le succès est à votre portée, si vous êtes prêt à payer le prix de l'excellence. « Au début, c'est assez douloureux, admet Wyland, parce que vous êtes à la merci d'un peu tout le monde. Mais il n'y a rien de plus satisfaisant que de parvenir à réussir comme vous l'entendez. »

FAIRE TOUT CE QUI DOIT ÊTRE FAIT

En 1987, le jeune John Assaraf quitte Toronto, en Ontario, et vient s'établir à Indianapolis, en Indiana, pour s'associer à RE/MAX, qui n'était alors qu'un concept naissant d'agences immobilières franchisées. John voulait réussir et il était prêt à en payer le prix.

Alors que tous ses amis faisaient la fête dans les bars, John travaillait avec acharnement afin de convaincre des agences immobilières établies d'adhérer au système RE/MAX. Il sollicita un minimum de cinq agences par jour pendant cinq ans.

Au début, John fut accueilli par des sourires narquois. Pour quelles raisons ces agences devraient-elles renoncer à une partie de leurs revenus et risquer leur réputation, pour s'associer à un franchiseur qui avait déjà échoué à deux reprises? Mais John était soutenu par son rêve. Dans un élan de zèle, il essaya même de convaincre le plus important agent immobilier de l'État de l'Indiana. Pour être honnête, on le croyait un peu cinglé. Mais John persévéra. Moins de cinq ans plus tard, ses associés et lui réalisèrent, pour la première fois, des ventes de plus d'un milliard de dollars, et s'imposèrent comme les chefs de file de ce secteur. Aujourd'hui, la division RE/MAX de l'Indiana compte mille cinq cents associés qui génèrent des ventes de plus de quatre milliards annuellement et se partagent pas moins de cent millions de dollars en commissions.

John vit maintenant en Californie du Sud. Il continue de toucher un confortable revenu résiduel provenant de l'entreprise qu'il a fondée dans l'Indiana. Il jouit de suffisamment de temps libres pour s'occuper de ses deux fils, lancer de nouvelles affaires commerciales, écrire des livres, et enseigner aux autres comment « cloner » sa formule du succès.

METTRE LE TEMPS QU'IL FAUT

Le prix à payer, c'est la volonté de consacrer tout le temps qu'il faut pour achever le travail. C'est aussi l'affirmation de votre intention ferme de réussir, peu importe ce qu'il vous en coûtera, le temps qu'il faudra y mettre, et ce qui arrivera en cours de route. Votre décision est irrévocable. Vous êtes responsable des résultats. Il n'y a aucune excuse qui tienne : vous devez offrir une performance de classe mondiale et produire des résultats exceptionnels sur une base régulière.

Voyons quelques exemples :

- Michael Crichton est le créateur de la série télévisée *ER* et récipiendaire des prix Emmy et Peabody. Ses livres se sont vendus à plus de cent millions d'exemplaires, ont été traduits en trente langues et douze d'entre eux ont été portés à l'écran. Parmi ses succès, on compte *Le Parc jurassique*, *Le Mystère Andromède*, *Congo*, *Twister*, et *Westworld*. Il est le seul auteur de fiction qui peut se vanter d'avoir eu simultanément un livre, un film, et une série télévisée au sommet du palmarès aux États-Unis. Malgré tous ses talents innés, il se plaît à répéter : « Les livres ne sont jamais écrits, ils sont réécrits... C'est l'une des choses les plus difficiles à admettre, en particulier quand la septième version est encore insatisfaisante. »

- Ernest Hemingway a réécrit *L'Adieu aux armes* à trente-neuf reprises. Cette recherche sans compromis de l'excellence lui a valu de remporter le prix Pulitzer et le prix Nobel de littérature.

- Scott Peck a touché une maigre avance de cinq mille dollars pour écrire *Le Chemin le moins fréquenté*, mais il était déterminé à aller au bout de son rêve. Au cours de l'année qui a suivi le lancement de son livre, il a participé à plus de mille entrevues à la radio pour en faire la promotion. Il a continué d'accorder un minimum d'une entrevue par semaine au cours des douze années suivantes, ce qui n'est pas étranger au fait que son livre soit demeuré sur la liste des succès du *New York Times* pendant cinq cent quarante semaines (un record), et qu'il s'en soit vendu plus de dix millions d'exemplaires en vingt langues différentes.

« Le talent est aussi bon marché que le sel de table. L'écart qui sépare le talent du succès, c'est le travail acharné. »

STEPHEN KING
Auteur à succès avec plus de quarante romans à son actif,
dont plusieurs ont été portés à l'écran

LA CLÉ, C'EST DE PRENDRE SON ENVOL

Lorsqu'une fusée de la NASA décolle de Cap Canaveral, elle consume presque tout son carburant pour vaincre la force d'attraction terrestre. Lorsque c'est chose faite, le reste de son vol dans l'espace ne requiert pratiquement plus d'énergie. De la même manière, un athlète amateur s'astreint généralement à de longues journées d'entraînement et de discipline spartiate pendant des années. Mais après avoir remporté une médaille d'or ou un championnat du monde, les offres des commanditaires, les propositions pour devenir porte-parole de causes ou d'entreprises, les contrats publicitaires et bien d'autres occasions d'affaires se mettent à pleuvoir. Le gagnant peut alors ralentir un peu, se détendre et jouir de l'élan qu'il s'est donné, grâce à ses efforts acharnés des années précédentes.

Dans n'importe quel domaine des affaires, dans toute profession, vous devez payer le prix pour vous bâtir une réputation d'expert consciencieux qui livre la marchandise à coup sûr. Vous jouissez ensuite de ce que vous avez créé pour le restant de votre vie. Lorsque j'ai commencé à donner des conférences, personne n'avait jamais entendu parler de moi. Au fur et à mesure que je multipliais causeries et allocutions, ma réputation grandissait. J'ai maintenant un classeur plein de lettres de remerciement et d'articles qui témoignent des années d'efforts que j'ai consacrées à polir mes habiletés de conférencier, prenant souvent la parole gratuitement ou pour des honoraires symboliques. La même affirmation vaut pour les livres que j'ai écrits. J'ai mis des années avant de parvenir à en écrire qui soient vraiment bons.

Si vous vous lancez dans le marketing de réseau, vous devrez d'abord investir des milliers d'heures qui ne seront pas rémunérées à leur juste valeur. Vous travaillerez des mois sans toucher de véritables revenus, mais, avec le temps, l'effet multiplicateur des efforts de vos associés en amont se fera sentir, et vous gagnerez plus d'argent que vous n'auriez jamais imaginé.

L'énergie que vous consacrez à prendre un bon élan est un facteur important de votre succès futur. En fait, les gens qui ont du succès savent bien que, si on est prêt à faire des sacrifices au tout début, on en récoltera les bénéfices toute sa vie.

FRANCHIR L'ÉTAPE DES BALBUTIEMENTS

Le consultant en affaires, Marshall Thurber, a dit un jour : « Tout ce qui vaut la peine d'être bien fait, vaut la douleur des débuts laborieux ». Rappelez-vous votre première balade en automobile ou à bicyclette, les premières notes arrachées à un instrument de musique, ou vos débuts dans un sport quelconque. Vous aviez la certitude que les débuts seraient maladroits, et que cela faisait partie du processus menant aux résultats que vous vouliez obtenir.

Vous ne serez donc pas surpris d'apprendre que tout ce que vous entreprendrez sera accompagné de débuts difficiles, une étape incontournable avant d'accéder à l'aisance et à la maîtrise. Les enfants s'accordent le privilège d'être maladroits. Mais, malheureusement, lorsque nous arrivons à l'âge adulte, nous avons souvent peur de faire des erreurs. Nous ne nous accordons pas la chance d'être débutants, et, par conséquent, nous cessons d'apprendre comme le font les enfants. Nous sommes tellement effrayés à la pensée de trébucher que nous n'osons plus tenter quoi que ce soit !

Je n'ai pas appris à faire du ski avant l'âge de quarante ans. Au début, j'avais vraiment très piètre allure sur les pentes. Le temps aidant, et en suivant des cours, je me suis amélioré. J'ai commencé à jouer du piano à l'âge de cinquante-huit ans, et il m'a fallu du temps avant de le faire convenablement.

Même mon premier baiser a été maladroit. Mais pour acquérir une nouvelle habileté, ou devenir bon dans quelque activité que ce soit, vous devez vous réconcilier avec l'idée que vos premiers balbutiements ne seront pas toujours élégants, et que vous vous sentirez même ridicule à l'occasion.

DÉCOUVREZ LE PRIX QUE VOUS AUREZ À PAYER

Naturellement, si vous ignorez le prix de ce que vous convoitez, vous ne saurez pas dans quoi vous vous engagez réellement. Il arrive parfois que le tout premier pas consiste à découvrir quelles sont les étapes incontournables pour atteindre votre but.

Par exemple, plusieurs personnes, et peut-être êtes-vous de ce nombre, affirment qu'elles aimeraient posséder un yacht. Mais vous êtes-vous déjà informé du prix qu'il vous faudra débourser pour en acheter un, et ce qu'il vous en coûtera pour pouvoir l'amarrer à la marina locale, et pour les frais d'entretien, l'essence, les assurances, et les immatriculations ? Il serait bon de vous informer auprès de ceux qui ont déjà réalisé un rêve semblable au vôtre. Une bonne idée serait de dresser une liste de ces personnes et de les consulter, afin de découvrir quels sacrifices elles ont dû consentir pour réaliser leurs ambitions.

Vous découvrirez peut-être que le prix est plus élevé que ce que vous êtes prêt à payer. Vous ne voudrez peut-être pas mettre votre santé, vos relations, ou même votre vie en jeu, pour atteindre certains buts. Vous devez peser avec soin tous les facteurs qui entrent en ligne de compte. Votre mariage, vos enfants ou l'équilibre de votre mode de vie, représentent peut-être un tribut trop élevé. Il n'y a que vous qui pouvez décider de ce que vous êtes prêt à sacrifier. Il est possible que ce que vous voulez aujourd'hui ne vous soit pas profitable à long terme. Mais si vous êtes décidé, alors découvrez ce qu'il faut faire, et retroussez-vous les manches sans perdre une minute.

PRINCIPE 17

DEMANDEZ ! DEMANDEZ ! DEMANDEZ !

---

*« Il faut demander. À mon avis, demander est le secret le plus puissant,
mais aussi le plus méconnu qui existe pour atteindre le bonheur
et le succès. »*

PERCY ROSS
Millionnaire et philanthrope

L'histoire fourmille d'exemples de grandes fortunes et d'avantages considérables obtenus par des personnes dont le principal mérite a été de les demander. Pourtant, chose étonnante, demander, un des plus puissants principes du succès qui soit, demeure un défi qui paralyse la plupart des gens. Si vous ne craignez pas d'aborder quelqu'un pour lui demander ce dont vous avez besoin, vous pouvez passer au chapitre suivant. Mais si vous êtes comme la plupart des gens, vous vous pénalisez simplement parce que vous n'osez pas demander l'information, l'aide, l'appui, l'argent et le temps dont vous avez besoin pour atteindre vos idéaux et réaliser vos rêves.

POURQUOI LES GENS ONT-ILS PEUR DE DEMANDER ?

Pourquoi les gens ont-ils peur de demander ? Ils craignent d'avoir l'air pauvres, ridicules ou incapables. Mais ce qu'ils redoutent par-dessus tout, c'est le rejet. Ils ont peur qu'on leur réponde non.

Le plus triste, c'est qu'en agissant de cette façon, ils sont victimes de leur propre rejet. Ils se disent non à eux-mêmes, avant même d'offrir à quelqu'un d'autre la possibilité de leur dire oui.

Lorsque j'étais étudiant aux études supérieures à la faculté d'éducation de l'Université de Chicago, j'ai pris part à une activité de croissance personnelle en compagnie de vingt autres personnes. Au cours d'un exercice, l'un des participants demanda à une jeune femme si elle le trouvait séduisant. J'ai été interloqué par l'audace de la question, et aussi embarrassé pour l'homme en question, anticipant la réponse qu'il risquait de recevoir. Elle lui dit finalement qu'elle le trouvait attirant.

Encouragé par son succès, je me suis lancé à mon tour et je lui ai demandé si elle me trouvait attrayant. Après ce petit exercice dans « l'art de poser des questions aventureuses », plusieurs femmes nous ont dit qu'elles étaient sidérées par le manque d'audace des hommes en général, lorsqu'il s'agissait de les aborder. Elles disaient : « Vous vous rejetez avant même de nous en avoir donné l'occasion. Prenez un risque. Après tout, nous pourrions accepter. »

Ne présumez jamais que la réponse sera non. N'hésitez pas à demander ce que vous voulez, ou ce dont vous avez besoin. Si on vous répond par la négative, votre situation ne s'est pas détériorée pour autant. Et si on vous répond favorablement, vous avez fait un grand bond en avant. En osant demander, vous pouvez obtenir une augmentation de salaire, un don, une chambre avec vue sur la mer, un rabais, un échantillon gratuit, un rendez-vous, un meilleur emploi, une commande, une date de livraison qui vous agrée davantage, un délai, des vacances, ou de l'aide pour les travaux domestiques.

COMMENT DEMANDER CE QUE VOUS VOULEZ ?

Il existe une véritable science qui explique comment demander et obtenir ce que vous voulez, ou ce dont vous avez besoin. Mark Victor Hansen et moi avons écrit un livre sur le sujet et je vous recommande de lire *Le Pouvoir d'Aladin* pour en apprendre davantage. Entre-temps, les quelques conseils qui suivent vous mettront sur la bonne voie :

1. **Demandez comme si vous vous attendiez à un accueil favorable.** Ayez des attentes positives lorsque vous faites une demande. Formulez-la comme s'il allait de soi que votre vœu sera exaucé. C'est une affaire entendue. On va vous accorder ce que vous demandez.

2. **Présumez que vous en êtes capable.** Ne supposez pas d'emblée qu'il est impossible d'obtenir ce que vous réclamez. Si vous prenez la décision de demander, faites-le pour obtenir quelque chose de mieux. Présumez que vous pouvez obtenir une mise à jour de ce produit, bénéficier d'une table près de la fenêtre, rendre la marchandise sans facture, obtenir la bourse d'études, l'augmentation ou des billets de dernière minute. Ne supposez jamais une réponse défavorable *a priori*.

3. **Demandez à la personne qui peut accéder à votre demande.** Informez-vous d'abord de la personne à qui vous devez formuler votre requête. « À qui devrais-je parler pour… ? » « Qui est autorisé à prendre une décision au sujet de… ? » « Que dois-je d'abord faire pour présenter… ? »

4. **Soyez clair et précis.** Au cours de mes séminaires, je lance souvent la question : « Qui veut plus d'argent ? » Je choisis au hasard une personne qui a levé la main, et je lui donne un dollar. Je lui dis alors : « Vous avez maintenant plus d'argent. Êtes-vous satisfaite ? »

La réponse habituelle est : « Non, j'en veux beaucoup plus que cela. »

Je lui donne alors quelques pièces de monnaie supplémentaires, et je lui demande de nouveau :

« Est-ce assez maintenant ?

– Non, c'est encore insuffisant.

– Eh bien, dites-moi combien vous en voulez ? Nous pouvons jouer à ce petit jeu encore longtemps et vous ne serez jamais comblé. »

Mon interlocuteur me mentionne généralement un montant donné et c'est alors que je souligne l'importance d'être précis dans ses demandes. Des souhaits vagues donnent des résultats peu satisfaisants. Vos requêtes doivent porter sur des objets bien définis. Et s'il s'agit d'argent, vous devez dire combien vous voulez.

Ne dites pas : « Je veux une augmentation. »

Dites plutôt : « Je veux une augmentation de cinq cents dollars par mois. »

S'il s'agit d'une tâche qui doit être faite, ne dites pas « bientôt », ou « dès que possible ». Précisez la date et l'heure.

Ne dites pas : « J'aimerais passer du temps avec vous ce week-end. »

Dites plutôt : « J'aimerais vous inviter à dîner et à aller au cinéma samedi soir. »

Si la question touche un comportement, ne soyez pas vague. Dites exactement ce que vous attendez de la personne.

Ne dites pas : « Je veux que tu m'aides davantage dans les tâches domestiques. »

Dites plutôt : « Je veux que tu laves la vaisselle tous les soirs, après le dîner. Tu dois aussi sortir les ordures le lundi, le mercredi et le vendredi en soirée. »

202 · LE SUCCÈS SELON JACK CANFIELD

5. **Redemandez souvent.** L'un des facteurs les plus importants du succès est la persévérance. Abandonner ne mène nulle part. Toutes les fois que vous demandez aux autres de participer à la réalisation de vos objectifs, il y en a qui refuseront. Ils ont peut-être d'autres priorités, des engagements, ou des raisons personnelles de ne pas participer. Leur refus n'est pas nécessairement motivé par un jugement défavorable envers vous.

Acceptez l'idée que vous subirez un bon nombre de rebuffades dans votre périple vers le succès. L'important, c'est de ne jamais abandonner. Si quelqu'un vous dit non, persistez. Pourquoi? Parce que si vous revenez à la charge, encore et encore, vous pourriez obtenir un oui :

- un autre jour ;
- parce que la personne est de meilleure humeur ;
- parce que vous avez de nouvelles informations à présenter ;
- parce que vous avez prouvé votre loyauté ;
- parce que les circonstances ont changé ;
- parce que vous maîtrisez mieux l'art de conclure une vente ;
- parce que vos relations sont devenues plus cordiales ;
- parce que la personne vous fait davantage confiance ;
- parce que vous avez réglé vos dettes ;
- parce que l'économie se porte mieux.

Les enfants comprennent ce principe gagnant mieux que quiconque. Ils redemanderont la même chose, à la même personne, encore et encore, sans hésitation. Ils vous auront toujours à l'usure.

J'ai lu récemment dans le magazine *People* l'histoire d'un homme qui avait demandé une femme en mariage à trente reprises. Peu importe le nombre de refus qu'il encaissait, il revenait à la charge, il a finalement obtenu satisfaction !

UNE STATISTIQUE ÉLOQUENTE

Herbert True, un spécialiste en marketing de l'Université Notre-Dame a établi que :

- quarante-quatre pour cent de tous les vendeurs abandonnent après le premier appel ;

- vingt-quatre pour cent renoncent après une deuxième visite ;
- quatorze pour cent ne vont pas plus loin que la troisième tentative ;
- douze pour cent renoncent au quatrième essai.

Ce qui veut dire que quatre-vingt-quatorze pour cent des vendeurs abandonnent après quatre tentatives. Par contre, il est aussi démontré que soixante pour cent des ventes sont conclues après le quatrième appel. Cette statistique éloquente montre que quatre-vingt-quatorze pour cent des représentants ne s'accordent pas la chance d'entrer en contact avec soixante pour cent des acheteurs potentiels.

Vous avez peut-être la capacité ; mais vous devez aussi démontrer de la ténacité ! Pour connaître le succès, vous devez demander, et demander, et demander !

DEMANDEZ ET L'ON VOUS EXAUCERA !

En 2000, Sylvia Collins fit le vol d'Australie à Santa Barbara pour assister à l'un de mes séminaires d'une durée d'une semaine, au cours duquel elle a découvert le pouvoir de demander. Un an plus tard, j'ai reçu cette lettre de sa part :

« J'ai bifurqué de mon plan de carrière original, et je vends maintenant des complexes d'habitation neufs sur la Côte-de-l'Or, pour une entreprise du nom de Gold Coast Property. Je travaille au sein d'une équipe qui compte surtout des jeunes hommes dans la vingtaine ! Les compétences que j'ai acquises au cours de votre séminaire m'ont aidée à améliorer mon rendement et à devenir un membre à part entière au sein d'une équipe gagnante ! Il me faut vous dire à quel point l'estime de soi et l'audace de poser des questions, que j'ai acquises grâce à vous, m'ont radicalement transformée !

« Lors d'une réunion du personnel, on nous a demandé ce que nous aimerions faire à l'occasion de notre activité mensuelle de consolidation de l'esprit d'équipe. J'ai demandé à Michael, notre administrateur délégué : "Quelle cible devons-nous atteindre pour que vous nous emmeniez en vacances sur une île pendant une semaine ?"

« Tout le monde autour de la table s'est tu et on me regarda avec de grands yeux : manifestement, une telle demande n'appartenait pas à la zone de confort de la majorité des participants à cette réunion. Michael jeta un coup d'œil circulaire avant de poser son regard sur moi et de déclarer : "Eh bien ! si vous atteignez… (il énonça alors un objectif financier), je vous amène tous avec moi (nous étions dix) à Great Barrier Reef !"

« Le mois suivant, nous avions atteint notre objectif et nous nous sommes envolés, tel que promis, vers Lady Elliott Island, pour un séjour de quatre jours – les billets d'avion, les chambres, la nourriture, et toutes les activités étant aux frais de l'entreprise. Nous avons eu un plaisir fou pendant ces vacances. Nous avons fait de la plongée sous-marine ensemble, nous avons allumé de grands feux le soir sur la plage, et nous avons développé un formidable esprit de camaraderie.

« Peu après notre retour, Michael nous a lancé un nouveau défi, en nous promettant de nous amener aux îles Fiji si nous parvenions à atteindre un nouvel objectif. Nous l'avons atteint au mois de décembre ! Même si c'est l'entreprise qui paie pour tous ces voyages, Michael continue de faire des affaires d'or en raison de l'accroissement spectaculaire du chiffre d'affaires ! »

VOUS N'AVEZ RIEN À PERDRE ET TOUT À GAGNER À DEMANDER

Si vous voulez connaître le succès, vous devrez courir des risques, et l'un de ceux-ci est la possibilité d'essuyer un refus. Voici un courrier électronique que j'ai reçu de Donna Hutcherson, qui m'avait entendu parler lors d'un congrès de son entreprise à Scottsdale, en Arizona.

« Mon mari Dale et moi avons assisté à votre présentation lors du congrès de Walsworth au début de janvier. Il a été particulièrement impressionné par vos propos sur l'importance de ne pas craindre de demander ou d'essayer. Après vous avoir entendu, il a décidé de se lancer à la poursuite du rêve de sa vie et de devenir instructeur en chef d'une équipe de football. Il a déposé sa candidature pour quatre postes vacants se trouvant dans mon secteur de vente.

« Le Sebring High School l'a contacté peu après, l'enjoignant de remplir un formulaire par Internet. Il l'a fait immédiatement et a difficilement pu fermer l'œil cette nuit-là. Après deux entrevues, on l'a sélectionné devant soixante et un autres candidats. Aujourd'hui, Dale vient officiellement d'accepter le poste d'instructeur en chef de l'équipe de football du Sebring High School à Sebring, en Floride.

« Merci pour votre vision et votre inspiration. »

Voici un extrait d'un autre courrier électronique de Donna, que j'ai reçu l'été dernier :

« Prenant en main une équipe qui, pendant plusieurs saisons d'affilée, n'avait remporté qu'une seule fois et subi neuf revers (et qui avait la réputation d'abandonner facilement), Dale a mené ses joueurs à la victoire (incluant quatre revirements de situation avec moins de trois minutes à jouer), à un championnat de comté, et à la troisième participation de l'école aux séries éliminatoires en soixante-dix-huit ans d'existence du collège. Il a aussi été nommé « instructeur de l'année du comté » et « personnalité sportive de l'année ». Mais le plus important, c'est qu'il a changé la vie de tant de joueurs, de membres du personnel et d'étudiants avec lesquels il a travaillé. »

VOULEZ-VOUS ME DONNER DE L'ARGENT ?

En 1997, Chad Pregracke, alors âgé de vingt et un ans, s'est donné pour mission de nettoyer à lui seul le fleuve Mississippi. Il s'est mis à l'œuvre avec, pour tout moyen, une embarcation de sept mètres et ses deux mains. Depuis lors, il a nettoyé plus de mille six cents kilomètres de berges de ce majestueux cours d'eau et du fleuve Illinois, les débarrassant de plus d'un million de tonnes de débris. En utilisant simplement sa force de persuasion, il est parvenu à recueillir plus de deux millions cinq cent mille dollars de dons et à entraîner quatre mille personnes dans sa croisade.

Lorsque Chad a constaté qu'il aurait besoin de plus de bateaux de navigation intérieure, de camions, et d'équipements spécialisés, il sollicita l'aide des représentants de l'État et des gouvernements locaux, qui la lui refusèrent. Peu enclin au découragement, il s'empara du bottin téléphonique, consulta la liste des entreprises et appela Alcoa – « parce que, dit-il, cela commençait par un A ».

N'ayant pour toute arme qu'une vibrante passion pour sa cause, Chad demanda à parler « au patron ». Alcoa accepta finalement de verser une somme de huit mille quatre cents dollars. Parcourant la liste des « A » dans le bottin, il téléphona à l'entreprise Anheuser-Busch. Mary Alice Ramirez, directrice du soutien aux causes environnementales chez Anheuser-Busch, devait plus tard donner ce compte rendu de leur conversation au magazine *Smithsonian*.

« Voulez-vous me donner un peu d'argent ? lui a d'abord demandé Chad.

– Mais qui êtes-vous ? répliqua madame Ramirez.

– Je veux débarrasser le fleuve Mississippi de toutes ses ordures.

– Pouvez-vous me montrer votre proposition ? s'informa la directrice.

– Qu'est-ce qu'une proposition ? » répliqua Chad.

Madame Ramirez invita plus tard Chad à une réunion et lui remit à cette occasion un chèque de vingt-cinq mille dollars pour soutenir son projet d'embellissement et de restauration du fleuve Mississippi.[1]

Son désir de contribuer à une cause utile, son enthousiasme inébranlable, son implication sans réserve, et sa volonté de demander, se sont finalement révélés bien plus importants que ses connaissances dans l'art de recueillir des fonds.

Pour obtenir tout ce dont il avait besoin, Chad l'a simplement demandé. Il est maintenant secondé par un conseil d'administration composé d'avocats, de comptables et de directeurs d'entreprises. Il peut aussi compter sur un personnel permanent et des milliers de bénévoles.

Au cours de ce processus, non seulement a-t-il nettoyé des milliers de kilomètres de berges le long des rivières Mississippi, Illinois, Anacostia, Potomac, Missouri, Ohio, et Rock Rivers, retirant plus d'un million de tonnes d'ordures, mais il a aussi attiré l'attention du public sur la santé et la beauté de ces grands fleuves, ainsi que sur la responsabilité qui nous incombe à tous de les préserver de la pollution.[2]

COMMENCEZ À DEMANDER DÈS AUJOURD'HUI

Prenez maintenant quelques minutes pour dresser la liste des choses que vous voulez, mais que vous ne demandez pas, que ce soit à la maison, à l'école, ou au travail. À côté de chacune d'elles, expliquez la raison pour laquelle vous n'osez pas le faire. Que craignez-vous? Ensuite, inscrivez combien il vous en coûte de ne pas le demander. Finalement, calculez le « bénéfice » que vous vaudrait une réponse positive.

Répétez la même procédure pour chacune des sept grandes catégories de buts que j'ai esquissées au Principe 3 (« Décidez de ce que vous voulez dans la vie ») : finances, carrière, loisirs et divertissements, santé et condition physique, relations, projets personnels et passe-temps, contribution à la communauté. Votre liste peut comprendre une augmentation de salaire, un prêt, des capitaux de

---

1. « Trash Talker », *Smithsonian*, avril 2003, pages 116-117.
2. Pour obtenir plus d'information sur le projet d'embellissement et de restauration du fleuve Mississippi et pour savoir comment participer en « adoptant une parcelle du fleuve Mississippi », visitez le site Web de Chad à www.livinglandsandwater.org, ou téléphonez au 309-496-9848, ou écrivez à l'adresse suivante : Living Lands & Waters, 17615 Route 84 N., Great River Road, East Moline, IL 61244.

démarrage pour entreprise, une appréciation de votre rendement au travail, une lettre de recommandation, une adhésion à un cercle, du temps pour de la formation additionnelle, quelqu'un pour garder votre enfant, un massage, une caresse, ou une participation dans un projet de bénévolat.

PRINCIPE 18

Rejetez le rejet

« Nous ne nous laisserons jamais abattre par le rejet. Il ne fait que renforcer notre résolution. Nous revenons toujours à la charge plus forts, et non pas affaiblis. Pour connaître le succès, il n'y a aucun autre moyen. »

EARL G. GRAVES
Fondateur et éditeur du magazine Black Enterprise

Si vous voulez connaître le succès, vous devrez apprendre à composer avec le rejet. Le rejet fait partie de la vie. Vous le subissez lorsque vous n'êtes pas choisi au sein de l'équipe, que vous n'obtenez pas le rôle dans la pièce, que vous êtes battu lors d'une élection, que vous n'êtes pas admis au collège ou à l'université de votre choix, que vous ne décrochez pas l'emploi ou la promotion que vous convoitiez, que vous n'obtenez pas le rendez-vous que vous avez sollicité, qu'une permission vous est refusée, ou lorsque vous êtes congédié.

Vous êtes rejeté lorsque votre manuscrit n'est pas retenu par un éditeur, que votre proposition ne fait pas long feu, que votre nouveau produit est un échec, que votre collecte de fonds est infructueuse, que votre concept de design est reçu froidement, que votre demande d'admission est écartée, ou que votre proposition de mariage est repoussée.

LE REJET EST UN MYTHE!

Pour surmonter le rejet, vous devez d'abord vous rendre compte que la notion même de rejet est un mythe. En réalité, il n'existe pas. Tout est dans la manière d'interpréter ce qui vous arrive. Réfléchissez-y un moment. Si vous demandez à Patricia de dîner avec vous et qu'elle refuse, vous n'aviez personne pour vous accompagner avant de le lui demander, et vous êtes toujours seul après l'avoir fait. La situation ne s'est pas détériorée; elle est la même. Elle empire seulement parce que vous ruminez l'incident et jetez de l'huile sur le feu, en vous disant : « *Vous voyez ! Ma mère me l'avait bien dit. Personne ne m'aimera jamais. Je suis un moins que rien !* »

Si votre demande d'admission à l'Université Harvard n'est pas retenue, vous n'étiez pas à Harvard avant de la faire, et vous n'y êtes pas davantage après. Encore une fois, votre vie n'est pas devenue plus difficile ; elle est demeurée inchangée. Vous n'avez rien perdu en réalité. Et pensez-y un instant, vous avez vécu toute votre existence sans avoir fréquenté Harvard ; alors, la situation ne saurait vous prendre au dépourvu !

La vérité, c'est que vous n'avez rien à perdre lorsque vous demandez, et, puisqu'il y a souvent quelque chose à gagner en le faisant, de grâce, ne vous en privez pas !

« CERTAINS DIRONT OUI, D'AUTRES DIRONT NON, MAIS QU'IMPORTE ; IL Y A QUELQU'UN QUI N'ATTEND QUE MOI EN CE MOMENT ! »

Dès que vous formulez une demande, dites-vous toujours que « certains diront oui, d'autres diront non, mais qu'importe ; il y a quelqu'un qui n'attend que moi en ce moment ! » Il y a toujours quelqu'un, quelque part, qui vous espère, vous et vos idées. C'est la loi des grands nombres qui entre en jeu ici. Vous devez redemander jusqu'à ce que la réponse vous soit favorable. Il y a un « oui » qui vous attend quelque part. Et comme mon partenaire Mark Victor Hansen se plaît à le dire : « Ce que vous voulez vous veut aussi ». Vous devez rester dans le jeu assez longtemps pour donner au « oui » le temps de se manifester.

81 « NON » SUIVIS DE 9 « OUI » CONSÉCUTIFS

Parce que mon séminaire « Estime de soi et rendement maximum » avait transformé sa vie de fond en comble, une de mes étudiantes se porta volontaire pour téléphoner aux gens le soir, afin de les convaincre d'assister à la présentation suivante, qui devait avoir lieu à St. Louis. Elle s'engagea à communiquer avec au moins trois personnes par jour pendant un mois. Plusieurs appels se transformèrent en longues conversations où on lui posait alors une foule de questions. Elle effectua un total de quatre-vingt-dix appels téléphoniques. Les quatre-vingt-un premiers furent infructueux. Les neuf dernières personnes contactées acceptèrent l'invitation.

Mon étudiante avait obtenu un taux de réponses favorables de dix pour cent, ce qui est excellent dans le cadre d'entrevues téléphoniques, mais ces neuf inscriptions étaient le résultat des neuf derniers appels. Que serait-il arrivé si elle avait abandonné après cinquante appels en disant : « Cela n'en vaut pas la peine. Personne ne s'inscrit. » Mais parce qu'elle avait le désir de partager avec d'autres l'expérience de transformation de vie dont elle avait bénéficiée, elle persévéra malgré de nombreux rejets, sachant qu'il s'agissait d'une simple question de statistiques. Et son implication fut très importante, grâce à elle, neuf personnes ont pu à leur tour transformer leur vie.

Si vous vous donnez corps et âme à une cause, si vous apprenez de vos expériences et gardez le cap jusqu'au bout, tôt ou tard, vous obtiendrez le résultat désiré.

« N'abandonnez jamais vos rêves. La persévérance est ce qu'il y a de plus important. Si vous n'avez pas assez de désir et de foi en vous-même pour continuer d'essayer après qu'on vous ait dit de lâcher prise, vous n'y arriverez jamais. »

TAWNI O'DELL
Auteure de *Back Roads*, une sélection du Club de livres d'Oprah

DITES « AU SUIVANT ! »

Préparez-vous dès maintenant à vous heurter à de nombreux refus avant de vivre les jours filés d'or et de soie. Le secret est de ne pas abandonner. Lorsqu'on vous dit « non », répliquez simplement à votre tour : « Au suivant ! » Continuez ! Lorsque le colonel Harlan Sanders partit de chez lui, avec sa marmite à pression et sa recette spéciale pour frire le poulet à la mode sudiste sous le bras, il essuya d'abord trois cents refus, avant de trouver quelqu'un qui a cru en son rêve. Parce qu'il balaya trois cents rejets du revers de la main, il existe aujourd'hui onze mille restaurants portant la bannière PFK dans quatre-vingts pays.

Si on vous dit non, allez voir quelqu'un d'autre. Rappelez-vous qu'il y a plus de cinq milliards d'êtres humains sur terre ! Quelqu'un, quelque part, vous accueillera favorablement. Ne vous enlisez pas dans la peur ou le ressentiment. Adressez-vous à quelqu'un d'autre. C'est une simple question de statistiques. Quelqu'un vous attend, qui vous dira oui.

BOUILLON DE POULET POUR L'ÂME^{MD}

À l'automne 1991, Mark Victor Hansen et moi avons mis en branle le processus de vendre à un éditeur notre premier livre de la série *Bouillon de poulet pour
l'âme*^{MD}. Nous nous sommes envolés vers New York avec notre agent, Jeff Herman,
où nous avons rencontré tous les éditeurs importants qui avaient accepté de nous
recevoir. Aucun d'entre eux n'était intéressé. On nous a dit : « Les recueils de
petites histoires ne se vendent pas. » « Ces anecdotes n'ont pas de mordant. » « Ce
titre ne fonctionnera jamais. »

Peu après, vingt autres éditeurs, qui avaient reçu le manuscrit par la poste,
l'ont rejeté. Après le trentième refus, notre agent nous a remis le livre en nous
disant : « Je suis désolé ; je ne peux plus en faire la promotion. » Et qu'avons-nous
fait alors ? Nous avons dit : « *Au suivant !* »

Nous savions maintenant que nous devions sortir des sentiers battus. Après
s'être creusé les méninges pendant des semaines, nous avons eu une idée qui nous
semblait prometteuse. Nous avons conçu un formulaire qui était une promesse
d'achat du livre au moment de sa publication. Toute personne intéressée inscrivait
son nom et son adresse, ainsi que le nombre d'exemplaires qu'elle se proposait
d'acheter.

Au cours des mois suivants, nous avons demandé à tous ceux qui assistaient
à nos présentations, à nos séminaires et à nos ateliers de remplir ce formulaire
d'intention d'achat. Bientôt, nous avions en main vingt mille promesses d'achat
de notre livre au moment de sa parution.

Le printemps suivant, Mark et moi avons assisté au congrès de l'American
Booksellers Assocation (association des libraires des États-Unis) qui avait lieu à
Anaheim, en Californie. Nous nous sommes promenés d'un kiosque à l'autre,
parlant à tous les éditeurs qui acceptaient de prêter l'oreille. Même armés des
promesses d'achat que nous avions recueillies, démontrant qu'il existait un marché pour notre livre, on nous repoussait encore et encore. Mais à chaque refus,
nous disions : « *Au suivant !* »

À la fin d'une deuxième journée éreintante, nous avons remis une photocopie
de nos trente premières histoires à Peter Vegso et Gary Seidler, coprésidents de
Health Communications, Inc., une maison d'édition qui en était à ses débuts et
qui se spécialisait dans le domaine des dépendances et de leur traitement. Ils
acceptèrent de les lire. Au cours de la même semaine, Gary Seidler apporta le
manuscrit à la plage, le lut, fut conquis et décida de nous accorder notre chance.

Notre stratégie consistant à répéter inlassablement « *Au suivant!* » avait finalement valu la peine. Après cent trente refus, ce premier livre se vendit à près de huit millions d'exemplaires, et il donna naissance à une série de quatre-vingts succès de librairie, traduits en trente-neuf langues.

Et qu'arriva-t-il des formulaires de promesses d'achat? Lorsque notre premier *Bouillon de poulet* fut enfin publié, nous avons agrafé une page publicitaire à chaque formulaire et expédié le tout à l'adresse y apparaissant. Presque tous ceux qui s'étaient engagés à acheter le livre ont respecté leur promesse. En fait, un entrepreneur canadien acheta mille sept cents exemplaires qu'il distribua à ses clients.

---

*« Ce manuscrit de votre part, que vous recevez d'un autre éditeur,
est très précieux. Ne le considérez pas comme ayant été refusé.
Imaginez simplement qu'il a été expédié à « l'éditeur en mesure d'apprécier
mon travail », et qu'il vous revient avec la mention « il n'est pas à cette adresse ».
Continuez à chercher la bonne adresse. »*

BARBARA KINGSOLVER
Auteure du succès de librairie *Les Yeux dans les arbres*

155 REFUS NE SONT PAS VENUS À BOUT DE LUI

Rick Little, alors âgé de 19 ans, décida de lancer un programme destiné aux étudiants des écoles secondaires. Son objectif était de leur montrer à composer avec leurs émotions, à gérer leurs conflits, à clarifier leurs buts, et à leur inculquer des techniques de communication qui les aideraient à mener une existence épanouie et valorisante. Il écrivit une proposition qu'il fit parvenir à cent cinquante-cinq fondations. Il dormit sur le siège arrière de son automobile et se sustenta de tartines de beurre d'arachides la majeure partie de cette année-là. Malgré tous ces refus, il ne renonça pas à son rêve. Finalement, la Fondation Kellogg accorda cent trente mille dollars à Rick pour lancer son programme. (Cela représente environ mille dollars pour chaque échec qu'il a dû essuyer).

Depuis ce temps, Rick et son équipe ont amassé plus de cent millions pour implanter le programme Quest dans plus de trente mille écoles dans le monde. Chaque année, près de trois millions de jeunes apprennent les compétences essentielles dans la vie parce qu'un garçon de dix-neuf ans a rejeté le rejet, et qu'il a persévéré jusqu'à ce qu'il obtienne la réponse qu'il voulait entendre.

En 1989, Rick a reçu une subvention de soixante-cinq millions de dollars, le deuxième don en importance de toute l'histoire des États-Unis, pour créer la Internal Youth Foundation (Fondation internationale de la jeunesse). Que serait-il arrivé si Rick avait tout laissé tomber après le centième rejet, en se disant : « *Eh bien, j'imagine que cela ne devait pas se passer ainsi* ». Quelle immense perte pour le monde, et aussi pour Rick, qui aurait manqué cette occasion de vivre à la hauteur de ses idéaux les plus nobles.

IL A FRAPPÉ À 12 500 PORTES

« Le rejet, pour moi, c'est comme un coup de clairon qui retentit dans mes oreilles pour m'éveiller de ma torpeur et me pousser à avancer, et non à battre en retraite. »

SYLVESTER STALLONE
Acteur, auteur et directeur

Le Dr Ignatius Piazza, jeune chiropraticien venant tout juste d'obtenir son diplôme, était bien décidé à établir sa pratique dans la région de Monterey Bay, en Californie. Lorsqu'il entra en contact avec l'association locale de chiropractie pour obtenir de l'aide, on lui suggéra d'aller exercer sa profession ailleurs. On lui affirma qu'il ne réussirait pas à s'établir dans la région car trop de ses collègues l'avaient précédé. Sans se laisser abattre, il appliqua le principe du : « *Au suivant !* » Pendant des mois, il frappa aux portes, du matin au soir, pour se présenter et aussi poser quelques questions :

« Où devrais-je installer ma clinique ? »

« Dans quels journaux faudrait-il m'annoncer pour rejoindre les gens de ce quartier ? »

« Est-ce que je devrais ouvrir très tôt le matin ou être plutôt présent en soirée pour les gens qui travaillent de neuf heures à dix-sept heures ? »

« Comment devrais-je nommer ma clinique ? »

Et finalement, il demanda : « Lorsque je ferai mon inauguration, aimeriez-vous recevoir une invitation ? » Si les gens répondaient par l'affirmative, il prenait note de leur nom et de leur adresse avant de poursuivre son chemin, jour après jour, mois après mois. Lorsqu'il eut terminé sa tournée, il avait frappé à douze mille cinq cents portes et s'était adressé à plus de six mille cinq cents personnes.

Il a reçu plusieurs refus. Il a frappé à plusieurs portes sans obtenir de réponse. Il a même été pris au piège sous un porche – coincé par un bull-terrier un après-midi entier ! Mais il avait aussi obtenu suffisamment d'appuis pour ouvrir sa clinique et, en moins de trois mois, il avait déjà accueilli deux cent trente-trois nouveaux patients et gagné soixante-douze mille dollars en honoraires, dans une région « qui n'avait pas besoin d'un nouveau praticien » !

N'oubliez jamais que, pour obtenir ce que vous voulez, il vous faudra demander, demander, demander, et répéter : « *Au suivant, au suivant, au suivant* », jusqu'à ce que vous ayez obtenu les « oui » que vous convoitez. L'acte de demander est, était, et sera toujours assujetti à la loi des grands nombres. N'en faites donc pas une question personnelle, car il ne s'agit pas du tout de cela. Lorsque les conditions propices sont enfin réunies, un accord survient.

QUELQUES FAMEUX CAS DE REJETS

« Cette jeune fille, selon moi, ne semble pas posséder une perception des choses ni une sensibilité particulière, capable d'élever ce livre au-delà du niveau d'une simple curiosité. »

Extrait d'une lettre de rejet du *Journal d'Anne Frank*

Tous ceux qui ont atteint le sommet ont dû faire face au rejet à un moment ou à un autre. Vous devez simplement comprendre que ce n'est pas vous, comme personne, qui en faites l'objet. Considérez les exemples suivants :

- Quand Alexandre Graham Bell a offert les droits du téléphone pour la somme de cent mille dollars à Carl Orton, président de l'entreprise Western Union, ce dernier aurait répondu : « Quel usage cette entreprise pourrait-elle faire d'un jouet électrique ? »
- Angie Everhart, qui a amorcé sa carrière de mannequin à l'âge de seize ans, s'est fait dire en une occasion par la propriétaire de l'agence Eileen Ford, qu'elle ne réussirait jamais dans cette profession. La raison : « Ce n'est pas vendeur d'être rousse ». Angie Everhart fut le premier mannequin à la chevelure rousse à poser pour la page de couverture du magazine *Glamour*. Elle a connu une grande carrière dans cette profession, avant de se distinguer dans vingt-sept films et de nombreuses émissions télévisées.

- L'auteur Stephen King a bien failli faire une erreur de plusieurs millions de dollars en jetant son manuscrit *Carrie* aux ordures parce qu'il en avait assez des refus. « Nous ne sommes pas intéressés à la science-fiction qui présente une utopie sinistre, lui avait-t-on dit. Il n'y a pas de public pour ça. » Heureusement, sa femme l'a récupéré avant le passage des éboueurs. Finalement un éditeur décida de publier le roman de Stephen King, dont quatre millions d'exemplaires ont été vendus avant d'être porté à l'écran et de connaître un mégasuccès.

- En 1998, les cofondateurs de Google, Sergey Brin et Larry Page ont proposé une fusion à Yahoo! Celle-ci aurait pu avaler cette petite entreprise pour une poignée d'actions, mais on a plutôt suggéré, avec condescendance, aux deux jeunes associés de peaufiner leur petit projet scolaire et de revenir les voir lorsqu'ils seraient arrivés à maturité. Moins de cinq ans plus tard, la valeur marchande de Google était estimée à vingt milliards de dollars. Au moment d'écrire ces lignes, Google était sur le point de lancer un appel public à l'épargne, qui devrait lui permettre d'encaisser un milliard six cent soixante-sept mille dollars.

« Il est impossible de vendre des histoires d'animaux aux États-Unis. »

Extrait d'une lettre de refus du roman de George Orwell,
La Ferme des animaux

Le record pour le plus grand nombre de refus appartient sans aucun doute à John Creasey, un populaire auteur britannique de romans à énigmes. Il a reçu sept cent quarante-trois refus avant de vendre un premier livre ! Indifférent au rejet, il a publié, au cours d'une carrière s'échelonnant sur quarante ans, cinq cent soixante-deux volumineux ouvrages sous vingt-huit différents pseudonymes ! Si John Creasey a pu surmonter sept cent quarante-trois refus dans son périple vers le succès, vous pouvez sans doute survivre à quelques-uns vous aussi.

PRINCIPE 19

PROFITEZ DES COMMENTAIRES ET DES RÉACTIONS

« Les commentaires des autres et la critique forment
le petit-déjeuner du champion. »
KEN BLANCHARD ET SPENCER JOHNSON
Coauteurs de *Le Manager minute*

Dès que vous passez aux actes, les réactions et les échos que vous suscitez vous indiquent si vous êtes ou non dans la bonne voie. Vous recevez l'information, les conseils, les suggestions, les directives, et même les critiques qui vous permettent de vous corriger pendant votre progression. Cela vous donne l'occasion de développer vos connaissances, vos compétences, votre attitude et vos relations avec votre entourage. Cependant, n'oubliez pas que de solliciter les réactions et les commentaires, cela ne représente qu'une partie de l'équation. Vous devez aussi être prêt à écouter et à réagir.

IL Y A DEUX SORTES DE RÉACTIONS

Il existe deux catégories de réactions : les réactions positives et les réactions négatives. Nous préférons nettement les premières – le succès d'une entreprise, un gain monétaire, des compliments, une augmentation, une promotion, des clients satisfaits, une récompense, du bonheur, la paix intérieure, une relation plus intime, du plaisir. Cela nous fait du bien. Ces réactions nous informent que nous sommes sur le bon chemin, que nous faisons les choses comme il se doit.

En général, nous apprécions moins les échos négatifs – obtenir de mauvais résultats financiers, une critique défavorable, une piètre évaluation, être laissé-pour-compte au moment d'une augmentation ou d'une promotion, recevoir des plaintes, ressentir de l'insatisfaction, un conflit intérieur, la solitude, la douleur.

217 PRINCIPES FONDAMENTAUX DU SUCCÈS • 217

Cependant, les résultats et commentaires négatifs contiennent autant d'informations utiles que les positifs. Ils nous indiquent que nous faisons fausse route ou que notre plan d'action n'est pas efficace. Ces données sont aussi de très grande valeur.

En effet, elles sont si précieuses que votre projet le plus important pourrait être de travailler à changer votre perception de ces réactions défavorables. Je préfère les appeler les « occasions de s'améliorer ». Par elles, l'univers m'indique que je dois corriger certains comportements afin de me rapprocher de ce que je souhaite – plus d'argent, de meilleures ventes, une promotion, de meilleures relations avec autrui, de meilleures notes, ou plus de succès sur les pistes et pelouses.

Pour atteindre vos buts plus rapidement, vous devez accueillir, écouter et comprendre toutes les réactions qui se fraient un chemin jusqu'à vous.

« BONNE DIRECTION ! », « MAUVAISE DIRECTION ! »

Il y a plusieurs façons de réagir aux messages que vous recevez. Certaines d'entre elles sont productives (elles vous rapprochent de votre objectif déclaré), d'autres non (elles vous bloquent ou vous éloignent encore davantage de votre but).

Lorsque j'anime mes cours sur les principes du succès, j'illustre ce point en demandant à un volontaire de l'auditoire de se rendre à l'arrière de la classe et de s'y tenir debout. Il représente le but que je veux atteindre. Ma tâche est de me diriger vers lui en traversant la salle. Si j'y arrive, j'aurai alors atteint mon objectif.

Je demande aussi à ce volontaire de jouer le rôle d'un robot qui doit réagir automatiquement à mes mouvements. Si je fais un pas dans sa direction, il doit me le signaler en disant : « Bonne direction ! » Si je fais un pas dans toute autre direction, il me l'apprend en disant : « Mauvaise direction ! »

Je me dirige alors lentement vers le fond de la salle où m'attend le volontaire. Lorsque je fais un pas vers lui, j'entends : « Bonne direction ! » Dès que je dévie de ma trajectoire, je suis immédiatement rappelé à l'ordre : « Mauvaise direction ! » Je corrige alors mon itinéraire. Je fais encore quelques pas en direction du volontaire, avant de dévier de nouveau à dessein. J'en suis tout de suite informé par un cri sonore : « Mauvaise direction ! » Après plusieurs zigzags, j'atteins finalement mon but et je remercie mon collaborateur grâce à une accolade.

Je demande alors à la ronde quelle directive j'ai reçue le plus souvent au cours de mon périple vers le succès : « Bonne direction ! » ou « Mauvaise direction ! » ? La réponse est invariablement : «Mauvaise direction!» Et c'est justement l'aspect le plus intéressant de cette expérience. J'étais dans la mauvaise direction plus souvent que sur le bon chemin, et pourtant, je me suis rendu là où je voulais, simplement parce que je me corrigeais dès que j'entendais la réaction du volontaire après chaque pas.

En fait, le même principe s'applique dans la vie. Le secret, c'est de passer à l'action et de répondre adéquatement aux réactions que nous suscitons. Si nous le faisons systématiquement et patiemment, nous atteindrons finalement notre but, et réaliserons notre rêve.

QUELQUES FAÇONS DE RÉAGIR À NE PAS ADOPTER

Même s'il y a plusieurs manières de répondre à un signal en provenance de notre milieu, il y a en quelques-unes que l'on a tout intérêt à éviter :

1. **Se replier sur soi-même et abandonner.** Je reprends l'exercice décrit précédemment mais en y ajoutant un nouveau volet. Je me dirige à nouveau vers mon but, et, encore une fois, je bifurque volontairement à mi-parcours. Le volontaire me le signale en répétant : «Mauvaise direction!» plusieurs fois d'affilée. Je baisse alors les bras en gémissant : «Je n'en peux plus. La vie est trop difficile. Je ne tolère plus toute cette critique négative. J'abandonne!»

   Combien de fois, à la suite de critiques négatives, vous êtes-vous tout simplement effondré? Peut-être connaissez-vous quelqu'un à qui cela est arrivé. Vous restez alors bloqué là où vous êtes.

   Il vous sera plus facile de ne pas vous laisser abattre par les réactions négatives, si vous gardez à l'esprit qu'il s'agit simplement de données utiles. Pensez au système de pilotage automatique d'un avion. Le rôle des instruments est de détecter à tout moment si l'appareil vole, soit trop haut, trop bas, trop à droite, ou trop à gauche. Le système de pilotage automatique corrige la trajectoire de l'avion en fonction de cette information. Il ne perd pas les pédales et il ne se décourage pas en raison de ce flux incessant de rétroactions négatives.

   Vous ne devez pas vous sentir visé personnellement lorsqu'on vous communique une réaction négative. Il s'agit simplement d'une infor-mation qui vous aidera à vous adapter et qui vous permettra d'atteindre votre but bien plus rapidement.

2. **Vous mettre en colère contre la source d'information :** Pour illustrer cette attitude, je me mets de nouveau en marche vers le volontaire à l'arrière de la classe avant de dévier. La réaction : « Mauvaise direction ! » ne tarde pas à se faire entendre. Après quelques pas, ponctués chaque fois de la même réaction, je prends une pause exaspérée, les mains sur les hanches, et je commence à crier : « Saboteur ! Tu me critiques constamment ! Tu es tellement négatif ! Tu ne pourrais pas dire quelque chose d'encourageant pour une fois ! »

Pensez-y un moment. Vous est-il déjà arrivé de vous en prendre avec colère et agressivité à une personne qui vous faisait un commentaire vraiment pertinent ? Vous avez seulement éloigné de vous cette personne et l'information utile qu'elle vous communiquait.

3. **Ne pas tenir compte des réactions :** Pour cette troisième démonstration, imaginez que je me bouche les oreilles tout en me dirigeant d'un pas décidé dans la direction opposée à celle où se trouve le volontaire. Ce dernier aura beau répéter : « Mauvaise direction ! », « Mauvaise direction ! », je n'entendrai rien.

Ne pas écouter, ou faire la sourde aux oreilles aux réactions que l'on suscite, voilà des attitudes à bannir. Nous connaissons tous de ces personnes qui ne tiennent jamais compte de l'avis de qui que ce soit. Elles ne sont tout simplement pas intéressées à ce que les autres pensent. Elles ne veulent rien entendre. Le plus triste, c'est que les réactions des autres pourraient améliorer leur vie d'une manière significative, si seulement elles voulaient se donner la peine d'écouter.

En conclusion, il y a trois façons inefficaces de répondre aux commentaires et aux réactions que nous suscitons : 1) gémir, s'écrouler, s'effondrer ou abandonner ; 2) se mettre en colère contre la source d'informations ; 3) ne pas écouter ou ignorer les commentaires que l'on provoque.

Crier et geindre, voilà qui est inutile. Cela vous permettra peut-être d'évacuer des frustrations refoulées, mais vous vous mettez hors-jeu du même coup. Cela ne vous mènera nulle part. Vous restez simplement paralysé. En général, ce n'est pas une stratégie gagnante. S'effondrer et tout laisser tomber, cela ne marche pas davantage. Vous vous sentirez temporairement plus en sécurité, à l'abri des réactions « négatives », mais vous ne vous attirerez rien de bon comme cela. Vous ne pouvez pas gagner au jeu de la vie si vous ne vous présentez pas sur le terrain !

Vous mettre en colère contre la personne qui vous a confié ses impressions n'est pas davantage productif. Elle vous attaquera peut-être même à son tour, ou elle vous tournera tout simplement le dos. Qu'aurez-vous gagné au change? Vous éprouverez peut-être une certaine satisfaction dans l'immédiat, mais cela ne vous aura pas rapproché de votre but d'un iota.

Lors de la troisième journée de mes séminaires de niveau avancé, lorsque tous les participants se connaissent bien, je leur demande de se lever (environ quarante personnes), de jeter un coup d'œil autour et de poser la question suivante au plus grand nombre de personnes possible : « Selon vous, quelles sont les limites que je m'impose moi-même ? » Au bout de trente minutes, les participants regagnent leur place et notent ce qu'ils ont entendu.

On pourrait croire qu'il est difficile de recevoir de tels commentaires pendant trente minutes. En fait, la plupart des participants sont heureux d'avoir la chance de prendre conscience des comportements qui les empêchent de s'épanouir. Ils peuvent alors les remplacer par des habitudes qui les mèneront vers le succès. Après l'exercice, tout le monde est invité à élaborer un plan pour éliminer ces attitudes improductives.

N'oubliez pas que les réactions des autres ne sont que de l'information. Ne vous sentez pas visé personnellement. Accueillez-les et utilisez-les. La réponse la plus raisonnable et la plus intelligente est la suivante : « Je vous remercie pour vos commentaires. Je vous suis reconnaissant de vous intéresser à moi et de prendre un peu de votre temps pour me dire ce que vous voyez et ce que vous ressentez. Je l'apprécie beaucoup ».

SOLLICITEZ LES COMMENTAIRES

La plupart des gens ne vous offriront pas spontanément leurs commentaires ou leur opinion. Personne ne veut prendre le risque de déclencher une dispute ou de se mettre en mauvais termes avec vous. On voudra aussi éviter de vous blesser. Alors, pour obtenir des commentaires francs et honnêtes, vous allez devoir les solliciter, afin de mettre en confiance les personnes à qui vous les demandez. En d'autres mots, ne tirez pas sur le messager.

Voici une question importante que vous pouvez poser aux membres de votre famille, à vos amis et à vos collègues : « De quelle manière croyez-vous que je me limite moi-même ? » Même s'ils redoutent parfois la réponse, la plupart des gens sont heureux d'avoir osé la demander en raison de la valeur des réponses obtenues. Munis de ces précieuses réactions, ils élaborent un plan d'action pour remplacer leurs comportements inadaptés par des habitudes plus efficaces et plus productives.

LA QUESTION LA PLUS PRÉCIEUSE

Dans les années quatre-vingt, un homme d'affaires multimillionnaire m'a inculqué l'habitude de poser une question bien spéciale, qui devait changer ma qualité de vie du tout au tout. Si la seule leçon que vous tirez de la lecture de ce livre est d'en faire fréquemment usage dans votre vie personnelle et professionnelle, alors votre temps et votre argent auront été bien investis. Quelle est cette question magique qui peut améliorer grandement la qualité de vos relations avec les gens, des produits que vous fabriquez, des services que vous offrez, des réunions que vous dirigez, des cours que vous enseignez et des transactions que vous effectuez ? La voici :

« Sur une échelle de un à dix, comment évaluez-vous la qualité de notre relation (service / produit) au cours de la dernière semaine (des deux dernières semaines / du dernier mois / du dernier trimestre / du dernier semestre / de la dernière année) ? »

Voici quelques variantes de la même question qui m'ont bien servi au cours des années :

« Sur une échelle de un à dix, comment évaluez-vous l'entretien que nous venons d'avoir ? Quelle note m'attribuez-vous en tant que directeur ? Comme parent ? Comme professeur ? Comment évaluez-vous ce cours ? Ce repas ? Mes talents culinaires ? Notre vie sexuelle ? Cette entente ? Ce livre ? »

Pour toute réponse inférieure à dix, voici la question qui doit suivre :

« Que faudrait-il faire pour obtenir une note parfaite de dix ? »

C'est de cette seconde question que provient l'information la plus précieuse. Il n'est pas suffisant de savoir qu'une personne est mécontente. Il vous faut aussi connaître en détail ce qui lui procurera entière satisfaction. C'est ce qui vous permettra de tout mettre en œuvre pour créer une relation, un produit ou un service gagnants.

Prenez l'habitude de terminer vos projets, vos réunions, vos cours, vos formations, vos consultations, vos installations, etc., par ces deux questions.

UN RITUEL HEBDOMADAIRE

Je pose à ma femme les deux mêmes questions le dimanche en soirée. Voici le scénario typique :

« Comment évaluerais-tu la qualité de notre relation la semaine dernière ?

– Huit.

– Et que faudrait-il faire pour obtenir une note parfaite de dix ?

– Que tu mettes les enfants au lit sans que j'aie toujours à te le rappeler ; que tu arrives pour le dîner à l'heure ou que tu m'avertisses de ton retard, car je déteste me morfondre à t'attendre ; que tu me laisses finir mes blagues sans m'interrompre parce que tu crois pouvoir les raconter mieux que moi ; que tu mettes ton linge sale dans le panier prévu à cet usage plutôt que de le laisser s'empiler sur le plancher. »

Je pose aussi cette question à mes employés tous les vendredis après-midi. Voici une réponse que j'ai obtenue de Deborah peu de temps après son arrivée à mon service.

« Six.

– Ciel ! Et que faudrait-il faire pour ramener le score à dix ?

– Nous devions avoir une réunion cette semaine pour mon évaluation trimestrielle, mais elle a été déplacée pour faire place à autre chose. Je me suis sentie peu importante, moins en tout cas que d'autres personnes ici. Je devais vous entretenir de plusieurs choses, mais j'ai eu l'impression d'être mise à l'écart.

« Ensuite, j'ai le sentiment que vous n'accordez pas assez d'importance à mes services. Vous ne me confiez que les choses les plus simples. Je voudrais avoir plus de responsabilités. Je voudrais que vous me fassiez davantage confiance et que vous me déléguiez des dossiers importants. J'ai besoin de plus de défis. Cet emploi est devenu ennuyeux et sans intérêt pour moi. Si on ne m'offre pas bientôt un défi digne de ce nom, je ne sais pas si je vais rester ici. »

Cela ne m'a pas été très agréable à entendre, mais ces critiques ont mené à deux résultats formidables. D'abord, j'ai décidé de lui déléguer un plus grand nombre de « dossiers importants », et j'ai ainsi considérablement allégé ma tâche. Ensuite, mon adjointe étant plus heureuse, elle est devenue un actif encore plus précieux pour l'entreprise et pour moi.

N'HÉSITEZ PAS À DEMANDER DES COMMENTAIRES

Beaucoup craignent de solliciter des commentaires parce qu'ils ont peur de ce qu'ils pourraient entendre. Il n'y a rien à craindre. La vérité est la vérité. Il est préférable de la connaître plutôt que de l'ignorer. Lorsque vous la connaissez, vous pouvez réagir. Vous ne pouvez réparer une chose si vous ne savez pas qu'elle est brisée. Vous ne pouvez améliorer vos relations avec autrui, votre jeu, ou votre rendement, sans l'appréciation objective d'une tierce personne.

Mais quelle est la pire conséquence de vous enfouir ainsi la tête dans le sable? C'est que vous êtes la seule personne à être exclue du secret. Cette autre personne, dont vous ignorez l'opinion, a sans doute déjà fait part de ce qui l'agace à sa conjointe ou à son conjoint, à ses amis, à des parents, à ses partenaires d'affaires, ou à des clients potentiels.

Comme nous l'avons vu au principe 1 (Assumez l'entière responsabilité de votre vie), la plupart préfèrent se plaindre plutôt que de poser des gestes concrets pour résoudre leurs problèmes. On a vu aussi que ces plaintes sont presque toujours communiquées à la mauvaise personne. On devrait vous le dire mais on ne le fait pas, par crainte de votre réaction. Par conséquent, vous êtes privé de l'information dont vous auriez besoin pour améliorer vos relations, votre produit, votre service, votre enseignement, ou votre manière de jouer votre rôle de parent.

Il y a deux manières de remédier à ce problème.

D'abord, vous devez activement solliciter les commentaires et les réactions des autres. Interrogez vos partenaires, vos amis, vos collègues, votre patron, vos employés, vos clients, vos parents, vos professeurs, vos étudiants, et votre accompagnateur. Posez la question magique aussi souvent que possible. Prenez l'habitude de toujours le faire de sorte que la réponse obtenue soit un encouragement à apporter des améliorations. « Que devrais-je, ou que devrions-nous faire, pour nous améliorer? Qu'est-ce qu'il faudrait faire pour que vous nous accordiez un dix? »

Ensuite, vous devez manifester de la reconnaissance à l'égard de ceux et celles qui vous font ces commentaires. Ne vous tenez pas sur la défensive. Dites simplement: « Merci de votre intérêt et d'avoir bien voulu partager votre opinion avec moi! » Si vous accueillez les réactions avec gratitude, vous aurez la réputation d'être ouvert aux observations des autres. Rappelez-vous toujours que ces réactions sont des présents qui vous permettront d'augmenter votre efficacité.

Soyez reconnaissant lorsqu'on vous les offre.

Ne jouez plus à l'autruche. Demandez! Demandez! Demandez! Livrez-vous alors à une courte introspection, retenez ce qui vous semble le plus valable et essayez d'en tirer le meilleur parti possible. Prenez toutes les mesures nécessaires pour améliorer la situation, incluant les changements de comportements qui s'imposent.

Il y a quelques années, nous avons cessé d'utiliser les services d'un imprimeur parce qu'un concurrent faisait pour nous un meilleur travail, à un meilleur prix. Quelques mois plus tard, l'imprimeur en question me téléphona: « J'ai remarqué que vous n'aviez pas fait appel à nous récemment. Que devrions-nous faire pour que vous recommenciez à faire affaire avec nous? »

J'ai répondu: « Je voudrais des prix plus bas, des délais d'impression rapides, la cueillette et la livraison à nos bureaux. Si vous pouvez satisfaire à ces quatre exigences, je vais vous confier quelques travaux et vous remettre à l'essai. » Il devait bientôt regagner sa situation privilégiée auprès de mon entreprise en offrant de meilleurs prix que les compétiteurs, un meilleur service de cueillette et de livraison, en respectant les échéances, et en offrant une qualité plus qu'acceptable. Parce qu'il avait posé la question: « Que devrions-nous faire...? », il a reçu l'information dont il avait besoin pour retrouver notre clientèle.

UN SUCCÈS OBTENU EN TROIS MOIS EN POSANT DES QUESTIONS

Un des plus grands succès de librairie de tous les temps dans la catégorie des guides pour perdre du poids s'intitule: *30 jours pour avoir de belles cuisses*. Ce qui rend ce livre si intéressant, c'est qu'il a été conçu à partir d'un processus de questions et de réponses. Son auteure, Wendy Stehling, travaillait dans une agence de publicité mais elle détestait son emploi. Elle voulait démarrer sa propre boîte et elle savait qu'elle aurait besoin pour cela d'un capital de cent mille dollars. Elle demanda alors: « Quelle est la manière la plus rapide d'accumuler une telle somme?

– Écris un livre », fut la réponse qu'elle obtint.

Elle décida donc d'écrire un livre dont elle pourrait vendre cent mille exemplaires en quatre-vingt-dix jours; à raison d'un dollar de droits d'auteur par livre, elle obtiendrait la somme dont elle avait besoin. Elle devait maintenant trouver un sujet qui intéresserait cent mille lecteurs. « Quels sont les livres qui se vendent le plus en Amérique? demanda-t-elle.

– Des livres pour perdre du poids, lui répondit-on.

– Oui, mais comment devenir une experte en la matière? demanda-t-elle encore.

– Demande aux femmes qui veulent perdre du poids ce qu'elles désirent précisément», lui a-t-on dit alors.

Elle fit une analyse de ce marché et demanda aux femmes: «S'il vous était possible d'amincir à un endroit bien précis, quelle partie de votre corps choisiriez-vous?

– Les cuisses, répondirent une écrasante majorité.

– Et quand voulez-vous perdre ce que vous avez en trop? fut la question suivante.

– En avril et mai, juste à temps pour la saison des maillots de bain».

Et qu'a-t-elle fait, d'après vous? Elle a écrit un livre intitulé *30 jours pour avoir de belles cuisses* et elle l'a lancé le 15 avril. Dès le mois de juin, elle avait en main son capital de cent mille dollars. Elle avait demandé aux gens ce qu'ils voulaient, et elle avait répondu à leurs attentes.

COMMENT AVOIR L'AIR GÉNIAL AU PRIX DE PEU D'EFFORTS

Virginia Satir, l'auteure de l'ouvrage classique sur l'art d'être parents, *Pour retrouver l'harmonie familiale,* fut probablement la thérapeute familiale la plus respectée et la plus célèbre aux États-Unis.

À un moment particulier de sa longue et illustre carrière, elle a été approchée par le ministère des Services sociaux de l'État du Michigan pour proposer des améliorations à son système afin de mieux servir la population. Soixante jours plus tard, elle remettait aux responsables un rapport de cent cinquante pages, document qui fut reçu par un concert d'éloges. «C'est brillant! s'exclamèrent-ils. Mais comment avez-vous fait pour avoir toutes ces idées?»

Elle répondit: «Je suis simplement allée voir les travailleurs sociaux de votre ministère et je leur ai demandé ce qu'il fallait faire pour que le système fonctionne mieux».

ÉCOUTEZ LES COMMENTAIRES

*« Les êtres humains ont reçu un pied gauche et un pied droit, pour faire
une erreur à gauche d'abord, puis une seconde à droite,
encore une autre à gauche, et ainsi de suite. »*

BUCKMINSTER FULLER
Ingénieur, inventeur et philosophe

Qu'elles soient sollicitées ou non, les réactions nous arrivent de toutes parts. Cela peut être un commentaire verbal d'un collègue, ou encore une lettre officielle. Il peut s'agir de la banque qui vous refuse un prêt, ou d'une occasion apparue inopinément pour donner suite à une démarche que vous aviez entreprise un peu plus tôt.

Quelle que soit leur origine, il est important de prêter l'oreille à ces réactions. Faites un premier pas et écoutez. Faites-en un second, et écoutez à nouveau. Si vous entendez : « Vous allez dans la mauvaise direction ! », faites maintenant un pas dans la direction que vous croyez être la bonne et écoutez encore. Soyez attentif aux indices que vous recevez de votre environnement, mais aussi aux signaux intérieurs que votre corps, vos émotions, et vos intuitions cherchent à vous communiquer.

Votre corps et votre esprit vous disent-ils : « Je suis heureux ; j'aime cela ; c'est le travail idéal pour moi », ou plutôt : « Je suis inquiet ; je me sens épuisé mentalement ; je n'aime pas cela autant que je l'aurais cru ; ce type ne m'inspire guère confiance » ?

Parmi tous les signaux que vous recevez, ne négligez en aucun temps les « signaux jaunes ». N'allez jamais à l'encontre de vos intuitions profondes. Si cela ne vous inspire rien de bon, ce n'est probablement pas la bonne chose pour vous.

TOUTES CES DONNÉES SONT-ELLES VRAIMENT PERTINENTES ?

Les réactions et les commentaires que nous recevons ne sont pas toujours utiles ou pertinents. Vous devez prendre leur source en considération. Quelques-uns peuvent être viciés par les distorsions psychologiques de la personne dont ils émanent. Par exemple, si votre mari ivrogne vous lance : « Tu n'es qu'une bonne à rien », cette remarque est probablement sans valeur. Par contre, le fait que votre mari soit ivre ou en colère, est une réaction dont vous devriez tenir compte.

SOYEZ ATTENTIF AUX SCHÉMAS

Vous devriez aussi faire attention aux réactions qui semblent présenter un schéma particulier. Comme mon ami Jack Rosenblum aime à le dire : « Si une seule personne affirme que vous êtes un cheval, elle est cinglée. S'il y en a trois qui le prétendent, il y a conspiration. Si dix personnes vous disent que vous êtes un cheval, il est temps d'acheter une selle. »

Ce qu'on doit retenir de cette boutade, c'est que si plusieurs personnes vous disent la même chose, il y a probablement là un élément de vérité dont vous devriez tenir compte. Pourquoi vous obstiner ? Vous pouvez croire que vous avez raison, mais vous devez vous poser les questions : « *Est-ce que je préfère avoir raison, ou être heureux ? Est-ce que je préfère avoir raison, ou avoir du succès ?* »

J'ai connu un entrepreneur qui préférait avoir raison, plutôt qu'être heureux et avoir du succès. Il se mettait en colère dès qu'on essayait de le raisonner : « Ne m'adressez pas la parole de cette manière, ma jeune dame » ; « Ne me dites pas comment conduire mes affaires, c'est mon entreprise, et j'en fais ce que je veux » ; « Je me fiche de votre opinion comme de l'an quarante ».

C'était le type même de l'individu farouchement indépendant qui n'avait que faire des réactions et des commentaires des autres. En cours de route, il s'aliéna sa femme, ses deux filles, ses clients, et tous ses employés. Il divorça deux fois, ses enfants ne veulent plus lui parler, et il a aussi déclaré faillite à deux reprises. Mais il a toujours « raison ». Peut-être est-ce vrai, après tout, mais vous ne tomberez pas dans ce piège, car il s'agit d'un véritable cul-de-sac.

Quelles réactions recevez-vous de votre famille, de vos amis, des représentants du sexe opposé, de vos collègues de travail, de votre patron, de vos partenaires, de vos clients, de vos représentants, ou peut-être même de votre propre corps, et dont vous devriez tenir compte ? Présentent-elles un schéma évident ? Faites-en une liste, et, à côté de chacun des éléments, écrivez ce que vous entendez faire pour corriger votre trajectoire.

QUE FAIRE LORSQUE LES RÉACTIONS QUE VOUS RECEVEZ CONFIRMENT VOTRE ÉCHEC ?

Lorsque, de toute évidence, vous venez de subir un échec, il y a un certain nombre de choses que vous pouvez faire pour réagir adéquatement et continuer d'aller de l'avant.

1. Admettez que vous avez fait de votre mieux, compte tenu de l'expérience, des connaissances et des compétences dont vous disposiez à ce moment-là.

2. Reconnaissez que vous avez survécu, et que vous pouvez composer avec l'ensemble des conséquences et des résultats de cette mésaventure.

3. Écrivez tout ce que vous avez appris de cette expérience. N'omettez aucune impression ou leçons retirées et sauvegardez le tout dans un fichier que vous nommerez *Leçons et expériences*. Relisez ce fichier régulièrement. Demandez aux autres personnes impliquées – votre famille, votre équipe, vos employés, vos clients, ou autres – ce qu'elles ont retenu de cet insuccès. Je demande souvent à mes employés d'écrire dans la partie supérieure d'une page : « J'ai appris que… » et de rédiger tout ce qui leur vient à l'esprit en cinq minutes. Ensuite, nous faisons une nouvelle liste sous la rubrique : « Façons de mieux faire les choses la prochaine fois ».

4. Assurez-vous de remercier toutes les personnes qui vous ont fait part de leurs réactions et de leurs commentaires. Si quelqu'un démontre de l'hostilité lorsqu'il vous fait part de ses impressions, rappelez-vous qu'il ne s'agit souvent que de la manifestation de sa propre peur. Ici encore, contentez-vous de le remercier pour ses commentaires. Les explications, les justifications et les blâmes ne sont qu'une perte de temps pour tout le monde. Prenez bonne note de toutes les réactions, retenez ce qui peut vous servir dans l'avenir, et oubliez le reste.

5. Réparez tous les dégâts qui ont pu être causés et faites ce qui est nécessaire pour clore l'expérience – incluant l'expression d'excuses et de regrets appropriés. N'essayez pas de cacher votre échec.

6. Prenez un temps de recul et remémorez-vous certains succès passés. Il est important de vous rappeler que vous avez eu beaucoup plus de succès que d'échecs. Vous avez fait bien plus de choses correctement que vous n'en avez faites de travers.

7. Remettez-vous. Passez du temps en compagnie d'amis positifs, de membres de votre famille, et de collègues qui réaffirmeront vos mérites et la valeur de votre contribution.

8. Tournez-vous résolument vers l'avenir. Intégrez les leçons apprises ; réaffirmez votre engagement pour vos plans originaux, ou créez-en de nouveaux, et mettez-vous en marche. Restez en jeu. Continuez d'avancer vers la réalisation de vos rêves. Vous allez encore commettre beaucoup d'erreurs en cours de route. Secouez la poussière, remontez en selle, et au galop !

PRINCIPE 20

Ne vous arrêtez jamais d'évoluer !

« *Nous sommes habités par un désir permanent d'apprendre, de grandir, et de nous développer. Nous voulons aller au-delà de ce que nous sommes déjà. Lorsque nous cédons à cette envie de nous améliorer sans cesse, nous nous destinons à une vie de réussites et de grandes satisfactions.* »

CHUCK GALLOZZI

« *Les gens disent de moi que je suis un perfectionniste, mais ce n'est pas le cas. Disons que je suis plutôt "appliqué", je peaufine mon travail jusqu'à ce que j'en sois satisfait. Ensuite, je passe à autre chose.* »

JAMES CAMERON
Réalisateur du *Titanic*, de la série du *Terminator* et récipiendaire d'un oscar

Au Japon, le terme utilisé pour désigner l'amélioration continue qui ne prend jamais fin est *kaizen*. Il ne s'agit pas seulement de la philosophie de fonctionnement de l'entreprise japonaise moderne, c'est aussi la philosophie millénaire des guerriers – et elle est devenue le mantra personnel et la clé du succès de millions d'individus à travers le monde.

Les gens qui réussissent exceptionnellement bien tout ce qu'ils entreprennent – que ce soit dans les affaires, les sports, ou les arts – cherchent constamment à s'améliorer. Si vous voulez connaître davantage de succès, vous devez toujours vous demander : « *Comment pourrais-je faire encore mieux, être plus efficace. Est-il possible d'augmenter notre marge bénéficiaire ? Comment ajouter plus de passion à mon travail ?* »

L'ÉTOURDISSANTE VALSE DU CHANGEMENT

Dans le monde moderne, une certaine amélioration est nécessaire simplement pour ne pas se laisser dépasser par le rythme rapide du changement. De nouvelles technologies émergent presque chaque mois. Des techniques manufacturières innovatrices sont mises au point régulièrement. De nouveaux mots apparaissent dès qu'une nouvelle mode ou qu'un nouveau courant de pensées voit le jour. Et ce que nous apprenons à notre sujet, sur notre santé, sur le pouvoir de la pensée humaine, ne connaît pas de limites.

La simple survie exige un effort perpétuel d'adaptation. Mais pour s'épanouir pleinement dans la voie du succès, une stratégie plus soutenue d'amélioration personnelle est nécessaire.

S'AMÉLIORER PAR PETITES ÉTAPES

Dès que vous vous mettez en marche pour acquérir des compétences, modifier votre comportement, améliorer votre vie familiale ou professionnelle, le fait de débuter par de modestes étapes augmente considérablement vos chances de succès à long terme. Essayer d'en faire trop, trop rapidement, risque de condamner vos efforts (ou ceux des autres qui vous accompagnent dans ce processus) à l'échec – renforçant la croyance qu'il est difficile, sinon impossible, de réussir. En commençant par des objectifs limités, que vous atteindrez à coup sûr, vous renforcerez en vous la croyance qu'il vous est possible de vous améliorer.

CHOISISSEZ CE QUE VOUS VOULEZ AMÉLIORER

Au travail, votre but pourrait être d'améliorer les produits et les services de votre entreprise, votre programme de service à la clientèle, ou votre publicité. Sur le plan professionnel, vous pourriez vouloir améliorer vos compétences à l'ordinateur, accélérer votre vitesse de frappe au clavier, développer vos habiletés comme vendeur ou négociateur. À la maison, il peut s'agir de vos compétences comme parent, de votre aptitude à communiquer ou de vos talents culinaires.

Vous pouvez vous concentrer sur l'amélioration de votre santé ou de votre condition physique, de la gestion de vos finances et de vos investissements, ou de votre jeu au piano. Ou peut-être, avez-vous envie d'accéder à une plus grande paix intérieure par la méditation, le yoga ou la prière. Quel que soit votre but, choisissez ce que vous souhaitez améliorer. Élaborez ensuite un plan d'action.

S'agit-il d'apprendre une nouvelle technique? Une école de votre localité donne peut-être un cours du soir dans ce domaine. Si vous désirez vous impliquer davantage dans votre communauté, vous pouvez offrir de travailler bénévolement quelques heures par semaine.

Pour persévérer dans votre engagement de toujours chercher à progresser, demandez-vous chaque jour : « *Qu'est-ce que je pourrais, ou que pourrions-nous améliorer aujourd'hui ? Qu'est-ce qui pourrait être mieux fait qu'auparavant ? Où pourrais-je apprendre de nouvelles techniques ou cultiver de nouvelles compétences ?* » Si vous faites cela, vous entreprendrez le merveilleux voyage que représente une vie de progrès et de réussites.

VOUS NE POUVEZ PAS BRÛLER LES ÉTAPES

« *Celui qui cesse de s'améliorer, cesse d'être bon.* »

OLIVER CROMWELL
Politicien et soldat britannique (1599-1658)

Une des réalités de la vie est que les grands progrès exigent du temps ; ils n'arrivent pas du jour au lendemain. Mais parce que tant de produits et de services aujourd'hui promettent la lune immédiatement, nous en sommes arrivés à attendre en toute chose une gratification instantanée, et nous nous décourageons si elle ne survient pas. Cependant, si vous vous engagez à apprendre quelque chose de neuf tous les jours, et à devenir juste un peu meilleur chaque fois, alors, avec le temps, vous atteindrez votre but.

Devenir un maître est une affaire de longue haleine. Vous devez pratiquer, pratiquer, pratiquer ! Pour polir vos compétences, vous devez les mettre constamment en application et parfaire sans relâche votre technique. Cela prend des années avant d'acquérir la profondeur et l'envergure qui produisent l'expertise, l'intuition géniale et la sagesse. Chaque livre que vous lisez, chaque cours auquel vous assistez et chaque expérience que vous vivez sont autant de pierres ajoutées à l'édifice de votre carrière et de votre vie.

Ne soyez pas pris au dépourvu en étant mal préparé le jour où la chance de votre vie viendra frapper à votre porte. Assurez-vous d'avoir fait tous vos devoirs et d'avoir poli votre savoir-faire. Les acteurs se préparent habituellement pendant des années, en suivant des cours, en se produisant dans des théâtres communautaires, en jouant sur de petites scènes, en acceptant des rôles modestes dans les films et à la télévision, en s'inscrivant à d'autres cours d'interprétation, en travaillant leur voix, leur diction et leur accent, en suivant des leçons de danse, en s'entraînant aux arts martiaux, en apprenant l'équitation, en acceptant de jouer les seconds violons – jusqu'à ce qu'un jour, un premier rôle qui semble avoir été écrit expressément pour eux se présente; et alors, ils sont prêts.

Les grands joueurs de basket-ball apprennent à lancer le ballon de chaque main, perfectionnent inlassablement leur coup franc et les paniers de trois points. Les artistes tentent des expériences avec divers médias. Les pilotes d'avion s'entraînent dans un simulateur afin de parer à toutes les situations d'urgence imaginables. Les médecins retournent aux études pour apprendre de nouvelles procédures et obtenir des attestations et des reconnaissances professionnelles avancées. Tous ces professionnels sont engagés dans un processus d'amélioration continue et constant.

Prenez la résolution de devenir meilleur chaque jour dans tout ce que vous entreprenez. Vous apprécierez cette sensation d'une plus grande estime de soi, d'une confiance accrue, qui découleront de vos efforts d'amélioration personnelle. Le succès auquel vous aspirez s'ensuivra inévitablement.

L'INFIME MARGE QUI SÉPARE LES GRANDS

Au baseball professionnel, la plupart des joueurs maintiennent une moyenne au bâton de .250, ce qui représente un coup sûr à toutes les quatre présences au marbre en moyenne. Si, en plus de maintenir une telle régularité, un joueur se débrouille bien en défensive, il peut espérer faire une belle carrière dans les ligues majeures. Si notre athlète atteint la marque de .300, soit trois coups sûrs par séquence de dix présences au bâton, il acquerra un statut de joueur vedette.

À la fin de la saison, seuls une douzaine de joueurs, sur les milliers qui évoluent professionnellement, auront atteint ce niveau d'excellence. Ils sont reconnus comme des joueurs exceptionnels, reçoivent des contrats de plusieurs millions de dollars et participent à de lucratives campagnes publicitaires.

Pourtant, la différence entre les très grands joueurs et les joueurs moyens, n'est que d'un seul coup sûr de plus par séquence de vingt essais! Un joueur qui possède une moyenne de .250 frappe cinq coups sûrs en vingt présences au marbre; le frappeur de .300 en réussit six. Il ne suffit que de ce tout petit surcroît de performance pour passer du statut de bon joueur à celui d'étoile.

PRINCIPE 21

TENEZ LE COMPTE DE VOS SUCCÈS

« Si vous voulez davantage d'une chose, il vous faut commencer à la mesurer. »

CHARLES COONRADT
Fondateur, The Game of Work

Gardez-vous le souvenir de cette époque où vous étiez en pleine croissance et que vos parents vous mesuraient tous les trois mois ? Ils notaient ensuite votre taille sur un tableau collé au mur près du garde-manger. Cela vous permettait de vous situer par rapport à votre but passé et futur (lequel était habituellement de devenir aussi grand que votre mère ou votre père). Ces mesures vous permettaient de savoir si vous aviez fait des progrès. Elles vous encourageaient aussi à manger sainement et à boire tout votre lait pour devenir encore plus grand !

Eh bien, les gens qui ont du succès utilisent le même type de tableau de mesures. Ils tiennent un compte fidèle de leurs progrès excitants, de leurs comportements positifs, de leurs gains financiers… et de toutes les autres choses qu'ils aimeraient bien posséder en plus grande quantité.

Dans son livre révolutionnaire, *The Game of Work*[1], Charles Coonradt nous dit que l'habitude de tenir un score nous stimule à reproduire d'autres résultats semblables à ceux que nous avons déjà obtenus. En outre, cela a pour effet de renforcer le comportement responsable de ces réussites en premier lieu.

---

1. *The Game of Work : How to Enjoy Work as Much as Play*, par Charles A. Coonradt (Park City, Utah : Game of Work, 1997). Voir aussi *Scorekeeping for Success*, par Charles A. Coonradt (Park City, Utah : Game of Work, 1999), et *Managing the Obvious : How to Get What You Want Using What You Know*, par Charles A. Cooradt, en collaboration avec Jack M. Lyon et Richard Williams (Park City, Utah : Game of Work, 1994).

En y réfléchissant bien, vous constatez que votre tendance naturelle est toujours d'améliorer votre marque. Si vous inscrivez dans un tableau les cinq indicateurs les plus propices à l'avancement de vos objectifs personnels et professionnels, imaginez le surplus de motivation que vous éprouverez chaque fois que les résultats obtenus vous seront favorables.

MESUREZ CE QUE VOUS VOULEZ, NON CE QUE VOUS NE VOULEZ PAS

Nous apprenons très tôt dans la vie l'importance de mesurer les choses qui ont de la valeur à nos yeux. Nous comptons le nombre de fois que nous sautons à la corde, le nombre de valets dans notre main, le nombre de billes que nous avons gagnées, le nombre de coups sûrs que nous avons frappés dans l'équipe de jeunes joueurs de baseball, et le nombre de boîtes de biscuits que nous avons vendues pour le mouvement scout. La moyenne au bâton que l'on tient au baseball nous indique notre taux de réussite, et non pas notre pourcentage d'échecs. Nous tenons généralement le compte de ce qui est bon, car nous désirons en obtenir davantage.

Lorsque Mike Walsh de High Performers International veut augmenter ses profits, il ne tient pas seulement compte du nombre de nouveaux clients, mais aussi du nombre d'appels effectués par ses employés, du nombre de rendez-vous obtenus, et du pourcentage de ceux qui ont résulté en inscriptions à ses séminaires. Grâce à cette façon de comptabiliser ses résultats, Mike a vu ses revenus augmenter de trente-neuf pour cent en six mois seulement.

PAS SEULEMENT POUR LES PROPRIÉTAIRES D'ENTREPRISES

Quand Tyler Williams s'est joint à la ligue de basket-ball junior, son père, Rick Williams, coauteur de *Managing the Obvious*, a décidé de s'opposer à la façon négative d'évaluer qui prévaut dans le sport chez les jeunes, en créant un «bulletin pour parents». Celui-ci indiquait les bons coups de Tyler plutôt que de faire le décompte de ses bévues.

Il établit sept contributions où son fils pouvait collaborer au succès de son équipe : point marqué, rebond saisi, aide sur un point marqué, lancer bloqué, et ainsi de suite. Il attribuait à Tyler un point dès qu'il effectuait un de ces jeux avantageux pour les siens. Alors que les statistiques compulsées par les entraîneurs ne tiennent généralement compte que des points marqués et des rebonds saisis, les deux mesures habituelles de performance au basket-ball junior, le système du père de Tyler accordait des points pour pratiquement tout ce qu'un joueur pouvait accomplir d'utile pendant une partie.

Très rapidement, Tyler se mit à consulter son bulletin à chaque arrêt du jeu pour voir combien de points il avait obtenu pour sa contribution. Lorsqu'ils revenaient à la maison après une partie, Tyler se précipitait dans sa chambre à coucher où un graphique indiquant ses progrès était affiché au mur. Sans aucune réprimande de son instructeur ni de son père, Tyler était devenu un meilleur joueur de basket-ball, et il s'était aussi bien amusé en cours de route.

TENIR LE SCORE À LA MAISON

Naturellement, tenir le compte de ses bons résultats n'est pas seulement approprié dans les affaires, le sport ou à l'école. Ce principe peut être aussi appliqué dans la vie de tous les jours. Dans l'édition de mai de la revue Fast Company, Vinod Khosla, le PDG de Sun Microsystems, déclara :

> « Il est bon de savoir de quelle manière recharger ses piles. Mais il est encore plus important de s'assurer qu'on le fait. Je note le nombre de fois que je rentre à la maison à temps pour dîner avec ma famille ; mon adjoint m'en donne le chiffre précis chaque mois. J'ai quatre enfants, âgés de sept à onze ans. Le temps passé avec eux est ce qui me ressource le plus.

> « Votre employeur mesure les choses qu'il considère prioritaires. Les gens doivent quantifier ce qui compte pour eux. Je passe environ cinquante heures par semaine au travail, et je pourrais facilement en consacrer cent. C'est pourquoi je m'assure que, lorsque la poussière est finalement retombée, je suis de retour à la maison à temps pour manger avec mes enfants. Ensuite, je les aide à faire leurs devoirs et je joue avec eux.

> « Mon but est d'être à la maison pour le dîner au moins vingt-cinq soirs par mois. Se donner un nombre cible est la clé. Je connais des gens dans mon secteur d'activité qui se considèrent chanceux s'ils peuvent rentrer à la maison cinq soirs par mois. Je ne pense pas être moins productif qu'eux. »[2]

---

2. « Don't Burn Out ! » *Fast Company*, mai 2000, page 106.

COMMENCEZ À TENIR LE SCORE DÈS AUJOURD'HUI

Mettez en relief les aspects de votre vie qui comptent le plus pour vous en les mesurant. Cela permettra de vous assurer que vous êtes toujours sur la bonne voie.

Faites en sorte que ces mesures touchent à toutes les dimensions importantes de votre vie : argent, travail, formation, loisirs et temps libres, santé et condition physique, famille et autres relations, projets personnels, contribution à la communauté.

Placez vos résultats bien en évidence afin que vous, ainsi que tous les autres «joueurs» impliqués, puissiez les voir facilement.

PRINCIPE 22

Persévérez !

« La plupart des gens abandonnent juste au moment où ils sont sur le point de connaître le succès. Ils laissent tout tomber alors qu'ils sont à moins d'un mètre de la ligne des buts. Ils abandonnent à la dernière minute de la partie, à un pas du touché gagnant. »

H. ROSS PEROT
Milliardaire américain et ex-candidat à la présidence des États-Unis

La persévérance est probablement la qualité dominante chez les grands gagnants. Ils refusent tout simplement d'abdiquer. Plus vous vous accrochez, plus vous augmentez la probabilité d'une issue favorable. Peu importe la difficulté, plus vous persévérez, plus vos chances de succès augmentent.

CELA NE SERA PAS TOUJOURS FACILE

Parfois, vous devrez vous cramponner en dépit des difficultés, des obstacles imprévus, qu'aucune planification ni aucune préparation n'auraient pu prévoir. Parfois aussi, vous vous trouverez devant une situation qui semble pratiquement sans espoir. En d'autres circonstances, les aléas de la vie mettront votre détermination à rude épreuve. La route sera peut-être très cahoteuse. Mais en refusant d'abandonner, vous apprendrez de nouvelles leçons, vous développerez de nouveaux talents. Il vous arrivera aussi d'avoir à prendre des décisions difficiles.

« L'histoire nous apprend que les grands gagnants ont dû affronter de cruels obstacles avant de triompher. Ils ont gagné parce qu'ils ont refusé de se laisser abattre par leurs défaites. »

B.C. FORBES
Fondateur du magazine *Forbes*

Hugh Panero, chef de la direction de XM Satellite Radio, est un exemple remarquable de l'engagement indéfectible et de la persévérance en affaires. Le projet de Panero était de mettre sur pied le plus grand service de radio payante par satellite du monde. Après avoir consacré deux années à tenter d'intéresser des investisseurs, depuis General Motors et Hughes Electronics jusqu'à DIRECTV et Clear Channel Communications, son rêve faillit s'écrouler à la toute dernière minute, lorsque certains d'entre eux ont menacé de se retirer du projet si une entente acceptable n'était pas conclue avant le 6 juin 2001, à minuit. Après des négociations ardues et d'innombrables déplacements, Hugh Panero et le président de son conseil, Gary Parsons, sont parvenus à arracher une entente de deux cent vingt-cinq millions de dollars, quelques minutes seulement avant l'échéance prévue.

Moins d'une année plus tard, le lancement de l'un des satellites de XM, d'une valeur de deux cents millions de dollars a été annulé onze secondes avant la mise à feu, quand un ingénieur a mal interprété une donnée apparaissant sur son écran, forçant l'entreprise à attendre le prochain moment favorable deux mois plus tard !

Malgré tous ces contretemps, Hugh Panero persévéra et fixa au 12 septembre 2001 la date du début de la programmation des cent une stations de XM Radio. Mais lorsque les terroristes attaquèrent le World Trade Center, le matin du 11 septembre, un jour seulement avant la mise en ondes, Hugh Panero se vit contraint d'annuler la réception d'inauguration et de retirer le message publicitaire de XM, présentant une étoile du rap à bord d'une fusée au-dessus des gratte-ciel.

L'équipe de Hugh Panero essaya de le convaincre de retarder le lancement d'une autre année. Faisant fi de tous les obstacles, il s'accrocha à son rêve et la mise en service du réseau radiophonique par satellite débuta deux semaines plus tard.

Aujourd'hui, malgré les revers de fortune et les délais, en comparaison desquels nos difficultés quotidiennes semblent bien anodines, XM domine l'industrie de la radio par satellites avec plus d'un million sept cent mille abonnés payants, soixante-huit stations sans annonce publicitaire, trente-trois stations consacrées exclusivement aux sports, aux émissions-débats, aux comédies, aux émissions pour enfants, de divertissements et d'informations sur la météo et la circulation. Le cours des actions a grimpé de douze dollars, à l'origine à vingt-cinq dollars.[1]

---

1. Voir http: //www.xmradio.com pour plus de détails. Le prix des actions était celui du 1er juin 2004.

JUSTE UN AUTRE POTEAU DE TÉLÉPHONE

« Tombez sept fois, relevez-vous huit fois. »

PROVERBE JAPONAIS

Après avoir été amputé de la jambe droite à la suite d'un cancer, Terry Fox décida de parcourir le Canada en courant, d'un océan à l'autre. Son odyssée, qu'on appela le Marathon de l'espoir en 1980, avait pour but de recueillir de l'argent pour la recherche contre le cancer. Tout en sautillant et claudiquant, il parvenait à franchir environ trente-huit kilomètres par jour – presque un véritable marathon quotidien de quarante kilomètres avec une jambe artificielle ! Il tint le coup pendant cent quarante-trois jours et franchit deux mille cents kilomètres, depuis son point de départ situé à St.John, à Terre-Neuve jusqu'à Thunder Bay, en Ontario.

Il a finalement dû abandonner lorsque les médecins ont découvert qu'il souffrait d'un cancer aux poumons. Il mourut quelques mois plus tard, mais son exemple remarquable laissa sa marque : un marathon annuel en l'honneur de Terry Fox a lieu au Canada et dans le monde entier. Il a permis d'amasser jusqu'à maintenant trois cent quarante millions de dollars pour la recherche sur le cancer. Un jour, on lui demanda comment il faisait pour avancer alors qu'il était épuisé et qu'il avait encore des milliers de kilomètres à parcourir. Il répondit : « J'essayais simplement d'atteindre le poteau téléphonique suivant ».

CINQ ANS

« "Non" est un mot sur la route du "oui". N'abandonnez pas trop tôt. Même si des gens bien intentionnés, des parents, des amis, et des collègues, vous conseillent de chercher un "travail sérieux". Vos rêves sont du travail sérieux. »

JOYCE SPIZER
Auteure de *Rejections of the Written Famous*

Lorsque Debbie Macomber décida de poursuivre son rêve de devenir écrivaine, elle loua une machine à écrire, la plaça sur la table de la cuisine, et commença à écrire tous les matins, après le départ des enfants pour l'école. Lorsque les enfants revenaient, elle déplaçait la machine et préparait leur dîner.

Lorsqu'ils allaient au lit, elle la replaçait sur la table et continuait à écrire. Pendant plus de deux ans, Debbie observa cette discipline. Supermaman s'était métamorphosée en auteure qui tirait le diable par la queue, et elle adorait cela.

Un soir, toutefois, son mari Wayne lui dit : « Ma chérie, je suis désolé de te dire cela, mais tu ne contribues pas aux revenus de la famille. Nous ne pouvons pas continuer comme cela. Nous n'arrivons pas à joindre les deux bouts avec ce que je gagne. »

Cette nuit-là, le cœur brisé et l'esprit trop agité pour trouver le sommeil, elle regardait fixement le plafond. Debbie savait qu'avec toutes les responsabilités de l'entretien d'une maison et quatre enfants à emmener à leurs activités sportives, à l'église, et chez les scouts – un emploi l'occupant quarante heures par semaine ne lui laisserait plus une minute pour écrire.

Sentant son désarroi, son mari s'éveilla et lui demanda : « Que se passe-t-il ?

– Je pense vraiment que je pourrais réussir comme écrivaine. Je le crois vraiment. »

Wayne demeura silencieux un long moment, alluma la lumière, et dit : « C'est d'accord, chérie. Vas-y. »

Alors, Debbie retourna à son rêve et à sa machine à écrire sur la table de la cuisine, tapant page après page, pendant un autre deux ans et demi. Sa famille dut se passer de vacances, compter chaque sou, et porter de vieilles fringues.

Mais les sacrifices et la persévérance ont finalement porté fruits. Après cinq années d'efforts acharnés, Debbie vendit son premier livre. Et ensuite, un autre. Puis un autre. Jusqu'à ce jour, Debbie a publié une centaine de livres, dont plusieurs ont été des succès de librairie du *New York Times*, tandis que trois d'entre eux furent portés à l'écran. Plus de soixante millions d'exemplaires de ses romans ont été imprimés et elle a maintenant des millions de fidèles lecteurs.

Et qu'advint-il de Wayne ? Tous les sacrifices qu'il a faits pour soutenir sa famille ont été largement récompensés. Il a pris sa retraite à l'âge de cinquante ans et il consacre maintenant ses loisirs à assembler un avion dans le sous-sol de leur domaine de deux mille deux cents mètres carrés.

Les enfants de Debbie ont reçu un cadeau bien plus important que quelques séjours en camps de vacances. Parvenus à l'âge adulte, ils ont compris que Debbie leur avait fait un cadeau beaucoup plus précieux : la permission et les encouragements nécessaires à la poursuite de leurs propres rêves.

Aujourd'hui, Debbie a encore des rêves à réaliser : une série télévisée basée sur ses histoires, un prix Emmy et voir enfin un de ses livres en tête de liste des succès du *New York Times*.

Pour y parvenir, elle s'astreint à un régime de vie très régulier : Elle se lève à quatre heures, lit la Bible, et écrit dans son journal. À six heures, elle effectue quelques longueurs dans sa piscine. À sept heures trente, elle s'installe à son bureau et répond au courrier de ses lecteurs. Elle écrit de dix heures à seize heures, produisant trois nouveaux livres par année, avec discipline et persévérance.

Qu'est-ce que vous pourriez accomplir si vous suiviez l'élan de votre cœur, observiez une telle discipline et n'abandonniez jamais ?

N'ABANDONNEZ JAMAIS NI VOS RÊVES NI VOS ESPOIRS

« La persévérance et la détermination sont toutes-puissantes.
Le slogan « persévérez ! « a déjà solutionné, et solutionnera toujours,
les problèmes de la race humaine. »

CALVIN COOLIDGE
Trentième président des États-Unis

Considérez les exemples suivants :

- L'amiral Robert Peary a essayé d'atteindre le pôle Nord à sept reprises avant d'y parvenir, à sa huitième tentative.

- La NASA a connu vingt échecs lors de ses vingt-huit premiers essais pour envoyer une fusée dans l'espace.

- Oscar Hammerstein a produit cinq navets qui ont tenu l'affiche moins de six semaines, en tout et pour tout. Il a alors réalisé *Oklahoma !* qui a été présenté pendant deux cent soixante-neuf semaines, générant des revenus de sept millions de dollars.

- La carrière d'écrivain de Tawni O'Dell est un monument à la gloire de la persévérance. En treize ans, elle a écrit six romans qui ne furent jamais publiés et elle a reçu trois cents lettres de refus. Finalement, son tout premier livre, *Back Roads*, fut publié en janvier 2000. Oprah Winfrey l'a ensuite sélectionné dans le cadre du club de livres de son émission. Maintenant consacré, le roman s'est hissé au deuxième rang de la liste de succès du *New York Times*, et il y est demeuré pendant huit semaines.

IL NE FAUT JAMAIS, JAMAIS ABANDONNER

Pendant la guerre du Viêt Nam, le milliardaire de l'informatique, H. Ross Perot décida qu'il allait faire un présent à chacun des prisonniers de guerre américains détenus au Viêt Nam. Selon David Frost, qui relate cette histoire, H. Ross Perot avait fait préparer des milliers de colis qui étaient prêts à être expédiés. Il affréta un Boeing 707 pour les livrer à Hanoï, mais la guerre battait alors son plein et le gouvernement ennemi refusa de coopérer. Aucun geste de charité n'était possible, expliquèrent les dirigeants vietnamiens, pendant que les bombardiers américains dévastaient leurs villes et leurs villages.

Ross H. Perot offrit d'engager une firme américaine de construction pour aider à rebâtir ce que les bombardements avaient détruit. Le gouvernement nord-vietnamien fit encore une fois la sourde oreille. Noël approchait et les colis n'étaient toujours pas en route. Refusant d'abandonner, Ross H. Perot se rendit finalement à Moscou, où ses aides expédièrent les présents, un à la fois, du bureau de poste central de la capitale russe. Ils furent livrés intacts aux prisonniers[2]. Comprenez-vous maintenant pourquoi cet homme a connu de si grands succès? Il a toujours refusé d'abandonner.

ACCROCHEZ-VOUS!

« *Il est toujours trop tôt pour abandonner.* »

NORMAN VINCENT PEALE
Auteur d'ouvrages d'inspiration

Si vous vous accrochez assez longtemps, vous atteindrez votre but un jour. Considérez la carrière du joueur de baseball Pat Tabler des ligues majeures. Pat évolua pendant sept saisons dans les ligues mineures et dix saisons complètes dans les majeures. Il participa au championnat du monde et à une joute des étoiles. Lorsque vous jetez un coup d'œil à ces statistiques, vous constatez que ses sept premières années ne furent pas très remarquables. Mais remarquez l'évolution de son salaire tandis que sa carrière progressait. Il a finalement obtenu des gains de cinq millions cinq cent mille dollars en carrière parce qu'il a toujours persévéré dans la poursuite de son rêve.

---

2. Adapté de *David Frost's Book of Millionaires, Multimillionaires, and Really Rich People*, par David Frost (New York : Random House, 1984).

ANNÉE	SALAIRE	MOYENNE AU BÂTON
Ligues mineures		
1976	2 500 $	,231
1977	3 000 $	,238
1978	3 500 $	,273
1979	4 750 $	,316
1980	5 000 $	,296
1981	15 000 $	,301
1982	25 000 $	,342
Les Indians de Cleveland		
1983	51 000 $	,291
1984	102 000 $	,290
1985	275 000 $	,275
1986	470 000 $	,326
1987	605 000 $	,307
Les Indians de Cleveland, les Royals de Kansas City et les Mets de New York		
1988	800 000 $	,282
1989	825 000 $	,259
1990	725 000 $	,273
Les Blue Jays de Toronto		
1991	800 000 $	,216
1992	800 000 $	,252
Total	**5 546 750 $**	

COMMENT COMPOSER AVEC LES OBSTACLES

« Pour tout chemin menant à l'échec, il existe une autre voie plus prometteuse.
C'est à vous de la trouver. Lorsque vous vous heurtez à un barrage,
faites un détour. »

MARY KAY ASH
Fondatrice des Cosmétiques Mary Kay

Dès que vous vous trouvez devant un obstacle, ou que vous vous heurtez à un barrage, vous devez vous arrêter et réfléchir à trois manières de le contourner, de le surmonter ou de le traverser. Pour toute difficulté, découvrez trois façons possibles d'en venir à bout. Il y a une infinité de solutions, mais vous les trouverez seulement si vous faites l'effort de les chercher. Soyez toujours à la recherche de solutions. Persévérez jusqu'à ce que vous en ayez trouvé.

« Les difficultés sont des occasions de trouver quelque chose de mieux encore ;
ce sont les marches qui vous mènent vers de plus grandes expériences.
Lorsqu'une porte se ferme, il y en a toujours une autre qui s'ouvre au même
moment ; il s'agit d'une loi naturelle, celle de l'équilibre. »

BRIAN ADAMS

PRINCIPE 23

OBSERVEZ LA RÈGLE DE « 5 »

« Le succès est la somme de petits efforts,
répétés jour après jour. »

LEO ROBERT COLLIER
Auteur à succès et éditeur de _The Secret of the Ages_

Lorsque Mark Victor Hansen et moi avons publié notre premier _Bouillon de poulet pour l'âme_^MD, nous étions si désireux et si déterminés d'en faire un succès que nous nous sommes adressés à quinze auteurs de best-sellers, depuis John Gray (_Les hommes viennent de Mars, les femmes viennent de Vénus_) et Barbara DeAngelis (_Les secrets sur les hommes que toute femme devrait savoir_) jusqu'à Ken Blanchard (_Le Manager minute_) et Scott Peck (_Le Chemin le moins fréquenté_) pour obtenir des conseils et des suggestions.

De cette façon, nous avons accumulé une grande quantité de renseignements sur ce qu'il fallait faire, et comment le faire. Ensuite, nous avons rendu visite au gourou de l'édition et du marketing Dan Poynter, qui a bien voulu partager sa grande expérience avec nous. Enfin, nous avons mis la main sur le livre de John Kremer : _1001 Ways to Market Your Book_.

Au terme de cette recherche, nous étions ensevelis sous une avalanche de possibilités. En vérité, la tête commençait à nous tourner. Nous ne savions plus par où commencer, et de plus, nous avions tous les deux des conférences et des séminaires à animer.

CINQ GESTES PRÉCIS QUI VOUS RAPPROCHENT DE VOTRE BUT

Nous avons demandé l'avis de Ron Scolastico, un merveilleux professeur, qui nous a dit : « Si vous vous rendez tous les jours auprès d'un très grand arbre et que vous lui donnez cinq coups de hache bien affûtée, tôt ou tard, peu importe la taille de l'arbre, vous finirez par l'abattre». C'était un conseil fort simple, et en même temps d'une très grande vérité! En nous inspirant de ce conseil, nous avons formulé un principe que nous appelons la règle de «cinq». Cela veut dire tout simplement que nous posons tous les jours cinq gestes concrets qui nous rapprochent de notre objectif.

Le but que nous avions en tête était clair: amener notre série *Bouillon de poulet pour l'âme*^MD au sommet de la liste des succès du *New York Times*. L'application de la règle de «cinq» signifiait pour nous, selon les jours, d'accorder cinq entrevues à la radio, ou de faire parvenir cinq exemplaires à autant d'éditeurs, ou d'entrer en contact avec cinq entreprises de marketing de réseau pour leur proposer notre livre comme outil de motivation, ou de vendre notre livre à au moins cinq participants à la fin de chacun de nos séminaires.

Certains jours, je faisais simplement parvenir cinq exemplaires à des personnalités dont le nom apparaissait dans le *Livre d'adresses des célébrités*, des gens comme Harrison Ford, Barbara Streisand, Paul McCartney, Steven Spielberg, et Sidney Poitier. J'ai d'ailleurs obtenu de cette manière une entrevue avec Sidney Poitier, à sa demande. Nous avons appris par la suite que le producteur de l'émission de télévision *Touché par un ange,* avait recommandé à son équipe de lire notre série *Bouillon de poulet pour l'âme*^MD pour que chacun soit, selon son expression, «dans le bon état d'esprit».

Un jour, nous en avons envoyé des exemplaires à tous les jurés du procès de O. J. Simpson. Une semaine plus tard, nous avons reçu une lettre du juge Lance Ito nous remerciant d'avoir pensé aux jurés qui étaient séquestrés et qui n'avaient pas la permission de regarder la télévision ou de lire les journaux. Le lendemain, les journalistes remarquèrent quatre jurés en train de lire notre livre, ce qui augmenta d'autant sa visibilité.

Nous avons fait des appels à certaines personnes pour leur demander d'en faire la critique; nous avons rédigé des communiqués de presse, nous avons participé à des émissions télévisées (dont certaines étaient diffusées à trois heures du matin); nous en avons distribué des exemplaires gratuitement lors de nos conférences; nous en avons fait parvenir à des ministres du culte comme source d'inspiration pour leurs sermons; nous avons donné des conférences gratuites dans des églises sur le thème de cette série *Bouillon de poulet*; nous avons tenu des séances de dédicaces dans toutes les librairies qui nous en donnaient la permission; nous avons demandé à des entreprises d'en acheter pour leurs employés; nous en avons envoyé dans les bases militaires.

Nous avons aussi demandé à quelques collègues conférenciers d'en faire mention dans leurs causeries; nous avons sollicité des entreprises qui organisent des séminaires afin de l'inclure dans leurs brochures; nous avons consulté des répertoires de catalogues de produits et services divers et nous l'avons fait lister dans ceux qui nous apparaissaient pertinents; nous nous sommes rendus dans des boutiques de cadeaux et de cartes de souhaits, et nous leur avons demandé de mettre notre livre sur les tablettes. Nous avons fait de même dans les stations services, les boulangeries, et les restaurants. Toutes ces démarches ont exigé beaucoup d'efforts, un minimum de cinq gestes par jour, tous les jours, sans exception pendant deux ans.

VOYEZ CE QU'UN EFFORT SOUTENU PEUT FAIRE

Est-ce que cela a valu la peine? Oui! Nous avons finalement vendu plus de huit millions d'exemplaires en trente-neuf langues.

Est-ce que cela s'est produit du jour au lendemain. Non! Une année fut nécessaire avant que notre livre apparaisse pour la première fois sur une liste de best-sellers, une année! L'application soutenue de la règle de «cinq», pendant deux ans, nous a conduits au succès, un geste à la fois, un lecteur à la fois. Petit à petit, avec le temps, un lecteur en parlant à un autre, une chaîne de lettres en amenant une autre, le mot s'est répandu et le livre devint un immense succès – le magazine *Time* l'a d'ailleurs baptisé «le phénomène de la décennie dans le monde de l'édition». Il s'agissait moins d'un phénomène du monde du livre que le résultat d'un effort constant: des milliers d'activités isolées qui s'additionnèrent pour créer un succès vraiment hors du commun.

Dans le *Bouillon de poulet pour l'âme du jardinier*, Jaroldeen Edwards décrit le jour où sa fille Caroly l'amena au lac Arrowhead pour voir une merveille de la nature: des milliers et des milliers de jonquilles qui s'étendaient à perte de vue à travers champs. Du sommet de la montagne, couvrant des hectares de terrain en pente, dans les replis des vallées, entre les arbres et les bosquets, suivant les sinuosités des vallons, il y avait des rivières de jonquilles magnifiquement épanouies – un véritable tapis saisissant toutes les nuances du jaune, depuis le plus pâle ivoire jusqu'au jaune citron très accentué, en passant par une teinte orangée évoquant le saumon. On aurait dit qu'il y avait des millions de bulbes de jonquilles plantés dans ce beau décor naturel. C'était tout simplement époustouflant.

Alors qu'ils se déplaçaient au milieu de cet endroit magique, ils aperçurent un écriteau qui disait: «Réponses aux questions que vous vous posez actuellement.»

La première réponse était: «Une femme, deux mains, deux pieds, beaucoup d'amour». La seconde: «Un à la fois». La troisième: «Le premier bulbe mis en terre en 1958».

Une femme avait changé la face du monde à tout jamais en l'espace de quarante ans, un bulbe à la fois. Que pourriez-vous accomplir si vous en faisiez un tout petit peu, cinq choses tous les jours au cours des quarante prochaines années pour réaliser votre but? Si vous écrivez cinq pages par jour, vous obtiendrez soixante-treize mille pages de textes – l'équivalent de deux cent quarante-trois bouquins de trois cents pages chacun. Si vous économisez cinq dollars par jour, au taux d'intérêt composé de six pour cent par année pendant quarante ans, vous aurez amassé la petite fortune de trois cent cinq mille dollars.

La règle de «cinq». Un très puissant petit principe, n'est-ce pas?

PRINCIPE 24

ALLEZ TOUJOURS AU-DELÀ
DES ATTENTES

« Le kilomètre additionnel n'est pas un endroit très fréquenté. »

WAYNE DYER

Auteur des *Dix Secrets du succès et de la paix intérieure*[1]

Êtes-vous ce genre d'individu pour qui franchir le « kilomètre additionnel » et faire plus que ce qui a été promis va tout simplement de soi ? C'est très rare de nos jours, mais c'est la marque de commerce des grands gagnants, car ils savent bien que ceux qui vont au-delà des attentes se distinguent toujours parmi la foule. Par la force de l'habitude ou presque, les gens qui connaissent le succès en font toujours davantage. En contrepartie, non seulement bénéficient-ils de plus grands avantages financiers que les autres pour leurs efforts, mais ils développent aussi une plus grande confiance en eux et en leurs moyens. Ce sont généralement des personnes influentes dans leur milieu.

FOURNISSEZ TOUJOURS UN EFFORT DE PLUS

Établie à Seattle, l'entreprise Dillanos Coffee Roasters torréfie des grains de café qu'elle distribue ensuite à des détaillants en café dans presque tous les États américains. L'énoncé de mission de Dillanos est simple : « Aider les gens, se faire des amis, avoir du plaisir ». Six valeurs fondamentales guident chacune de ses activités.

On y croit tellement qu'à la fin de chaque réunion, les vingt-huit membres du personnel les entonnent à l'unisson. La deuxième valeur de la liste se lit comme

---

1. Wayne Dyer, *Les Dix Secrets du succès et de la paix intérieure*, éditions Un monde différent, Saint-Hubert, Québec, 166 pages.

suit : « Toujours faire un effort de plus pour assurer un meilleur service, aller au-delà des attentes du client ». Cela veut dire que les employés doivent traiter leurs clients au même titre que leurs meilleurs amis, des gens pour lesquels ils sont toujours prêts à fournir un effort supplémentaire.

En 1997, un de ces « amis », Marty Cox, propriétaire de It's a Grind Coffee Houses, de Long Beach, en Californie, n'était qu'un client « de taille moyenne ». Marty avait cependant de grands projets pour l'avenir. Le président fondateur de Dillanos, David Morris, voulait aider son « ami » à réaliser son grand rêve. Dillanos expédiait les grains de café par l'intermédiaire de l'entreprise UPS. Malheureusement, une grève éclata chez UPS en 1997, mettant en danger la survie de la société de Marty. Comment réussir à lui faire parvenir son café, le pivot de son entreprise, de Seattle à Long Beach ?

David Morris jongla avec l'idée d'avoir recours au service postal, mais la rumeur voulait que la poste, ainsi que FedEx, étaient débordés en raison du conflit chez UPS. Pour le président de Dillanos, il était hors de question de prendre le risque que les livraisons n'arrivent pas aux dates prévues. Alors, il décida de louer un véhicule et de livrer lui-même les trois cent soixante-cinq kilos de café que Marty attendait avec anxiété. David fit le trajet de Seattle à Long Beach, deux semaines de suite, ce qui représentait plus de dix-sept heures de route aller-retour.

Cette volonté de faire le deuxième effort, en l'occurrence un déplacement de trois mille quatre cent cinquante kilomètres, a permis de cimenter pour toujours la loyauté de Marty. Et quelles en furent les retombées pour Dillanos ? En l'espace de six ans seulement, l'entreprise de Marty, comptant à l'origine quatre établissements, se développa en un réseau de cent cinquante franchises présentes dans neuf États. Marty est maintenant le client le plus important de Dillanos. Faire un pas de plus est profitable !

Grâce à cet engagement de toujours fournir un deuxième effort pour servir ses clients, Dillanos est passé d'une boutique possédant un seul torréfacteur d'une capacité de douze kilos, occupant une surface de cent cinquante mètres carrés et torréfiant quatre-vingt-dix kilos de café par mois en 1992, à une entreprise possédant deux torréfacteurs à café d'une capacité de trois cent soixante-cinq kilos, occupant des locaux de mille neuf cent mètres carrés et expédiant plus d'un millions de kilos de grains de café par année et réalisant un chiffre d'affaires annuel de dix millions de dollars. L'entreprise Dillanos double pratiquement de taille tous les trois ans.

DE MESSAGER À PRODUCTEUR EN QUATRE ANS

« Si vous êtes prêt à en faire davantage que ce pour quoi on vous paie, votre rémunération sera un jour bien supérieure à la valeur de ce que vous faites. »

SOURCE ANONYME

À l'époque où le producteur et scénariste Stephen J. Cannell employait deux mille personnes, son entreprise avait l'habitude d'embaucher des jeunes de talent, dès leur sortie de l'école de théâtre, pour travailler au service du courrier ou effectuer d'autres tâches obscures, mais utiles. M. Cannell les entendait souvent se plaindre de leur salaire de sept dollars de l'heure, ou de tout le temps supplémentaire qu'on exigeait d'eux. Il ne pouvait s'empêcher de penser alors :

« Mon Dieu ! Ils n'y sont pas du tout ! Ce travail, ce salaire et cette entreprise ne représentent qu'une étape provisoire dans la vie de ces jeunes gens. Pourquoi ne transforment-ils pas cet épisode en un extraordinaire tremplin, plutôt que de se plaindre des petits inconvénients immédiats, comme de leurs salaires peu élevés ? Ils ne saisissent pas encore que la hauteur des sommets qu'ils atteindront un jour dépend précisément du nombre d'heures travaillées et des efforts investis aux échelons inférieurs, comme au service du courrier ».

Un jour, Stephen Cannel entendit parler d'une nouvelle recrue d'un genre assez inhabituel. C'était un type d'une quarantaine d'années qui avait déjà gagné plus de cent mille dollars annuellement comme musicien dans un groupe rock. Il avait décidé de quitter la vie nomade des tournées parce que sa femme attendait un enfant et il venait d'accepter un travail au salaire minimum dans le service du courrier de l'entreprise de Stephen Cannell.

« Avez-vous vu le nouveau ? » demandait-on.

Bientôt, tout le monde parlait de son éthique du travail, de son attitude et de sa motivation. Steve Beers était le genre de personne qui cherchait toujours à rendre un service de plus, toujours à l'affût de quelque projet utile à mener à bien.

Un jour, alors qu'il remplaçait le chauffeur régulier de la limousine de Stephen Cannell, il entendit ce dernier mentionner qu'il devait faire nettoyer un complet qu'il voulait porter lors d'un prochain événement mondain. Dès le lendemain, le complet en question était suspendu dans la limousine, fraîchement pressé. Lorsque M. Cannell demanda comment il avait bien pu se retrouver là, Steve Beers répondit : « Je l'ai demandé à votre épouse, et je l'ai fait nettoyer. »

Lorsqu'il apprit qu'une secrétaire devait se procurer des chèques à la banque, il offrit de passer les prendre pendant son heure de lunch. Lorsque les jeunes fulminaient parce qu'ils devaient aller porter des scripts au domicile des comédiens en fin de soirée, alors qu'ils avaient prévu une sortie à ce moment-là, il disait simplement: «Donnez-les-moi. J'irai les déposer.» De plus, il ne demandait jamais de rémunération additionnelle et il ne s'attendait à aucune reconnaissance pour ses efforts.

Cependant, la récompense ne tarda pas à venir. La même journée, deux producteurs demandèrent à Stephen Cannell que Steve Beers devienne leur assistant. C'est avec plaisir qu'il le promut à l'émission *21 Jump Street*, un grand bond en avant pour un simple messager. Un an plus tard, Stephen Cannell le nomma producteur de cette même émission, et, peu de temps après, il l'éleva au rang de coproducteur délégué de *Jump Street* et *Booker*, moyennant une rémunération globale de cinq cent mille dollars par année.

«Il n'avait rien d'un auteur, dit de lui Stephen Cannell. Il ne possédait aucun des outils nécessaires pour occuper ce poste, sauf un. Il était disposé à travailler si dur qu'il dépassait toujours d'une tête tous les autres, ce qui me démontrait éloquemment le genre d'attitude et de dévouement qu'il avait à l'égard de son travail.»

Depuis sa promotion au poste de coproducteur délégué de *21 Jump Street*, Steve Beers a réalisé quantité de projets et d'émissions, incluant la mini-série de Steven Spielberg, *Taken*. Il est aussi coproducteur délégué du mégasuccès *Dead Like Me*. Son nom apparaît au générique de *Dead Like Me*, *Magnificent Seven*, *Seaquest*, et, bien sûr, *21 Jump Street*.

Quel a été le principe du succès qui a mené Steve Beers d'un emploi de messager au sommet d'une maison de production, de sept dollars l'heure à cinq cent mille dollars par année? Il était prêt à en faire toujours un peu plus, à aller au-delà des attentes.

Que pourriez-vous accomplir si vous étiez disposé à franchir ce kilomètre supplémentaire, à fournir juste un peu plus d'efforts, à offrir un niveau de service un peu plus élevé? Y a-t-il des situations où vous pourriez, dès maintenant, en faire plus, créer davantage de valeur, répondre à la demande plus efficacement, améliorer ce que vous faites déjà? Avez-vous l'occasion – et aussi la volonté – de franchir ce kilomètre additionnel?

FAITES PLUS QUE CE QUE L'ON ATTEND DE VOUS

Lorsque Mike Kelly (que vous avez rencontré plus tôt au principe 15) débarqua pour la première fois dans l'île de Maui, il travailla d'abord dans plusieurs hôtels où il vendait de la lotion solaire aux touristes. Mike, qui devint quelques années plus tard propriétaire de plusieurs entreprises prospères dans l'île, faisait toujours un petit extra pour ses clients.

L'un de ses produits était un gel à l'aloès utilisé pour soulager les brûlures attribuables aux insolations. En le présentant à ses clients, il leur demandait : « Connaissez-vous bien l'aloès ? » (Cela se passait dans les années quatre-vingt, à l'époque où la majorité des Américains ne connaissaient pas les vertus de ce produit). « Je vais aller en chercher et vous le montrer ! »

Il s'éloignait alors de la plage de l'hôtel, grimpait sur un rocher qui s'avançait dans la mer, coupait une feuille d'un grand aloès qui poussait à cet endroit, et la pressait pour en extraire la gelée. Il apportait la feuille d'aloès aux vacanciers, et il appliquait un peu de la substance sur leurs brûlures. Ils étaient si impressionnés par cette démonstration que Mike finissait toujours par conclure sa vente.

POURQUOI FAIRE CE PETIT « EXTRA » ?

Qu'est-ce que vous obtiendrez si vous faites toujours ce petit « extra » ? Si vous faites davantage que ce qui vous est demandé, vous avez de bien meilleures chances d'être promu, d'obtenir des augmentations, des bonis ou d'autres privilèges exceptionnels. Vous n'aurez pas à vous préoccuper de votre sécurité d'emploi. Vous serez toujours le premier à être embauché et le dernier à être congédié. Votre entreprise sera plus rentable et attirera des clients qui lui seront toujours loyaux. Vous éprouverez aussi une plus grande satisfaction personnelle à la fin de chaque journée de travail.

Mais vous devez commencer dès maintenant, si vous voulez que cela se produise.

DONNEZ BIEN AU-DELÀ DE CE QUE L'ON ATTEND

Si vous voulez vraiment exceller dans votre champ d'activité, connaître un succès phénoménal à l'école, au travail, ou dans la vie, faites toujours plus que ce qu'on vous demande, ajoutez toujours un petit extra, quelque chose auquel on ne s'attend pas. L'entreprise qui offre ce petit quelque chose de plus obtient le respect, la loyauté et les bons mots de ses clients.

À l'époque où Mike Foster était propriétaire d'une boutique d'ordinateurs, il ne laissait jamais un client quitter le magasin avec de l'équipement électronique dans les bras. Il livrait lui-même l'ordinateur, l'imprimante, le modem, et tous les autres accessoires, et il consacrait deux heures à installer le système, à le mettre en marche, et à expliquer son usage à l'acheteur. Son entreprise a dominé le marché des ordinateurs du comté de Deaf Smith, au Texas, pendant des années.

Lorsque que Harv Eker vendait un appareil de conditionnement physique, il le livrait, l'assemblait, et enseignait au client la façon de s'en servir. Sa société a connu une croissance si rapide qu'il devint millionnaire en deux ans seulement.

Si vous vous préoccupez uniquement de vos propres besoins, vous penserez certainement que donner davantage, sans contrepartie, est anormal. Pourquoi faire un effort supplémentaire, s'il n'est pas accompagné d'une récompense ou d'une reconnaissance quelconque ? Vous devez avoir la conviction que vos efforts seront remarqués et que vous recevrez un jour les récompenses et la reconnaissance que vous méritez.

Comme le dit si bien le vieil adage, tôt ou tard, la crème remonte toujours à la surface. Et ainsi en sera-t-il de même pour votre entreprise et pour vous. Vous y gagnerez une excellente réputation, réputation qui représente un de vos actifs les plus précieux.

Voici quelques exemples :

- Un client vous achète un tableau et vous l'encadrez sans déboursé additionnel.

- Lorsque vous vendez une voiture, vous la préparez et la livrez à votre client avec le plein d'essence déjà fait.

- Vous vendez une maison. Lorsque la nouvelle propriétaire y emménage, elle découvre à son arrivée une bouteille de champagne et un certificat-cadeau de cent dollars valide dans un grand restaurant de la région.

- Comme employé, vous travaillez non seulement vos heures régulières, mais vous vous portez volontaire pour remplacer un collègue malade ; vous acceptez de nouvelles responsabilités sans exiger une rémunération additionnelle ; vous offrez vos services pour former de nouveaux employés ; vous prévoyez les problèmes avant qu'ils surviennent et vous prévenez leur apparition. Vous êtes toujours à l'affût d'occasions d'aider ou de contribuer encore davantage à votre entreprise. Plutôt que de vous préoccuper de ce que vous pourriez obtenir, vous pensez à ce que vous pourriez faire de plus.

Que pourriez-vous faire pour franchir ce fameux « dernier kilomètre » et créer plus de valeur pour votre patron, donner un meilleur service à vos clients, ou un enseignement de meilleure qualité à vos élèves ? Une méthode très efficace est de provoquer un effet de surprise autour de vous en prenant des initiatives de votre propre chef.

Je connais un concessionnaire automobile qui offre un service de lavage d'auto gratuit à tous ses clients le samedi. Comme on ne s'y attend pas, tout le monde adore cela. Il bénéficie d'une excellente publicité, de bouche à oreille, grâce à la bonne réputation de son service après-vente.

LES HÔTELS FOUR SEASONS FRANCHISSENT TOUJOURS LE DERNIER KILOMÈTRE

Le nom Four Seasons est synonyme de service exceptionnel. Cette chaîne d'hôtels franchit toujours le dernier kilomètre. Si vous demandez votre chemin à un membre du personnel, on ne se contentera pas de vous renseigner, on vous y accompagnera. On traite tous les clients comme s'il s'agissait de têtes couronnées.

Dan Sullivan raconte l'histoire d'un homme qui passait quelques jours à San Francisco en compagnie de sa fille, mais qui ne savait pas comment lui tresser les cheveux comme sa femme en avait l'habitude. Lorsqu'il communiqua avec la réception de l'hôtel Four Seasons pour savoir si un membre du personnel ne pourrait pas lui venir en aide, on lui a répondu qu'une employée était spécialement affectée à ce type de tâches. Il s'agissait là d'un besoin que la direction de l'hôtel avait pressenti et elle s'y était préparée, dans l'éventualité où un client en ferait la demande. Voilà ce que j'appelle aller au-delà des attentes, franchir le kilomètre supplémentaire.

Une autre chaîne d'hôtels réputée pour son service impeccable est le Ritz-Carlton. Lorsque je suis arrivé dans ma chambre, lors de mon dernier passage au Ritz-Carlton à Chicago, il y avait un thermos plein de bouillon de poulet chaud qui m'attendait sur le bureau. On pouvait lire sur un petit carton : « Bouillon de poulet pour le corps de Jack Canfield ». Il était accompagné d'une magnifique carte du gérant, qui disait à quel point son personnel et lui avaient aimé les livres de la série *Bouillon de poulet*.

NORDSTROM AUSSI PARCOURT LE KILOMÈTRE SUPPLÉMENTAIRE

Nordstrom possède la réputation bien méritée de franchir aussi ce fameux kilomètre supplémentaire, fréquenté seulement par les meilleurs. Le personnel de cette entreprise offre un formidable service à la clientèle. Leurs vendeurs ont la réputation de déposer la marchandise achetée pendant la journée à leurs clients sur le chemin du retour après le travail.

Nordstrom a aussi une politique bien établie d'accepter tout retour de marchandise sans condition. Est-ce que les gens abusent parfois de cette générosité ? Naturellement ! Mais justement grâce à elle, cette entreprise jouit d'une extraordinaire réputation de service à la clientèle. Il s'agit d'un élément central de l'image soigneusement entretenue de Nordstrom. Et tout aussi naturellement, Nordstrom est une entreprise très rentable.

Engagez-vous à être une entreprise de classe mondiale, comme Four Seasons, Ritz-Carlton, et Nordstrom, en parcourant ce kilomètre additionnel, en surpassant les attentes, et ce, dès aujourd'hui !

DEUXIÈME PARTIE

Transformez-vous pour le succès

« *La plus grande révolution de notre génération est la découverte que les êtres humains peuvent transformer leur vie en changeant simplement de mentalité.* »

WILLIAM JAMES
Psychologue de Harvard

PRINCIPE 25

DÉCROCHEZ DU CLUB DES GEIGNARDS ET ADHÉREZ À CELUI DES GAGNANTS

---

*« Vous représentez la moyenne des cinq personnes
que vous fréquentez le plus souvent. »*

JIM ROHN
Millionnaire qui a édifié sa fortune par ses propres moyens et auteur à succès

Alors que Tim Ferriss n'avait que douze ans, un inconnu laissa cette citation de Jim Rohn sur son répondeur téléphonique. Elle changea sa vie à jamais. Pendant des jours, il lui a été impossible de la chasser de son esprit. Même s'il était très jeune, il se rendait déjà compte qu'il ne voulait pas laisser les enfants de son âge, qu'il fréquentait alors, influencer son avenir.

Il demanda donc à ses parents de l'inscrire dans une école privée. Ses quatre années d'études à l'école St. Paul devaient le mener au Japon, où il entreprit des études universitaires, l'étude du judo et la pratique de la méditation zen. Il fréquenta ensuite Princeton pendant quatre ans, où il devint un lutteur accompli avant de remporter un championnat national de kick-boxing. Il lança sa propre entreprise dès l'âge de vingt-trois ans. Tim savait ce que tous les parents devinent intuitivement, que nous finissons par ressembler aux gens que nous fréquentons.

Pourquoi les parents disent-ils à leurs enfants qu'ils ne veulent pas les voir traîner «avec ces jeunes-là»? Parce que nous savons que les jeunes (et les adultes!) finissent par ressembler aux personnes qu'ils côtoient. C'est la raison pour laquelle il est important de rechercher la compagnie de personnes auxquelles vous voulez ressembler. Si vous voulez connaître plus de succès, vous devrez d'abord vous entourer de personnes qui réussissent.

Il y a plusieurs endroits où vous pouvez rencontrer des personnes stimulantes. Devenez membre d'une association professionnelle. Assistez à des conférences dans votre sphère d'activité. Inscrivez-vous à la chambre de commerce, à l'association des jeunes présidents ou au club des jeunes entrepreneurs. Offrez vos services à des postes de leadership.

Adhérez à des organisations civiques, comme le club Kiwanis, le club Optimiste international, et le Rotary international. Offrez vos services aux dirigeants de votre église, de votre temple, ou de votre mosquée. Assistez à des cours, à des symposiums, à des séminaires, à des cliniques, à des camps, et à des retraites animées par des personnes qui ont déjà parcouru avec succès le chemin que vous voulez emprunter. Voyagez en première classe ou en classe affaires aussi souvent que vous le pouvez.

VOUS DEVENEZ À L'IMAGE DES PERSONNES AVEC LESQUELLES VOUS PASSEZ LE PLUS DE TEMPS

« Soyez prêt à payer n'importe quel prix pour vous trouver en présence de personnes extraordinaires. »

MIKE MURDOCK
Auteur de *The Leadership Secrets of Jesus*

John Assaraf semble posséder, à l'instar du roi Midas, la faculté de transformer tout ce qu'il touche en or. Il a fait le tour du monde alors qu'il n'était que dans la vingtaine. Il a été propriétaire et directeur d'une entreprise dont les revenus immobiliers dépassaient trois milliards de dollars. John a contribué à lancer la société de tourisme virtuel Bamboo.com (maintenant IPEX), dont l'équipe originale de six personnes est passée à mille cinq cent employés en moins d'un an, encaissant des millions en revenus mensuels, avant de procéder à un appel public à l'épargne sur le marché NASDAQ, peu après neuf mois.

John était un gamin de la rue lié au monde de la drogue et des gangs lorsqu'il décrocha un emploi au club sportif de la communauté juive de Montréal, situé juste en face de son appartement. Sa vie changea complètement, en vertu du puissant principe qui veut que l'on finit par ressembler aux personnes que l'on fréquente. En plus de toucher un salaire d'un dollar soixante-cinq de l'heure, il avait maintenant accès au centre sportif. John raconte qu'il reçut sa première initiation aux affaires dans le sauna des hommes. Tous les soirs, après son travail, jusqu'à vingt-deux heures, on pouvait le voir dans la pièce surchauffée écoutant des hommes d'affaires prospères raconter leurs succès et leurs déconvenues.

Plusieurs de ces hommes influents étaient des immigrants venus au Canada pour se faire une place au soleil. John était tout autant fasciné par leurs échecs que par leurs réussites. Les entendre raconter toutes ces anecdotes entourant leurs succès, leurs projets, leurs échecs parfois, leur situation familiale ou leur état de santé, en général, l'inspira puisqu'il venait lui-même d'une famille qui traversait de nombreuses difficultés. John apprit alors qu'il était normal d'affronter des périodes difficiles, que d'autres familles faisaient aussi face à des crises semblables, mais réussissaient quand même à tirer leur épingle du jeu, et à atteindre le sommet.

Ces personnes enseignèrent à John à ne jamais trahir ses rêves. « Peu importe les échecs que tu subis, lui dirent-ils, essaie de nouveau ; surmonte les obstacles, contourne-les, fracasse-les si tu veux, mais n'abandonne jamais. Il y a toujours un moyen d'y arriver. » John a aussi appris de ses mentors que le lieu de naissance, l'origine ethnique, l'âge, le statut social des parents, n'avaient aucune importance.

Plusieurs des hommes dans ce sauna s'exprimaient dans un anglais approximatif ; certains étaient célibataires, d'autres divorcés ; certains avaient une vie de famille heureuse, d'autres non ; certains étaient en pleine santé, d'autres étaient malades ; il y en avait qui étaient bardés de diplômes, d'autres qui n'avaient jamais fréquenté l'école secondaire.

Pour la première fois, John se rendait compte que le succès n'était pas réservé aux personnes issues de familles à l'aise, sans problèmes, et qui avaient bénéficié dès le départ de tous les avantages. Il a appris que peu importe la situation dans laquelle la vie nous plaçait, il était possible d'édifier une vie de succès. Il était en présence d'hommes provenant de tous les horizons, qui avaient réussi et qui partageaient gratuitement avec lui leur expérience et leur sagesse.

Tous les soirs, John fréquentait sa propre école privée des affaires – dans le sauna du centre communautaire juif. Vous aussi, vous devez vous entourer de personnes qui ont atteint leur but ; vous devez fréquenter des gens qui ont une attitude positive, qui les prédispose à toujours chercher des solutions – des gens qui savent qu'ils peuvent réussir tout ce qu'ils se proposent d'entreprendre.

« La confiance est contagieuse. Le manque de confiance l'est tout autant. »

VINCE LOMBARDI
Instructeur chef de l'équipe de football américaine des Packers de Green
Bay. Il a mené son équipe à six titres de division, cinq championnats
de la NFL, et deux Super Bowls (I et II)

DÉCROCHEZ DU CLUB DES GEIGNARDS

*« Il y a deux types d'individus : les "amarres" et les "hors-bords". Vous avez
intérêt à larguer les amarres et à vous accrocher aux hors-bords,
parce que ces derniers vont quelque part, et ils ont plus de plaisir dans la vie.
Les amarres vous retiendront sur place. »*

WYLAND
Artiste de paysages marins de réputation mondiale

Alors que j'en étais à ma première année d'enseignement d'histoire, dans une école secondaire de Chicago, j'ai cessé de fréquenter la salle des professeurs, que j'avais surnommée le « Club des geignards ». Pire encore que la fumée de cigarette, ce qui contaminait l'atmosphère, c'était l'épais nuage de négativisme qui y régnait. « Pouvez-vous imaginer ce que la direction veut que nous fassions maintenant ? » « J'ai encore hérité de ce Simmons dans ma classe de mathématiques. C'est une vraie peste. » « On ne peut rien enseigner à ces gamins. Ils sont tellement dissipés. » C'était une litanie de jugements négatifs, de critiques, de blâmes, et de plaintes.

Peu après, j'ai fait la connaissance d'un groupe de professeurs dévoués, qui fréquentaient plutôt la bibliothèque et qui prenaient leurs repas à l'écart, dans la cafétéria des professeurs. Ils étaient positifs et croyaient qu'il était possible de surmonter les difficultés et de composer avec toutes les situations qui se présentaient. Je mettais en pratique les nouvelles idées qu'ils partageaient avec moi, ainsi que quelques autres que j'apprenais la fin de semaine à l'université de Chicago. Grâce à ces initiatives, j'ai été choisi professeur de l'année par mes étudiants dès ma première année d'enseignement.

SOYEZ SÉLECTIF

*« Je ne fréquente pas les personnes dont je ne désire pas m'entourer, point à la
ligne, et je n'ai qu'à m'en féliciter. De cette manière, je suis toujours positif.
Je recherche la compagnie des gens qui sont heureux, qui grandissent, qui
veulent apprendre, qui savent dire : "excusez-moi" ou "merci",
et qui savent aussi comment avoir du plaisir. »*

JOHN ASSARAF
Auteur de *The Street Kid's Guide to Having It All*

J'aimerais vous proposer un très bon exercice que mon mentor W. Clement Stone me faisait faire. Établissez la liste de toutes les personnes que vous fréquentez régulièrement – les membres de votre famille, vos collègues de travail, vos voisins, vos amis, les membres d'organisations civiques ou religieuses, dont vous faites partie, etc.

Lorsque vous aurez complété cette liste, mettez un signe (-) à côté du nom des personnes qui sont négatives ou «toxiques», et placez un (+) près du nom de celles qui sont positives et enrichissantes. Au fur et à mesure que vous prendrez une décision au sujet de chaque personne, vous verrez sans doute un schéma émerger. Il est possible que votre milieu de travail soit envahi par des personnes toxiques. Ou encore, que vos amis sabotent tout ce que vous dites ou entreprenez. Ou peut-être que ce sont les membres de votre famille qui cherchent toujours à vous diminuer, à miner votre estime de soi et votre confiance en vos moyens.

Je voudrais que vous fassiez la même chose que M. Stone m'a demandé de faire. Évitez la compagnie des gens qui ont un signe négatif près de leur nom. Si c'est impossible (et rappelez-vous, rien n'est impossible; c'est simplement une question de choix), alors diminuez, autant que possible, la période de temps que vous passez avec eux. Vous devez vous libérer de l'influence négative des autres.

Prenez le temps d'y réfléchir. Vous connaissez sûrement des personnes, qui n'ont qu'à entrer dans la même pièce que vous pour aspirer littéralement toute votre énergie. Je les appelle les «vampires» psychologiques. Elles vous vident littéralement de toute votre énergie. Cessez de perdre votre temps avec ces gens.

Y a-t-il des personnes dans votre entourage qui se plaignent sans cesse et qui blâment leur entourage pour ce qui leur arrive? Y en a-t-il qui jugent toujours les autres, répandent des rumeurs déplaisantes, et disent toujours du mal de tout le monde? Cessez de perdre votre temps avec ces personnes également.

Y a-t-il des personnes qui, par un simple appel téléphonique, provoquent de la tension, du stress et du désarroi dans votre vie? Y a-t-il des voleurs de rêves qui vous disent que les vôtres sont impossibles et qui essaient toujours de vous dissuader d'y croire et de poursuivre vos objectifs? Avez-vous des amis qui essaient toujours de vous rabaisser à leur propre niveau? Si c'est le cas, il est temps pour vous de vous faire de nouveaux amis!

ÉVITEZ LES PERSONNES « TOXIQUES »

Jusqu'à ce que vous ayez atteint un point dans votre développement personnel où vous ne laissez plus qui que ce soit vous affecter par son négativisme, vous devez éviter les personnes toxiques, à n'importe quel prix. Il est préférable de passer votre temps seul que de le perdre avec des personnes qui voudront vous enfermer dans leur mentalité de victimes et leurs standards de médiocrité.

Faites un effort conscient pour vous entourer de personnes positives, enrichissantes, et qui vous donneront de l'allant, des gens qui croient en vous, vous encouragent à aller au bout de vos rêves, et qui applaudissent vos succès. Entourez-vous de personnes qui pensent que tout est possible, d'idéalistes et de visionnaires.

ENTOUREZ-VOUS DE PERSONNES QUI RÉUSSISSENT

Un chef de file de l'industrie de la lunetterie m'a engagé pour enseigner les principes du succès à ses représentants. Alors que je me mêlais aux vendeurs, peu avant mon cours, j'ai demandé à chaque personne que je rencontrais si elle pouvait me nommer les cinq meilleurs représentants de l'entreprise. La plupart les identifièrent sans hésitation.

Ce soir-là, devant mon auditoire de trois cents personnes, j'ai demandé à celles qui étaient en mesure de nommer les cinq meilleurs vendeurs de lever la main. De nombreuses mains se levèrent. J'ai ensuite demandé à tous ceux qui étaient allés voir ces vendeurs d'élite, pour les interroger sur les secrets de leur succès, de s'identifier. Toutes les mains se baissèrent. Pensez-y bien ! La plupart des gens savaient qui étaient les meilleurs. Toutefois, en raison d'une crainte irraisonnée du rejet, ils s'étaient abstenus d'aller les voir pour leur demander de leur expliquer comment avoir du succès eux aussi.

Si vous voulez obtenir du succès, il est temps que vous commenciez à fréquenter des personnes qui en ont. Vous devez leur demander de partager avec vous leurs stratégies gagnantes. Essayez de faire comme eux, de lire ce qu'ils lisent, de penser comme ils le font, et ainsi de suite. Si ces nouvelles façons de penser et d'agir vous plaisent, adoptez-les. Sinon, ignorez-les, mais restez aux aguets et continuez de tenter de nouvelles expériences.

PRINCIPE 26

FAITES LE BILAN
DE VOS RÉUSSITES PASSÉES

*« Je regarde ma vie passée en rétrospective et elle m'apparaît comme une
bonne journée de travail accompli ; c'est maintenant fait
et j'en suis satisfaite. »*

GRANDMA MOSES
Artiste folk américaine qui a vécu jusqu'à l'âge de 101 ans

Dans notre culture, on accorde en général beaucoup plus d'importance aux
échecs qu'aux succès. Ce phénomène prend sa source dans la tradition familiale du « on les laisse tranquilles, on les oublie », préconisée dans la façon d'élever
les enfants, d'enseigner ou de gérer les entreprises. Lorsque vous étiez tout jeune,
vos parents vous ignoraient lorsque vous jouiez tranquillement et que vous
coopériez. Ils avaient tôt fait de vous faire disparaître toutefois, de vous « zapper »,
lorsque vous faisiez trop de bruit, que vous étiez une petite peste ou que vous
vous mettiez les pieds dans les plats.

Vous receviez probablement un laconique « bon travail », pour la forme,
lorsque vous décrochiez un « A », mais un sermon en règle si la note était un « C »,
un « D », ou Dieu nous en préserve, un F ! À l'école, la plupart des professeurs
marquaient d'un X au crayon rouge les mauvaises réponses, mais annotaient très
rarement les bonnes réponses avec un crochet ou une étoile. Dans les sports, on
vous crucifiait littéralement si vous échappiez la balle ou le ballon. Il y avait toujours une plus grande intensité émotive autour de vos erreurs et de vos échecs, que
de manifestations chaleureuses pour saluer vos succès.

Parce que le cerveau retient davantage les expériences accompagnées de fortes
émotions, les succès, même nombreux, sont souvent sous-estimés et guère appréciés à leur juste valeur, l'importance étant accordée aux quelques échecs subis.
Cette réaction naturelle peut être contrée en accordant à vos succès toute l'attention qu'ils méritent, en les valorisant comme il se doit. À l'occasion de mes

séminaires en entreprises, je propose un exercice au cours duquel chaque participant partage avec le groupe ses succès de la semaine. Il est toujours étonnant de
constater à quel point l'exercice peut être difficile pour un très grand nombre de
personnes. La majorité croit qu'elles ont eu très peu de succès. Elles peuvent vous
énumérer les dix erreurs qu'elles ont commises au cours de la semaine, mais elles
ont beaucoup de difficultés à vous entretenir de leurs dix derniers triomphes.

La triste vérité, c'est que nous plaçons la barre bien trop haute lorsque nous
définissons le succès. Et le fait que nous ayons effectivement beaucoup plus de
victoires que d'échecs passe souvent inaperçu à nos propres yeux.

Un participant du programme GOALS[1], que j'ai lancé en Californie pour
aider les gens à sortir des mailles de l'assistance sociale, m'a affirmé un jour qu'il
n'avait jamais connu de succès. Lorsque je l'ai interrogé à propos de son accent,
il m'a dit qu'il avait quitté l'Iran à l'époque du renversement du shah, en 1979. Il
avait déménagé avec toute sa famille en Allemagne, où il avait appris la langue du
pays et le métier de mécanicien automobile. Plus récemment, il avait émigré avec
sa famille aux États-Unis, où il avait appris l'anglais. Il était maintenant inscrit à
un programme pour devenir soudeur et il était persuadé qu'il n'avait jamais eu
aucun succès !

Lorsque le groupe lui demanda ce que le « succès » représentait pour lui, il
répondit que cela voulait dire habiter à Beverly Hills et rouler en Cadillac. Dans
son esprit, rien de moins ne pouvait être considéré à ses yeux comme un succès.
Lentement, à l'aide d'encouragements, il s'aperçut qu'il avait déjà accompli un
grand nombre de choses avec succès, et cela chaque semaine. Des gestes simples,
comme arriver au travail à l'heure, s'être inscrit au programme GOALS, avoir
appris l'anglais, avoir nourri sa famille, et avoir acheté à sa petite fille sa première
bicyclette, tout cela était autant de réussites.

---

1. Goals : Note du traducteur : Terme anglais signifiant « but ». L'acronyme forme une phrase
   qui signifie approximativement : « Créer les chances, faire naître les compétences ». Pour
   plus d'informations sur le programme GOALS, qui a été développé pour l'État de la
   Californie afin d'aider les personnes en difficulté à s'arracher à l'aide sociale, contactez la
   Foundation for Self-Esteem, 6035 Bristol Parkway, Culver City, Californie 90230.
   Téléphone : 310-568-1505. Jusqu'à maintenant, plus de 355 000 personnes ont participé
   à ce programme.

LA THÉORIE DU SUCCÈS ET DE L'ESTIME DE SOI DES « JETONS DE POKER »

Vous vous demandez probablement pourquoi j'insiste autant sur l'importance de mettre ses succès passés en évidence. C'est qu'il existe une relation directe entre l'estime de soi d'une personne et ses succès passés. Imaginez un moment que votre estime personnelle soit représentée par une pile de jetons de poker. Supposons maintenant que nous jouions une partie de poker et que vous avez dix jetons devant vous, alors que j'en ai deux cents. Qui, croyez-vous, jouera de la façon la plus conservatrice ? Vous, sans aucun doute.

Si vous perdez deux mises à cinq jetons, vous êtes exclu du jeu. Puisque je peux perdre cinq jetons à quarante reprises avant de devoir me retirer de la table, je prendrai plus de risques puisque je peux me permettre quelques pertes. L'estime de soi fonctionne de la même manière. Plus vous serez persuadé de votre valeur, plus vous serez disposé à prendre des risques.

Les recherches démontrent encore et encore que le degré d'importance que vous accorderez à vos succès passés, aura une incidence équivalente sur les initiatives que vous prendrez pour réussir à nouveau. Vous êtes convaincu que, même si vous échouez, vous ne serez pas anéanti, car vous avez une opinion saine de votre propre valeur. Et le nombre de risques calculés que vous prendrez sera proportionnel aux gains qui, inévitablement, vous favoriseront. Vos chances d'atteindre la cible augmenteront en relation avec le nombre de tirs que vous effectuerez.

Être conscient que vous avez eu des succès dans le passé vous insufflera la confiance qui vous confirmera que vous pouvez encore en obtenir dans l'avenir. Examinons maintenant quelques méthodes simples, mais puissantes, pour atteindre et maintenir un niveau élevé d'estime personnelle et de confiance en vos capacités de réussir.

COMMENCEZ PAR NEUF SUCCÈS IMPORTANTS

Voici un moyen simple de faire l'inventaire de vos succès les plus importants. (Je vous suggère de faire cet exercice avec votre épouse et vos enfants, s'il y a lieu). Commencez par diviser votre vie en trois laps de temps égaux – par exemple, si vous avez quarante-cinq ans, les trois périodes seront de la naissance à quinze ans, de seize à trente ans, et de trente et un à quarante-cinq ans. Inscrivez dans votre liste trois succès obtenus au cours de chacune de ces périodes. Pour vous aider à démarrer, j'ai dressé ma propre liste ci-dessous.

Premier tiers: De la naissance à l'âge de vingt ans

1. Élu chef de patrouille chez les scouts
2. J'ai attrapé la passe d'un touché-en-but décisif, faisant gagner le championnat à mon équipe.
3. J'ai été admis à l'Université Harvard.

Deuxième tiers: De l'âge de vingt ans à l'âge de quarante ans

1. J'ai obtenu ma maîtrise en éducation de l'Université du Massachusetts.
2. J'ai publié mon premier livre.
3. J'ai fondé le New England Center for Personal and Organizational Development.

Troisième tiers: De l'âge de quarante ans à l'âge de soixante ans

1. Fondation des séminaires sur l'estime de soi.
2. *Bouillon de poulet pour l'âme*^{MD}, numéro un sur la liste des succès du *New York Times*.
3. J'ai atteint mon but de prendre la parole professionnellement dans les cinquante États américains.

DRESSEZ UNE LISTE DE CENT SUCCÈS

Pour vous convaincre que vous êtes une personne remarquable, qui peut réussir de grandes choses, faites la partie suivante de cet exercice et énumérez cent succès, ou davantage, que vous avez obtenus au cours de votre vie.

D'après mon expérience personnelle, la plupart des gens atteignent facilement le seuil des trente succès; cela devient ensuite plus difficile. Pour en arriver à cent, vous devrez ajouter des réussites en apparence anodines, comme d'avoir appris à monter à bicyclette, d'avoir chanté en solo à l'église, d'avoir décroché votre premier emploi d'été, le premier coup sûr que vous avez frappé dans l'équipe des jeunes joueurs de baseball, d'avoir été sélectionnée dans la brigade des meneuses de claque, d'avoir obtenu votre permis de conduire, d'avoir écrit un article dans le journal de votre école, d'avoir obtenu un A dans le cours d'histoire, d'avoir complété un cours d'initiation à la survie, d'avoir appris à faire de la planche, d'avoir gagné un ruban lors d'une fête foraine, d'avoir réparé votre première voiture, de vous être marié, d'avoir eu un premier enfant, d'avoir dirigé une campagne de financement pour l'école de vos enfants.

Il s'agit de choses que vous tenez sans doute pour acquises maintenant, mais elles doivent toutes êtres considérées comme des succès marquants dans le cours de votre vie. En fonction de votre âge, vous devrez peut-être même indiquer des choses telles que « réussir la première année », « réussir la deuxième année », et ainsi de suite, mais c'est très bien. Le but est tout simplement de vous rendre jusqu'à cent.

CRÉEZ UN JOURNAL DE VOS VICTOIRES PERSONNELLES

Une autre manière très efficace d'ajouter des jetons à votre pile est de conserver un registre de vos victoires. Cela peut être une liste que vous conservez dans un cahier à spirale, ou un document sauvegardé dans votre ordinateur, ou un journal en bonne et due forme avec reliure en cuir. En vous rappelant, et en écrivant vos réussites chaque jour, vous les imprimez dans votre mémoire à long terme, ce qui nourrit votre estime personnelle et affermit votre confiance. Et si, plus tard, cette confiance a été quelque peu ébranlée, vous pourrez lui redonner un regain de vigueur en relisant vos succès antérieurs.

Peter Thigpen, un ex-vice-président de Levi Strauss & Co., conservait un tel registre de ses victoires sur son bureau. Dès qu'il en remportait une ou faisait un gain, il le notait. Et lorsqu'il était sur le point de faire quelque chose qui lui donnait la frousse, comme négocier un prêt de plusieurs millions de dollars, ou prononcer un discours devant le conseil d'administration, il relisait son journal pour accroître sa confiance. Sa liste comprenait des éléments tels que : j'ai ouvert un nouveau marché en Chine ; j'ai convaincu mon fils de ranger sa chambre ; j'ai réussi à faire adopter mon plan de croissance par le conseil d'administration.

Lorsqu'on est sur le point de se lancer dans une entreprise risquée, on peut avoir tendance à ruminer ses échecs passés dans des circonstances similaires. Cela ne sert qu'à miner votre confiance et à alimenter les craintes d'échouer à nouveau. Tenir et relire périodiquement votre journal de victoires, voilà qui change cet état d'esprit et vous habitue à vous percevoir comme un gagnant.

Commencez votre journal de victoires personnelles le plus tôt possible. Si vous le voulez, vous pouvez l'agrémenter de photographies, de diplômes, de notes, ou d'autres marques de vos réussites.

AFFICHEZ LES SYMBOLES DE VOS SUCCÈS

Les chercheurs ont découvert que ce que vous voyez dans votre environnement a un effet psychologique sur vos humeurs, vos attitudes, et votre comportement. Ce qui vous entoure a une grande influence sur vous. Mais rappelez-vous ce fait d'une très grande importance : C'est vous qui avez la maîtrise à peu près complète de votre environnement immédiat. Vous pouvez choisir les photographies que vous suspendez aux murs, les souvenirs que vous collez à votre réfrigérateur ou sur la porte de votre vestiaire, et les objets d'une grande valeur sentimentale que vous placez sur votre bureau ou dans votre aire de travail.

Une technique très efficace pour aider à renforcer votre estime personnelle et à vous motiver à obtenir de plus grands succès, est de vous entourer de prix, de photographies et de tous les autres objets qui vous rappellent vos coups d'éclat. Cela peut inclure des médailles du temps de votre service militaire, une photographie vous montrant en train d'inscrire le but vainqueur, vos photos de mariage, un trophée, une copie d'un de vos poèmes publiés dans un journal local, une lettre de remerciement, votre badge d'aigle chez les scouts ou votre médaille d'or chez les guides.

Réservez un endroit spécial : une tablette consacrée à cette fin dans votre vaissellier, la surface de votre coiffeuse, la porte du réfrigérateur, un « mur de la victoire » dans un corridor où vous circulez tous les jours, et placez-y les symboles de vos réussites. Faites le ménage dans ce tiroir obscur, dans ces boîtes remisées dans les fonds de placards ou dans vos classeurs, et encadrez, faites laminer, polissez, et étalez au grand jour ces preuves de vos réussites, de telle sorte que vous les voyiez tous les jours. Cela aura un effet magique sur votre subconscient. Vous l'habituerez à vous considérer comme un gagnant, quelqu'un qui réussit à coup sûr tout ce qu'il entreprend dans la vie ! Ce changement dans votre décor communiquera aussi ce message aux autres.

Il s'agit aussi d'une chose très importante à faire pour vos enfants. Exhibez fièrement les symboles de leurs succès – articles, rubans, œuvres d'art, photographies de votre fils dans son uniforme de baseball ou de votre fille jouant du violon, d'autres photographies où vos enfants apparaissent heureux et épanouis, médailles, et tout autre témoignage de reconnaissance publique.

Si vous avez des enfants vivant encore à la maison, encadrez leurs plus belles œuvres d'art et suspendez-les aux murs de la cuisine, de leur chambre, ou dans un corridor de la maison. Lorsqu'ils verront ces objets, mis en valeur et bien en évidence dans votre foyer, cela sera un puissant stimulant pour leur confiance et leur estime de soi.

L'EXERCICE DU MIROIR

« Vous êtes un aimant vivant. Ce que vous attirez dans votre vie est en harmonie avec vos pensées dominantes. »

BRIAN TRACY
Autorité reconnue dans le domaine du développement du potentiel humain et de l'efficacité personnelle

Tout comme vous célébrez vos plus grands succès, vous devez aussi mettre en relief vos petites victoires. L'exercice du miroir est fondé sur le principe que nous avons tous soif de reconnaissance, mais il faut bien reconnaître que la plus importante est celle que nous nous accordons.

L'exercice du miroir fournit à votre subconscient les élans positifs dont il a besoin pour se lancer à la conquête de nouvelles réussites. Il aide à changer votre perception négative des compliments et du succès en général, et introduit chez vous l'état d'esprit d'un gagnant. Faites cet exercice pendant un minimum de trois mois. Après cela, libre à vous de continuer si vous le désirez. Je connais des personnes très remarquables qui l'ont fait tous les soirs pendant des années.

Juste avant d'aller dormir, placez-vous debout devant un miroir et manifestez-vous ouvertement de l'appréciation pour tout ce que vous avez accompli pendant la journée. Commencez par regarder la personne que vous voyez dans le miroir, droit dans les yeux – l'image que celui-ci vous renvoie. Alors, appelez-vous par votre nom et commencez à énumérer, à voix haute, les choses suivantes :

- Toute réussite professionnelle, financière, éducative, personnelle, physique, spirituelle et émotive.
- Toute discipline personnelle que vous vous êtes imposée : régime, exercice, lecture, méditation, prière.
- Toute tentation à laquelle vous avez résisté : dessert, mensonge, abus de télévision, de veiller trop tard, de boire immodérément.

Regardez-vous droit dans les yeux pendant toute la durée de l'exercice. Lorsque vous aurez terminé, félicitez-vous, complétez l'exercice en continuant à vous regarder intensément dans les yeux et dites : « Je t'aime ». Restez là encore quelques minutes pour ressentir vraiment les bienfaits de l'expérience, comme si vous étiez la personne dans le miroir qui vient de faire l'objet de ces témoignages d'appréciation. L'astuce pour que la dernière partie de cet exercice soit efficace, c'est de ne pas détourner votre regard du miroir, parce que vous êtes gêné, ou parce que vous avez l'impression que l'exercice, ou vous-même, avez l'air ridicule.

Voici ce que cet exercice pourrait donner :

« Jack, je tiens à t'exprimer mon appréciation pour les choses suivantes que tu as faites aujourd'hui : D'abord, je suis content que tu te sois couché à une heure raisonnable plutôt que d'être resté debout à regarder la télévision jusqu'à une heure avancée. Tu t'es levé en pleine forme ce matin et tu as eu une bonne conversation avec Inga. Et après, tu as pratiqué tes vingt minutes de méditation avant de prendre ta douche. Tu as aidé à préparer le lunch des enfants, et tu as avalé un petit-déjeuner sain, faible en gras et en glucides. Tu es arrivé à l'heure au travail et tu as bien dirigé la réunion de l'équipe de soutien. Tu as permis à tous d'être à l'écoute des émotions des autres et de tenir compte de leurs idées. Et tu as su comment t'y prendre avec les plus anxieux.

« Voyons voir, ah oui ! tu as pris un bon lunch santé, une soupe et une salade, et tu as refusé le dessert qu'on t'offrait. Et tu as bu les dix verres d'eau que tu t'étais engagé à boire tous les jours. Et après tu as fini de revoir le manuel d'orientation, et tu as pris un bon départ dans la mise au point du calendrier du programme de formation en gestion qui aura lieu cet été. Et ensuite, tu as consigné tes réussites de la journée dans ton journal du succès, avant de quitter le travail. Oh ! tu as aussi manifesté de la gratitude à ton adjointe pour son bon rendement de la journée. C'était vraiment merveilleux de la voir resplendir de joie.

« Et lorsque tu es revenu à la maison, tu as passé de très beaux moments avec les enfants, avec Christopher en particulier, et ensuite, tu leur as lu une histoire. C'était vraiment un moment privilégié. Et maintenant, tu vas au lit à une heure raisonnable, plutôt que de passer la nuit entière à surfer sur le réseau Internet. Tu as vraiment été formidable aujourd'hui.

« Une dernière chose, Jack : "Je t'aime !" »

Il n'est pas inhabituel de ressentir certaines réactions les toutes premières fois qu'on fait cet exercice. Vous vous sentirez peut-être ridicule, gêné, il se peut même que vous ayez envie de pleurer (peut-être pleurerez-vous en effet), et généralement, vous serez très mal à l'aise. Il arrive parfois que certaines personnes font de l'urticaire, ressentent des bouffées de chaleur, transpirent, ou se sentent légèrement étourdies. Rien d'étonnant lorsqu'on fait une chose d'aussi inhabituelle. Vous n'avez pas été éduqué à reconnaître vos propres mérites.

En fait, vous avez été conditionné à faire exactement l'inverse : « *Cesse de chanter tes louanges. Ne t'enfle pas la tête. Ne sois pas aussi collet monté. L'orgueil est un péché.* » Lorsque vous commencez à être plus positif à votre égard et plus tendre envers vous-même, il est normal que vous éprouviez des réactions physiques et émotives intenses. Vous êtes en train de vous libérer des profondes blessures parentales, des attentes irréalistes de votre milieu, et de votre propre jugement critique. Si vous expérimentez ces symptômes, et un grand nombre de personnes les vivent, ne les laissez pas vous arrêter. Ils s'estomperont et s'évanouiront après quelques jours.

Quarante jours après avoir commencé à pratiquer l'exercice du miroir, je me suis rendu compte que tous mes dialogues internes négatifs fondaient comme neige au soleil. Ils étaient remplacés par les impressions positives qui affluaient en moi. J'avais l'habitude de me réprimander pour de petites choses, comme d'oublier mes clés de la voiture, ou de mettre mes lunettes au mauvais endroit. Cette voix critique est tout simplement disparue. Le même phénomène peut se produire en vous aussi, mais à la condition de prendre le temps de faire cet exercice sérieusement.

Une petite chose à ne pas oublier. Si vous êtes déjà au lit et que vous vous rendez soudainement compte que vous n'avez pas fait l'exercice du miroir, levez-vous et faites-le. Vous regarder dans le miroir est un aspect crucial de l'expérience. Et un autre petit conseil : Assurez-vous de prévenir votre épouse, vos enfants, vos compagnons de chambre, ou vos parents que vous allez vous livrer à ce petit rituel au cours des trois prochains mois. Vous n'aimeriez pas qu'ils vous surprennent à l'improviste et pensent que vous avez perdu la raison !

RÉCOMPENSEZ L'ENFANT QUI EST EN VOUS

À l'intérieur de chacun d'entre nous se côtoient trois « moi », complètement distincts, qui travaillent de concert pour former notre unique et véritable personnalité. Nous avons un ego parental, un ego adulte et un ego enfant. Ils agissent respectivement de la même manière qu'un parent, un adulte et un enfant le font dans la vie réelle.

Votre ego adulte est la partie rationnelle de votre personnalité. Il rassemble de l'information et prend des décisions dénuées d'émotion. Il planifie votre emploi du temps, fait les comptes, calcule votre impôt, et décide quand le moment est venu d'entretenir la voiture.

Votre ego parental est celui qui vous dicte d'attacher vos chaussures, de vous brosser les dents, de manger vos légumes, de faire vos devoirs, vos exercices, de respecter vos échéances, et de mener à bien vos projets. C'est votre critique interne – la partie qui vous juge lorsqu'il vous arrive de déchoir. Mais il s'agit aussi de la partie réconfortante de votre personnalité, qui vous procure la sécurité, les soins et le bien-être matériels dont vous avez besoin. Il joue aussi le rôle d'observateur qui valide, reconnaît et confirme que vous avez fait du bon travail.

Votre ego enfant, de son côté, fait ce que tous les enfants font : il gémit, il réclame de l'attention, sollicite des caresses, et s'exprime bruyamment lorsque ses besoins ne sont pas satisfaits. Tout en franchissant les diverses étapes de la vie, nous continuons d'avoir à nos côtés ce bambin de trois ans qui demande constamment : « Pourquoi dois-je rester assis derrière ce bureau ? Pourquoi n'avons-nous plus de plaisir ? Pourquoi dois-je rester debout jusqu'à trois heures du matin ? Pourquoi dois-je lire cet ennuyeux rapport ? »

À titre de parent de cet « enfant intérieur », une de vos tâches est de l'occuper et de le récompenser lorsqu'il se comporte correctement, tandis que vous vaquez aux tâches sérieuses.

Si vous aviez un bambin de trois ans dans votre existence, vous devriez lui dire : « Maman doit mettre la main à cette proposition. Elle en a pour vingt minutes encore. Mais lorsqu'elle aura terminé, tu auras droit à une glace, ou tu pourras jouer à ton jeu vidéo préféré. » Votre enfant en chair et en os vous répondrait sans doute : « Bon, c'est d'accord parce que je sais que je vais avoir quelque chose qui en vaut la peine plus tard ».

Vous ne serez pas surpris d'apprendre que votre enfant interne n'est pas différent. Lorsque vous lui demandez de rester tranquille, de vous laisser finir votre travail, de veiller tard, il vous obéira, s'il sait qu'il aura une récompense en échange d'un bon comportement. Quelque part, il doit savoir qu'il aura la permission de lire un roman, d'aller au cinéma, de jouer avec des amis, d'écouter de la musique, de se laisser aller, de s'empiffrer, de s'acheter un nouveau « jouet », ou de prendre des vacances.

Un élément important dans la création d'une vie couronnée de succès est de vous récompenser lorsque vous réussissez. En fait, cette récompense maintient votre enfant intérieur de bonne humeur. Il sera obéissant la prochaine fois qu'il devra bien se tenir. Il sait que vous tiendrez vos promesses. Si vous le trahissez, il se mettra à saboter vos efforts. Il tombera malade, provoquera des accidents, fera des erreurs qui vous coûteront votre promotion, ou même votre emploi. Vous serez alors forcé de prendre un temps d'arrêt pour vous en occuper. Et cela vous éloignera encore davantage du succès que vous convoitez.

LE SENTIMENT DU DEVOIR ACCOMPLI

Une autre raison de célébrer vos succès est que vous n'éprouvez pas de véritable plénitude tant que vous n'obtenez pas de reconnaissance pour vos efforts, celle qui vous procure le sentiment du devoir accompli. Si vous passez des semaines entières à rédiger des rapports, et que votre patron ne montre aucun signe d'appréciation, vous ne pouvez être pleinement heureux au travail. Si vous faites parvenir un cadeau à quelqu'un, et que vous ne recevez pas de petit mot de remerciement, vous sentez qu'on est injuste envers vous. Votre esprit exige que la boucle soit bouclée.

Et bien sûr, ce qui est encore plus important que le sentiment d'avoir terminé quelque chose, le fait de récompenser vos succès amènera votre subconscient à se dire : *« Avoir du succès, c'est cool. Dès que j'obtiens du succès, nous faisons quelque chose d'amusant. Jack comblera un de nos désirs ou nous invitera quelque part. Procurons-lui un autre succès, ainsi Jack nous emmènera encore jouer avec lui. »*

Les récompenses que vous vous attribuez pour vos victoires renforcent le désir du subconscient de travailler encore plus dur pour vous. Il s'agit simplement d'un trait de la nature humaine.

PRINCIPE 27

Ne perdez pas la récompense de vue

« Il est facile de se laisser aller au négativisme et au défaitisme. Par contre, il faut faire des efforts pour demeurer positif et motivé. Bien qu'il n'existe pas d'interrupteur pour faire taire ces « voix du découragement » qui n'ont de cesse, il y a des choses qu'on peut faire pour en diminuer le volume et détourner son attention du négatif vers le positif. »

DONNA CARDILLO, infirmière autorisée
Conférencière, entrepreneure, et spécialiste de la motivation

Les gens qui ont du succès savent conserver une approche positive par rapport à la vie, peu importe ce qui peut arriver autour d'eux. Ils se concentrent sur leurs succès passés plutôt que sur leurs échecs. Ils pensent au prochain geste qui les rapprochera de leur but et font abstraction de tout ce qui pourrait les en distraire. Ils sont toujours proactifs dans la poursuite de leurs objectifs.

LES QUARANTE-CINQ MINUTES LES PLUS IMPORTANTES DE LA JOURNÉE

Un aspect important de la discipline mentale nécessaire pour ne jamais perdre de vue ses objectifs est de se réserver du temps à la fin de la journée – juste avant de s'endormir – pour se remémorer ses succès, repasser ses buts, se concentrer sur les réussites à venir, et faire des plans précis pour le lendemain.

Pourquoi est-ce que je suggère de le faire à la fin de la journée? Parce que tout ce que vous lisez, voyez, écoutez et expérimentez au cours des quarante-cinq dernières minutes de la journée a une influence profonde sur votre sommeil et sur le déroulement de la journée suivante. Pendant la nuit, votre subconscient revoit et traite ces données de dernières minutes jusqu'à six fois plus souvent que tout autre événement de la journée.

Revoir la matière pour un examen avant d'aller au lit peut donner de bons résultats, et c'est aussi la raison pour laquelle le film d'horreur de fin de soirée vous donnera souvent des cauchemars. En outre, cela explique l'importance de lire des histoires aux enfants au moment de les mettre au lit, non seulement pour les endormir, mais aussi parce que les messages, les leçons et la morale qu'elles contiennent deviennent partie intégrante de leur façon de penser.

Alors que vous glissez dans le sommeil, vous entrez dans cette phase de la conscience durant laquelle votre cerveau émet des ondes alpha, il s'agit d'un état dans lequel vous êtes très perméable aux impressions. Si vous vous endormez en écoutant les nouvelles de fin de soirée, c'est ce qui s'imprimera dans votre esprit – des scènes de guerre, de crimes, d'accidents, de viols, de meurtres, de scandales, d'exécutions, de guerres de gangs, de fusillades entre voitures en mouvement, d'enlèvements, ou de scandales dans les conseils d'administration et à la Bourse des valeurs mobilières.

Pensez plutôt aux bienfaits que vous obtiendriez de la lecture d'une biographie inspirante ou d'un livre de développement personnel. Utilisez les minutes qui précèdent le sommeil pour méditer, écouter des cassettes de motivation, ou réfléchir à ce que vous allez faire de votre journée du lendemain.

Voici quelques exercices supplémentaires à effectuer en fin de journée qui vous permettront de demeurer motivé et concentré sur vos objectifs.

LA REVUE DE FIN DE SOIRÉE

Assoyez-vous confortablement et fermez les yeux. Respirez profondément en vous ordonnant de procéder à l'examen de conscience suivant :

- «Montre-moi comment j'aurais pu être plus efficace aujourd'hui. »

- «Montre-moi comment j'aurais pu faire les choses de manière plus consciente aujourd'hui. »

- «Montre-moi comment j'aurais pu être un meilleur_____ (mettez ici votre profession : dirigeant, professeur, etc). »

- «Montre-moi comment j'aurais pu être plus aimant aujourd'hui. »

- «Montre-moi comment j'aurais pu m'affirmer davantage aujourd'hui. »

- «Montre-moi comment j'aurais pu être plus_____ (nommez ici un trait de caractère) aujourd'hui. »

En demeurant assis dans un état de tranquille réceptivité, un certain nombre d'événements de la journée reviendront d'eux-mêmes à votre esprit. Observez-les simplement sans jugement ni autocritique. Lorsqu'ils cesseront de défiler, imaginez maintenant de quelle manière vous auriez voulu qu'ils se déroulent si vous aviez été plus conscient et plus déterminé à ce moment-là. Cet exercice crée des images inconscientes qui vous aideront à adopter le comportement approprié la prochaine fois qu'une situation similaire se présentera.

LE JOURNAL DE VOS SUCCÈS QUOTIDIENS

Un autre outil efficace pour conserver un état d'esprit positif, et pour ne pas perdre de vue son objectif ultime, est le journal quotidien de ses succès. Il s'agit d'une version avancée de votre journal de victoires personnelles, dont nous avons discuté au chapitre précédent. Si vous faites cet exercice pendant un mois, votre confiance augmentera et vous deviendrez plus productif dans tous les aspects de votre vie.

À la fin de la journée, déterminez simplement cinq choses que vous avez accomplies. Elles peuvent appartenir à n'importe quelle sphère de votre vie : le travail, les études, la famille, la spiritualité, les finances, la santé, le développement personnel ou le service communautaire.

Créez une copie vierge du tableau suivant[1]. Inscrivez votre premier succès dans la première case de la colonne « Succès ». Ensuite, déterminez la raison pour laquelle ce succès est important pour vous et inscrivez-la dans la seconde, sous la rubrique « Raison ». Réfléchissez à ce que vous pourriez améliorer et inscrivez-le sous « Prochaine étape ». Finalement, déterminez un geste précis à poser à cette fin, et portez-le dans la colonne « Prochaine tâche ».

Dans l'exemple présenté, le premier succès est : « J'ai tenu une excellente réunion avec mes employés ». La raison de son succès tient au fait que « je suis parvenu à créer le bel esprit d'équipe que je voulais ». La « prochaine étape » doit être une autre activité qui renforcera encore davantage notre solidarité, et qui pourrait être la planification et la tenue d'une journée d'activités à l'extérieur du bureau. La « prochaine tâche » consistera à mettre sur pied un comité, formé de Bob et Ann, pour planifier cet événement.

Ce processus simple et rapide me permet de trouver de nouvelles idées pour créer une meilleure atmosphère dans mon entreprise, ou toute autre amélioration à laquelle je pourrais penser.

---

1. Vous pouvez le télécharger gratuitement du site www.thesuccessprinciples.com.

Lorsque le tableau est complété, inscrivez tout ce que vous avez indiqué sous la colonne «Prochaine tâche» dans votre agenda ou sur votre calendrier. Planifiez un moment précis pour faire chacune de ces tâches et assurez-vous de les mener à bien. Inscrivez-les sur votre liste de choses à faire quotidiennement. Ce simple exercice donnera à votre vie un nouvel élan.

Si vous êtes gestionnaire, vous pouvez aussi considérer l'idée de proposer cet exercice à votre personnel pendant une période de trente jours. Cela les aidera à demeurer concentrés sur leurs tâches prioritaires et à accroître leur confiance. Cela marche très bien aussi pour toute la famille. J'ai vu des adolescents s'épanouir après avoir fait cet exercice pendant seulement un mois.

JOURNAL QUOTIDIEN DE MES SUCCÈS

Jour: Lundi   **Date:** 2 /15 / 05

	SUCCÈS	RAISON	PROCHAINE ÉTAPE	PROCHAINE TÂCHE
1	J'ai tenu une excellente réunion avec mes employés	Je suis parvenu à créer le bel esprit d'équipe que je voulais.	Organiser une journée d'activités à l'extérieur du bureau.	Former le comité organisateur : Ann et Bob
2	J'ai réservé un long week-end à la station thermale Ojai pour Inga et moi.	Nous avons vraiment besoin de prendre un bon moment et de revigorer notre relation.	Commencer à planifier l'été avec Patty et Jeff.	Parler à Patty du meilleur moment pour être ensemble.
3	J'ai fait 30 minutes de step ».	Perdre du poids est important si je désire atteindre mon objectif de poids santé.	Ajouter de la musculation à mon entraînement.	Parler à Martin au sujet de son entraîneur personnel.
4	J'ai eu une conversation fructueuse avec Christopher et je l'ai aidé à faire ses devoirs.	Il est important d'approfondir et de maintenir notre relation.	À refaire mercredi prochain.	Vérifier mon agenda et libérer du temps.
5	J'ai fini de réviser le rapport technique pour mon patron	Cela nous aidera à obtenir la mise à jour pour le système informatique de l'entreprise.	Obtenir l'approbation pour les dépenses.	Organiser une réunion avec le comité de direction.

CRÉEZ VOTRE JOURNÉE IDÉALE

Une autre technique très efficace pour ne jamais déroger à la direction que vous avez décidé de donner à votre vie est de prendre quelques minutes, après avoir planifié votre journée du lendemain, pour visualiser exactement son déroulement idéal.

Imaginez que tout le monde arrive à l'heure convenue à vos réunions, qu'elles commencent et se terminent à temps, que vos dossiers prioritaires se règlent promptement, que vos commissions s'effectuent avec célérité, que vos visites de ventes sont toutes fructueuses, etc. Visualisez-vous en pleine possession de vous-même dans chaque scénario. Cela donnera à votre subconscient la nuit entière pour créer des stratégies afin que tout se produise comme vous le souhaitez.

Prenez l'habitude de planifier mentalement votre journée idéale, la veille. Vous verrez qu'elle sera beaucoup plus harmonieuse et productive.

PRINCIPE 28

RÉPAREZ LES POTS CASSÉS, TERMINEZ LES PROJETS LAISSÉS EN SUSPENS

« Si un bureau en désordre est le reflet d'un esprit confus,
que représente un bureau bien rangé ? »

LAURENCE J. PETER
Auteur américain et éducateur

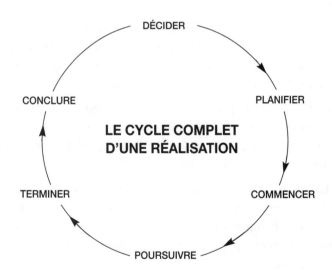

Jetez un coup d'œil au schéma ci-dessus, intitulé le «Cycle complet d'une réalisation». Chacune des étapes – décider, planifier, commencer, poursuivre, terminer, conclure – est essentielle pour réussir toute entreprise, obtenir le résultat désiré, mener quelque chose à bien. Pourtant, combien d'entre nous n'arrivent jamais à conclure? Nous franchissons toutes les étapes jusqu'au tout dernier stade – mais nous nous arrêtons sans mettre le point final.

Y a-t-il des époques dans votre vie où vous avez laissé des choses en suspens. Avez-vous déjà négligé de prendre correctement congé de personnes qui vous avaient accompagné au cours d'une période de votre vie? Si vous ne mettez pas un point final au passé, vous ne serez pas libre de comprendre pleinement le présent.

NÉGLIGER DE CONCLURE CORRECTEMENT VOUS PRIVE D'UNE PRÉCIEUSE FRACTION DE VOTRE ATTENTION

Lorsque vous démarrez un projet, prenez un engagement ou déterminez un changement à faire, vous consacrez à cette tâche une fraction de la capacité globale d'attention de votre esprit. Or, il est impossible de jongler avec un trop grand nombre de préoccupations à la fois. Chaque promesse, entente, ou question laissée en suspens à notre agenda, nous prive d'une partie de l'attention dont nous avons besoin pour accomplir nos tâches présentes, susciter de nouvelles occasions et créer plus d'abondance dans notre vie.

Alors, pourquoi la plupart des gens ne mettent-ils jamais le point final à ce qu'ils entreprennent? Souvent, ces «points inachevés» surviennent lors de périodes confuses de notre vie, ou encore dans les moments de notre existence où nous éprouvons des blocages émotifs et psychologiques.

Par exemple, il se peut qu'il y ait beaucoup de requêtes, de projets, de tâches et d'autres dossiers sur votre bureau, que vous hésitez à rejeter de peur d'être perçu comme un tyran sans cœur. Alors, vous les mettez de côté et vous différez votre réponse, pour ne pas avoir à dire non.

Entre-temps, des notes, des piles de formulaires encombrent votre espace de travail et cela vous empêche de vous concentrer sur vos priorités. Il se peut qu'il y ait aussi d'autres circonstances qui exigent de votre part des décisions difficiles et désagréables. Plutôt que de prendre le taureau par les cornes, vous laissez toutes ces choses s'accumuler.

Vous êtes incapable de nouer toutes les ficelles simplement parce que vous ne disposez pas d'un système, des connaissances, ou de l'expertise, pour le faire correctement. D'autres finissent par vous étrangler simplement en raison de mauvaises habitudes de travail.

SOYEZ CONSCIENT DE L'IMPORTANCE DE CONCLURE

Demandez-vous toujours : « *Qu'est-ce que je dois faire pour mettre un point final à cette tâche ?* » Vous pouvez ensuite procéder à l'étape suivante : remplir et expédier ce formulaire, confirmer à votre supérieur que ce dossier a été réglé, etc. La vérité, c'est que vingt tâches accomplies ont plus d'effets positifs que cinquante projets à moitié terminés. Par exemple, un livre publié, qui peut influencer la vie de milliers de lecteurs, vaut mieux que treize manuscrits inachevés. Plutôt que de mettre en branle quinze projets qui finissent en queue de poisson, créant du désordre partout, il est préférable de n'en faire que trois et de les compléter.

LES QUATRE FAÇONS DE CONCLURE

Une approche éprouvée pour expédier les tâches courantes, expliquée dans tous les manuels de gestion, consiste à les diviser en quatre catégories : celles que l'on fait soi-même, celles que l'on confie à quelqu'un d'autre, celles que l'on remet à plus tard, et celles qu'on élimine tout simplement.

Lorsque vous avez un dossier entre les mains, décidez immédiatement si vous avez l'intention de le parcourir. Sinon, placez-le tout de suite dans le « classeur treize », c'est-à-dire à la corbeille à papier. Si au contraire vous pensez pouvoir vous en occuper dans les dix prochaines minutes, faites-le sur-le-champ. Si vous tenez à vous en charger vous-même, mais qu'il s'agit d'un travail qui prendra un certain temps, différez-le en le plaçant dans votre panier de choses à faire plus tard. Si vous ne pouvez, ou ne voulez pas le faire vous-même, confiez cette tâche à quelqu'un d'autre. Assurez-vous toutefois que la personne à qui vous l'avez remis vous avisera lorsqu'elle l'aura complétée.

FAIRE DE LA PLACE POUR DU NEUF

En plus des tâches en suspens de nature professionnelle, la plupart des ménages croulent sous le poids d'un grand fouillis, de vieux papiers, de vêtements usés, de jouets inutilisés, d'effets personnels oubliés ou démodés, de choses brisées ou inutiles. Aux États-Unis, tout un secteur de l'industrie de l'entreposage se consacre à aider les ménages et les petites entreprises à gérer les effets qui encombrent les domiciles et les bureaux.

Mais avons-nous vraiment besoin de toutes ces choses ? Bien sûr que non !

Une manière de libérer notre attention est d'alléger l'environnement dans lequel nous vivons et travaillons du poids mental que représente le fouillis. Lorsque vous vous débarrassez de l'ancien, vous faites aussi de la place pour de la nouveauté.

Jetez un coup d'œil dans vos penderies, par exemple. S'il est impossible d'y ajouter la moindre chose – si vous devez vous battre pour en retirer un vêtement ou une chemise – cela peut expliquer en partie pourquoi vous n'avez pas plus de vêtements neufs : vous ne disposez d'aucun espace pour les ranger ! S'il y a quelque chose que vous n'avez pas porté depuis plus de six mois, et qu'il ne s'agit pas d'un vêtement saisonnier ou à porter lors d'occasions spéciales, comme une robe de soirée ou un smoking, débarrassez-vous-en.

Si vous voulez ajouter quelque chose de neuf dans votre vie, vous devez lui faire une place, tant sur le plan physique que psychologique.

Si vous souhaitez la présence d'un nouvel homme dans votre vie, il vous faut lâcher prise, pardonner et oublier celui que vous avez cessé de fréquenter il y a cinq ans. Parce que si vous ne le faites pas, les messages non verbaux que le nouvel élu captera constamment l'inciteront à penser que : « *Cette femme est toujours attachée à "l'autre". Elle ne l'a pas oublié.* »

Mon bon ami Martin Rutte m'a dit un jour que, dès qu'il désire se lancer dans une nouvelle affaire, il fait un ménage complet de son bureau, de sa maison, de sa voiture et de son garage. Il commence alors à recevoir des appels et des lettres de personnes qui veulent travailler avec lui. D'autres affirment que faire le grand ménage du printemps les aide à distinguer plus clairement les situations embrouillées, les défis, les occasions, etc.

Lorsque nous ne nous débarrassons pas du fouillis, de ce dont nous n'avons plus besoin, cela équivaut à ne pas faire confiance à notre capacité de créer dans nos vies l'abondance nécessaire pour en acquérir de nouvelles. Les « inachevés » empêchent la prospérité de se manifester. Nous devons mettre de l'ordre dans notre passé afin de permettre à notre présent de prendre toute la place qui lui revient.

VINGT-CINQ FAÇONS DE CONCLURE POUR ALLER DE L'AVANT

Combien de choses devez-vous compléter, abandonner ou déléguer, afin de pouvoir aller de l'avant, de profiter de nouvelles activités, d'une plus grande abondance, de nouvelles relations ou de plus de plaisir dans la vie ? Consultez la liste ci-dessous pour stimuler votre esprit. Dressez ensuite votre propre liste et écrivez comment vous comptez les régler.

Lorsque vous aurez fini de faire le bilan de vos «inachevés», sélectionnez-en quatre et expédiez-les. Choisissez ceux qui vous permettront de libérer immédiatement le plus de temps, d'énergie, ou d'espace dans votre vie – qu'il s'agisse d'espace psychologique ou physique.

Je vous conseille de conclure un «inachevé» important tous les trois mois. Si vous voulez vraiment mettre les choses en mouvement, consacrez un week-end à nouer toutes les ficelles que vous avez déterminées, en vous aidant de la liste ci-dessous:

1. D'anciennes activités commerciales.

2. Les promesses non tenues, non reconnues ou non renégociées.

3. Les dettes impayées ou les engagements financiers non réglés (argent que vous devez ou que l'on vous doit).

4. Les placards qui débordent de vêtements que vous ne mettez jamais.

5. Un garage en désordre, encombré de vieilleries.

6. D'anciens dossiers fiscaux rangés à l'aveuglette.

7. Un chéquier mal tenu ou des comptes bancaires à fermer.

8. Des tiroirs remplis d'objets hétéroclites et inutilisables.

9. Les outils manquants ou brisés.

10. Un grenier plein «d'antiquités».

11. Un coffre ou une banquette arrière de voiture encombrée d'objets divers.

12. L'entretien de votre voiture que vous avez négligé.

13. Un sous-sol en désordre bondé d'objets oubliés.

14. Un classeur rempli de projets terminés ou irréalisables.

15. Des dossiers non classés.

16. Des fichiers informatiques à sauvegarder ou des données qui doivent être converties en vue d'un entreposage.

17. La surface de votre bureau qui ressemble à un champ de bataille.

18. Des photographies de famille à remiser dans un album.

19. Les petites tâches d'entretien domestique, reprisage, repassage, etc. Autres objets à réparer ou à jeter.

20. Les gros travaux d'entretien de la maison.

21. Les anciennes animosités personnelles ou les appréciations inexprimées.

22. Les gens auxquels vous devez pardonner.

23. Le temps à consacrer aux personnes dont vous devez vous occuper.

24. Les projets non complétés ou ceux qui sont terminés mais pour lesquels vous n'avez encore reçu aucun commentaire.

25. Les reconnaissances qui doivent être manifestées ou sollicitées.

QU'EST-CE QUI VOUS IRRITE ?

Tout comme les « inachevés », les irritants compromettent aussi votre marche vers le succès. Ils monopolisent eux aussi une part précieuse de votre attention. Peut-être s'agit-il du bouton manquant à votre chemise favorite, ce qui vous empêche de la porter lors d'une réunion importante, ou cette moustiquaire trouée qui laisse pénétrer les insectes. Une des meilleures décisions pour accélérer votre course sur le chemin du succès est de réparer, remplacer, corriger ou éloigner ces irritants quotidiens qui vous agacent et minent votre sérénité.

Talane Miedaner, l'auteur de *Coach Yourself to Success*, recommande d'explorer chaque pièce de votre maison, votre garage et l'ensemble de votre propriété, afin de relever tout ce qui vous irrite, vous agace et vous indispose. Ensuite, faites disparaître tous ces irritants, un à la fois. Bien sûr, cela ne menace ni votre vie ni celle de votre famille. Mais quand une chose vous agace parce qu'elle n'est pas comme elle devrait être, cela draine votre énergie et aspire discrètement votre vitalité, sans contrepartie.

ENGAGEZ UN SPÉCIALISTE DE L'ORGANISATION

La mission de l'association nationale des conseillers professionnels de l'organisation (NAPO en anglais) est de vous aider à vous débarrasser du fouillis sous lequel vous êtes enseveli. Ils vous aideront en même temps à mettre sur pied un système qui vous empêchera de retomber dans le chaos. Vous avez besoin d'une personne dont le regard n'est pas biaisé par vos préférences personnelles, vos idées préconçues ou vos craintes. Les membres de NAPO sont des experts dans l'art de rendre les choses efficaces et faciles. Il s'agit de leur profession.[1]

---

1. Vous pouvez trouver des conseillers en organisation en visitant le site Web de NAPO à www.napo.net et en sélectionnant « Trouver une organisation ». Les sites Web suivants vous aideront aussi à localiser un conseiller professionnel près de chez vous : www.organizerincanada.com et www.organizerswebring.com, et qui sont actifs dans

Pour l'équivalent du prix de quelques repas d'affaires, vous pouvez embaucher un conseiller de votre région pour une journée. De plus, il est possible d'engager des gens pour faire le ménage de votre maison. Confiez-leur tous les petits irritants, les petites corvées domestiques ou les autres tâches dont vous n'avez pas envie, ou que vous êtes incapable de faire.

Si votre situation financière ne vous permet pas d'avoir recours aux services d'un professionnel, demandez à un ami de vous aider. Engagez un ado ou un adulte du voisinage pour vous seconder dans vos corvées. Vous pouvez aussi consulter l'un des nombreux livres pratiques disponibles sur le marché et apprendre à faire ces menus travaux vous-même.[2] Gardez seulement à l'esprit que vous n'avez pas à tout faire d'un seul trait. Choisir un irritant par mois et mettre un point final aux « inachevés » de votre vie est essentiel pour aspirer au succès. Il n'y a aucune excuse pour tolérer le désordre dans votre vie.

---

7 pays. Martha Ringer est le coach en productivité qui m'a aidé à organiser mon bureau et mes méthodes de travail. En deux jours, il avait complètement changé d'allure, et mon travail s'effectue maintenant de manière fluide et efficace.

2.   Quelques-uns des meilleurs sont les suivants :
      Le Sens de l'organisation : 1 : La façon idéale de mettre de l'ordre dans votre vie, de Stephanie Winston (les éditions Un monde différent, 1981).
      Organisez votre vie pour mieux la vivre : une méthode infaillible pour organiser votre foyer, votre bureau et votre vie, de Julie Morgenstern (AdA, 2002).
      Organizing from the Inside Out for Teens, de Julie Morgenstern et Jessie Morgenstern-Colón (New York : Henry Holt, 2002).
      How to Be Organized in Spite of Yourself (revised edition), by Sunny Schlenger et Roberta Roesch (New York : Signet Book, 1999).
      Let Go of Clutter, de Harriet Schecter (New York : McGraw-Hill, 2001).

PRINCIPE 29

FAITES LA PAIX AVEC LE PASSÉ POUR MIEUX EMBRASSER L'AVENIR

« Personne ne peut changer le passé, mais nous pouvons tous décider de nos lendemains. »

COLIN POWEL
Secrétaire d'État des États-Unis sous le président George W. Bush fils

Certaines personnes avancent dans la vie comme si elles traînaient derrière elles une ancre d'un poids colossal. Vous pensez avec raison que si seulement elles réussissaient à s'en détacher, leur parcours serait beaucoup plus agréable et le succès leur sourirait beaucoup plus rapidement. Mais, c'est peut-être aussi votre cas, vous demeurez accroché à vos douleurs passées, à vos vieux projets laissés en plan, à d'anciennes blessures ou à de vieilles peurs ? Pourtant, larguer les amarres peut se révéler l'étape décisive qui vous permettra de dire adieu au passé, pour embrasser l'avenir à bras ouverts.

Je connais des personnes qui ont pardonné à leurs parents. Dans les mois qui suivirent, leurs revenus, leur productivité et leur efficacité dans l'action ont littéralement doublé. D'autres ont pardonné à leur agresseur le mal causé par le passé, et elles ont recouvré la santé.

La vérité, c'est qu'il faut laisser le passé derrière soi pour aller de l'avant. Une des méthodes que je préconise s'appelle le « processus de l'entière vérité ».

LE PROCESSUS DE L'ENTIÈRE VÉRITÉ ET LA LETTRE DES VÉRITÉS

Le processus de l'entière vérité et la lettre des vérités sont des outils qui vous aideront à laisser aller les émotions négatives du passé et à renouer avec votre état naturel d'amour et de joie, afin de vivre pleinement le moment présent.[1]

---

1. Je suis reconnaissant à John Gray et à Barbara DeAngelis qui m'ont d'abord enseigné ce processus.

La raison pour laquelle je parle de « l'entière vérité », c'est que nous sommes souvent incapables d'exprimer nos véritables sentiments à la personne qui nous a mis en colère. Nous demeurons figés au niveau de la frustration et de la douleur et nous passons rarement à la phase de l'expression complète de nos émotions. Par conséquent, il peut être difficile de se sentir près ou même simplement à l'aise avec l'autre, à la suite d'une confrontation chargée de rancœur et d'amertume.

Le processus de l'entière vérité nous aide à exprimer nos émotions, de telle sorte que nous pouvons ensuite revenir à l'état d'empathie, de rapprochement et de coopération qui est notre disposition naturelle.

Cette démarche n'a pas pour but de nous décharger de nos émotions négatives sur notre entourage, mais plutôt de les vivre jusqu'au bout afin de pouvoir enfin nous en libérer. Ainsi, il nous sera possible de revenir à notre état naturel de paix et de tolérance, dans lequel la joie et la créativité peuvent naître.

Les étapes du processus de l'entière vérité

Le processus peut être mené à bien verbalement ou par écrit. Quelle que soit la méthode que vous choisirez, l'objectif est d'exprimer votre colère et votre douleur d'abord, puis de vous tourner vers le pardon et l'amour.

Si vous le faites verbalement – assurez-vous toujours d'obtenir le consentement de l'autre personne d'abord – commencez par exprimer votre colère, puis passez par toutes les étapes jusqu'à l'expression de l'amour, de la compassion et du pardon. Vous pouvez utiliser les déclencheurs suivants pour vous aider à chaque étape de cet exercice. Pour qu'elle soit efficace, la démarche exige que vous consacriez un temps égal à chacune des étapes.

1. **Colère et amertume**
   Je suis en colère parce que…   J'en ai assez de…
   Je déteste cela quand…   J'ai de l'amertume car…

2. **La douleur**
   Cela me fait mal lorsque…   Je suis blessé parce que…
   Je me suis senti triste quand…   Je suis déçu de…

3. **Les peurs**
   J'avais peur que…   J'ai peur de toi quand…
   J'ai peur quand…   J'ai peur que…

4. **Les remords, les regrets, la culpabilité**

Je suis désolé que…	Je regrette de…
Pardonne-moi car…	Je n'avais pas l'intention de…

5. **Mes besoins**

Tout ce que je souhaite (souhaitais)…	Je veux (voulais)…
Ce que j'attends de toi, c'est…	Je mérite que…

6. **Amour, compassion, pardon et appréciation**

Je comprends que…	Je te pardonne de…
J'apprécie que…	Merci pour…
Je t'aime car…	

Si l'idée de faire cet exercice verbalement vous rend mal à l'aise, ou si l'autre personne ne veut, ou ne peut pas participer, mettez vos émotions par écrit dans la « lettre des vérités », afin d'exprimer ce que vous ressentez vraiment.

La lettre des vérités

Suivez les étapes suivantes pour rédiger la lettre des vérités :

1. Écrivez une lettre à la personne qui vous a mis en colère, consacrant à peu près le même espace à l'expression de chacune des émotions que lors du processus de l'entière vérité.

2. Si l'autre parti ne manifeste aucune volonté de coopérer dans cette démarche, jetez simplement la lettre après l'avoir écrite. Rappelez-vous que l'objectif principal de la rédaction de ce document est de vous libérer d'émotions que vous avez étouffées, et non pas de changer l'autre personne.

3. Si la personne contre laquelle vous dirigez votre colère est disposée à participer, demandez-lui d'écrire la même lettre à votre endroit. Ensuite, échangez vos lettres. Vous devez être tous les deux présents lorsque vous les lirez. Discutez ensuite de l'expérience. Évitez de défendre coûte que coûte votre point de vue. Faites un effort pour comprendre les choses selon le point de vue de l'autre.

Après quelques répétitions, vous découvrirez que vous pouvez franchir les six étapes du processus rapidement et d'une manière moins formelle. Mais à l'occasion de grandes difficultés, ou de crises, vous préférerez sans doute faire la démarche d'une manière exhaustive.

PARDONNEZ ET ALLEZ DE L'AVANT

*« Tant et aussi longtemps que vous ne pardonnerez pas, cette personne
ou cet événement occupera gratuitement un logement précieux de votre esprit. »*

ISABELLE HOLLAND
Auteure à succès de vingt-huit livres

Il peut sembler insolite d'aborder le pardon dans un livre qui traite du succès, mais en réalité la colère, l'amertume, et le désir de vengeance drainent une énorme quantité d'énergie qui pourrait être canalisée vers la réalisation de vos véritables objectifs.

La loi de l'attraction nous apprend que les émotions qui nous habitent attirent vers nous des expériences qui les renforceront encore davantage. Si vous êtes négatif, en colère et incapable de pardonner à l'auteur de vieilles blessures, la vie vous apportera d'autres désagréments qui nourriront encore davantage votre amertume.

PARDONNEZ ET REVENEZ DANS LE PRÉSENT

Dans le monde des affaires, comme dans celui des relations interpersonnelles, nous devons nous placer dans un état d'esprit d'amour et de pardon et regarder en avant. Vous devez pardonner à un associé en affaires qui vous a menti et causé du tort financièrement. Vous devez cesser d'en vouloir à ce collègue de travail qui s'est attribué le mérite de votre travail, ou qui vous a calomnié. Vous devez pardonner à votre ex-conjoint qui vous a trompé, et qui s'est montré ensuite intraitable pendant les procédures du divorce. Vous n'avez pas à approuver leur comportement, ou leur accorder à nouveau votre confiance. Mais vous devez apprendre les leçons de ces expériences, pardonner et avancer.

Lorsque vous pardonnez, cela vous ramène au présent, là où existent les bonnes occasions. Vous aurez alors la présence d'esprit de les saisir avantageusement, pour vous-même, votre équipe, votre entreprise, et votre famille. Quand vous restez accroché au passé, vous gaspillez une énergie précieuse et vous dissipez la force dont vous avez besoin pour foncer et réaliser ce que vous voulez vraiment.

MAIS C'EST SI DIFFICILE DE LÂCHER PRISE

Je sais à quel point il peut être difficile de pardonner. J'ai été kidnappé et violenté par un étranger, mon père alcoolique m'a agressé physiquement, j'ai été victime de racisme, des employés ont détourné des fonds de mon entreprise, j'ai été l'objet de poursuites frivoles, et on a profité de moi dans quelques entreprises commerciales.

Mais, après chacune de ces expériences, j'ai effectué la démarche nécessaire pour comprendre et pardonner à l'autre parti, parce que je savais que, si je ne le faisais pas, les douleurs passées allaient me dévorer à petit feu, et m'empêcher de consacrer toute mon attention à la vie future que je voulais créer.

À la suite de chacune de ces expériences, j'ai aussi fait en sorte qu'elles ne se reproduisent plus. J'ai appris à faire davantage confiance à mes intuitions et à mieux protéger ma famille et les actifs que j'avais mis tant d'efforts à acquérir. Et, chaque fois que je réussissais à mettre la mésaventure derrière moi, je me sentais plus léger, et plus fort; j'éprouvais un regain d'énergie pour m'attaquer aux tâches importantes qui m'attendaient. Il n'y avait plus de dialogues intérieurs négatifs. C'était la fin des récriminations amères.

« Éprouver du ressentiment, c'est comme prendre un poison, et croire qu'il tuera vos ennemis. »

NELSON MANDELA
Gagnant du prix Nobel de la paix

Quelle que soit la chose qui vous a blessé, je voudrais que vous sachiez qu'il y en a eu beaucoup dans ma vie également.

Mais je sais que ce qui peut vous faire encore plus de mal, c'est de nourrir du ressentiment, de tenir rancune à quelqu'un, et de ressasser la même vieille haine, encore et encore. Le mot pardon signifie que vous laissez aller pour votre bien, et non celui des autres.

Après avoir véritablement pardonné, il arrive que des participants à mes séminaires voient leurs migraines s'évanouir en quelques minutes, éprouvent un soulagement immédiat de leurs problèmes gastriques, de leurs douleurs arthritiques, constatent une amélioration de leur vision, ou éprouvent un bien-être physique immédiat. Un homme a perdu trois kilos en deux jours sans avoir modifié ses habitudes alimentaires! J'ai aussi pu constater que des personnes ont par la suite réalisé de véritables miracles dans leur carrière et leurs affaires. Croyez-moi, pardonner en vaut vraiment la peine.

LES ÉTAPES DU PARDON

Les étapes suivantes font toutes partie du processus du pardon.

1. Reconnaissez votre colère et votre amertume.
2. Admettez la blessure et la douleur que vous ressentez.
3. Admettez les craintes et les doutes que cette expérience a engendrés.
4. Acceptez que vous ayez pu y jouer un rôle et que vous ayez permis que le malaise persiste.
5. Déterminez clairement ce que vous souhaitiez et que vous n'avez pas obtenu. Ensuite, adoptez le point de vue de l'autre et essayez de voir le monde à sa façon. Quels besoins essayait-il, ou essayait-elle, de combler, aussi gauche qu'ait pu être sa méthode ou son comportement?
6. Lâchez prise et pardonnez à l'autre.

Vous avez peut-être remarqué que ces étapes sont identiques à celles du processus de l'entière vérité.

DRESSEZ UNE LISTE DE PARDONS

Faites une liste de ceux ou celles qui vous ont fait du mal dans le passé.

_____ m'a fait du mal en _____.

Parcourez la liste au complet, en prenant tout le temps dont vous aurez besoin, et répétez chaque fois le processus de l'entière vérité. Vous pouvez le faire par écrit, ou verbalement, en imaginant que l'autre personne est assise en face de vous. Faites une rétrospective de l'événement; essayez de vous rappeler ce qui se passait dans la vie de l'autre à ce moment-là, et qui l'aurait poussé à vous faire du mal. Il est important de se remémorer la vérité suivante:

> «Tout le monde (incluant vous) fait de son mieux pour satisfaire ses besoins fondamentaux. Nous faisons appel aux facultés, aux connaissances, aux habiletés, et aux outils dont nous disposons, à chaque moment de notre vie. Si nous avions pu faire mieux par le passé, nous l'aurions fait. En devenant

plus conscients de l'effet de nos comportements sur les autres, en découvrant des méthodes plus efficaces et moins destructrices de satisfaire nos besoins, nous causons moins de dommages autour de nous. »

Réfléchissez un moment. Il n'y a pas un seul parent au monde qui, en s'éveillant le matin, annonce à son conjoint : « Je viens de découvrir une nouvelle manière de détruire la vie de nos enfants ». Ces gens font tout ce qu'ils peuvent pour être de bons parents. Mais la combinaison de leurs propres blessures psychologiques, leur manque de connaissances ou de compétences parentales, les pressions de toutes sortes, convergent parfois pour provoquer des comportements d'impatience et de frustration qui ont pu nous blesser. Ces réactions n'étaient pas dirigées contre nous. Toute autre personne se trouvant là, au même moment, aurait essuyé la même tempête. Cela s'applique à tout le monde… tout le temps.

L'AFFIRMATION DU PARDON

Enfin, voici une dernière technique qui vous encouragera à pardonner. Je vous conseille de réciter l'affirmation ci-dessous plusieurs fois par jour :

« Je me libère de toutes les exigences et de tous les jugements qui me limitent. Je m'accorde le droit d'avancer librement, de vivre dans la joie, l'amour et la paix. Je m'accorde le droit de créer des relations enrichissantes, d'avoir du succès dans la vie, d'avoir du plaisir. Je suis conscient de ma valeur comme personne. Je mérite d'avoir ce que je désire. Je suis maintenant libre de toutes sortes d'entraves. Dans ce processus, je libère aussi les autres de toutes les exigences ou de toutes les attentes que j'avais à leur égard. Je choisis d'être libre. J'accorde aussi aux autres le droit d'être libres. Je me pardonne et je leur pardonne. Je l'ai décidé ainsi. »

S'ILS PEUVENT LE FAIRE, VOUS LE POUVEZ AUSSI

Dans mes recherches d'anecdotes inspirantes pour les livres de la série *Bouillon de poulet pour l'âme*[MD], j'ai lu plusieurs histoires de pardon qui m'ont enseigné que les êtres humains peuvent pardonner n'importe quoi, peu importe le caractère tragique ou brutal de l'acte dont ils ont été victimes.

En 1972, le prix Pulitzer a été accordé pour la photographie d'une fillette vietnamienne, courant nue, ses vêtements avaient été arrachés de son corps, les bras levés pour exprimer sa terreur et sa douleur, alors qu'elle s'enfuyait de son village qui venait d'être bombardé au napalm. La photographie a été reproduite des milliers de fois dans le monde entier et on la retrouve aujourd'hui dans les manuels d'histoire.

Ce jour-là, Phan Thi Kim Phuc a été brûlée au troisième degré sur plus de la moitié de son corps. Kim a miraculeusement survécu à dix-sept opérations et à quatorze mois d'une douloureuse réadaptation. Elle a surmonté son passé grâce à un processus de pardon. Elle est maintenant citoyenne canadienne et ambassadrice de l'UNESCO, prêchant la bonne entente entre les nations. En outre, elle a lancé la fondation Kim, qui vient en aide aux innocentes victimes de la guerre. Tous ceux et celles qui l'ont rencontrée témoignent de l'incroyable paix et de la sérénité qui émanent de sa personne.[2]

En 1978, Simon Weston s'est joint aux Welsh Guards de l'armée britannique. Membre du contingent du groupe d'assaut des Falklands, il était à bord du *Sir Galahad* lorsque celui-ci fut bombardé par l'aviation argentine. Il a été gravement défiguré et affligé de brûlures sur quarante-neuf pour cent de la surface de son corps. Il a dû subir soixante-dix opérations depuis ce jour tragique et devra en subir d'autres. Il aurait été facile pour lui de devenir amer pour le restant de ses jours.

Au lieu de cela, il affirme : « Si votre vie est pleine de récriminations et d'amertume, alors vous échouez envers vous-même. Dans mon cas, cela signifierait abandonner les chirurgiens, le personnel infirmier et toutes les autres personnes qui m'ont aidé, et qui, en fin de compte, ne recevraient rien en retour de ce qu'ils ont fait pour moi. La haine peut vous consumer littéralement ; il s'agit d'une émotion destructrice. »

Plutôt que de s'enfoncer dans le ressentiment, Simon est devenu auteur et conférencier, cofondateur et vice-président de Western Spirit, une association qui travaille auprès de dizaines de milliers de jeunes gens, dont le style de vie reflète le désespoir qu'affronte une partie de la jeunesse du Royaume-Uni.[3]

Tout comme Simon et Kim, vous pouvez faire preuve de dépassement et triompher vous aussi.

---

2. Pour obtenir davantage d'information sur la fondation Kim, visitez www.kim foundation.com.
3. Pour obtenir davantage d'information sur le travail et la vision de Weston Spirit, visitez www.westonspirit.org.uk.

PRINCIPE 30

Affrontez ce qui ne va pas
et réglez-le

« Les faits ne cessent pas d'exister parce qu'on les ignore. »

ALDOUS HUXLEY
Écrivain visionnaire

*« Notre vie s'améliore seulement si nous prenons des risques et
le plus grand de tous les risques est d'être honnête envers soi-même. »*

WALTER ANDERSON
Éditeur du magazine *Parade*

Si vous voulez connaître le succès, vous devez renoncer à nier l'évidence et affronter ce qui ne marche pas dans votre vie. Essayez-vous de justifier, ou d'ignorer, ce qui se passe à votre travail, parce que vous ne voulez pas admettre qu'il s'agit d'un environnement hostile et toxique ? Trouvez-vous toutes sortes d'excuses à votre mariage malheureux ? Niez-vous votre manque d'énergie, votre excès de poids, votre mauvaise santé, ou votre piètre condition physique ? Refusez-vous de reconnaître que vos ventes s'effondrent depuis plus de trois mois ? Différez-vous constamment l'affrontement avec cet employé dont le rendement est inacceptable ?

Les personnes qui réussissent affrontent résolument les difficultés. Elles sont à l'affût d'indices précurseurs et elles prennent les mesures qui s'imposent, peu importe si cela est désagréable ou difficile.

RAPPELEZ-VOUS LES ALERTES JAUNES

Vous souvenez-vous des « alertes jaunes » dont je vous ai parlé lorsque je vous ai expliqué l'équation : É + R = E. (Principe 1 : « Assumez l'entière responsabilité de votre vie ») ? Les alertes jaunes sont des signaux subtils qui vous indiquent que quelque chose ne va pas. Votre ado recommence à rentrer tard de l'école.

D'étranges remarques se glissent dans le courrier de votre entreprise. Un ami ou un client vous fait un commentaire bizarre.

Parfois, on les prend au sérieux et on réagit tout de suite, mais le plus souvent on choisit simplement de les ignorer. On fait semblant d'oublier que les choses ne tournent pas rond.

Reconnaître ce qui ne fonctionne pas dans votre vie implique habituellement qu'il vous faudra poser des gestes dont vous auriez préféré vous abstenir. Peut-être devrez-vous démontrer davantage d'autodiscipline, risquer un affrontement qui vous vaudra du ressentiment, demander ce que vous voulez vraiment, exiger le respect au lieu de tolérer une relation abusive, ou peut-être même quitter votre emploi. Mais parce que vous ne voulez pas poser ces gestes dérangeants, vous vous porterez à la défense d'une situation douloureuse afin d'expliquer pourquoi vous la tolérez.

À QUOI RESSEMBLE LE DÉNI DE LA RÉALITÉ?

Même si les situations malsaines de notre vie nous apportent déplaisirs, embarras, ou même de la peine, nous les supportons fréquemment ou, pire encore, nous les dissimulons derrière le masque des conventions établies ou d'autres cachotteries de même nature. Nous ne nous rendons même pas compte que nous nions la réalité. Nous formulons des expressions telles que:

«Tous les hommes le font, alors…»
«On ne peut plus contrôler les ados aujourd'hui.»
«Ce n'est que l'expression de sa frustration.»
«Cela ne me concerne pas.»
«Je m'en lave les mains.»
«Ce n'est pas mon affaire.»
«Ce n'est pas à moi de dire cela.»
«Je ne veux pas faire de vagues.»
«Il n'y a rien que je puisse faire.»
«On lave son linge sale en famille.»
«L'endettement par cartes de crédit est normal de nos jours.»
«Cela n'arrive jamais aux gens comme nous.»
«Je vais être renvoyé si je dis quoi que ce soit.»
«Les amies de maman s'occupent d'elle.»
«Heureusement, il ne s'agit que de marijuana.»
«Elle est encore jeune.»

« J'en ai besoin pour me détendre. »

« Je suis obligé de travailler toutes ces heures pour me maintenir la tête hors de l'eau. »

« Attendons de voir ce qui se passera. »

« Je suis persuadé qu'il remboursera. »

À l'occasion, nous inventerons même des raisons pour prouver que ce qui ne marche pas... marche ! Pourtant, si nous acceptions de voir les choses en face, de reconnaître rapidement ce qui ne va pas, il serait souvent bien moins douloureux de corriger la situation tout de suite. Ce serait sans doute moins onéreux, les choses se normaliseraient plus rapidement et les problèmes seraient bien plus faciles à résoudre.

Nous pourrions être plus honnêtes vis-à-vis des personnes concernées, nous aurions une meilleure opinion de nous-mêmes et nous ferions ainsi preuve d'une plus grande intégrité. Mais, pour cela, nous devons surmonter notre déni de la réalité.

Les personnes qui réussissent, au contraire, sont davantage disposées à reconnaître les difficultés et à les corriger, plutôt que de défendre le statu quo à tout prix ou de se cacher la tête dans le sable.

En affaires, elles regardent froidement les résultats qui ne mentent pas, au lieu de faire des manœuvres comptables astucieuses pour éblouir les actionnaires. Elles veulent savoir pourquoi les gens boudent leurs produits ou services, la raison pour laquelle la dernière campagne publicitaire n'a pas donné les résultats escomptés, ou connaître la cause de la hausse des frais d'exploitation. Elles sont prêtes à regarder les choses en face et à résoudre les problèmes plutôt que de chercher à les nier.

« Répéter ce qui ne marche pas n'améliore jamais la situation. »

CHARLES J. GIVENS
Stratège en investissements immobiliers et auteur de *Wealth Without Risk*

SAVOIR QUAND S'ACCROCHER, SAVOIR QUAND SE RÉSIGNER

Renoncer à ignorer les faits, c'est admettre l'existence d'une situation problématique et agir pour la corriger. Cela me surprend toujours de constater à quel point il est difficile pour la plupart des gens d'être lucides et de décider, même s'il s'agit de choses aussi évidentes que l'alcoolisme ou la dépendance aux drogues. Le mariage s'écroule, l'entreprise fait faillite, ils perdent leur maison ou se retrouvent même à la rue, mais ils ne parviennent toujours pas à admettre que la toxicomanie est leur pire ennemie.

Heureusement, les problèmes ne sont pas toujours aussi aigus que la toxicomanie, mais cela ne rend pas leur reconnaissance et leur résolution plus faciles pour autant. Prenez votre emploi, par exemple. Est-ce que vous vous mentez au sujet de ce que vous aimeriez vraiment faire? Pire encore, clamez-vous sur tous les toits à quel point vous êtes heureux et épanoui, alors que vous ne l'êtes pas? Vivez-vous un mensonge?

Les bourreaux de travail sont un exemple parfait de ce type de déni de la réalité. Un horaire surchargé et prolongé est toujours improductif à la longue, mais la plupart de ces gens-là défendront le statu quo par des remarques, telles que: «Je gagne beaucoup d'argent», «Je fais vivre ma famille», «C'est comme cela que je me maintiens en tête», ou «Il faut bien que je le fasse si je veux demeurer compétitif».

Comme je l'ai mentionné auparavant, défendre et justifier une situation inacceptable est habituellement une forme de refus de la réalité.

LE FONDEMENT DU DÉNI EST LA PEUR

Le plus souvent, le déni est motivé par la peur que quelque chose de pire encore survienne si nous cessons de refuser d'admettre et si nous agissons. En d'autres mots, nous avons peur d'affronter la réalité.

Plusieurs thérapeutes vous diront qu'en dépit d'une multitude d'indices indiquant que leur conjoint ou conjointe a une aventure, la plupart de leurs patients ne risqueront jamais une scène pour clarifier les choses. Ces personnes ne veulent tout simplement pas admettre le fait que leur mariage est un échec.

Quelles sont les situations que vous avez peur d'affronter?

- Votre adolescent fume ou consomme de la drogue?
- Votre supérieur vous confie systématiquement ses projets en retard?
- Un associé ne s'engage pas à fond ou ses notes de frais sont trop élevées?
- Vos dépenses domestiques sont hors de contrôle?
- Vos parents vieillissent et ont besoin de soins continus?

- Votre santé est devenue problématique en raison d'une mauvaise alimentation et d'un style de vie malsain?

- Votre conjoint est replié sur lui-même, irrespectueux, ou même abusif?

- Vous n'avez pas suffisamment de temps à consacrer à vos enfants ni à vous-même?

Bien que plusieurs de ces situations exigent des changements radicaux dans votre façon de vivre, de travailler et d'interagir avec les autres, gardez à l'esprit que la solution ne passe pas nécessairement par une démission, un divorce, le congédiement d'un employé, ou l'emprisonnement de votre ado dans sa chambre.

Il peut être plus judicieux de choisir des moyens moins drastiques, comme une bonne discussion avec votre patron, une rencontre avec un conseiller matrimonial, imposer des limites à vos adolescents, la réduction de vos dépenses ou une rencontre avec un professionnel compétent. Bien sûr, ces solutions plus modérées exigent aussi que vous affrontiez vos peurs et que vous agissiez.

Mais vous devez d'abord admettre que quelque chose ne va pas.

La bonne nouvelle, c'est que plus vous affronterez de situations problématiques, plus vous deviendrez compétent à les gérer. Si vous parvenez d'abord à en régler une, vous serez plus apte à réagir promptement dès le plus petit indice par la suite.

AGISSEZ MAINTENANT

Faites une liste de ce qui ne fonctionne pas à votre goût dans votre vie. Commencez par les sept principales sphères pour lesquelles vous avez établi précédemment des objectifs: votre situation financière, votre carrière ou vos affaires, vos temps libres ou en famille, votre santé ou votre condition physique, vos relations interpersonnelles, votre croissance personnelle, et finalement, votre apport à la communauté. Demandez à votre personnel, à vos amis, à vos compagnons de classe, à votre groupe de travail, à votre instructeur ou à votre équipe ce qui, selon eux, mériterait de votre part une attention particulière.

Posez des questions directes: « *Qu'est-ce qui ne marche pas? Comment pouvons-nous corriger cela? Qu'attendez-vous de moi? Comment puis-je aider? Qu'est-ce que je dois faire? Quels gestes devrais-je, ou devrions-nous poser pour corriger la situation?* »

Devez-vous en parler à quelqu'un ? Est-il temps d'appeler un réparateur ? Devriez-vous demander de l'aide, acquérir une nouvelle compétence, trouver une nouvelle ressource, lire un livre, appeler un expert ou concevoir un plan ?

Choisissez une situation où un geste s'impose et faites-le. Ensuite, passez à la suivante, et réglez-la à son tour.

PRINCIPE 31

EMBRASSEZ LE CHANGEMENT

« Le changement est la loi de la vie. Et ceux dont le regard est tourné vers le passé ou le présent sont certains de rater l'avenir. »

JOHN F. KENNEDY
Trente-cinquième président des États-Unis

L e changement est inévitable. Par exemple, à cet instant même, votre corps et les cellules qui le composent se transforment. La Terre se modifie. L'économie, la technologie, notre manière de faire des affaires et nos moyens de communication évoluent. Et bien qu'il soit possible de résister au changement et d'être balayé par lui, on peut aussi l'accepter, s'y adapter, et chercher à l'exploiter à son avantage.

ÉVOLUER OU DISPARAÎTRE

En 1910, quinze fleuristes américains conjuguèrent leurs efforts pour fonder la société Florists' Telegraph Delivery (Service télégraphique de livraisons de fleurs), connue aujourd'hui sous le nom de FTD. En utilisant le télégraphe, il devint possible de faire livrer des fleurs à des clients se trouvant à des milliers de kilomètres de distance. Il était révolu le temps où une sœur ou une fillette se rendait chez le fleuriste du coin pour commander un petit bouquet.

Les membres d'une même famille étaient maintenant dispersés aux quatre coins du continent, à des milliers de kilomètres de leur lieu de naissance. La société FTD a vu le jour et a prospéré parce qu'elle a su reconnaître cette nouvelle tendance démographique, et la conjuguer à l'invention du télégraphe, qui était alors un tout nouveau moyen de communication.

À peu près à la même époque, l'industrie ferroviaire américaine a commencé à voir poindre à l'horizon de nouveaux moyens de transport, comme l'automobile et l'avion. Mais, contrairement aux autres industries qui se sont adaptées à ces nouveaux arrivants, l'industrie ferroviaire a résisté; ses dirigeants croyaient faire partie d'un monde à part. Ils n'ont pas reconnu que le rail appartenait aussi au secteur économique du transport des biens et des passagers.

Ils n'ont pas évalué correctement la nature de ces nouveaux compétiteurs qui venaient les affronter sur leur propre terrain. Ils n'ont pas évolué. Par conséquent, les sociétés ferroviaires ont pratiquement disparu.

COMMENT DEVEZ-VOUS ÉVOLUER?

Lorsque le changement survient, vous pouvez en faire votre allié, et apprendre à l'exploiter à votre profit, ou vous pouvez lui résister, et le laisser éventuellement vous piétiner. C'est à votre choix.

Si vous manifestez de l'intérêt envers le changement et l'acceptez volontiers, comme un fait inévitable de l'existence, et si vous cherchez des moyens de l'exploiter pour enrichir votre vie, la rendre plus facile et plus épanouissante, vous vous faciliterez beaucoup les choses. Le changement vous apparaîtra comme une occasion de grandir et de vivre de nouvelles expériences.

Il y a quelques années, j'ai été invité à titre de consultant par le Centre de commandement de l'armée navale à Washington, D.C. On venait tout juste d'annoncer que le commandement allait être transféré à San Diego, en Californie. Cela signifiait bien sûr que plusieurs fonctionnaires risquaient de perdre leur emploi. Mon travail consistait à animer un séminaire pour le personnel civil ne désirant pas déménager.

Même si on avait offert à tous des emplois à San Diego (incluant le remboursement des frais de déménagement), ou un soutien actif à ceux qui désiraient rester pour trouver un nouvel emploi dans la région de Washington, D.C., plusieurs employés étaient littéralement pétrifiés par la peur et le ressentiment.

Presque tous envisageaient ce changement dans leur vie comme un cataclysme. Je leur ai plutôt proposé de considérer ce bouleversement comme une occasion unique à saisir, un nouveau chapitre de leur vie. Je leur ai présenté la formule É + R = E (Événement + Réaction = Effet) et je leur ai expliqué que, même si le déménagement à San Diego (É) était inévitable, l'effet (E) dans leur vie, une occasion unique de grandir et de s'épanouir, dépendait entièrement de leur réaction (R) vis-à-vis cette situation.

«Vous trouverez peut-être un emploi comportant plus de responsabilités à Washington, leur ai-je expliqué, ou même un travail beaucoup mieux rémunéré. Ou peut-être, préférerez-vous déménager en Californie, où il fait bon toute l'année et où de nouveaux amis et de nouvelles aventures vous attendent sûrement.»

Petit à petit, les employés commencèrent à émerger de l'état de panique et de désarroi dans lequel cette annonce les avait tout d'abord plongés. Ils entrevoyaient la possibilité que ce grand «dérangement» pouvait tourner à leur avantage, si seulement ils décidaient de l'accueillir comme une occasion de créer quelque chose de meilleur et de nouveau dans leur vie.

COMMENT ACCUEILLIR LE CHANGEMENT

J'ai compris qu'il y avait deux grandes catégories de changement – le *changement cyclique* et le *changement structurel* – et que nous ne pouvions contrôler ni l'un ni l'autre.

Les changements cycliques, comme les fluctuations du marché boursier, se produisent plusieurs fois par année. Les prix montent et descendent. La Bourse s'emballe et entre plus tard en récession. Il y a les changements saisonniers de température, les dépenses des consommateurs pendant la période des fêtes, l'augmentation de la fréquence des voyages pendant les vacances, etc. Ces variations surgissent périodiquement et nous les acceptons comme des choses normales de la vie.

Mais il y a aussi des changements structuraux, comme l'invention de l'ordinateur qui a complètement bouleversé notre façon de vivre, de travailler, de recevoir l'information et de faire des achats. Lorsque de tels changements se produisent, ils sont définitifs et rien ne saurait ramener les choses comme elles étaient auparavant. Et ce sont précisément les changements de cette nature qui vous écraseront si vous tentez de leur résister.

Revenons à nos exemples précédents: La réaction des employés par rapport à la décision du commandement naval de déménager, la décision des fleuristes associés de FTD de profiter d'un nouveau moyen de communication, ou l'immobilisme de l'industrie ferroviaire. Alors, embrasserez-vous les changements structuraux, vous en servirez-vous pour améliorer votre vie – ou leur résisterez-vous?

Essayez de vous remémorer une époque où vous avez vécu un changement, mais que vous lui avez résisté. Peut-être s'agissait-il d'un déménagement, d'une nouvelle fonction, d'un changement de fournisseur, de l'introduction d'une nouvelle technologie dans votre entreprise, d'un changement d'administration, ou même simplement du départ de votre adolescent pour le collège – le genre de bouleversement que vous alliez devoir affronter un jour ou l'autre et que vous avez d'abord accueilli comme si c'était la fin du monde.

Que s'est-il passé lorsque vous avez finalement accepté le vent du changement? Votre vie s'est-elle améliorée avec le temps? En rétrospective, pouvez-vous dire: «Je suis très heureux des résultats que cette transition a apportés. J'ai constaté avec bonheur une nette amélioration dans mon existence par la suite.»

Si vous pouvez toujours garder à l'esprit que vous avez déjà vécu des changements dans le passé, et que la plupart ont été à votre avantage, vous pouvez aborder ceux qui surviennent aujourd'hui avec enthousiasme, parce que vous êtes animé du désir de voir ce que l'avenir vous réserve. Pour vous aider à l'accueillir positivement, posez-vous ces questions:

«Quel est le changement qui se produit dans ma vie maintenant, mais auquel j'oppose de la résistance?»

«Pourquoi est-ce que je m'oppose à ce changement?»

«Qu'est-ce qui me fait peur dans cette nouvelle situation?»

«Pourquoi ai-je peur de ce qui peut m'arriver?»

«Quel est mon intérêt à défendre le statu quo?»

«Combien ma résistance à ce changement me coûte-t-elle?»

«Quels seraient les avantages si j'acceptais ce changement?»

«Que dois-je faire pour m'y associer?»

«Qu'est-ce que je dois faire maintenant pour m'y adapter?»

«Quand vais-je l'accueillir?»

PRINCIPE 32

TRANSFORMEZ VOTRE CRITIQUE INTÉRIEUR EN ACCOMPAGNATEUR PERSONNEL

———————

« L'homme est le reflet de ses pensées. »

JAMES ALLEN

Auteur de *L'homme est le reflet de ses pensées*[1]

D es recherches ont établi que l'individu moyen, et cela veut dire vous !, se parle environ cinquante mille fois par jour. Ce dialogue interne vous concerne presque toujours, et selon les chercheurs en psychologie, il est négatif quatre-vingts pour cent du temps.

Il s'agit habituellement de remarques, telles que : *« Je n'aurais pas dû faire cela… Ils ne m'aiment pas… Je ne m'en sortirai jamais… Je n'aime pas l'allure de mes cheveux aujourd'hui… L'autre équipe ne fera qu'une bouchée de nous… Je ne sais pas danser… Je ne serai jamais un bon patineur… Je ne peux parler en public… Je ne perdrai jamais tout ce poids… Je n'arrive jamais à m'organiser… Je suis toujours en retard ».*

———————

« Justifiez vos limites et vous pouvez êtes certain qu'elles vous emprisonneront. »

RICHARD BACH

Auteur de *Jonathan Livingston le Goéland*

Ces études nous révèlent que ces pensées ont une très grande influence sur notre vie. Elles affectent notre attitude, altèrent notre santé et influencent notre désir d'agir. Nos pensées négatives ont un effet déterminant sur notre

———————

1. Publié aux éditions Un monde différent sous format de livre et de cassette audio.

comportement. Elles provoquent le bégaiement, nous font renverser des objets, oublier nos répliques, transpirer abondamment ou respirer avec difficulté. Elles nous inspirent aussi la peur et, dans des cas extrêmes, elles peuvent causer la paralysie, ou même la mort.

L'INQUIÉTUDE L'A TUÉ

Nick Sitzman, était un jeune homme vigoureux, ambitieux et en excellente santé. Il exerçait le métier d'agent de triage dans une cour d'une entreprise ferroviaire. Il avait la réputation d'être un abatteur de besogne fiable. Il avait une femme aimante, deux enfants et plusieurs amis.

Un jour d'été, son équipe reçut la permission de quitter le travail une heure plus tôt qu'à l'accoutumée pour souligner l'anniversaire de naissance du contre-maître. Alors qu'il effectuait une dernière vérification à un convoi, Nick fut accidentellement enfermé dans un wagon réfrigéré. Lorsqu'il se rendit compte que les autres membres de son équipe avaient quitté les lieux, la panique s'empara de lui.

Il frappa sur les parois jusqu'à ce que ses poings saignent et il s'égosilla à en perdre la voix, mais en vain, car personne ne pouvait l'entendre. Connaissant les caractéristiques techniques du wagon, il « savait » que la température ambiante allait descendre pour atteindre zéro degré. Nick pensa alors : « *Si je n'arrive pas à sortir d'ici, je vais mourir de froid* ».

Il voulait que sa femme et sa famille sachent ce qui lui était arrivé et il se mit à graver quelques mots sur le plancher de bois à l'aide d'un canif. Il écrivit : « Il fait maintenant très froid et je commence à être engourdi. Si seulement je pouvais m'endormir. J'écris sans doute mes derniers mots ».

Le lendemain, lorsqu'ils ouvrirent les lourdes portes du wagon, ses compagnons le trouvèrent étendu sur le sol. Il était mort. L'autopsie révéla tous les signes d'un décès par hypothermie. Pourtant, le système de réfrigération du wagon était inopérant et la température intérieure était de treize degrés Celsius. De toute évidence, par le seul pouvoir de sa pensée,[2] Nick s'était lui-même enlevé la vie.

Si vous ne prenez pas garde, vous aussi pouvez causer votre propre mort par l'effet de vos pensées négatives. Elle ne surviendra probablement pas d'une façon

---

2. Tiré de *The Speaker's Sourcebook*, de Glen Van Ekeren (Englewood-Cliffs, N.J. : Prentice-Hall, 1988).

aussi dramatique que celle de Nick Sitzman, mais petit à petit, jour après jour, jusqu'à ce que vous ayez lentement étouffé toutes les aptitudes naturelles nécessaires à la réalisation de vos rêves.

VOS PENSÉES AFFECTENT VOTRE SANTÉ

Nous savons, grâce aux expériences réalisées avec le polygraphe (le détecteur de mensonges), que le corps réagit aux pensées – par des variations de la température corporelle, du rythme cardiaque, de la pression sanguine, du rythme respiratoire et de la sudation. Si on vous branche au détecteur et qu'on vous pose la question : « Avez-vous volé l'argent ? » – et que c'est bien vous qui l'avez fait, vos mains se refroidissent, votre cœur se met à marteler votre poitrine, votre pression sanguine atteint des sommets, votre respiration devient saccadée, la tension musculaire s'accroît et la sueur commence à perler dans votre dos.

Ces phénomènes physiologiques ne se produisent pas seulement lorsque vous mentez, mais aussi à divers degrés, en réaction à chacun de vos états d'âme. Les cellules de votre corps subissent les effets de chacune de vos pensées.

Les pensées négatives finissent par produire des effets malsains : elles vous affaiblissent, provoquent une transpiration abondante et une tension musculaire indésirable. Les pensées positives ont l'effet contraire. Elles provoquent un relâchement musculaire, augmentent la qualité de votre concentration et vous rendent plus alertes. Elles stimulent la création d'endorphine dans votre cerveau, réduisant la douleur et créant une sensation de bien-être.

ADRESSEZ-VOUS LA PAROLE EN VAINQUEUR

« Aujourd'hui, vous êtes là où vos pensées vous ont amené ; demain vous serez là où vos pensées vous porteront. »

JAMES ALLEN
Auteur de *L'homme est le reflet de ses pensées*

Et qu'arriverait-il si vous appreniez à vous parler en champion, plutôt que de constamment vous tenir un langage de perdant ? Que se produirait-il si vous transformiez vos dialogues intérieurs négatifs en dialogues positifs ? Supposons que vous arriviez à faire taire vos pensées débilitantes et à les remplacer par des idées d'infinies possibilités ? Et si vous remplaciez votre discours de victime par un autre qui prêche la confiance en soi? Et si vous transformiez votre critique interne implacable, qui juge sévèrement chaque geste que vous posez, en accompagnateur intérieur compréhensif qui vous encouragerait et vous donnerait la confiance nécessaire pour affronter les nouvelles situations et les risques qu'elles comportent parfois?

Tout cela est possible si vous prenez conscience des effets de vos pensées et si vous vous appliquez sérieusement à remplacer celles qui inhibent vos désirs par d'autres qui les stimuleront.

ÉCRASEZ CES « FOURMIS »

Le psychiatre Daniel G. Amen utilise le mot anglais désignant une fourmi (ANT) pour nommer les pensées défaitistes qui surgissent dans notre esprit : les réflexions négatives automatiques (Automatic Negative Thoughts). Il recommande d'apprendre à écraser ces idées qui ne demandent qu'à fourmiller dans votre cerveau, dès qu'elles s'y présentent.[3] Il conseille d'en prendre tout d'abord conscience et ensuite de les déloger et de les fouler au pied littéralement en les affrontant directement. Finalement, il suggère de les remplacer par des pensées positives et affirmatives.

―――――――

« Ne croyez rien de ce que vous entendez, même si cela provient de votre propre esprit. »

DANIEL G. AMEN, M.D.
Spécialiste en neurologie, psychiatre et spécialiste des troubles déficitaires de l'attention

La clé, pour composer efficacement avec toute forme de pensées négatives, est de vous rendre compte que c'est vous qui, finalement, décidez de les accepter, de les écouter ou d'être en accord avec elles. Cependant, le fait qu'elles naissent dans votre esprit ne signifie pas qu'elles ont un fondement véridique.

―――――――

3. Voir *Change Your Brain, Change Your Life*, par Daniel G. Amen, M.D. (New York : Three Rivers Press, 1988) un livre lumineux sur les stratégies mentales pour surmonter l'anxiété, la dépression, les obsessions, la colère, et l'impulsivité, autant d'attitudes qui représentent des obstacles sur le chemin de la réussite. Les pages suivantes qui décrivent des stratégies pour étouffer les pensées négatives sont largement inspirées des idées du Dr Amen.

Vous devez toujours vous demander: «*Est-ce que cette pensée m'aide ou me blesse? Est-ce qu'elle me rapproche de mon but, ou est-ce qu'elle m'en éloigne? Est-ce qu'elle me motive à agir, ou me paralyse-t-elle par la peur et le doute?*» Vous devez apprendre à mettre au défi vos propres pensées et ne pas hésiter à contester celles qui ne vous servent pas à créer plus de bonheur et de succès dans votre vie.

Pour engager le combat avec vos «fourmis», comme le Dr Amen les appelle, vous devez d'abord être conscient de leur présence. Mon ami Doug Bench, auteur d'un programme d'études à distance sur la réussite et le succès[4], suggère d'écrire toutes vos pensées négatives, celles qui surgissent spontanément dans votre conscience ou que vous dites à haute voix pendant une période de trois jours. Choisissez pour ce faire deux journées de semaine et un autre moment au cours du week-end. C'est vraiment la meilleure manière de bien connaître vos «fourmis». En voici quelques autres:

Demandez à votre conjoint, à votre associé, à vos enfants, à votre colocataire ou à vos collègues de vous imposer une amende d'un dollar dès que vous prononcez une parole négative. Au cours d'un atelier auquel j'ai assisté récemment, nous devions déposer deux dollars dans un grand récipient dès que nous étions surpris à émettre un blâme, une excuse, ou que nous nous dénigrions nous-mêmes. C'était vraiment étonnant de voir à quelle vitesse le récipient s'emplissait.

Cependant, au fur et à mesure que la semaine avançait, on entendait de moins en moins de commentaires négatifs spontanés, parce que nous en étions davantage conscients et que nous avions appris à les «écraser» avant même de les exprimer. Si vous arrivez à convaincre votre entourage de participer à cet exercice en même temps que vous, cela vous facilitera considérablement les choses.

DIFFÉRENTES ESPÈCES DE FOURMIS

Il est utile de pouvoir distinguer les différentes espèces de «fourmis» qui sont susceptibles de vous attaquer. Lorsque vous en reconnaissez une, réfléchissez au fait qu'il s'agit d'une pensée irrationnelle qui doit être combattue et remplacée. Voici quelques exemples de fourmis nuisibles et comment les éliminer.

---

4. Pour en apprendre davantage sur le travail fascinant de Doug dans l'application des dernières recherches en neurologie sur le fonctionnement du cerveau dans la formulation de stratégies avancées de succès, consultez son site Web: www.scienceforsuccess.com.

Les « toujours » et les « jamais »

En fait, il y a bien peu de choses qui se produisent « toujours » ou « jamais ». Si vous êtes persuadé qu'il surviendra toujours un obstacle, ou que le succès ne sera jamais à votre portée, vous vous condamnez à l'échec d'entrée de jeu. Lorsque vous utilisez ces expressions « tout ou rien », comme *toujours, jamais, tout le monde, personne, tout le temps,* et *toute chose,* vous avez généralement tort. Voici quelques exemples qui reflètent ce type de mentalité :

> *« Je n'obtiendrai jamais d'augmentation. »*
> *« On abuse toujours de moi. »*
> *« Mes employés ne m'écoutent jamais. »*
> *« Je ne trouve jamais le temps pour m'occuper de moi. »*
> *« Je n'aurai jamais de répit. »*
> *« Personne ne me facilite la vie. »*
> *« Que je sois vivant ou mort ne suscite que de l'indifférence. »*

Si vous vous apercevez que vous êtes envahi de réflexions du type « tout ou rien », remplacez-les par des jugements plus nuancés, et par conséquent plus réalistes. À l'accusation : « *Tu profites toujours de moi* », substituez : « *Cela me met en colère lorsque je sens que tu te sers de moi, mais je sais que tu as déjà été juste à mon égard dans le passé, et que tu le seras encore à l'avenir* ».

Ne voir que l'aspect négatif des choses

Certaines personnes ne discernent que l'aspect négatif des choses. Elles semblent incapables d'en voir le bon côté. Lorsque j'animais des ateliers avec des professeurs du secondaire, j'ai remarqué que beaucoup d'entre eux avaient l'habitude de ne mettre que l'aspect négatif d'une situation en évidence. Par exemple, s'ils enseignaient un nouveau sujet à trente élèves, même si vingt-six d'entre eux avaient tout saisi du premier coup, ils ne parlaient que des quatre étudiants qui avaient éprouvé des difficultés. Ils ne parvenaient pas à se réjouir du succès de la majorité.

Apprenez à voir l'aspect positif des choses. Cette attitude vous aidera, non seulement à mieux vous sentir, mais elle sera de plus un facteur important dans votre ascension vers le succès. Récemment, un de mes amis m'a parlé d'un entretien qu'il avait entendu à la télévision, et dans lequel un multimillionnaire expliquait que l'un des points tournants dans sa carrière avait été le jour où il avait demandé à son personnel de parler de la meilleure chose qui leur était arrivée au cours de la semaine.

Au début, la réunion ne fut qu'une litanie de plaintes, de problèmes et de difficultés. Finalement, un employé commenta le fait qu'un messager de la société UPS lui avait mentionné qu'il venait de s'inscrire au collège pour obtenir un diplôme. Il ajouta qu'il avait été impressionné par la détermination de cet homme à poursuivre des études afin de réaliser le rêve de sa vie.

Lentement d'abord, puis avec un enthousiasme croissant, chaque membre du personnel y est allé de sa propre anecdote inspirante. On a finalement dû interrompre la réunion avant que tous aient pu relater leur histoire. À partir de ce moment-là, l'atmosphère à l'intérieur de l'entreprise commença à se transformer et elle connut ensuite une croissance spectaculaire.

Apprenez à jouer au jeu de l'«appréciation». Faites un effort pour faire ressortir l'aspect positif de chaque situation. Si vous agissez toujours en ce sens, vous deviendrez plus reconnaissant et plus optimiste. Vous cultiverez ainsi un état d'esprit qui facilitera la création de la vie de vos rêves. Cherchez toujours le beau côté de la vie.

Ma femme et moi avons été impliqués dans un accident d'automobile récemment alors qu'elle était au volant. Elle s'est engagée dans une intersection dont les feux étaient inopérants en raison d'une panne d'électricité. Elle est alors entrée en collision avec une autre voiture qui s'engageait dans la même voie. Elle aurait pu laisser les «fourmis» l'envahir, en se condamnant pour cet incident: *«Mais que je suis bête? J'aurais dû faire plus attention. On devrait rester chez soi lorsqu'il y a une panne d'électricité!»*

Elle a plutôt choisi de voir le côté positif de la situation, en se félicitant de l'heureuse conclusion de cette mésaventure: *«Je suis chanceuse de m'en être sortie vivante et pratiquement indemne. L'autre conducteur s'en est aussi sorti sans blessure. Dieu merci, ma voiture est vraiment sécuritaire. Et les policiers sont apparus si rapidement après l'impact. Qu'il est merveilleux de voir tant de personnes serviables. Cet incident m'a vraiment ouvert les yeux!»*

Un exercice très puissant pour fortifier votre «muscle» de l'appréciation est de prendre sept minutes chaque matin pour écrire ce que vous appréciez le plus dans votre vie. Je vous le suggère comme un rituel à observer jusqu'à la fin de vos jours. Si vous croyez que cela est quelque peu exagéré, accordez-lui tout de même une période d'essai de trente ou quarante jours. Il aura une influence profonde sur votre façon de voir le monde.

Les prédictions catastrophiques

Lorsque vous vous laissez entraîner à faire des « prédictions catastrophiques », vous construisez le pire scénario imaginable dans votre esprit, et vous réglez votre vie comme s'il s'agissait d'une certitude absolue. Sans aucun motif pour justifier votre pessimisme, vous vous persuadez que votre client éventuel ne manifestera aucun intérêt pour votre produit, que la personne vers laquelle vous êtes attiré repoussera votre invitation, ou que l'avion à bord duquel vous prenez place s'écrasera. Ne dites pas : « *Elle me rira au nez si je l'invite.* » Dites plutôt : « *Je ne sais pas comment elle réagira. Elle pourrait dire oui après tout.* »

Lire dans l'esprit des autres

Vous « lisez » dans l'esprit des autres lorsque vous prétendez savoir ce à quoi une personne pense, alors qu'elle ne vous a encore rien dit à ce sujet. Vous tombez dans ce piège lorsque vos « intuitions » empruntent les formes suivantes : « *Il est en colère contre moi… Elle ne m'aime pas… Je suis sûr qu'il dira non… Ça y est, elle va me congédier* ». Lorsqu'elles se manifestent, remplacez immédiatement ces spéculations par des faits. « *Je ne peux pas savoir ce qu'il pense à moins qu'il ne me le dise ouvertement, etc.* »

N'oubliez jamais ceci : À moins d'être un médium en communication avec l'au-delà, vous ne pouvez lire dans l'esprit des gens. Vous ne pouvez savoir ce qu'ils pensent à moins qu'ils ne vous le disent ou que vous ne le leur demandiez. Vérifiez vos hypothèses par des questions comme celles-ci : « J'ai l'impression que tu es en colère contre moi. Ai-je raison de le croire ? » Pour ma part, j'ai fait mienne la devise suivante : « Dans le doute, vérifie ! » pour m'assurer de ne pas tomber dans ce panneau.

Sombrer dans la culpabilité

Les sentiments de culpabilité ne sont jamais très loin lorsque vous employez des expressions qui débutent par : « *Il faudrait… Je dois…* ou *Je devrais…* » Voici quelques exemples : « *Il faudrait que j'étudie davantage mon examen de droit… Je devrais consacrer plus de temps à mes enfants… Je dois m'entraîner davantage.* » Dès que nous sentons que nous devrions faire une chose, ou une autre, nous y opposons instinctivement une résistance.

« Il faut que j'arrête de dire "il faut" dès maintenant. »

VU SUR UNE AFFICHE

Vous serez bien plus productif si vous remplacez ces petites expressions culpabilisantes par d'autres plus positives comme : *« Je veux… Je progresserai plus vite vers mon but si… Il est avantageux pour moi de… »* La culpabilité n'est jamais efficace. Elle se dresse toujours comme un obstacle entre vos ambitions et vous. Abattez cette barrière émotive qui vous empêche d'accéder au succès.

Étiqueter ou catégoriser les gens

Étiqueter les personnes, c'est leur attacher d'emblée une image péjorative et définitive. Il s'agit d'une forme de raccourci qui court-circuite l'exercice du jugement pondéré et subtil, essentiel pour atteindre le succès. Voici quelques exemples d'étiquettes : *« Quel con !… Je suis une idiote… Tu es arrogant… Il est irresponsable »*.

Lorsque vous employez ce genre de qualificatifs, vous confondez la personne visée, qui est peut-être vous-même, avec toutes les personnes sottes rencontrées dans votre vie. Cela vous empêche d'apprécier à sa juste valeur le caractère unique de la personne, ou de la situation. La qualité de votre jugement est alors altérée ainsi que votre efficacité. Remplacez le commentaire : *« Je suis stupide ! »* par : *« D'accord, il y avait une manière plus brillante de réagir, mais je suis malgré tout une personne intelligente et sensée. »*

« Nous inventons la signification que nous donnons aux événements. »

VIRGINIA SATIR
Psychothérapeute reconnue pour sa contribution dans les domaines
de la thérapie familiale et de l'estime de soi

La personnalisation

Vous personnalisez une situation lorsque vous donnez à un événement neutre une signification personnelle : *« Kevin ne m'a pas encore appelé. Il doit être en colère contre moi »* Ou encore : *« Nous venons de perdre la clientèle des Vanderbilt. C'est sûrement ma faute »*. En réalité, il y a peut-être d'autres explications et vous n'êtes probablement pas personnellement responsable de ce qui s'est produit. Ainsi, il se peut que Kevin soit malade, à l'extérieur, ou qu'il soit momentanément accaparé par ses propres problèmes. On ne peut connaître le véritable motif des actions des autres, à moins qu'ils ne nous le disent eux-mêmes.

TRANSFORMEZ VOTRE VOIX CRITIQUE INTÉRIEURE EN ACCOMPAGNATRICE PERSONNELLE

Un des exercices les plus efficaces pour faire taire votre voix critique intérieure est de lui apprendre à vous dire toute la vérité. (Voir le principe 29: «Faites la paix avec le passé pour mieux embrasser l'avenir»). Pour transformer cette voix logée dans votre for intérieur en accompagnatrice personnelle, vous devez comprendre une vérité fondamentale. La plupart des blâmes et des jugements que vous vous attribuez sont motivés par l'amour.

Une partie de vous-même essaie de pousser l'autre à faire quelque chose qui est dans votre intérêt. Tout comme vos parents, votre critique interne veut votre bien. Il désire que vous fassiez mieux pour profiter de la récompense associée à ce meilleur comportement. Le problème, c'est qu'il ne vous révèle jamais qu'une partie de la vérité.

Lorsque vous étiez petit, il est possible que vos parents se soient emportés contre vous et qu'ils vous aient envoyé dans votre chambre. Vous veniez peut-être de faire une bêtise, comme de vous précipiter étourdiment devant une voiture. Le véritable message derrière la punition était: «Nous t'aimons et nous ne voulons pas que tu te fasses écraser par une voiture. Nous voulons te garder avec nous, avoir la chance de te voir grandir et devenir un adulte épanoui et en bonne santé.»

Mais ils ne vous ont communiqué que la moitié du message: «Ça ne va pas chez toi? Comment peut-on être aussi étourdi? Tu devrais savoir qu'on ne se précipite pas devant une voiture en marche. Tu es en retenue pour une heure. Va dans ta chambre et réfléchis à ce que tu viens de faire». Ils vous ont exprimé de la colère mais c'est parce qu'ils craignaient de vous perdre. Derrière cette réprimande se cachaient trois autres messages distincts qui n'ont jamais été exprimés clairement: un message de peur, une demande précise et un témoignage d'amour.

La réprimande: «Je suis en colère contre toi parce que tu t'es précipité dans la rue sans regarder s'il y avait des voitures.»

La peur :	« J'ai eu peur que tu sois blessé gravement ou tué. »
La requête :	« Je veux que tu sois plus prudent lorsque tu joues en bordure de la rue. »
L'amour :	« Je t'aime tellement. Je ne sais pas ce que je ferais sans toi. Tu es si précieux à mes yeux. Je veux que tu sois à l'abri du danger et en santé. Tu mérites de t'amuser en toute sécurité afin de profiter pleinement de la vie, mais tu ne le pourras pas si tu es estropié ou paralysé. Est-ce que tu comprends cela ? »

Quel message différent ! Votre critique interne doit apprendre à vous adresser la parole de la même manière. Vous pouvez faire l'exercice par écrit, ou verbalement, en vous adressant la parole à voix haute. J'imagine habituellement que je parle à mon clone, assis sur une chaise vide devant moi.

Faites une liste de tous les reproches et des jugements que vous vous adressez. Mettez-y aussi tout ce que vous devriez ou négligez de faire. Votre liste ressemblera sans doute à ceci :

« Tu ne t'entraînes pas assez. »
« Tu prends trop de poids. »
« Tu es un gros lard, un vrai balourd ! »
« Tu bois trop d'alcool et tu manges trop de sucreries. »
« Tu dois absorber moins de glucides. »
« Tu devrais moins regarder la télé et te coucher plus tôt. »
« Si tu te levais plus de bonne heure, tu aurais davantage de temps pour faire de l'exercice. »
« Tu es paresseux. Pourquoi ne finis-tu jamais ce que tu commences ? »
« Tu entreprends des programmes d'entraînement, mais tu ne persévères jamais. »
« Tu es irresponsable. On ne peut se fier à ta parole. »

Après avoir terminé votre liste, exercez-vous à communiquer la même information en utilisant le processus en quatre étapes décrit plus haut : 1) Exprimez votre colère ; 2) votre peur ; 3) votre requête ; 4) votre amour. Consacrez au moins une minute à chaque étape. Assurez-vous que la requête soit claire et précise. Dites exactement ce que vous attendez de vous-même :

« Je devrais mieux m'alimenter » est trop vague. Soyez très précis à ce stade de votre démarche : *« Je veux que tu manges au moins quatre portions de légumes chaque jour. Je veux aussi que tu supprimes les frites et le dessert. Au petit-déjeuner, au moins un fruit serait le bienvenu. Je veux enfin que tu choisisses des céréales complètes, comme le blé entier et les riz brun, de préférence à la farine blanche. »* Plus vous serez clair, plus l'exercice vous sera bénéfique. Si vous le faites à voix haute, dites-le avec toute l'émotion et toute la passion dont vous êtes capable.

Voici un exemple construit à partir de la liste ci-dessus :

La colère :
« Je suis en colère contre toi parce que tu ne prends pas suffisamment soin de ta personne. Tu n'es qu'un gros paresseux ! Tu bois trop et tu manges trop. Tu n'as aucune discipline person-nelle ! Quand vas-tu te décider à faire quelque chose ? Tu es un fainéant ! Tout ce que tu fais, c'est de rester allongé devant la télé. Je ne peux tolérer un tel laisser-aller. Tu n'arrêtes pas d'engraisser et ta condition physique se détériore, d'année en année. Tes vêtements ne te font plus et ton apparence laisse à désirer. Tu me dégoûtes ! »

La peur :
« Si tu ne changes pas, j'ai bien peur que tu conti-nueras à prendre du poids jusqu'à ce que tu éprouves de sérieux problèmes de santé. Je crains que ton taux de cholestérol augmente tellement que tu finisses par avoir une crise cardiaque. Tu pourrais devenir diabétique et cela m'effraie. J'ai aussi peur que tu ne changes jamais, que tu finisses par mourir jeune et ne pas connaître la destinée à laquelle tu es promis. Si tu continues comme cela, tu ne réaliseras jamais tes rêves. Si tu ne commences pas à mieux t'alimenter et à prendre soin de ta personne, tu finiras par être rejeté de tous. Tu pourrais bien finir tes jours seul. »

La requête :
« Je veux que tu t'inscrives à un centre de condi-tionnement physique, que tu t'y rendes au moins trois fois par semaine et que tu marches au moins

	vingt minutes, les autres jours. Je veux que tu coupes une heure de télé par jour et que tu la consacres à faire un peu d'exercices. Je veux que tu cesses de manger des mets frits et que tu consommes plus de fruits et de légumes. Je veux te voir remplacer les boissons gazeuses par de l'eau. L'alcool sera désormais permis le vendredi et le samedi seulement. »
L'amour :	« Je t'aime. Je veux que tu restes parmi nous longtemps. Je souhaite que tu vives une relation merveilleuse. Tu mérites d'être élégant et bien dans ta peau. Je désire que tous tes rêves s'accomplissent. J'aimerais que tu te sentes bien en vie et énergique, plutôt que fatigué et léthargique tout le temps. Tu mérites de vivre pleinement, de jouir de chaque instant de ton existence et d'être parfaitement heureux. »

Dès que vous entendez une partie de vous-même commencer à vous juger, répondez-lui simplement : « Merci de toute cette attention. Maintenant, qu'est-ce qui te fait peur ? Que veux-tu que je fasse exactement ? En quoi, cela me sera-t-il bénéfique ? Et merci beaucoup ! »

Lorsque j'ai réalisé l'expérience du processus de transformation de ma voix critique interne en accompagnatrice personnelle, il y a vingt ans de cela, ma vie a changé radicalement. C'était après avoir quitté mon emploi auprès d'une entreprise offrant des services de formation, où je travaillais comme consultant et conférencier professionnel.

Toutefois, ce que je voulais vraiment faire, c'était de démarrer ma propre entreprise, former d'autres formateurs, établir des succursales dans d'autres villes et laisser ma marque. Mais cela m'apparaissait un défi écrasant, et j'avais peur d'échouer. Ce qui compliquait encore davantage la situation, c'est que je ne cessais de me culpabiliser, parce que je n'avais pas le courage de tenter l'aventure.

Après avoir complété l'exercice de transformation, un changement s'est produit. J'ai cessé de me faire des reproches et je me suis mis à penser à tout ce qui m'échappait parce que je n'osais faire le saut. Je me suis alors expliqué exactement ce que je devais faire. Dès le lendemain, j'ai esquissé le programme d'action de ma future entreprise. J'ai emprunté dix mille dollars à ma belle-mère, j'ai proposé à un ami de devenir mon associé dans cette affaire, j'ai rempli les formulaires d'incorporation, et j'ai commencé à concevoir les en-têtes de mes lettres d'affaires.

Moins de trois mois plus tard, j'animais ma première séance de formation à St. Louis devant plus de deux cents participants. Durant la même année, j'inaugurai des bureaux à Los Angeles, St. Louis, Philadelphie, San Diego et San Francisco. Depuis lors, plus de quarante mille personnes ont participé à mes programmes de formation qui ont lieu en semaine ou les week-ends : « Estime de soi et performance maximale », « L'estime de soi dans la salle de classe », « Le pouvoir de la concentration », « La formation des formateurs », « La relation de couple », « Créez la richesse et la prospérité », « Vivez à la hauteur de vos idéaux les plus hardis », « Vivre les principes du succès ».

En métamorphosant cette voix autocritique implacable en accompagnatrice personnelle, j'ai cessé de me considérer comme un échec. J'ai employé les moyens qu'il fallait pour transformer mon rêve en réalité. Plutôt que de retourner mon énergie contre moi, je pouvais maintenant la déployer pour réaliser ce que je voulais.

Ne laissez pas l'apparente simplicité de cette méthode vous leurrer. Elle est extrêmement efficace. Mais pour en extraire toute la valeur, vous devez d'abord la mettre en pratique. Cela s'applique d'ailleurs à tout ce que vous lirez dans ce livre. Personne ne peut le faire à votre place. Prenez vingt minutes pour transformer votre voix intérieure « harcelante » en accompagnatrice personnelle éclairée et bienveillante. Mobilisez toutes les dimensions de votre personnalité dans une seule direction, travaillant ensemble pour le plus grand bien de vos rêves et de vos aspirations.

COMMENT FAIRE TAIRE CE CRITIQUE TROP PERFECTIONNISTE

Avez-vous déjà animé un cours, prononcé une conférence, effectué une présentation de ventes, participé à une compétition athlétique, joué dans une pièce de théâtre, donné un récital ou réalisé avec succès une performance, pour être ensuite assiégé, sur le chemin du retour à la maison, par une voix intérieure qui vous soufflait que vous aviez tout raté, que vous auriez dû faire les choses autrement, que vous auriez pu et que vous auriez dû faire mieux ?

Je suis certain que cela vous est déjà arrivé. Et si vous écoutez cette voix trop longtemps, elle peut détruire votre confiance, votre estime de soi, vous démoraliser et même, vous paralyser complètement.

Voici une autre technique simple, mais puissante, pour réorienter cette communication interne. Elle transformera le jugement critique actuel en encouragements et en conseils pour vous améliorer.

Il ne faut pas oublier que la motivation réelle et profonde de votre voix critique est de vous aider à vous améliorer. Alors, dites-lui que si elle n'arrête pas de vous juger et de vous réprimander, vous allez tout simplement cesser de l'écouter. Faites-lui savoir que vous ne prêterez plus l'oreille à ses procès de caractère, à ses insultes, et à ses remarques désobligeantes, seulement à des conseils précis que vous pourriez mettre en pratique pour faire mieux la prochaine fois.

Elle cessera de vous diminuer et s'appliquera à vous indiquer des « moyens pour vous améliorer » lors de la prochaine occasion. Maintenant, votre voix critique se transforme en accompagnatrice intérieure qui vous signale simplement des façons d'améliorer vos performances futures. Le passé est derrière vous et il n'y a rien que vous puissiez faire à ce sujet. Vous pouvez seulement en tirer des leçons et réaliser une meilleure présentation la prochaine fois.

Voici un exemple qui pourrait être tiré de ma propre expérience. Le sigle « VCI » indique ma « voix critique intérieure ».

VCI :	« Je n'arrive pas à y croire. Mais à quoi pensais-tu donc ? Tu as essayé de transmettre beaucoup trop d'informations au cours de ce séminaire. Tu parlais bien trop vite et tout se bousculait vers la fin. Les gens ne peuvent assimiler autant de notions si rapidement. Tu es un maître de conférence après tout, et tu devrais déjà savoir tout cela ! »
MOI :	« Un petit moment, je te prie. Je ne te laisserai pas me critiquer de la sorte. J'ai travaillé dur toute la journée pour offrir aux gens le meilleur de moi-même. Maintenant que c'est fait, je sais ce qu'il me faut améliorer. Si tu as des recommandations précises à me faire pour la prochaine fois, alors exprime-toi clairement. Tes jugements ne m'intéressent pas. Tout ce que je désire entendre, ce sont des idées qui me permettront de faire mieux lors de mes prochaines conférences. »
VCI :	« C'est d'accord. La prochaine fois, choisis seulement trois ou quatre éléments essentiels sur

lesquels tu pourras te concentrer. Puis, communique ton message en utilisant des exemples, en ajoutant une touche d'humour et en faisant plus d'activités interpersonnelles. Ainsi, les participants pourront vraiment assimiler le matériel que tu leur proposes. Tu ne peux transmettre tout ce que tu sais en une seule journée. »

MOI: « Tu as raison. Y a-t-il autre chose ? »

VCI: « Oui, bien sûr. Utilise plus de jeux éducatifs interactifs en après-midi, alors que les participants ont moins d'énergie. Assure-toi que tout le monde reste alerte et éveillé. »

MOI: « Je suis d'accord. Autre chose ? »

VCI: « J'ai une autre idée. Pourquoi ne pas faire une pause de dix minutes à toutes les heures, plutôt qu'une seule de vingt minutes à toutes les deux heures ? Je crois que les gens arriveraient à mieux se concentrer et assimileraient plus efficacement la matière. »

MOI: « Ça me semble une très bonne idée. Ensuite ? »

VCI: « N'oublie pas d'intégrer des activités physiques à tes séminaires, pour conserver l'attention et l'intérêt de tes étudiants de type kinesthésique. »

MOI: « Compris. Et quoi encore ? »

VCI: « Fais deux copies de la feuille des « points essentiels pour performeurs » – une qui servira pour prendre des notes pendant le séminaire, et une autre que les étudiants utiliseront pour faire des photocopies. Comme ça, ils pourront s'en servir après le cours. Tu pourrais songer à placer une copie sur ton site Web, prête à être téléchargée. »

MOI: « Excellente idée. C'est tout ? »

VCI: « Oui, je pense avoir relevé tous les points importants. »

MOI :	« C'est très bien. J'ai pris bonne note de tout cela. J'intégrerai sûrement toutes ces idées dans mon prochain séminaire. Je te remercie. »
VCI :	« Il n'y a pas de quoi ! »

Comme vous avez pu le constater, votre voix critique interne avait bien des choses utiles à vous révéler. Le problème – jusqu'à maintenant ! – c'est que toute cette information était présentée sous la forme de jugements. Lorsque vous évacuez l'aspect émotif de la discussion, l'expérience devient enrichissante.

Et voici un précieux conseil. Puisque les recherches sur la mémoire nous enseignent qu'une nouvelle idée ne séjourne que pendant quarante secondes environ dans la mémoire à court terme avant de s'évanouir, il est important que vous conserviez les suggestions de votre accompagnateur interne dans un dossier, que vous pourrez consulter au moment opportun. Autrement, vous perdrez à tout jamais ses commentaires d'une très grande valeur.

PRINCIPE 33

ABATTEZ CES FAUSSES CONCEPTIONS QUI VOUS EMPRISONNENT

« Votre subconscient ne s'obstine pas avec vous. Il accepte ce que votre conscience lui dicte. Si vous vous dites : "Je ne peux me le permettre", votre subconscient fait qu'il en soit ainsi. Choisissez une meilleure idée. Décrétez : "Je me l'offre. Je l'accepte sans aucune arrière-pensée". ».

DR JOSEPH MURPHY
Auteur de *La Puissance de votre subconscient*[1]

Pour plusieurs d'entre nous, ce sont nos propres idées qui représentent l'obstacle le plus sérieux dans notre marche vers le succès – qu'il s'agisse de l'évaluation que nous faisons de nos capacités, des idées que nous avons sur ce qu'il faut pour réussir, de notre conception des relations humaines, et même de certains mythes tenaces que la science moderne a depuis longtemps réfutés.

Surmonter ces assertions sans fondement est un premier pas crucial dans notre voyage vers la réussite. Nous pouvons apprendre à préciser ces croyances qui nous limitent et les remplacer par d'autres, positives celles-là, sur lesquelles nous fonderons notre succès.

VOUS ÊTES CAPABLE

Une des croyances les plus répandues de nos jours est que, pour une raison ou pour une autre, nous sommes incapables d'atteindre nos buts. En dépit de meilleurs programmes éducatifs disponibles, et malgré des décennies d'expériences accumulées dans la réalisation d'à peu près n'importe quoi, nous choisissons plutôt de répéter : *« Je ne réussirai jamais cela. C'est au-dessus de mes forces. Il n'y a personne qui peut me le montrer. Je ne suis pas suffisamment intelligent. »* Et ainsi de suite.

---

1. Publié aux éditions Un monde différent sous format de cassettes audio.

D'où cela vient-il? Pour la majorité, ces idées proviennent de l'éducation reçue dans la petite enfance. Consciemment ou non, nos parents, nos grands-parents et les autres adultes qui nous servaient de modèles nous ont dit: *« Oh non, mon petit! C'est trop compliqué pour toi. Laisse-moi le faire à ta place. Peut-être l'an prochain en seras-tu capable »*.

Nous transportons ce sentiment d'incapacité dans la vie adulte, où il est renforcé par des erreurs professionnelles et d'autres « échecs ». Mais que se passerait-il si vous décidiez de vous dire plutôt: *« Je peux faire cela. J'en suis capable. D'autres l'ont fait avant moi. Si je n'ai pas les connaissances, quelqu'un peut me les transmettre. »*

Vous faites alors la transition vers la compétence et la maîtrise. Ce changement de mentalité peut représenter la différence entre une vie entière de « cela aurait pu être » et l'accomplissement de vos désirs.

VOUS ÊTES CAPABLE D'AIMER ET DIGNE D'AMOUR

De la même manière, plusieurs personnes croient qu'elles sont incapables de venir à bout des grands défis de la vie et qu'elles sont indignes d'amour – les deux piliers essentiels de l'estime de soi. Croire que vous pouvez venir à bout de tout ce qui peut vous arriver signifie que vous n'avez plus peur de rien. Et réfléchissez-y un moment: N'avez-vous pas été capable de surmonter tous les défis auxquels vous avez dû faire face dans le passé? La mort d'un proche, un divorce, la faillite, la perte d'un ami, de votre emploi, de votre argent, de votre réputation, de votre jeunesse?

Ces épreuves ont été difficiles, certes, mais vous les avez toutes surmontées. Vous pouvez donc affronter tous les autres défis également. Lorsque vous êtes persuadé de cela, votre confiance atteint des sommets insoupçonnés.

Croire que vous êtes digne d'amour signifie que vous êtes persuadé que: *« Je mérite d'être bien traité, avec respect et dignité. Ma valeur personnelle séduira une personne qui me chérira et m'adorera. Je suis digne d'une relation intime épanouissante. Je n'accepterai rien de moins que ce que je mérite. Je ferai tout ce qu'il faut pour créer une telle relation dans ma vie. »*

VOUS POUVEZ SURMONTER TOUTE CROYANCE QUI VOUS ARRÊTE

En plus de croire que nous sommes incapables, ou indignes d'amour, nous sommes souvent victimes de bien d'autres croyances qui nous coupent les ailes. Est-ce que celles-ci vous sont familières?

« Je ne suis pas assez (intelligent, séduisant, riche, vieux, jeune). »

« Les femmes ne font pas ce genre de travail. »

« Ils ne me choisiront jamais pour diriger ce nouveau projet. »

« Même si je n'aime pas cet emploi, j'ai besoin de la sécurité financière qu'il m'apporte. »

« Je ne réussis jamais rien. »

« Il est impossible de devenir riche dans cette ville. »

COMMENT SURMONTER TOUTE IDÉE DÉFAITISTE

Voici une méthode simple, en quatre étapes, permettant de transformer toute conception défaitiste en conviction ferme que vous pouvez y arriver:

1. Déterminez une croyance défaitiste que vous désirez changer. Commencez par faire une liste d'idées préconçues qui vous limitent dans la vie. Une façon amusante de le faire est d'inviter deux ou trois amis, qui veulent aussi progresser dans leur évolution personnelle, à se joindre à vous pour participer à une séance de remue-méninges.

   Jetez sur papier tout ce que parents, gardiens, professeurs, entraîneurs – y compris ce que des tuteurs bien intentionnés, comme les religieuses – ont pu vous dire dans le passé, et qui vous limitent encore aujourd'hui. Voici quelques croyances courantes qui ont pu prendre racine suite à ces expériences:

   « Tu es stupide. »
       « Je suis stupide. »

   « Tu n'es pas assez intelligent pour aller au collège. »
       « Je ne suis pas taillé dans la bonne étoffe pour aller au collège. »

   « L'argent ne pousse pas dans les arbres. »
       « Je ne serai jamais riche. »

« Ne peux-tu jamais rien faire correctement ? »
« Je ne peux rien faire de bien. À quoi bon essayer ? »

« Mange tout ce qu'il y a dans ton assiette. Les enfants des pays pauvres meurent de faim. »
« Je dois toujours vider mon assiette, même si je n'ai plus faim. »

« Si tu n'es pas vierge, personne ne voudra t'épouser. »
« Je ne suis plus désirable et on ne m'aimera plus jamais. »

« Tu ne penses qu'à toi. »
« Ce n'est pas bien de me préoccuper de mes propres besoins. »

« Les enfants ne doivent être ni vus ni entendus. »
« Je dois rester tranquille si je veux que l'on m'aime. »

« Tes problèmes n'intéressent personne. »
« Je dois cacher tout ce qui se passe en moi. »

« Les garçons ne pleurent pas. »
« Ce n'est pas une bonne chose de montrer ses émotions, surtout sa peine. »

« Agis comme une femme. »
« Il n'est pas acceptable d'être enjouée (espiègle, excitée, spontanée). »

« Ton opinion n'intéresse personne. »
« Ce que je pense n'a aucune importance. »

Lorsque vous avez terminé de dresser votre liste, choisissez une croyance qui, d'après vous, vous paralyse encore aujourd'hui, et complétez les trois autres étapes du processus.

2.   Déterminez de quelle manière cette croyance vous empêche d'agir.

3.   Projetez mentalement la personne que vous aimeriez être, le comportement que vous aimeriez adopter, et les émotions que vous voudriez ressentir.

4.   Créez une affirmation contraire, ou « antidote », qui affirme qu'il est bien, ou qui vous donne la permission d'être, d'agir ou d'éprouver tout ce que vous venez d'imaginer.

Par exemple :

1.   « La croyance négative qui me limite est : *"Je dois tout faire moi-même. Demander de l'aide n'est pas acceptable. C'est un signe de faiblesse."* »

2. « Le fait de ne pas demander d'aide m'oblige à travailler tard la nuit. Je n'ai pas suffisamment de sommeil et de loisirs. »

3. « Je voudrais croire qu'il est normal de demander de l'aide, qu'il ne s'agit pas d'une démonstration de faiblesse. Au contraire, c'est faire preuve de courage que de demander assistance. Je dois demander de l'aide quand j'en ai besoin. Je voudrais aussi pouvoir déléguer certaines tâches que je n'aime pas faire. Mon temps, et celui des autres, seraient ainsi beaucoup mieux utilisés. »

4. « Il est normal de demander de l'aide. Je suis digne de recevoir tout le soutien dont j'ai besoin. »

Voici d'autres exemples d'affirmations antidotes.

Affirmation négative :	« Ce n'est pas bien de me préoccuper de mes propres besoins. »
Antidote :	« Mes besoins valent autant que ceux des autres. »
Affirmation négative :	« Si j'exprime mes émotions, les gens penseront que je suis faible et ils chercheront alors à m'exploiter. »
Antidote :	« Plus j'exprime mes véritables émotions, plus les gens m'aiment, me respectent, et me soutiennent. »
Affirmation négative :	« Je ne peux rien faire correctement, alors à quoi bon essayer ? »
Antidote :	« Je peux faire plusieurs choses correctement et, chaque fois que j'essaie quelque chose de nouveau, j'apprends et je progresse. »

SOMMAIRE DE LA MÉTHODE

Gardez à l'esprit que votre dialogue intérieur et vos conversations doivent toujours avoir pour but de vous mener là où vous voulez vous rendre. Alors, remplacez immédiatement toute pensée ou croyance, qui vous empêche de réaliser vos objectifs par une autre, par une autre qui sera libératrice cette fois et qui vous rapprochera de ce que vous désirez vraiment. Utilisez le modèle suivant pour transformer vos préjugés abrutissants et limitatifs en convictions libératrices:

1. L'idée négative qui me paralyse est…
2. Elle m'impose des limites de la manière suivante…
3. Voici comment je voudrais être, penser et me sentir…
4. Ma phrase «antidote» qui affirme, ou me donne la permission, de faire ce qui est bon pour moi, est la suivante…

Lorsque vous aurez créé une nouvelle croyance, votre affirmation antidote, vous l'implanterez dans votre subconscient en la répétant d'une façon constante, plusieurs fois par jour, pendant un minimum de trente jours. N'hésitez pas à utiliser les techniques d'affirmations apprises au principe 10: (Relâchez les freins).

Comme Claude Bristol le mentionnait dans son magnifique livre *La Magie de croire*[2]: «La force subtile des suggestions répétées domine notre raison. Elle agit directement sur nos émotions et nos sentiments et pénètre finalement au plus profond de notre subconscient. Ce sont les suggestions répétées qui nous amènent à croire en quelque chose.»

---

2. Publié aux éditions Un monde différent sous format de livre et de cassette audio.

PRINCIPE 34

CULTIVEZ QUATRE NOUVELLES HABITUDES DE SUCCÈS CHAQUE ANNÉE

« L'individu qui veut atteindre le sommet en affaires doit apprécier à sa juste valeur la puissance et la force de l'habitude. Il doit rapidement rompre avec les automatismes qui peuvent l'anéantir, et se hâter d'adopter les comportements qui l'aideront à atteindre le succès qu'il convoite. »

J. PAUL GETTY
Fondateur de Getty Oil Company, philanthrope et généralement considéré comme l'homme le plus riche du monde dans les années cinquante

Les psychologues nous disent que plus de quatre-vingt-dix pour cent de nos comportements sont des habitudes. Quatre-vingt-dix pour cent! Depuis votre réveil jusqu'au coucher, vous répéterez des centaines de gestes, jour après jour. Cela inclut votre manière de vous doucher, de vous vêtir, de prendre votre petit-déjeuner, de lire le journal, de vous brosser les dents, de vous rendre au travail, de disposer vos affaires sur votre bureau, de faire vos emplettes ou le ménage de votre maison.

Avec les années, vous avez développé un ensemble d'habitudes bien ancrées qui déterminent le succès que vous obtenez dans les différentes dimensions de votre vie, qu'il s'agisse de votre travail, de vos revenus, de votre santé ou de vos relations interpersonnelles.

Le bon côté de la chose est que l'habitude libère votre esprit tandis que votre corps fonctionne en mode automatique. Cela vous permet de planifier votre journée tandis que vous êtes sous la douche ou de parler aux passagers qui vous accompagnent quand vous êtes au volant. Le côté moins reluisant de l'action inconsciente, c'est que vous pouvez être piégé à l'intérieur de schémas de comportements autodestructeurs, qui vous empêchent d'évoluer et qui limitent par conséquent vos possibilités de succès.

C'est l'ensemble de vos habitudes qui produit les résultats que vous obtenez aujourd'hui. Vraisemblablement, si vous désirez obtenir plus de succès, vous devrez renoncer à certaines d'entre elles (ne pas rappeler promptement les gens, veiller tard la nuit pour regarder la télé, faire des commentaires sarcastiques, manger sur le pouce tous les jours, arriver en retard à vos rendez-vous, dépenser plus que vous ne gagnez).

Vous devrez ensuite les remplacer par des habitudes plus productives (rappeler dans les vingt-quatre heures qui suivent la réception d'un appel, vous réserver huit heures de sommeil chaque nuit, lire une heure par jour, vous entraîner quatre fois la semaine, vous nourrir sainement, être ponctuel, épargner dix pour cent de vos revenus, etc.).

BONNES OU MAUVAISES, LES HABITUDES PRODUISENT TOUJOURS DES RÉSULTATS

« Le succès repose sur la compréhension, et l'application presque religieuse d'habitudes simples et précises qui vous mèneront infailliblement vers la réussite ».

ROBERT J. RINGER
Auteur de *Million Dollar Habits*

Vos habitudes déterminent ce que vous obtenez. Les gens qui ont du succès ne dérivent pas simplement vers la réussite au gré du vent. Réussir passe par des actions ciblées, de la discipline personnelle et une grande dépense d'énergie quotidienne. Les habitudes que vous développerez maintenant décideront de votre avenir.

Les personnes affligées d'habitudes néfastes ne constatent leurs conséquences dévastatrices que tard dans la vie. Si vous développez de mauvaises habitudes chroniques, la vie vous en fera généralement payer le prix. Vous pouvez ne pas aimer ce qui vous arrive, mais la vie ne joue ici que le rôle de messager. Si vous persistez à agir et vous comporter d'une certaine façon, les conséquences sont parfaitement prévisibles. Des habitudes négatives engendrent des effets négatifs. Des habitudes positives créent des résultats positifs.

ADOPTEZ DE BONNES HABITUDES DÈS AUJOURD'HUI

Changer une habitude est une opération qui s'effectue en deux temps : Le premier pas consiste à faire une liste de vos habitudes improductives, celles qui risquent même de compromettre votre avenir. Demandez à ceux que vous côtoyez régulièrement de vous aider à établir objectivement les habitudes qui, d'après eux, vous nuisent le plus. Recherchez les «patterns». Parcourez la liste ci-dessous, qui énumère quelques mauvais «plis» très courants:

- Tout remettre à plus tard.
- Payer vos comptes à la toute dernière minute.
- Ne pas produire les documents et les services promis à temps.
- Ne pas s'occuper promptement des comptes à recevoir en souffrance.
- Arriver en retard à ses rendez-vous ou à ses réunions.
- Oublier le nom d'une personne sitôt après avoir fait sa connaissance.
- Interrompre les autres, plutôt que de les écouter.
- Répondre au téléphone durant les moments réservés à la famille ou à votre épouse.
- Traiter le même courrier plus d'une fois.
- Travailler trop tard.
- Préférer le travail à la compagnie de vos enfants.
- Manger sur le pouce plus de deux fois par semaine.

Lorsque vous avez décelé vos mauvaises habitudes, la deuxième étape sert à en choisir de nouvelles, plus productives, et à mettre sur pied un système qui vous permettra de les renforcer.

Par exemple, si votre but est de vous rendre au gymnase tous les matins, un système simple que vous pourriez mettre en place serait de vous coucher une heure plus tôt et de régler votre réveil en conséquence. Si vous êtes vendeur, vous pourriez mettre au point une liste de vérification afin que vos clients éventuels reçoivent tous la même information.

Peut-être voulez-vous adopter l'habitude de terminer votre travail le vendredi soir pour consacrer le week-end à votre famille. Il s'agit d'une excellente intention, mais qu'allez-vous faire exactement pour enraciner cette habitude? Quelles initiatives de votre part cela exige-t-il? Comment allez-vous maintenir votre motivation?

Aurez-vous une liste de vérification qui vous rappellera ce que vous devrez accomplir avant la fin de la semaine? Perdrez-vous moins de temps avec vos collègues autour du distributeur d'eau? Expédierez-vous promptement les documents promis à vos correspondants? Vous engagerez-vous à raccourcir votre période de lunch?

QUE POURRIEZ-VOUS ACCOMPLIR SI VOUS ADOPTIEZ QUATRE NOUVELLES HABITUDES ANNÉE APRÈS ANNÉE?

Si vous adoptez ces stratégies pour cultiver quatre nouvelles habitudes chaque année, vous serez, dans cinq ans, armé de vingt nouvelles habitudes de succès qui vous apporteront la prospérité, la relation aimante et épanouissante que vous désirez, un corps plus ferme et plus énergique, et une multitude d'autres avantages.

Faites une liste de quatre nouvelles habitudes que vous voudriez adopter au cours de la prochaine année. Ancrez dans votre vie un nouveau comportement par trimestre. Si vous vous appliquez à introduire une nouvelle règle dans votre vie à toutes les treize semaines, vous ne serez pas écrasé par une liste irréaliste de « bonnes résolutions » annuelles.

Les recherches démontrent que si vous répétez un comportement pendant treize semaines, qu'il s'agisse de méditer vingt minutes par jour, d'utiliser la soie dentaire, de repasser vos buts, ou d'écrire des lettres de remerciement à vos clients, il restera vôtre pour la vie. En adoptant régulièrement de nouveaux automatismes, vous pouvez améliorer votre qualité de vie d'une manière spectaculaire.

Voici quelques conseils pour vous aider à persévérer dans votre engagement à cultiver ces nouvelles règles de vie. D'abord, placez de petites affiches à certains endroits stratégiques à la maison ou au bureau pour vous aider à renforcer vos nouvelles habitudes.

Par exemple, lorsque j'ai découvert qu'une légère déshydratation pouvait réduire mon acuité mentale de trente pour cent, j'ai décidé de mettre en pratique le conseil que tous les spécialistes de la santé recommandent: boire dix verres d'eau par jour. J'ai placé de petits autocollants sur mon téléphone, le miroir de la salle de bain, le réfrigérateur, me rappelant que je devais « boire de l'eau! »

Une autre technique efficace est de faire équipe avec un collaborateur, de garder le score et de se rendre mutuellement des comptes (voir le principe 21). Vérifiez votre pointage respectif au moins une fois par semaine pour vous assurer que vous restez dans la bonne voie.

La façon la plus efficace de ne pas déroger à vos résolutions est d'observer la règle du « il n'y a pas d'exception », expliquée au chapitre suivant.

PRINCIPE 35

QUATRE-VINGT-DIX-NEUF POUR CENT, C'EST L'ENFER ! CENT POUR CENT, C'EST L'EXTASE !

« Il y a une différence entre l'intention et l'engagement. Lorsqu'une chose vous intéresse, mais sans plus, vous ne la ferez que si les circonstances s'y prêtent. Par contre, lorsque vous prenez un engagement, il n'y a pas d'excuses qui tiennent, seuls les résultats comptent. »

KEN BLANCHARD
Chef spirituel de la direction de Ken Blanchard Companies et coauteur de plus de trente livres, incluant le succès de librairie classique *Le Manager minute*

Dans la vie, les lauriers de la victoire appartiennent aux gens qui s'engagent à cent pour cent, à ceux qui, pour atteindre leurs objectifs, sont prêts à faire « ce qu'il faut ». Ils donnent tout ce qu'ils ont ; ils misent tout ce qu'ils possèdent pour atteindre la cible fixée, qu'il s'agisse de remporter une médaille d'or aux Jeux olympiques, d'obtenir le prix du vendeur le plus efficace, d'être l'hôte de la meilleure réception en ville, de décrocher un A en microbiologie, ou d'acquérir la maison de leurs rêves.

LA RÈGLE DU : « IL N'Y A PAS D'EXCEPTION »

Les gens qui réussissent adhèrent à la règle d'or de toute discipline personnelle : « il n'y a pas d'exception ». Lorsque vous vous engagez à cent pour cent, il n'y a pas de faux-fuyant. C'est une décision irrévocable. La cause est entendue ! Par exemple, j'ai fait la promesse d'être monogame, point à la ligne. Je n'ai plus à y réfléchir à nouveau, peu importe les circonstances. Cela met un terme à la discussion, la porte est fermée à toute possibilité. Je n'ai pas à reconsidérer cette résolution chaque jour. Le sort en est jeté, les « vaisseaux sont brûlés ».

Cette décision me rend la vie plus facile, je peux me concentrer sur ce qui compte le plus à mes yeux. Elle libère une énorme quantité d'énergie que je serais obligé de dépenser à débattre la question, encore et encore. Tous les efforts que nous consacrons à la résolution de conflits internes nous privent de l'énergie qui est nécessaire pour produire des résultats concrets.

Si vous vous engagez à faire trente minutes d'exercices quotidiennement, peu importe ce qui arrive, vous devez le faire. Même si vous êtes en voyage d'affaires, si vous avez une entrevue à la télé à sept heures, si le temps est maussade, si vous avez peu dormi la veille, ou tout simplement, si vous n'en avez pas envie, vous faites vos exercices.

Cela devient ainsi une habitude, comme de se brosser les dents avant de se mettre au lit. Vous le faites, peu importe les circonstances. Si vous êtes déjà couché, et que vous vous rappelez soudainement avoir oublié de vous brosser les dents, vous vous levez pour le faire, n'est-ce pas? Vous ne dérogez tout simplement jamais à ce rituel.

SEULEMENT LES SOIRS DE PLEINE LUNE

Mon mentor Sid Simon est un conférencier très en demande, un entraîneur, un auteur de livres à succès et un poète, qui partage son temps entre Hadley, au Massachusetts, en été et Sanibel, en Floride, l'hiver. Lorsque j'étais étudiant diplômé à l'Université du Massachusetts, Sid était le professeur le plus populaire de la faculté d'éducation.

Sid attachait une très grande importance à sa santé et à sa condition physique. À soixante-dix-sept ans, il faisait toujours de la bicyclette régulièrement, prenait des suppléments alimentaires, mangeait sainement, et – oh oui! – il s'accordait un grand bol de crème glacée une fois par mois, à la pleine lune.

Lorsque j'ai assisté à la célébration de son soixante-quinzième anniversaire, je faisais partie de la centaine d'invités réunissant des membres de sa famille, des amis intimes et d'ex-étudiants qui le vénéraient toujours. Ils étaient venus de partout au pays pour lui rendre hommage. Au dessert, il y avait, comme il se doit, le traditionnel gâteau accompagné de crème glacée.

Il subsistait un petit problème toutefois, ce n'était pas le moment de la pleine lune! Pour le convaincre de céder à la tentation en cette occasion vraiment unique, quatre personnes qui connaissaient la promesse de Sid se présentèrent vêtues en déesses de la Lune, portant une énorme réplique de l'astre de la nuit confectionnée avec du carton et du papier d'aluminium.

© 1998 Randy Glasbergen.

« Je vais commander une poitrine de poulet grillé sans peau,
mais je voudrais que vous m'apportiez une lasagne et
du pain à l'ail par erreur. »

Mais, en dépit de cette aimable mise en scène, le professeur demeura inflexible et refusa de toucher à la crème glacée. Il savait que s'il brisait son vœu cette fois-là, il serait d'autant plus facile pour lui de le rompre à nouveau une prochaine fois. Il lui serait plus facile de rationaliser, justifier ou expliquer un prochain écart. Sid savait qu'un engagement ne comportant aucune exception est, en fait, plus facile à tenir. Il n'était pas disposé à sacrifier des années de succès personnels pour faire plaisir à son entourage. Quelle belle leçon de discipline personnelle nous a été donnée ce soir-là.

PEU IMPORTE CE QUI ARRIVE

Le Dr Wayne Dyer, conférencier dans le domaine de la motivation de renommée internationale et hôte de l'émission télévisée du réseau PBS : *Le Pouvoir de l'intention*, est un autre de mes amis qui a pris un engagement similaire à l'égard de sa santé et de sa condition physique. Depuis 22 ans, Wayne court quotidiennement un minimum de douze kilomètres – chaque jour, sans exception ! Wayne est bien connu pour escalader et redescendre les escaliers des grands hôtels de New York pendant la saison froide – il arpente aussi les allées des avions lors des très longs vols.

Peu importe que votre résolution consiste à lire une heure par jour, pratiquer le piano cinq fois par semaine, faire deux appels de sollicitation quotidiennement, apprendre une nouvelle langue, maîtriser le clavier de la dactylo, frapper deux cents balles de golf, faire cinquante redressements assis, courir dix kilomètres, prier, lire la Bible, consacrer soixante minutes à vos enfants – ou n'importe quelle autre activité qui vous rapproche de vos objectifs – engagez-vous à la tenir à cent pour cent. Vous atteindrez ainsi votre but à coup sûr.

L'ENGAGEMENT TOTAL : UNE DERNIÈRE RAISON

Cette volonté de tenir ses promesses à cent pour cent est importante dans plusieurs autres sphères de la vie, au travail, par exemple. Considérez ce qui se produirait si un engagement de l'ordre d'un dixième pour cent était acceptable dans les situations suivantes. Voyez quelles conséquences catastrophiques résulteraient d'un tel laxisme :

- Une heure d'eau potable contaminée par mois ;
- Deux atterrissages non sécuritaires par jour à l'aéroport international O'Hare de Chicago ;
- Seize mille colis postaux égarés à l'heure ;
- Vingt mille ordonnances erronées par année ;
- Cinq cents opérations chirurgicales comportant des erreurs annuellement ;
- Cinquante nouveaux-nés échappés quotidiennement lors d'accouchements ;
- Vingt-deux mille chèques à l'heure retirés de comptes erronés ;
- Votre cœur oublierait de battre trente-deux mille fois chaque année !

Vous voyez maintenant pourquoi cent pour cent est une cible importante ? Imaginez les progrès que cela apporterait dans votre vie, et comme tout fonctionnerait mieux dans le monde, si vous vous engagiez à exceller à cent pour cent dans tout ce que vous faites.

PRINCIPE 36

Apprenez et prospérez

« Lorsque j'aurai fini d'apprendre, je serai un homme fini. »
JOHN WOODEN
Instructeur de basketball de l'Université de la Californie à Los Angeles
qui compte dix championnats de la NCAA

Les gens qui possèdent beaucoup de connaissances ont un grand avantage sur ceux qui en ont moins. Vous pensez peut-être qu'il vous faudrait des années pour assimiler tout ce qui est nécessaire pour connaître un succès exceptionnel. En vérité, des gestes très simples, comme lire une heure par jour, apprendre quelque chose de neuf plutôt que de regarder la télévision, suivre des cours ou entreprendre un programme d'études, vous permettront d'apprendre très rapidement et accéléreront d'autant le rythme de vos succès.

RÉDUISEZ LE TEMPS PASSÉ DEVANT LE TÉLÉVISEUR

La triste réalité est que l'Américain moyen passe six heures par jour devant le téléviseur. Si vous êtes l'un de ces individus moyens, à l'âge de soixante ans, vous aurez gaspillé quinze années devant votre appareil. Il s'agit du quart de votre vie! Voulez-vous vraiment consacrer tout ce temps à observer d'autres personnes, celles que vous voyez au petit écran, s'enrichir en vivant leurs rêves pendant que vous végétez?

Lors de ma première réunion avec W. Clement Stone, il me demanda de réduire d'une heure par jour le temps que je passais devant le téléviseur. Il m'expliqua qu'en supprimant cette seule heure d'écoute, je créerais du même coup trois cent soixante-cinq heures supplémentaires par année (soit neuf semaines additionnelles de quarante heures ou deux mois complets) pour accomplir ce qui comptait le plus pour moi.

Je lui ai demandé ce qu'il me conseillait de faire de cette heure maintenant disponible. « N'importe quelle activité productive est préférable à la télévision, m'a-t-il répondu. Tu peux apprendre une langue étrangère, améliorer ta condition physique, passer une heure agréable avec tes enfants, apprendre à jouer d'un instrument de musique, faire davantage de sollicitations téléphoniques, ou retourner aux études et obtenir un diplôme.

« Mais ce que je recommande surtout, c'est de faire une heure de lecture par jour. Les biographies inspirantes de personnalités remarquables, ou les livres qui traitent de psychologie, de ventes, de finance et de santé sont d'excellents choix. Étudie les principes de la réussite dans la vie. » Et c'est ce que j'ai fait.

Mon bon ami Marshall Thurber dévore pratiquement un livre par jour sur les plus récentes tendances en affaires, soit un minimum de vingt livres par mois. Marshall est l'un des individus les mieux informés que je connaisse. Il a mis sur pied un service, le site ededge – qui offre des résumés de livres à l'usage des cadres de haut niveau.

Il propose à ses abonnés un livre à la fine pointe de l'actualité des affaires par mois. Il en fait la synthèse et présente une entrevue réalisée avec l'auteur, tout cela pour un peu plus que le coût du volume. Même si ededge s'adressait à l'origine aux dirigeants d'entreprises et aux cadres supérieurs, il est aujourd'hui disponible pour tous. Pour plus de détails, consultez le site : http://www.ededge.com.

LES LEADERS SONT DES LECTEURS

Le Dr John Demartini, un millionnaire qui a bâti sa fortune par ses propres moyens, a un jour fait la liste de tous les gagnants de prix Nobel. Il a aussi regroupé les noms de toutes les personnalités marquantes dans les mêmes disciplines : poésie, science, religion ou philosophie. Il s'est ensuite plongé dans la lecture de leurs œuvres et de leurs biographies. Il n'est pas étonnant que John soit aussi l'un des hommes les plus brillants et les plus avisés que je connaisse. Lire, c'est enrichissant !

« Si vous plongez les mains dans un pot de colle, inévitablement vos doigts seront toujours un peu gluants lorsque vous les en ressortirez, dit John. De la même manière, vous ne pouvez immerger votre esprit et votre cœur dans l'œuvre de ces maîtres sans en retenir quelque chose. Si vous lisez la vie et l'œuvre des immortels, vous augmentez vos chances de laisser votre marque dans le monde. Dans mon cas, le résultat a été spectaculaire. »

Jim Rohn, le philosophe de la motivation le plus réputé aux États-Unis, recommande aussi de consacrer cette heure supplémentaire à la lecture. Il m'a fait comprendre que si vous lisez un livre par semaine, vous aurez lu cinq cent vingt livres en dix ans, soit plus de mille livres en vingt ans, assez pour vous hisser facilement parmi les experts dans votre domaine. Ajoutez à ces ouvrages de maîtres la lecture d'ouvrages dans des disciplines connexes, et vous jouirez d'un avantage dont les autres ne disposent tout simplement pas.

POUR LIRE DAVANTAGE, APPRENEZ À LIRE PLUS RAPIDEMENT

Si vous désirez accélérer votre rythme de lecture, envisagez la possibilité de suivre un cours qui vous aidera à lire plus rapidement et à mieux retenir ce que vous lisez. La meilleure ressource que j'ai trouvée est le PhotoReading Course, développé par Paul Scheele. Il offre des ateliers d'un week-end dans plusieurs villes un peu partout dans le monde, ou un cours pour autodidactes.

Informez-vous auprès de Learning Strategies Corporation (2000 Plymouth Road, Minnetonka, MN 55305 ; téléphone : 800-735-8273). Vous pouvez obtenir plus d'informations en visitant le site : http: /www.learningstrategies.com.

UN SYSTÈME HEBDOMADAIRE POUR DEVENIR PLUS INTELLIGENT !

Jetez un coup d'œil à la section : « Lectures suggérées et autres ressources pour bâtir votre succès », en annexe. Ce genre de livres vous aidera à accéder à la maîtrise dans les dimensions de votre vie qui sont essentielles pour connaître le bonheur et l'épanouissement. Ils contiennent des exemples de sagesse universelle, de l'information, des méthodologies, des systèmes, des techniques et certains des secrets de la réussite les plus importants que l'on ait répertoriés.

Si vous vous engagez à lire un livre par semaine, à approfondir ce que vous avez lu et à mettre en pratique au moins un principe tiré de chacun d'entre eux, vous aurez plusieurs longueurs d'avance sur l'individu moyen dans la création d'une vie extraordinaire.

Les livres de cette liste m'ont aidé à atteindre le niveau de succès que je connais aujourd'hui. Plusieurs sont des classiques qui devraient absolument trouver place dans votre bibliothèque personnelle du succès.

Si vous ne pouvez vous permettre d'acheter ces livres, empruntez-les à un ami ou à votre bibliothèque locale.

ÉTUDIEZ LA VIE DES GRANDS PERSONNAGES DE L'HISTOIRE

En plus de la liste que je vous suggère, quelques-uns des meilleurs livres disponibles sont les biographies et les autobiographies de grands personnages historiques. En les lisant, vous apprendrez comment devenir un être remarquable à votre tour.

L'ancien maire de New York, Rudolph Giuliani a écrit un jour : « Les biographies politiques font depuis longtemps partie de mes lectures favorites. Le livre de John Kennedy : *Le Courage dans la politique : quelques grandes figures de l'histoire politique américaine* m'a très fortement impressionné lorsque j'étais adolescent. Plus tard, lorsque j'entendais un politicien faire appel aux plus basses motivations de ses électeurs, je me disais : « *Y a-t-il encore quelqu'un de nos jours qui se donne la peine de lire, ne serait-ce qu'un seul chapitre de* Courage dans la politique ? J'ai dévoré les biographies d'Abraham Lincoln et de George Washington avec autant de passion que celles de Babe Ruth, Lou Gehrig et Joe DiMaggio.[1] »

Lors d'un discours prononcé récemment par M. Giuliani à Santa Barbara, l'ex-maire de New York nous a révélé que ce qu'il avait appris dans les biographies de Winston Churchill, en particulier sa façon de mener l'Angleterre pendant les bombardements de la Seconde Guerre mondiale, l'avait aidé à diriger New York après l'attaque terroriste du 11 septembre 2001.

À ce propos, Great Life Network est une ressource précieuse qui offre d'une manière condensée l'inspiration et l'information que l'on obtient généralement des biographies des grandes figures historiques. Cette entreprise a développé une série de livres, de logiciels, et de programmes audio qui présentent l'histoire de la réussite de plus de cinq cents personnalités parmi les plus remarquables du monde entier, le tout dans un format abrégé et facile à comprendre. Visitez son site Web à l'adresse : www.greatlifenetwork.com.

Une dernière suggestion : Lorsque vous regardez la télévision, ne manquez pas l'émission *Biography* au réseau A&E Television. Chaque épisode de la vie des personnalités que l'on présente lors de chaque épisode ne manque jamais de m'inspirer et de me stimuler.

---

1. Extrait de *Leadership* de Rudolph W. Giuliani, en collaboration avec Ken Kurson (Buchet-Chastel, 2003).

PARTICIPEZ À DES RASSEMBLEMENTS, DES CONFÉRENCES ET DES SÉMINAIRES SUR LE SUCCÈS

Je garde un vif souvenir de ma toute première participation à un rassemblement sur le thème du succès. Des milliers de personnes étaient réunies pour écouter les plus grands conférenciers, formateurs et experts en motivation de notre temps. Vous aussi, vous pouvez participer à ces expériences marquantes de transformation personnelle, en vous rendant à un tel rassemblement, en assistant à des conférences et en participant à des séminaires. Il s'agit d'une excellente occasion de partager l'enthousiasme et l'inspiration des autres participants et de nouer de nouvelles amitiés. Jetez un coup d'œil à vos journaux locaux afin de connaître le lieu et la date de tels événements dans votre région.

SOYEZ OUVERT AUX NOUVEAUX APPRENTISSAGES

« Lorsque vous êtes humble, vous apprenez mieux. Je ne peux concevoir beaucoup d'avantages à cet état d'esprit, mais celui-là est indéniable. »

JOHN DOONER
Président du conseil d'administration et chef de la direction d'Interpublic,
le plus grand conglomérat publicitaire du monde

Alors que j'étais en train d'écrire ce livre, je me suis retrouvé assis à côté de Skip Barber sur un vol en direction de Las Vegas. Skip forme des pilotes de voitures de haute performance dans les conditions simulant de véritables compétitions automobiles. Lorsque je lui ai demandé ce qui distinguait ses meilleurs étudiants, il m'a répondu : « Ceux qui réussissent sont ceux qui présentent la meilleure attitude. Ils sont assoiffés de nouvelles connaissances. Les autres n'y arrivent pas parce qu'il est impossible d'enseigner quoi que ce soit à qui croit déjà tout savoir. »

Si vous voulez apprendre et évoluer, vous devez avoir la même attitude par rapport à l'apprentissage. Vous devez cesser de prétendre que vous savez tout déjà, renoncer à avoir toujours raison et épater par l'étendue de vos connaissances. Vous devez vous ouvrir à ce que les autres peuvent vous apprendre. Écoutez ceux qui ont chèrement acquis le droit de s'exprimer sur un sujet, parce qu'ils ont déjà parcouru le chemin sur lequel vous vous êtes engagé.

À l'époque où je travaillais pour la Fondation W. Clement and Jesse V. Stone, mon supérieur immédiat était le Dr Billy Sharp, un des hommes les plus fins d'esprit que j'aie jamais connus. À chaque fois qu'un conférencier invité faisait les frais de l'animation de l'une de nos réunions, Billy demeurait toujours étrangement discret. Un jour, je lui ai demandé pourquoi il était aussi réservé au cours de ces réunions. Non seulement sa réponse fut-elle particulièrement révélatrice, mais j'ai appris du même coup la raison de sa grande érudition : « Je suis parfaitement conscient de ce que je connais déjà, m'expliqua-t-il. Si je prends la parole simplement pour me mettre en valeur, je n'apprendrai rien de notre visiteur. Je veux profiter de ses connaissances. » Et c'est ce qu'il faisait toujours.

SOYEZ PRÊT À SAISIR LA BALLE AU BOND

Dans son livre *Live Your Dreams*, Les Brown nous raconte qu'il voulait devenir le disque-jockey le plus populaire de Miami : « Lorsque je me suis mis en route, raconte-t-il, je n'avais aucune idée de la manière dont j'y parviendrais, mais je savais que la vie me présenterait des occasions favorables. Mais pour cela, il fallait que je m'y prépare et que je sois prêt à saisir ma chance quand elle se présenterait ».

Les s'abreuvait fébrilement aux paroles de son professeur d'art dramatique, apprenant tout ce qu'il pouvait sur la linguistique. Ensemble, ils travaillèrent son élocution. Bientôt, Les réussit à développer son propre style de baratin. Il s'imaginait déjà dans la peau d'un disque-jockey même s'il n'était encore qu'un étudiant. Il se mit à la recherche de mentors pour se préparer aux occasions de se produire en ondes, assuré qu'elles ne manqueraient pas de se produire.

Vers la fin de ses études secondaires, alors qu'il travaillait au service de l'entretien sanitaire de la ville, sa persévérance fut récompensée. On l'engagea comme homme à tout faire dans une des principales stations de radio de Miami.

Les mit immédiatement à profit ce poste d'observation privilégié pour en apprendre davantage. Il absorbait tout ce qu'il pouvait, il observait attentivement les disques-jockeys et les ingénieurs du son. Ensuite, dans sa chambre où il avait aménagé un studio improvisé, il pratiquait ce qu'il avait appris, utilisant sa brosse à dents en guise de microphone ! Puis, un soir, un des animateurs réguliers ne put terminer son émission et Les eut enfin la chance de présenter son numéro en ondes.

Lorsque son tour vint, non seulement Les était-il prêt à animer une émission de radio, mais il était déjà exceptionnel dans ce rôle. Son style, son boniment mille fois répétés, les dialogues et les trucs du métier qu'il avait développés firent un tabac instantané, il fut immédiatement promu disque-jockey suppléant. On lui confia sa propre émission de radio peu de temps après.

QUE DEVEZ-VOUS FAIRE POUR ÊTRE PRÊT?

Vous êtes un spécialiste dans votre domaine et vous êtes persuadé que votre entreprise de consultation prendra son envol lorsque vous aurez fait votre brillante présentation lors d'un congrès national? Alors, pourquoi ne pas vous y préparer dès maintenant, en écrivant le scénario de votre conférence, en devenant membre du club des Toastmasters, en vous exerçant à prendre la parole en public et en répétant votre entrée en scène?

Si vous visez une promotion, pourquoi ne pas demander à votre patron quelles sont les qualités requises pour obtenir de l'avancement? Il vous faudra peut-être retourner sur les bancs d'école et décrocher votre MBA, ou encore, acquérir une année d'expérience supplémentaire en comptabilité. Il vous suffira peut-être simplement d'apprendre à utiliser le dernier logiciel. Faites ce qu'il faut, et, lorsque le temps des promotions viendra, vous pourrez dire : « Je suis prêt! »

Auriez-vous avantage à apprendre une langue étrangère? Avez-vous besoin de mettre à niveau vos compétences, de trouver de nouvelles ressources, ou de vous faire de nouveaux contacts? Votre condition physique est-elle ce qu'elle devrait être? Qu'en est-il de vos habiletés en affaires, de vos techniques de ventes ou de vos résultats comme négociateur? Y a-t-il des logiciels d'applications générales que vous devriez maîtriser : PowerPoint, PageMaker, Photoshop, ou Excel?

Vous serait-il utile d'apprendre à jouer au golf afin de pouvoir discuter affaires sur les allées? Est-ce que votre mariage et l'harmonie familiale y gagneraient si vous suiviez des leçons de danse avec votre épouse? Voulez-vous vous initier à la voile ou au tennis? Apprendre à jouer d'un instrument de musique, assister à des cours d'art dramatique, ou améliorer votre style de rédaction dans le but d'accélérer la réalisation de vos ambitions particulières?

Peu importe ce qu'il vous faut pour être prêt au moment opportun, mettez-vous au travail maintenant. Faites d'abord une liste de dix compétences qui vous aideront à saisir l'occasion au vol lorsqu'elle se présentera. Inscrivez-vous à des cours de votre propre initiative. Lisez des livres. Cultivez de nouvelles compétences. Assistez aux congrès de votre industrie. Soignez votre tenue vestimentaire. Ayez l'air d'un joueur professionnel avant même de vous présenter sur le terrain.

Et comme l'histoire de Les Brown nous l'a appris, vous devez y mettre de la passion et de la persévérance. Vous devez avoir la conviction, qu'un jour, la chance viendra frapper à votre porte. Et ce jour-là, vous serez prêt à la saisir.

ASSISTEZ À DES FORMATIONS SUR LA CROISSANCE DU POTENTIEL HUMAIN

« Rien ne change avant que vous ne changiez vous-même. »

SOURCE ANONYME

Supposons que vous découvriez subitement que le frein à main de votre voiture est en position d'arrêt. Allez-vous exiger un surcroît d'efforts de votre moteur ? Non, bien sûr ! Vous allez tout simplement dégager le frein. Votre véhicule fera instantanément un bond en avant, sans avoir à appuyer sur l'accélérateur.

La plupart d'entre nous avancent péniblement dans l'existence comme des automobiles dont le frein à main serait continuellement engagé. Il est maintenant temps de disposer de ces croyances paralysantes, de ces blocages émotionnels et de ces comportements autodestructeurs qui nous clouent littéralement sur place.

En plus des techniques que nous avons déjà vues dans les principes 10 (« Relâchez les freins »), 32 (« Transformez votre critique intérieur en accompagnateur personnel »), et 33 (« Abattez ces fausses conceptions qui vous emprisonnent »), il existe deux méthodes des plus efficaces pour prendre votre élan. Il s'agit des programmes de croissance personnelle et de la thérapie individuelle. Si je devais attribuer mes succès à un facteur prépondérant, je mentionnerais les centaines de séminaires de croissance personnelle auxquels j'ai assisté depuis plus de quarante ans. Chacun d'entre nous, moi inclus, a besoin d'influences extérieures pour briser ses vieux schémas, et pour l'aider à se donner de nouvelles façon de penser et d'agir.

Vous trouverez ci-dessous une brève liste d'organisations que j'ai trouvées particulièrement efficaces pour faciliter mon cheminement personnel, celui de ma famille, de mon personnel, et de mes étudiants. Visitez leur site Web, entrez en contact avec eux et assistez à leurs événements promotionnels. Choisissez ensuite celle dont l'approche semble le mieux convenir à votre situation. Consultez aussi la section : « Lectures suggérées et autres ressources pour bâtir votre succès », en annexe, pour obtenir plus d'information sur ces entreprises, ou d'autres, qui y sont mentionnées :

Canfield Training Group, Case postale 30880, Santa Barbara, CA 93130. Téléphone : 805-563-2935. Télécopieur : 805-563-2945. www.jackcanfield.com

Global Relationship Centers, 25555 Pedernales Point Drive, Spicewood, TX 78669. Téléphone : 512-264-3333. Télécopieur : 512-264-2913. www.grc333.com

Hoffman Institute, 223 San Anselmo Avenue, suite 4, San Anselmo, CA 94960. Téléphone : 415-485-5220. Sans frais : 800-506-5253. www.hoffmaninstitute.org

Insight Seminars, 2101 Wilshire Boulevard, suite 101, Santa Monica, CA 90403. Téléphone : 310-315-9733. www.insightseminars.org.

Landmark Education – The Forum, 353 Sacramento Street, suite 200, San Francisco, CA 94111. Téléphone : 415-981-8850. www.landmarkeducation.com

Peak Potentials Training, 1651 Welch Street, North Vancouver, BC, Canada, V7P 3G9. Téléphone : 604-983-3344. www.peakpotentials.com

Sedona Training Associates, 60 Tortilla Drive, Sedona, AZ 86336. Téléphone : 928-282-3522. Télécopieur : 928-203-0602. www.sedona.com

THÉRAPIE ET CONSULTATION PSYCHOLOGIQUE

Même si les programmes de formation que j'ai mentionnés ci-dessus élargiront vos horizons et vous offriront une foule de nouvelles possibilités, certains d'entre nous ont tout simplement besoin d'une aide supplémentaire pour se libérer de profonds blocages émotionnels, ou se défaire de certains aspects de l'éducation de leur enfance qui les paralysent. Pour ceux-là, la thérapie et la consultation psychologique représentent la réponse appropriée.

Toutefois, selon ma propre expérience, seulement vingt pour cent des thérapeutes et des conseillers sont vraiment compétents et efficaces. Informez-vous et exigez des références avant de fixer votre choix.

La plupart des thérapeutes se spécialisent dans une approche ou une forme

« Mais comment pouvons-nous nous y rendre ? »

particulière de thérapie. Il y a trois philosophies que je recommande particulièrement – la gestalt-thérapie, la psychosynthèse et la programmation neurolinguistique (connue sous le sigle PNL). Pour une liste de thérapeutes et de conseillers pratiquant l'une ou l'autre de ces approches, consultez la section « Lectures suggérées et autres ressources pour bâtir votre succès », en annexe.

ENGAGEZ-VOUS À APPRENDRE TOUTE VOTRE VIE

La quantité d'informations et de connaissances dans notre monde augmentent à une vitesse vertigineuse. En fait, on dit que l'ensemble du savoir humain double tous les dix ans. Ne vous attendez pas à ce que ce rythme ralentisse de sitôt.

Ce qui est encore plus alarmant, c'est que l'information dont vous avez besoin pour avoir du succès, pour être à la fine pointe dans votre carrière ou votre profession, évolue au même rythme. C'est la raison pour laquelle vous devez vous engager à apprendre toute votre vie, à conserver un esprit curieux à l'affût de toute évolution dans les domaines qui vous intéressent, à accroître vos compétences techniques, à augmenter votre capacité à assimiler de nouvelles connaissances et à appliquer celles que vous possédez.

PRINCIPE 37

TROUVEZ LA MOTIVATION
AUPRÈS DES MAÎTRES

---

*« Un individu qui atteint le sommet prend conscience
qu'il est responsable de sa motivation personnelle. Il en est l'origine,
car lui seul détient la clé de contact. »*

KEMMONS WILSON
Fondateur de la chaîne d'hôtels Holiday Inn

Nous sommes si nombreux à avoir été convaincus par les médias, par nos parents, par nos professeurs et notre culture à ne pas croire en nous et à nous répéter: «*C'est impossible, je ne le mérite pas, etc.* » Cet endoctrinement précoce est souvent si profondément enraciné que nous avons besoin d'une motivation extérieure constante pour surmonter des décennies de conditionnements négatifs. C'est à ce prix que nous pouvons renouer avec des idées et des attitudes de succès.

Participer à un atelier de motivation n'est pas suffisant. Pas plus que de lire un livre ou de visionner une vidéo de formation. Les personnes qui connaissent un succès exceptionnel écoutent quotidiennement les enregistrements audio de conférenciers de réputation mondiale du domaine de la motivation – en voiture, à la maison, au bureau –, même s'il ne s'agit que de quinze minutes par jour.

APPRENEZ PRESQUE TOUT CE QUE VOUS VOULEZ
OU CE QUE VOUS DEVEZ SAVOIR

Le travailleur moyen utilise environ trente minutes pour se rendre ou revenir de son lieu de travail. En cinq ans, cela représente mille deux cent cinquante heures passées dans une voiture. En fait, c'est assez de temps pour recevoir l'équivalent d'une formation universitaire! Que vous vous rendiez au travail en automobile ou en train, à bicyclette ou en joggant, écouter des cours audio

Copyright 2004 by Randy Glasbergen.
www.glasbergen.com

« J'ai écouté quelques enregistrements de motivation pendant que tu étais au travail et j'ai décidé de devenir un grand danois. »

pendant vos déplacements vous donnera ce petit supplément qui vous permettra d'exceller dans pratiquement toutes les sphères de votre vie. Il s'agit d'un excellent moyen de vous motiver, d'assimiler une langue, de vous initier à la gestion, d'apprendre l'art de la vente et du marketing, d'améliorer vos aptitudes en communication, de vous familiariser avec le concept de santé holistique, et plus encore.

Vous pourriez même y découvrir les secrets de la réussite de quelques-uns des plus grands chevaliers de l'industrie de la planète, de géants des affaires, de magnats de l'immobilier ou d'entrepreneurs milliardaires.

UNE NUIT D'INSOMNIE EN VIRGINIE

Jusqu'à quel point ces maîtres de la motivation peuvent-ils être efficaces ?

Vue de l'extérieur, la vie de Jeff Arch semblait très intéressante en 1989. Il était à la tête d'une populaire école de karaté, heureux en mariage, père d'une fillette de quatre ans et d'un garçon d'un mois. Mais en son for intérieur, il sentait qu'il lui manquait quelque chose. Il avait toujours rêvé de devenir un auteur de pièces de théâtre à succès et un scénariste renommé. Malheureusement, ses efforts précédents ayant été infructueux, il s'était consacré à pourvoir aux besoins de sa jeune famille.

Une nuit, vers quatre heures du matin, alors qu'il ne réussissait pas à dormir, il tomba par hasard sur un publireportage décrivant les mérites du programme

Personnal Power (votre puissance personnelle) d'Anthony Robbins. Seul, assis devant son téléviseur, Jeff réfléchissait :

« Je dois l'admettre, je fais du bon travail, mais je ne suis pas là où je voudrais être. Il me faut reconnaître que j'ai connu d'amères déceptions et qu'elles m'ont fait mal. Comme écrivain, j'ai échoué de toutes les façons possibles. Je n'ai donc plus rien à apprendre de l'échec. Peut-être est-il maintenant temps de réussir et de voir ce que le succès peut m'apporter. Mais cette fois-ci, il faut que je me lance avec la détermination d'une ceinture noire, que j'abandonne mes anciennes façons de faire et que j'essaie quelque chose de nouveau. Il sera toujours temps de revenir aux vieilles habitudes.

« D'ailleurs, si ces dernières avaient été si bonnes, je ne serais sûrement pas assis ici, au cœur de la nuit, à me demander quoi faire de ma vie et à imaginer les réponses que je devrai donner aux enfants lorsqu'ils auront atteint l'âge de me demander : "Je croyais que tu voulais être écrivain, papa. Qu'est-ce qui s'est passé ?" Je ne peux tolérer cette perspective. Je ne veux pas être comme l'un de ces types qui donnent à leurs enfants tant de conseils, sans pouvoir en prouver la valeur. Quelle autorité aurais-je alors ? Comment les convaincre de poursuivre leurs rêves si je ne l'ai pas fait moi-même ? »

Jeff prit immédiatement deux décisions qui devaient changer de façon spectaculaire le cours de son existence. D'abord, il décrocha le téléphone et commanda le programme d'Anthony Robbins. Ensuite, il se fit la promesse que, s'il lui trouvait une certaine valeur, il le suivrait jusqu'au bout, quoi qu'il arrive, et le considérerait comme un billet de retour vers l'écriture.

Lorsque le colis arriva, Jeff étudia chaque leçon, tel que convenu. Pour ménager son amour-propre, il n'avait parlé à personne de sa résolution. Il tenait à montrer des résultats d'abord. Heureusement, cette formation était précisément ce dont il avait besoin. Dès la première journée, en écoutant les paroles de Robbins, il prit la décision de se remettre à l'écriture. Le lendemain, même s'il n'avait pas écrit une seule ligne depuis trois ans, il présenta sa démission comme instructeur de karaté, bien décidé à se lancer à l'assaut de son rêve.

Jeff me dit : « Tony était la seule personne, la première voix que j'entendais, qui ne répétait pas : "Tu rêves trop grand !" Il ne disait pas : "Allons ! Tu es bien trop exigeant !" Il disait plutôt : "Tu dois rêver plus grand encore !" J'avais 35 ans à ce moment-là, et c'était la première fois de ma vie que quelqu'un me donnait la permission et m'encourageait à rêver encore plus audacieusement. » Le message d'Anthony Robbins était le suivant : « Que tes rêves soient sans limites ! »

Inspiré par le message de Robbins, et puisant dans la confiance en soi qu'il avait gagnée en méritant sa ceinture noire de karaté troisième dan, Jeff s'attela à la tâche. Alors qu'un scénario lui demandait auparavant de six mois à trois ans de travail, celui-là fut complété en un mois à peine!

L'histoire fut bien reçue mais ne connut pas beaucoup de succès. Malheureusement, Jeff avait écrit une histoire qui se déroulait pendant la guerre froide, c'était à l'automne de 1989, et le mur de Berlin fut démantelé le jour même où il mettait le point final à son script. Soudainement, après cinquante ans d'antagonismes, les Russes n'étaient plus les ennemis.

Jeff aurait pu alors se dire: «*Quand vas-tu enfin te rendre compte que tu ne seras jamais un écrivain?*» et renoncer encore une fois. Mais, cette fois-ci, il avait une tout autre attitude et une bien meilleure question à poser: «*Jusqu'où es-tu prêt à te rendre pour obtenir ce que tu veux?*» Plutôt que d'abandonner, il se mit à la recherche de nouvelles stratégies. «*D'accord, le problème n'est pas au niveau de mon écriture, mais dans le choix de l'intrigue. Qu'est-ce qui n'a rien à voir avec l'actualité? Quel sujet ne se démodera jamais?*»

Et la réponse fut la suivante: «*L'amour est éternel!*» Et il se dit alors: «*Si j'écris une histoire d'amour qui n'a rien à voir avec un contexte historique particulier, le thème sera toujours actuel.*»

Le résultat fut le scénario du film *La Magie du destin*, que Jeff compléta encore une fois en moins d'un mois. Il arriva à le vendre moins de trois mois plus tard pour la somme d'un quart de million de dollars. *La Magie du destin* est devenue un mégasuccès qui a valu à Jeff une nomination aux oscars pour le meilleur scénario (plus deux autres nominations de la Writers Guild of America et de la British Academy of Film and Television Art). Ce film donna un second souffle au genre de la comédie romantique, tout en catapultant les carrières de Meg Ryan et de Tom Hanks vers de nouveaux sommets.

Si un programme de motivation et d'éducation audio peut lancer un auteur vers une lucrative carrière et une nomination aux oscars, ne croyez-vous pas que vous devriez, vous aussi, tirer profit des mêmes ressources qui ont si bien servi Jeff Arch?[1]

---

1. *Personal Power II* et le tout nouveau programme de motivation de Tony Robbins: *Get the Edge* sont disponibles sur le site www.anthonyrobbins.com et celui de Nightingale-Conant, dont les coordonnées sont disponibles dans la liste des ressources, en annexe.

LES ENREGISTREMENTS AUDIO ONT FOUETTÉ SA CRÉATIVITÉ

Pendant près de vingt ans, Allen Koss a joui d'un succès très acceptable comme producteur de télévision à Hollywood. Du moins, c'était l'impression qu'il dégageait. Il avait conçu et produit un bon nombre d'émissions que le téléspectateur moyen pouvait considérer à bon droit comme des classiques en leur genre comme *Concentration, Joker's Wild* et *Tic Tac Dough*. Certes, les revenus qu'il en avait tirés et les prix gagnés étaient valorisants. Il jouissait aussi du respect de ses pairs, mais, malheureusement, tout cela paraissait bien superficiel à ses yeux.

Au fond de lui-même, il avait l'impression que son univers pouvait basculer à tout moment. Il ne se sentait jamais parfaitement maître de la situation. Il ne faisait que réagir aux événements qui se présentaient (toujours à un rythme frénétique), et il ne sentait jamais qu'il tenait solidement les rênes de sa vie. Il était toujours anxieux et avait constamment l'impression qu'il venait d'épuiser sa dernière étincelle de créativité. Il se demandait constamment d'où lui viendrait sa prochaine idée, ou même s'il en aurait jamais une nouvelle. Petit à petit, alors que le stress l'envahissait, il se mit littéralement à « manger » ses émotions pour mettre un baume sur sa douleur. Il prit alors beaucoup de poids, ce qui aggrava son état.

Finalement, le couperet si redouté tomba. Ce jour-là, une émission qu'il produisait depuis longtemps fut retirée des ondes. Au début, il tenta de mettre sur pied de nouvelles émissions, mais les conditions du marché étaient difficiles et ses efforts furent vains. Il offrit ses services à ses collègues, mais ce qu'on lui offrait lui permettait à peine de surnager.

Moins il travaillait, plus son anxiété croissait, et, avec elle le stress et son cortège de symptômes. Il était entraîné dans une spirale descendante dont il ne pouvait se dégager.

Quelque temps plus tard, sa situation financière devint critique, ses problèmes de poids s'accentuèrent et les conflits avec sa femme et sa famille éclatèrent régulièrement. Ses amis l'abandonnèrent, les gens de l'industrie semblèrent de moins en moins disposés à travailler avec lui, et il se retrouva de plus en plus isolé.

Un jour, alors qu'il feuilletait un numéro de *Psychologie aujourd'hui*, son attention fut attirée par une publicité d'enregistrements audio. Selon le texte publicitaire, ceux-ci pouvaient modifier les ondes cérébrales du sujet et provoquer chez lui l'apparition d'émotions positives ainsi qu'une attitude mentale plus sereine. Cela lui semblait très peu plausible, mais, à ce carrefour de sa vie, il se dit: « *Mais qu'ai-je donc à perdre?* »

Il téléphona alors à Centerpointe Research Institute. Après avoir été dirigé de secrétaire en secrétaire, il parvint finalement à parler à Bill Harris, le propriétaire de l'entreprise. Bill lui expliqua que son système reposait sur une technologie brevetée qu'il appelait Holosync. Allen décida de commander le programme Holosync, et, dès qu'il le reçut, il s'installa dans son fauteuil préféré, ajusta ses écouteurs et se détendit. Il répéta ce rituel tous les jours, à raison de trente minutes quotidiennement.

Dès la toute première écoute, il sentit son niveau de stress diminuer. Plus il écoutait les enregistrements, plus il recouvrait sa sérénité. Et naturellement, plus il se détendait, plus il redevenait abordable et plus les gens devenaient disposés à l'aider. Et c'est alors que le vent commença à tourner en sa faveur.

Allen retrouva aussi sa créativité d'autrefois. Il envisageait maintenant les situations selon de toutes nouvelles perspectives, et les solutions originales commencèrent à surgir dans son esprit, comme par enchantement! Ces séances quotidiennes lui apprenaient à mieux se connaître et cette prise de conscience nouvelle lui apportait une grande satisfaction.

Il s'impliqua dans de nouveaux projets. Il le faisait avec une vision claire du rôle qu'il pouvait y jouer, gardant toujours à l'esprit la perspective d'ensemble, ce qui lui permettait de les mener à bien. Plutôt que de l'éviter, les gens appréciaient maintenant sa compagnie et recherchaient sa collaboration.

Grâce à la renaissance de sa confiance en soi, il reprit finalement les rênes de sa destinée. Le stress avait fondu comme neige au soleil, tout comme son tour de taille d'ailleurs[2].

OÙ OBTENIR LES MEILLEURS PROGRAMMES DE MOTIVATION AUDIO?

Vous trouverez la liste de mes programmes de motivations audio préférés dans la section: *Lectures suggérées et autres ressources pour bâtir votre succès*. Ou vous pouvez visiter le site http://www.thesuccessprinciple.com pour une liste complète, et régulièrement mise à jour, des programmes audio de motivation,

---

2. Vous pouvez commander le programme audio Holosync de Centerpointe Research, en appelant au numéro: 800-945-2741 ou en visitant le site: www.centerpointe.com.

de création de richesse, de santé, de relations interpersonnelles, et bien d'autres encore. Voici aussi les quatre meilleures maisons de production de programmes de motivation et d'éducation en format audio. Écrivez pour obtenir leur catalogue ou commandez en ligne.

Nightingale-Conant (6245 W. Howard Street, Niles, IL 60714; téléphone 1-800-560-6081; http://www.nightingale.com) présente les programmes de motivation des géants de l'industrie: Anthony Robbins, Zig Ziglar, Brian Tracy, Jim Rohn, Napoleon Hill, Les Brown, Robert Allen, Wayne Dyer, Mark Victor Hansen, Jack Canfield, et plusieurs autres, ainsi que d'autres programmes éducationnels au contenu éprouvé.

Learning Strategies Corporation (2000 Plymouth Road; Minnetonka, MN 55305-2335; téléphone: 1-800-735-8273; http://www.learningstrategies.com) offre un cours audio d'une grande profondeur axé sur l'expérimentation. Je recommande vivement leur produit car il peut provoquer des transformations durables dans votre vie.

Fred Pryor Seminars/Career Track (9757 Metcalf Avenue, Overland Park, KS 66212. Téléphone: 1-800-780-8476; http://www.pryor.com) produit des cours en format audio couvrant tout un éventail de sujets, depuis la croissance person-nelle jusqu'au développement des affaires. La compagnie offre un catalogue diversifié et complet.

© 1998 Randy Glasbergen.

« Je vais arriver en retard ce matin. J'écoutais mes cassettes de motivation
en me rendant au travail, et j'ai alors franchi des distances inouïes
à une vitesse que jamais je n'aurais imaginé pouvoir atteindre ! »

354 · LE SUCCÈS SELON JACK CANFIELD

SkillPath Seminars (P.O. 804441 ; Kansas City ; MO 64180-4441 ; Téléphone : 1-800-873-7545 ; http://www.ourbookstore.com) offre des programmes audio sur les sujets les plus en demande, tels que la gestion du temps, comment se simplifier la vie, s'épanouir dans les situations de défis, de même que des programmes conçus spécialement pour les femmes.

Je vous recommande aussi chaleureusement quatre programmes audio que j'ai produits afin de vous aider à obtenir plus de succès dans toutes les sphères de votre vie : *Maximum Confidence, Self-Esteem and Peak Performance, The Aladin Factor,* et *The Success Principles : A 30-Day Journey form Where You Are to Where You Want to Be.* Ils sont tous disponibles à l'adresse suivante : http://www.jack canfield.com.

PRINCIPE 38

Alimentez votre succès par la passion et l'enthousiasme

« L'enthousiasme est l'un des moteurs les plus puissants du succès. Quoi que vous fassiez, mettez-y toute votre énergie et toute votre âme. Marquez votre entreprise du sceau de votre personnalité. Soyez actif, énergique, enthousiaste et loyal, et vous atteindrez votre objectif. Rien de grand n'a jamais été obtenu sans passion. »

RALPH WALDO EMERSON
Essayiste et poète américain

La passion est la source intérieure de l'enthousiasme, de l'engagement et de l'énergie dont vous avez besoin pour réussir. Mais, contrairement à la motivation que nous tirons des encouragements bienveillants du monde extérieur, la véritable passion est d'une nature presque spirituelle. Et vous pouvez la canaliser pour réaliser de grands exploits.

DÉBORDEZ DE PASSION

Le mot *enthousiasme* provient du mot grec *enthousiasmos*, signifiant « être rempli de Dieu ». Lorsque vous êtes dans cet état d'esprit, c'est-à-dire enthousiaste, vous êtes naturellement inspiré et passionné. Parfois la passion s'exprime d'une manière dynamique et énergique, comme celle du champion sportif dans le feu de l'action. Parfois, elle s'exprime d'une manière plus sereine et plus calme, comme l'amour avec lequel mère Teresa venait en aide aux mourants de Calcutta.

Vous connaissez certainement, ou vous avez sûrement déjà rencontré, des personnes qui sont passionnées par la vie et enthousiasmées par leur travail. Dès le lever du jour, il leur tarde de se mettre à l'œuvre. Elles sont impatientes et débordantes d'énergie. Leur vie a un sens précis et elles s'investissent complètement dans la tâche pour laquelle elles se sentent prédestinées.

Ce type de passion vient de l'amour et du plaisir qu'on éprouve pour son travail. Elle apparaît lorsque vous accomplissez l'œuvre pour laquelle vous êtes prédestiné, lorsque vous suivez l'élan de votre cœur et que vous faites confiance à votre joie intérieure pour vous guider. L'enthousiasme et la passion se manifestent lorsque vous mettez tout votre amour dans ce que vous faites. Si tel est votre cas, vous avez déjà réussi.

VOTRE SUCCÈS EST ASSURÉ

Mon fils Kyle, alias Inspector Double Negative, est un artiste hip-hop de Berkeley, en Californie. Même s'il peine à joindre les deux bouts depuis maintenant huit ans, il a déjà à son crédit la création de dix albums CD; il s'est produit au concert Woodstock en 1999; il a fait la première partie de KRS1 et Public Enemy; il s'est produit en compagnie de Joan Baez, Jurrassic 5, Dilated Peoples, the Beat Junkies, Blackalicious, the Alkaholiks, Freestyle Fellowship, Babatunde Olatunji, et Masta Ace; il a été disque-jockey invité au poste de radio KPOO à San Francisco; il a enseigné l'histoire du hip-hop, de sa culture et de ses artisans à l'école secondaire de Richmond, en Californie.

Il poursuit son rêve sans relâche et demeure fidèle à son art.

Même s'il ne parvient jamais à faire beaucoup d'argent et à devenir une mégastar du rap au-delà de la région de la baie de San Francisco, Kyle a déjà réussi. Lorsque vous êtes heureux et que vous faites ce que vous aimez vraiment, vous êtes un gagnant. Lorsque vous êtes engagé dans une activité que vous adorez et que vous pratiquez avec persévérance, votre vie est une réussite. Et même si vous ne vous hissez jamais jusqu'au sommet, qui s'en soucie? Vous avez du plaisir à jouer un rôle dans la vie qui vous comble de joie. (Vous pouvez vous procurer les CD de Kyle à l'adresse http://www.KoolKyle.com).

UNE PASSION POUR LES CHEVAUX

Monty Roberts est un homme qui a découvert sa véritable passion. Il entraîne des chevaux et il s'est donné pour mission de démontrer que la violence n'est jamais une solution. Il croit que les chevaux essaient de montrer aux êtres humains que, s'ils pouvaient éliminer la violence de leurs comportements, ils trouveraient bien plus de joie dans l'existence. Son travail a produit huit champions nationaux lors d'expositions présentées dans le monde entier, et plus de trois cents victoires lors de compétitions internationales de chevaux pur-sang. Il a écrit plusieurs livres, incluant *L'homme qui sait parler aux chevaux: histoire de ma vie*, qui s'est maintenu pendant cinquante-huit semaines sur la liste des best-sellers du *New York Times*.

Monty a une façon bien à lui de vivre la passion qui l'anime, et il m'en a récemment fait part :

« Lorsque j'étais en première, deuxième et troisième années, j'ai découvert que, dès que je pensais à quelque chose qui m'enthousiasmait vraiment, j'éprouvais une forte sensation de picotement de chaque côté de la boucle de mon ceinturon.

« Quand j'étais enfant, j'éprouvais cette même sensation quand je rêvais de gagner un championnat, ou que je me voyais en train d'atteindre un but important dans le monde des compétitions hippiques. Une fois que j'avais fixé mes buts, elle m'indiquait la direction à prendre à chaque carrefour de ma vie. Je n'avais qu'à attendre l'apparition du fameux picotement pour savoir quelle devait être la prochaine étape de mon voyage.

« Bien connaître mes buts et disposer d'une bonne "boussole" pour m'y diriger, voilà qui m'a permis de me tracer un itinéraire. Cela m'a conduit vers une vie libérée du travail – ou du travail tel que la plupart des gens le conçoivent. Bien sûr, je travaille sans relâche, mais, en suivant ce "picotement", j'arrive toujours exactement à faire ce qui me plaît le plus.

« Cela signifie que je peux m'imposer des heures interminables sans jamais avoir l'impression d'être sous le joug. J'ai maintenant soixante-neuf ans et mon rythme de vie viendrait rapidement à bout de la plupart des gens dans la trentaine ou la quarantaine.

« J'ai lu plusieurs ouvrages d'inspiration et de motivation dans lesquels on nous dit qu'il faut travailler dur afin de pouvoir prendre sa retraite rapidement et jouir "de bon temps". En suivant mes désirs les plus impérieux et en me lançant à la conquête de mes objectifs les plus ambitieux, je me suis créé un environnement si rempli de joie, que mes heures de loisir et de travail se confondent. »

UNE PASSION POUR L'ENSEIGNEMENT

L'école primaire Hobart est la troisième plus grande école élémentaire des États-Unis. Elle est située dans un quartier de Los Angeles infesté de gangs et de trafiquants de drogues. Malgré cela, les élèves de cinquième année de Rafe Esquith, dont l'anglais est la langue seconde, obtiennent cinquante points de plus en mathématiques et en lecture que les autres étudiants de l'école, en moyenne.

Les élèves s'initient et parviennent à la maîtrise de la langue anglaise en mémorisant et en interprétant des pièces de William Shakespeare. À ce jour, le théâtre shakespearien de Hobart a présenté quinze pièces intégrales devant des salles combles, depuis la Maison-Blanche jusqu'aux théâtres les plus modestes de la ville. Parmi ses plus fervents admirateurs, on compte les acteurs Sir Ian McKellen et Hal Holbrook.

Lorsque vous entrez dans la salle de classe de Rafe Esquith, vous êtes accueilli par une grande bannière drapée au-dessus du tableau noir, où vous pouvez lire en gros caractères: IL N'Y A PAS DE RACCOURCI. Tout près se trouve un «Mur des célébrités», où sont affichés les emblèmes de Stanford, Princeton, Yale, et UCLA, des institutions où plusieurs de ses étudiants ont poursuivi leurs études supérieures.

Des représentants du monde scolaire des quatre coins du monde viennent s'asseoir à l'arrière de sa classe pour assister au miracle de l'éducation à l'œuvre. Non seulement Rafe a-t-il été honoré professeur de l'année aux États-Unis par Disney («Disney's National Teacher of the Year»), il est aussi le seul enseignant dans toute l'histoire à avoir reçu la médaille nationale des arts. La reine Elizabeth II lui a octroyé le plus grand honneur que puisse recevoir un citoyen non britannique: il a été nommé membre de l'empire britannique.

Qu'est-ce qui a motivé ce professeur visionnaire d'école publique, et le pousse toujours d'ailleurs, à travailler douze heures par jour, six jours par semaine, cinquante-deux semaines par année depuis vingt et un ans? La passion et l'enthousiasme. Il n'y a rien qu'il aime davantage que d'apporter les joies de la littérature, du théâtre, de la musique, des sciences, des mathématiques, et aussi beaucoup de plaisir, à des centaines d'enfants. Le résultat? Il fait naître chez ses élèves la joie d'apprendre, renforçant ainsi leur estime personnelle, tout en améliorant leur rendement scolaire.

Comme le dit si bien Rafe: «Je suis un type très ordinaire qui a pris un jour une très bonne décision. Je ne laisserai pas le fiasco de l'éducation, causé par la médiocrité du système et l'uniformisation, m'enfermer dans le rôle de robot que, malheureusement, trop de professeurs potentiellement très doués adoptent. En classe, je me suis toujours efforcé de garder vivantes ma propre vision et mes passions personnelles. Étant un fervent amateur de William Shakespeare, j'ai communiqué mon enthousiasme à tous ces jeunes esprits avides d'apprendre.

«En dépit du quartier où loge l'école, où règnent l'échec et le désespoir, les succès et l'excellence sont devenus pour nous la norme, plutôt que l'exception. Et le meilleur de tout cela, c'est que mes jeunes et moi, nous nous amusons follement à travailler aussi intensément pour atteindre de très hauts sommets. La vie est vraiment merveilleuse!»[1]

COMMENT DÉVELOPPER ET ENTRETENIR LA PASSION

Comment pouvez-vous développer la passion dans les domaines de votre vie qui vous importent le plus?

Jetez un coup d'œil à votre cheminement de carrière un instant. Votre travail occupe la majeure partie des heures de la semaine. Un récent sondage de la firme Gallup montre qu'un tiers des Américains seraient plus heureux s'ils occupaient un autre emploi. Demandez-vous: «*Est-ce que je fais vraiment ce que j'aime le plus?*»

Si vous aviez le loisir de faire ce que vous aimez le plus, que choisiriez-vous? Si vous croyez qu'il vous serait impossible de gagner votre vie en faisant cela, imaginez que vous venez de gagner à la loterie. Après avoir acheté un luxueux domaine, une Rolls Royce et tous les autres joujoux hors de prix auxquels vous pensez, comment occuperiez-vous vos journées? En faisant ce que vous faites aujourd'hui, ou autre chose?

Les gens que j'ai eu la chance de rencontrer et qui connaissent le succès font ce qu'ils aiment vraiment. Qui plus est, ils le feraient gratuitement. Mais ils ont réussi précisément parce qu'ils ont trouvé un moyen de vivre en faisant ce qu'ils préféraient.

Si vous ne vous estimez pas assez qualifié pour faire ce que vous aimez, faites l'effort d'acquérir les compétences pour le devenir. Préparez-vous par tous les moyens possibles. Trouvez un travail à temps partiel qui se rapproche de ce que vous voudriez faire, ou offrez vos services bénévolement comme stagiaire, tout en gardant votre emploi actuel.

Pensez aux moments passés hors du bureau où vous vous sentez le plus joyeux, entièrement engagé, reconnu et apprécié par les autres, en communion avec vous-même et ceux qui vous entourent. Que faisiez-vous alors? Que

---

1. Si vous voulez lire une histoire inspirante de passion et d'enthousiasme, procurez-vous un exemplaire de *There Are no Shortcuts*, by Rafe Esquith (New York: Anchor Books, 2004). Marva Collins est un autre professeur qui produit des miracles dans les quartiers défavorisés des villes grâce à sa passion pour l'enseignement et pour les enfants. Voir *Marva Collins Way*, par Marva Collins et Civia Tamarkin (New York: Jeremy Tarcher/Putman, 1982).

ressentiez-vous ? Ces événements sont d'excellents indices pour vous aider à insuffler plus de passion dans votre vie, à l'extérieur de votre travail quotidien. Ils vous indiquent aussi quelles sont les occupations qui vous rendent le plus heureux.

COMMENT GARDER LA PASSION ET L'ENTHOUSIASME BIEN VIVANTS

La passion est un ingrédient essentiel au succès et mérite une attention de tous les instants.

La passion fait en sorte que vos journées s'envolent sans que vous vous en aperceviez. Elle vous permet d'en faire plus en moins de temps. Elle vous aide à prendre de meilleures décisions. Elle attire les autres vers vous, car ils sont désireux de s'associer à vous et à vos succès.

Alors, comment faire pour attiser votre passion et votre enthousiasme jour après jour ? La réponse évidente est de consacrer plus de temps à faire ce qui vous passionne. Et, comme j'en ai discuté lors de précédents chapitres, cela passe par la découverte du sens véritable de votre vie. Vous devez donc clairement établir le champ d'action que vous privilégiez par-dessus tout, le niveau de vie auquel vous aspirez et être convaincu que vous pouvez y accéder et que vous méritez de l'atteindre. Il vous faudra créer votre propre plan de carrière idéal, déléguer à d'autres les tâches qui ne font pas partie de votre génie propre, et prendre des mesures concrètes pour atteindre vos buts.

Une autre clé pour ouvrir les valves de la passion et de l'enthousiasme est celle qui vous oblige à reprendre conscience de vos intentions originales dans tout ce que vous faites. Lorsque vous allez au-delà des apparences, ces « je dois faire » qui cachent les « je veux faire », vous découvrirez presque toujours un élément plus profond qui vous passionne. Par exemple, vous n'aimez sans doute pas être assis dans la salle d'attente du pédiatre en compagnie de votre enfant, mais n'êtes-vous pas passionnément attaché à sa santé et à son bien-être ?

Demandez-vous toujours : « Qu'est-ce qui se cache derrière ce que je fais maintenant ? » Si vous vous attardez au motif véritable de gestes anodins, il devient alors infiniment plus facile de ressentir de l'enthousiasme pour certaines tâches que vous devez faire.

Vous découvrirez que, derrière la plupart de vos obligations routinières, se cache un but plus élevé que vous avez choisi volontairement : le bien-être de vos enfants, votre sécurité financière à long terme, votre réputation d'honnête citoyen, votre santé ou votre longévité. Ce sont des choix que vous avez faits volontairement.

Un autre choix qui est le vôtre est celui de votre attitude. Supposons que vous êtes immobilisé avec trois étrangers dans un ascenseur. Vous êtes libre de décider de la contenance que vous adopterez vis-à-vis cet incident. Vous pouvez être maussade parce que vous prendrez du retard dans votre travail, ou vous pouvez y voir une chance de faire la connaissance de trois nouvelles personnes. Pourquoi ne pas toujours choisir la joie et l'enthousiasme? Après tout, il n'en tient qu'à vous.

Et voici une dernière réflexion. Quand vous débordez de passion et d'enthousiasme, vous devenez un véritable aimant et les autres seront inévitablement attirés par votre niveau d'énergie. Ils voudront partager vos jeux, travailler en votre compagnie, et vous soutenir dans vos rêves et dans vos buts. Le résultat? Vous abattrez plus de travail dans un plus court laps de temps.

TROISIÈME PARTIE

Mettez sur pied votre équipe du succès

« *Seuls, nous accomplissons si peu ; ensemble, nous pouvons faire tellement.* »

HELEN KELLER
Auteure, conférencière et activiste pour les droits
des aveugles aux États-Unis

PRINCIPE 39

CONCENTREZ-VOUS SUR LE GÉNIE QUI VOUS EST PROPRE

« Le succès est l'aboutissement normal de votre décision d'agir selon vos préférences et vos penchants. Il n'y a aucun autre moyen de réussir. »

MALCOLM S. FORBES
Éditeur du magazine *Forbes*

Je crois que vous avez en vous un génie propre. Il s'agit tout simplement d'une chose que vous aimez faire, et que vous faites si bien que l'idée d'être rémunéré pour l'accomplir vous effleure à peine. Tout en ne vous demandant pratiquement aucun effort, cette activité vous procure un immense plaisir. Et si seulement vous pouviez gagner de l'argent de cette manière, vous en feriez votre profession.

Les gens qui connaissent le succès croient dans ce principe. Et c'est pourquoi ils mettent leur génie propre en évidence. Ils y concentrent tous leurs efforts et ils délèguent le reste à d'autres personnes de leur équipe.

Comparez cette façon de penser à celle qui lui est diamétralement opposée. Certaines personnes essaient de tout faire, y compris les tâches pour lesquelles elles manifestent peu d'aptitudes. Elles pourraient les confier à d'autres qui s'en chargeraient efficacement, économiquement et avec de bien meilleurs résultats. Elles n'arrivent pas à se concentrer sur leur génie propre parce qu'elles sont incapables de déléguer, y compris les tâches les plus secondaires.

Lorsque vous déléguez le travail abrutissant – ces choses que vous détestez faire ou les tâches qui sont si désagréables que vous finissez toujours par les remettre à plus tard – vous pouvez vous concentrer sur les activités que vous préférez. Vous créez du temps pour pouvoir être au sommet de votre productivité. Et cela vous permet de profiter davantage de la vie également.

Alors, pourquoi est-il si difficile pour certaines personnes de déléguer des tâches routinières ou certains projets qui les inspirent peu ?

La réponse surprenante, c'est que bien des gens craignent d'avoir l'air excessifs ou hautains. Ils craignent de perdre une partie du contrôle qu'ils croient exercer sur leur vie. Ils sont réticents à payer pour obtenir de l'aide. Au plus profond d'eux-mêmes, la plupart ne veulent tout simplement pas lâcher prise.

D'autres, et vous êtes peut-être de ce nombre, ont simplement contracté l'habitude de tout faire elles-mêmes. Vous vous dites sans doute : « *Expliquer aux autres ce que l'on attend d'eux est trop long* » ou : « *Je peux le faire plus rapidement et bien mieux de toute façon* ». Mais est-ce bien vrai ?

DÉLÉGUEZ SANS RÉSERVE

Vous êtes un professionnel et vous gagnez soixante-quinze dollars de l'heure. Si vous payez le fils de votre voisin au taux horaire de dix dollars pour tondre votre pelouse, vous vous épargnez cette corvée de fin de semaine. Vous jouissez alors d'une heure additionnelle que vous pouvez consacrer à une autre activité, tout en bénéficiant d'un profit de soixante-cinq dollars. Bien sûr, une heure en soi n'est pas une chose si extraordinaire, mais multipliez-la par vingt week-ends et vous découvrirez que vous pourriez récupérer vingt heures par année, au taux horaire de soixante-cinq dollars, soit, un potentiel de gain de mille trois cents dollars.

De la même manière, si vous êtes un agent immobilier, plusieurs tâches routinières vous incombent. Vous devez faire des listes de propriétés, rassembler de l'information sur chacune d'entre elles, assister à des visites libres, accompagner les acheteurs éventuels, déposer les clés dans le coffret de sécurité, rédiger les offres d'achats et de ventes, et organiser des rendez-vous. Et si vous avez de la chance, vous conclurez éventuellement une vente de temps en temps.

Mais supposons que vous n'avez pas votre pareil dans toute la région pour conclure les transactions.

Pourquoi devriez-vous perdre votre temps à produire des listes, faire de la formation, vous occuper des clés et produire des vidéos de propriétés, si vous pouvez confier ces tâches à votre personnel ? Vous seriez alors disponible pour faire encore plus de ventes. Vous pourriez compléter trois fois plus de transactions par semaine, en vous libérant simplement des activités pour lesquelles vous êtes moins doué.

Une des stratégies que j'emploie est la délégation sans réserve. Cela signifie tout simplement que vous vous dégagez complètement d'un type de travail donné, plutôt que de devoir le confier à nouveau chaque fois qu'il doit être refait.

Lorsque j'ai engagé un jardinier pour s'occuper de mon domaine de Santa Barbara, je lui ai dit : « Je veux que l'aménagement paysager se rapproche le plus possible de celui de l'hôtel Four Seasons Biltmore, à Montecito. Et voici le budget que je mets à votre disposition. »

Lorsque je loge au Four Seasons, je n'ai pas à m'assurer que les arbres soient bien taillés, ou que le système de gicleurs fonctionne ; quelqu'un est responsable de tout cela. Eh bien, je m'offre le même luxe à la maison.

« Je vous ai indiqué ce que j'attends de vous, ai-je dit à mon jardinier, et voici le budget dont vous disposez. L'aménagement paysager est votre responsabilité. Si je ne suis pas satisfait, je vous en informerai. Et si je dois vous le répéter, je trouverai alors quelqu'un d'autre. Est-ce que cette entente vous convient ? »

Mon architecte paysager fut en effet enthousiasmé. Il savait que je ne serais pas toujours sur ses talons. De mon côté, j'étais assuré que je n'aurais plus à me préoccuper de tout cela par la suite, et c'est ce qui s'est produit. Voilà un exemple simple du principe de la délégation totale en action.

Lorsqu'elle fréquentait le collège communautaire local, ma nièce est venue habiter avec nous. Nous en avons profité pour mettre en pratique le même principe pour faire le marché cette fois-ci. Elle pouvait jouir du libre usage de notre fourgonnette, à la condition toutefois de se charger de faire nos provisions, une fois par semaine. Nous lui avons donné une liste de produits de base que nous voulions toujours avoir sous la main à la maison (des œufs, du beurre, du lait, du ketchup, etc.). Son travail consistait à vérifier régulièrement notre inventaire et à faire les achats qui s'imposaient.

De plus, lorsque ma femme planifiait les repas, elle informait ma nièce des produits dont nous aurions besoin pour préparer les plats principaux (poisson, poulet, brocoli, avocat, etc.). Cette responsabilité lui a été confiée une seule fois et cette entente nous a épargné bien des heures cette année-là, que nous avons pu consacrer à écrire, à nous entraîner, ou à nous amuser en famille.

CRÉEZ L'ILLUSION QUE CE QUE VOUS AIMEZ FAIRE PAR-DESSUS TOUT EST UN VRAI TRAVAIL

« La plus grave erreur que les gens font est de ne pas essayer de gagner leur vie en faisant ce qu'ils aiment. »

MALCOM S. FORBES

Le «coach» en stratégies, Dan Sullivan, a dit un jour que les entrepreneurs sont, en réalité, des manipulateurs. Ils persuadent les autres de les payer pour s'entraîner à devenir encore meilleurs à faire ce qu'ils aiment.[1]

Réfléchissez à cette idée un moment.

Tiger Woods aime jouer au golf. On lui donne beaucoup d'argent pour pratiquer son sport favori. Chaque fois qu'il participe à un tournoi, il apprend à devenir un meilleur golfeur. Il s'entraîne et passe son temps en compagnie d'autres golfeurs. Et on le rémunère très bien pour cela!

Anthony Robbins est un conférencier et un éducateur. Il adore parler en public et former les gens. Il a organisé sa vie de telle sorte qu'on lui offre constamment d'importantes sommes d'argent pour faire ce qu'il aime le plus.

Considérez le cas de Sammy Sosa, un joueur de baseball des Cubs de Chicago. En une seule seconde, il peut frapper un coup de circuit, le temps de l'impact entre son bâton et la balle, incluant le périple de cette dernière hors du stade. Il touche dix millions six cent vingt-cinq mille dollars pour soixante-dix secondes de performance au bâton par année. Il excelle dans l'art de bien juger la trajectoire d'une balle et de l'expédier dans les gradins! Cette habileté est la source de sa fortune. C'est à cela qu'il consacre tous ses efforts, en s'exerçant sans cesse pour toujours être prêt à frapper la balle. Il a découvert qu'il possédait un talent unique et il consacre la majeure partie de ses temps libres à peaufiner ce don spécial.

Bien sûr, nous ne sommes pas du même calibre que Tiger Woods, Tony Robbins ou Sammy Sosa. Le fait demeure toutefois que nous pouvons apprendre beaucoup de leur stratégie, qui consiste à se dédier entièrement à une seule discipline.

Beaucoup de vendeurs consacrent plus de temps à faire de la gestion de comptes qu'à faire de la sollicitation téléphonique. Pourtant, ils pourraient engager un administrateur à temps partiel (ou partager les frais avec un autre vendeur) pour expédier ces tâches routinières, si gourmandes de temps.

La plupart des cadres de direction de sexe féminin consacrent énormément de temps à l'entretien domestique. Elles pourraient pourtant déléguer facilement ces tâches, et à peu de frais, à une entreprise spécialisée ou à une voisine. Elles auraient ainsi plus de temps à consacrer à leur carrière ou à leur famille.

---

1. Je suis reconnaissant à Dan Sullivan pour plusieurs des idées contenues dans ce chapitre et le suivant. Vous pouvez apprendre davantage sur ses idées originales en consultant son site: www.strategiccoach.com.

Malheureusement, la majorité des entrepreneurs n'emploient que trente pour cent de leur temps à mettre en valeur leur génie et leurs compétences distinctives. En fait, certains s'occupent à faire à peu près tout, sauf l'activité qui représente la raison d'être de leur entreprise.

Ne laissez pas ce mauvais choix devenir votre destin. Définissez votre génie propre et déléguez afin d'avoir plus de temps pour faire ce que vous aimez vraiment.

FAITES CE QUE VOUS AIMEZ, L'ARGENT SUIVRA BIENTÔT

« Vous mettre en quête de gagner de l'argent est la plus grande erreur dans la vie. Faites ce qui vous réussit le mieux et, si vous êtes vraiment doué, l'argent ne tardera pas à suivre. »

GREER GARSON
Gagnante du prix de meilleure actrice de l'Académie de 1943

Diana von Welanetz Wentworth est toujours parvenue à mettre en valeur son génie naturel tout en suivant la voix de son cœur, ce qui lui a valu un succès phénoménal. Son plus grand plaisir a toujours été de réaliser des plats gastronomiques et de s'entourer d'invités pour partager avec eux les plaisirs de la convivialité. Elle a lancé sa carrière d'auteure en écrivant des livres pratiques sur l'art d'organiser un banquet. Elle y décrit comment l'hôte ou l'hôtesse doit s'y prendre pour que tout soit prêt à l'avance. De cette manière, l'amphitryon, c'est-à-dire l'hôte qui offre le repas, est libéré et peut participer au festin et à la conversation avec ses invités.

En mai 1985, elle effectua un voyage en Union soviétique en compagnie d'un groupe de leaders du mouvement du potentiel humain, et elle remarqua alors que la plupart de ses compagnons de voyage se parlaient peu. Même s'ils étaient tous bien connus grâce à leurs livres et à leur influence dans le monde, ils n'avaient jamais eu l'occasion de faire connaissance. Lorsque le groupe revint, elle comprit que son but dans l'existence était plus profond que de préparer des plats savoureux. Elle voulait utiliser le festin comme un catalyseur de relations humaines.

Cette prise de conscience l'amena à lancer Inside Edge, une organisation qui est l'hôtesse de petits-déjeuners hebdomadaires à Beverly Hills, Orange County et San Diego, en Californie. Lors de ces brunchs, des personnalités d'envergure nationale se réunissent pour partager leurs connaissances et leur sagesse sur le potentiel humain, la spiritualité, la conscience et la paix mondiale.

Les conférenciers incluent Mark Victor Hansen, l'expert de la motivation Anthony Robbins, le consultant en management Ken Blanchard, l'acteur Dennis Weaver, le révérend Leo Booth, les auteurs Susan Jeffers, Dan Millman et moi-même. En plus d'écouter les orateurs, les participants peuvent faire plus ample connaissance, s'encourager mutuellement à rêver plus grand, et s'appuyer dans leurs projets respectifs. Dix-huit ans plus tard, le chapitre d'Orange County continue de se réunir chaque semaine.[2]

Diana a poursuivi son travail en écrivant d'autres livres, incluant le *Bouillon de poulet pour l'âme: livre de cuisine: des recettes et des histoires.* Elle y parle de son amour des festins au cours desquels, dans une atmosphère conviviale, les gens sont invités à échanger leurs idées, leur sagesse et leurs histoires.

---

2. Voir http://www.insideedge.org pour en apprendre davantage sur Inside Edge.

PRINCIPE 40

Redéfinissez le temps

*« L'univers entre dans un nouveau fuseau horaire. L'une des adaptations
les plus difficiles que les gens doivent réaliser concerne leur conception
du temps et leur manière de le gérer. »*

DAN SULLIVAN
Président et fondateur de Strategic Coach

Beaucoup de gens connaissent le succès tout en conservant un sain équilibre entre leur vie professionnelle et personnelle. Pour y arriver, ils utilisent une méthode de planification unique qui leur permet de diviser leurs journées en trois grandes catégories. Grâce à cette façon de gérer leur temps, ils récoltent les fruits de leurs efforts, tout en jouissant de plus de temps libres, qu'ils consacrent à des intérêts personnels.

Cette manière de gérer le temps, que j'appelle le « système de gestion du temps pour obtenir des résultats exceptionnels », repose sur la division de vos journées en trois grandes catégories : les « journées de grande productivité », les « journées de préparation », et les « journées de repos et de loisirs ».

LES JOURNÉES DE GRANDE PRODUCTIVITÉ

Une « journée de grande productivité » est consacrée essentiellement (au moins quatre-vingts pour cent du temps) à la mise en valeur de votre « génie propre » ou de votre expertise particulière, en interaction avec des personnes et des processus qui vous procurent un rendement maximum. Pour avoir du succès, vous devez vous réserver plusieurs « journées de grande productivité », au cours desquelles vous vous concentrerez entièrement sur la production de résultats.

Dans un chapitre précédent, nous avons discuté de la découverte de votre « génie propre », de cette activité que vous affectionnez et pour laquelle vous êtes si doué que vous la feriez, pour ainsi dire, gratuitement. Cette occupation préférée ne vous demande que peu d'efforts et vous procure une immense satisfaction. Si vous pouviez en faire votre gagne-pain, elle deviendrait votre profession pour le restant de votre vie active. Ce « génie propre » est un talent naturel, le domaine où vous brillez toujours.

Prendre la parole en public, animer des séminaires, coacher, écrire et éditer des livres sont les domaines d'activité dans lesquels j'éprouve une facilité naturelle. Je fais toutes ces choses aisément et bien, et lorsque je les pratique d'une manière organisée, j'en tire la majeure partie de mes revenus. Lors d'une journée typique de « grande productivité », je consacre quatre-vingts pour cent de mon temps à prononcer des conférences ou à animer des séminaires, à écrire ou à éditer un livre (comme celui-ci), à développer un nouveau programme éducatif en format audio, ou à accompagner professionnellement une personne pour l'aider à obtenir plus de succès dans la vie.

Pour Janet Switzer, une « journée de grande productivité » consiste à concevoir et à mettre sur pied un projet de marketing, à développer des nouveaux concepts de produits fondés sur le savoir, à donner des conférences à des groupes de consultants ou à des propriétaires d'entreprises afin de les aider à mettre au point des stratégies qui leur permettront de multiplier leurs revenus.

Votre « journée de grande productivité » pourrait être consacrée à faire le design d'une nouvelle gamme de vêtements, à faire de la sollicitation téléphonique, à négocier des contrats, à structurer un emprunt hypothécaire, à peindre, à vous produire sur scène, ou à rédiger une proposition de financement au profit d'un organisme sans but lucratif.

LES JOURNÉES DE PRÉPARATION

Une « journée de préparation » est consacrée à préparer et à planifier une « journée de grande productivité ». Vous pouvez l'employer à assimiler de nouvelles compétences, à faire de la recherche, à former votre équipe de soutien, ou à déléguer des tâches et des projets à vos collaborateurs. Les « journées de préparation » ont pour but de vous assurer que vos « journées de grande productivité » soient aussi fructueuses que possible.

Dans ma situation, un jour de préparation peut consister à assister à un séminaire pour peaufiner mes compétences de formateur, à chercher des moyens d'accroître les ventes de mes livres et de mes cours audio par Internet, à répéter un discours, à lire des histoires qui pourraient éventuellement trouver place dans un livre de la série *Bouillon de poulet pour l'âme*[MD], ou à déléguer un projet à un membre de mon équipe.

Vous pourriez l'utiliser pour chercher un mentor, développer une nouvelle présentation promotionnelle, préparer une brochure, organiser votre studio en vue d'une nouvelle session d'enregistrement, interviewer un candidat pour un emploi dans votre entreprise, former un collaborateur, assister à une conférence de votre industrie ou de votre profession, ou rédiger un manuel de l'employé.

LES JOURNÉES DE REPOS ET DE LOISIRS

Une « journée de repos et de loisirs » dure 24 heures et elle exclut, par définition, toute activité reliée au travail de près ou de loin. C'est une journée complète exempte de réunion d'affaires, d'appels téléphoniques, de courriers ou de lectures reliés à vos activités professionnelles.

Lors d'une authentique « journée de repos et de loisirs », vous n'êtes disponible ni pour votre personnel ni pour vos étudiants, à moins de véritables urgences : une blessure, une question de vie ou de mort, une inondation ou un incendie. En fait, la plupart des « urgences » n'en sont pas du tout. Il s'agit tout simplement d'employés, de collègues ou de membres de votre famille qui n'ont pas de formation, ou à qui on n'a pas donné assez d'informations, de responsabilités ou d'autorité pour faire face aux situations imprévues qui surgissent occasionnellement. Vous devez établir des limites bien définies, arrêter de voler au secours des gens, et avoir confiance qu'ils se sortiront d'affaire seuls.

« On m'a informé, mon cher Wycliff, que vous vous planifiez
en ce moment une vie hors du bureau. »

Lorsque votre employeur, votre personnel et vos collègues sont prévenus qu'ils ne doivent pas chercher à entrer en contact avec vous pendant ces jours sacrés, ils apprennent à devenir plus autonomes. Cette délégation de responsabilités les aide à devenir plus compétents et à gagner de l'assurance. Si vous êtes constant dans votre attitude, votre entourage comprendra que vous êtes sérieux. Un autre avantage est que vos «journées de grande productivité» et vos «journées de préparation» se dérouleront aussi sans interruption.

DES JOURNÉES DE REPOS ET DE LOISIRS SANS LES ENFANTS

La question des enfants surgit fréquemment lorsqu'il est question des «journées de repos et de loisirs». Vous devez aussi planifier des journées sans les enfants sur une base régulière. Si vous ne pouvez vous permettre une gardienne, demandez à un parent, en qui vous avez confiance, de s'en charger. Nous avons souvent fait appel à nos oncles, nos tantes et à notre nièce de vingt ans.

Si les membres de votre famille ne sont pas disponibles ou peu intéressés, faites un échange avec d'autres parents : vous vous occupez de leurs petits trésors un week-end, et ils vous rendent la pareille plus tard. Et ne faites pas l'erreur de téléphoner à toutes les heures pour savoir comment ils vont. Lâchez prise, faites confiance aux autres et prenez soin de vous pour changer.

LES JOURNÉES DE REPOS ET DE LOISIRS VOUS AIDENT À TRAVAILLER PLUS DUR ET PLUS INTELLIGEMMENT

Des «journées de repos et de loisirs» régulières sont précieuses parce que vous revenez au travail régénéré, prêt à vous remettre à la tâche avec une vigueur, un enthousiasme et une créativité renouvelés. Pour réussir, vous avez besoin de ces pauses qui vous permettent de prendre un peu de recul vis-à-vis de la routine quotidienne. Vous deviendrez ainsi plus créatif, vous aurez davantage d'idées lumineuses, et vous trouverez des solutions originales à vos problèmes.

Je crois que toute personne devrait prendre entre cent trente et cent cinquante journées de repos et de loisirs annuellement. Si vous incluez tous les week-ends, évidemment si vous ne travaillez pas, vous jouissez déjà de cent quatre jours de congé. Si vous pouvez trouver une autre tranche de quarante-huit jours de repos, en prenant de longues fins de semaine, en ajoutant des semaines de relâche à vos vacances annuelles régulières, et en glanant quelques jours à droite et à gauche, vous pouvez facilement jouir de cent cinquante «journées de repos et loisirs» pour faire le plein d'énergie, retrouver votre vitalité et vous reposer – sans portable, sans courrier électronique, sans document, et sans lien direct avec votre personnel, vos collègues ou votre patron.

PROFITEZ PLEINEMENT DE VOS VACANCES

Selon l'Association américaine de l'industrie du voyage, la durée moyenne des vacances annuelles en 1997 était de 7,1 jours. En 2001, elle n'était plus que de 4,1 jours. Et ce qui est encore plus alarmant, selon l'Institut du travail et de la famille, c'est que plus d'un employé sur quatre n'utilisent pas leurs journées de vacances. Pourquoi? Parce qu'ils craignent que leur emploi ait disparu à leur retour.

Comparez cette situation au concept de «journées de repos et de loisirs». Vous êtes plus reposé, plus productif, vous créez encore plus de valeur ajoutée pour votre employeur. Jane Moyer, désignée gestionnaire modèle chez Xerox Business Service en 1996, et qui œuvre maintenant chez iQuantic à San Francisco, résume parfaitement la valeur des «journées de repos et de loisirs» dans une entrevue accordée au magazine Fast Company:

> «[…] chaque mois d'octobre, je vais passer quelques jours à Cape Cod. Je loue un tout petit chalet à quelques pas de l'océan, et j'y demeure une semaine. Ce chalet ne possède ni téléphone ni téléviseur. Je ne prends pas ma voiture, je n'écoute pas la radio, et je ne lis pas les journaux.
>
> «Pendant quelques jours, je me retire du monde, je fais la cuisine, je lis, je fais de longues promenades sur la plage. C'est absolument merveilleux. Sur le chemin du retour, lorsque je recommence à penser au travail, je vois les choses différemment. La tâche me semble moins écrasante. Cette période d'évasion me permet de mieux faire la distinction entre ce qui est important et ce qui l'est moins.»[1]

PLANIFIEZ VOTRE TEMPS MAINTENANT

Si vous voulez profiter d'un plus grand nombre de «journées de repos et de loisirs», et de «journées de grande productivité», commencez à les planifier tout de suite. En calculant combien de journées vous consacrerez à produire des résultats, à vous préparer et à vous reposer chaque mois, vous parviendrez à

1. De *Fast Company*, mai 2000, page 100.

augmenter le nombre de journées de haute productivité et de loisirs à votre calendrier. Vous réduirez du même coup la fréquence des «journées de préparation».

En planifiant votre temps de cette manière, vous obtiendrez de meilleurs résultats professionnels et vous jouirez d'une plus grande satisfaction dans votre vie personnelle, puisque vous aurez établi un meilleur équilibre entre les deux univers.

Voici quelques suggestions additionnelles pour vous aider à mettre en place votre «système de gestion du temps pour obtenir des résultats exceptionnels»:

1. Essayez de vous souvenir de vos trois meilleures «journées de grande productivité». Mettez par écrit les éléments qu'elles avaient en commun. Cela vous fournira des indices de grande valeur pour créer davantage de journées très productives. Commencez à les planifier dès maintenant.

2. Rencontrez votre patron, votre personnel et vos collègues afin de discuter de stratégies pour créer plus de «journées de grande productivité». Souvenez-vous que, lors de ces journées, vous devez consacrer au moins quatre-vingts pour cent du temps à mettre en valeur vos plus brillantes qualités pour obtenir le maximum de résultats.

3. Répétez l'exercice avec vos amis et les membres de votre famille.

4. Planifiez au moins quatre moments de repos et de loisirs, comme de longues fins de semaines ou des vacances prolongées pour la prochaine année. Cela peut être aussi simple qu'une fin de semaine de camping, un week-end à San Francisco pour admirer la vue sur la baie, une expédition dans les vignobles, à la plage, une excursion de pêche, ou une semaine pour rendre visite à des parents dans un État voisin. Vous pouvez même inclure le voyage que vous avez toujours rêvé de faire en Californie, à Hawaii, en Floride, au Mexique, en Europe, ou en Asie. Si vous ne planifiez pas vos vacances, vous ne les prendrez vraisemblablement jamais, alors prenez quelques minutes et faites-le.

5. Faites la liste de vos trois «journées de repos et de loisirs» les plus formidables et mettez en évidence les éléments qu'elles avaient en commun. Essayez de les inclure dans vos futures «journées de repos et de loisirs».

Au fur et à mesure que le monde devient de plus en plus complexe, et que la pression à laquelle on soumet les gens augmente, il faut être de plus en plus conscient de la nécessité de gérer son temps. Vous devrez le structurer de manière consciente et délibérée pour exploiter pleinement vos talents et maximiser vos revenus. Prenez le contrôle de votre temps et de votre vie maintenant. Souvenez-vous, c'est vous qui êtes le maître.

PRINCIPE 41

ENTOUREZ-VOUS D'UNE ÉQUIPE EFFICACE ET ENSUITE DÉLÉGUEZ

« L'ascension du mont Everest ne fut pas l'œuvre d'un jour ni même celle des semaines inoubliables pendant lesquelles nous l'avons escaladé… Il s'agit en fait de l'histoire d'efforts de très longue haleine, réalisés par un grand nombre de personnes déterminées. »

SIR JOHN HUNT
Alpiniste qui a gravi le mont Everest en 1953

Tous les grands performeurs savent s'entourer d'une équipe efficace de collaborateurs clés, formée de consultants, de représentants et d'adjoints qui effectuent la plus grande partie du travail. Ils sont alors libres de créer de nouvelles sources de revenus et de provoquer de nouvelles occasions de succès. Les grands philanthropes de ce monde, les athlètes, les artistes, les professionnels sont aussi secondés par des adjoints qui gèrent leurs projets et qui se chargent des tâches routinières. Ils ont alors le loisir de s'intéresser davantage aux autres, de peaufiner leur art et de parfaire leurs compétences professionnelles ou sportives.

LE PROCESSUS DE LA CONCENTRATION TOTALE

Pour vous aider à déterminer ces activités auxquelles vous devriez consacrer la majeure partie de votre temps, et les autres que vous auriez avantage à déléguer, faites l'exercice suivant. Votre but est d'isoler les activités, deux ou trois au maximum, qui mettent le plus en valeur votre principal talent naturel, qui sont les plus rentables pour vous et qui vous procurent la plus grande satisfaction personnelle.

1. Faites d'abord une liste de toutes vos activités, qu'elles soient de nature professionnelle, personnelle, incluant votre implication auprès d'organisations civiques ou votre travail bénévole. Ne négligez aucune tâche, aussi modeste soit-elle, comme de rappeler les gens, de classer des dossiers, de faire des photocopies, etc.

2. Établissez ensuite dans cette liste les deux ou trois domaines où vous brillez tout particulièrement, où vous démontrez un talent spécial et unique, et où vous êtes pratiquement sans égal. Mettez en évidence les activités qui génèrent le plus de revenus pour vous ou votre entreprise, c'est-à-dire celles que vous accomplissez avec éclat et qui produisent l'essentiel de vos gains, ou ceux de votre entreprise. C'est à celles-là que vous voudrez accorder la part du lion de votre temps et de votre énergie.

3. Finalement, faites un plan pour confier à d'autres les tâches qui restent. Déléguer exige du temps et de la patience, mais vous pouvez vous délester, peu à peu, des tâches peu rentables et superflues de votre liste. Petit à petit, vous en arriverez à exercer votre travail dans le secteur spécialisé où vous excellez. C'est de cette manière que vous vous bâtirez une brillante carrière.

CHOISISSEZ VOS « PERSONNES CLÉS »

Si vous êtes propriétaire d'entreprise, et rappelez-vous que devenir entrepreneur très tôt dans la vie est la marque des individus qui ont le mieux réussi dans l'histoire moderne, mettez-vous à la recherche de collaborateurs clés, ou commencez à former certains membres de votre personnel pour qu'ils puissent s'acquitter des tâches secondaires établies précédemment.

Si votre entreprise et vous ne faites qu'un, recherchez un adjoint dynamique qui pourra gérer vos projets, faire fonctionner votre système informatique, comptabiliser vos transactions, et se charger des autres tâches de routine de votre entreprise. Vous pourrez alors vous concentrer dans les domaines où vous vous distinguez et que vous préférez.

Cette personne peut être engagée à temps plein, ou contractuellement, tandis que votre entreprise prend de l'expansion. J'ai souvent été témoin de situations où de futurs performeurs de haut calibre ont fait la découverte imprévue d'un administrateur très compétent, avant même d'en avoir précisé le besoin, et qui ont vu leurs affaires croître de manière exponentielle par la suite.

Si les projets philanthropiques et communautaires sont votre « affaire », vous pouvez « embaucher » des bénévoles pour vous aider. Pensez à des stagiaires universitaires qui travailleront dans le seul but d'obtenir des crédits dans leurs cours. Nous en employons plusieurs dans notre entreprise. Une fondation locale vous offrira peut-être l'assistance de son personnel pour mener à bien votre projet. Vous ne le saurez pas à moins de le demander.

Et si vous êtes un parent au foyer, votre « personnel » le plus précieux pourrait bien être votre responsable de l'entretien, l'adolescent qui habite au coin de la rue et qui tond votre pelouse, la gardienne d'enfants, et tous ceux ou celles qui peuvent vous aider, d'une façon ou d'une autre, à vous libérer ponctuellement des tâches ménagères.

Un voisin ou une gardienne peut très bien se charger de faire votre marché, de nettoyer votre voiture, de cueillir les enfants à l'école ou à la garderie, d'aller chercher vos vêtements chez le teinturier, etc., tout ça, pour environ huit dollars l'heure. Si vous êtes un parent célibataire, ces personnes prennent encore plus d'importance dans votre cheminement vers le succès et devront être sélectionnées avec beaucoup de soin.

Vous découvrirez souvent que, lorsque vous passez le mot, la personne dont vous avez précisément besoin circulait déjà dans votre univers. Vous ne le saviez tout simplement pas.

POURQUOI LES CONSEILLERS PERSONNELS SONT-ILS NÉCESSAIRES ?

Notre monde est devenu un endroit fort compliqué. Remplir votre déclaration fiscale, planifier votre retraite, récompenser vos employés, ou même acheter une maison, voilà des tâches devenues plus complexes que jamais. C'est pourquoi les performeurs d'élite savent s'entourer d'une équipe chevronnée de conseillers personnels vers lesquels ils se tournent pour obtenir de l'aide, des conseils et du soutien. En fait, une telle équipe est si importante qu'il serait judicieux de commencer à la réunir très tôt dans votre voyage vers le succès.

Peu importe que vous soyez propriétaire d'entreprise, employé ou que vous restiez à la maison pour élever vos enfants, vous avez besoin de conseillers pour répondre à vos questions, vous assister dans votre planification financière, vous aider à obtenir tout ce que vous méritez pour vos efforts, etc. Votre conseiller peut vous guider à travers les méandres des défis et des occasions, vous faire économiser du temps, aplanir les difficultés et réduire vos coûts. Votre équipe de conseillers devrait inclure votre banquier, un avocat, un comptable agréé, un conseiller en placements, votre médecin, votre nutritionniste et un guide spirituel.

Si vous êtes à la tête d'une petite entreprise, ce principe prend une signification de la plus haute importance. Beaucoup de propriétaires d'entreprises n'ont même pas de comptables pour les seconder. Ils gèrent leurs affaires avec leur ordinateur personnel et n'ont jamais fait vérifier leurs résultats par un expert. De plus, ils n'ont pas envisagé la possibilité de former un partenariat avec des consultants externes qui pourraient les libérer des tâches administratives, afin de pouvoir mettre pleinement en valeur leurs compétences exceptionnelles.

Si vous êtes un adolescent ou un étudiant, votre équipe pourrait être formée de vos parents, de vos meilleurs amis, de votre entraîneur de football, de votre conseiller pédagogique, de gens qui croient en vous. Dans le cas des adolescents, les parents ne font pas toujours partie de l'équipe intime, mais sont considérés, occasionnellement, comme des adversaires. Souvent, il ne s'agit que d'une perception de l'adolescent, mais c'est parfois malheureusement une réalité.

Si vos parents souffrent de troubles de comportement, sont alcooliques, abusifs, ou sont tout simplement absents, bourreaux de travail ou divorcés, vous aurez besoin d'un groupe d'amis ou d'autres adultes pour vous soutenir. Souvent, il s'agira des parents d'un autre ado de votre voisinage.

Si vous êtes une mère au travail, votre groupe de soutien pourrait inclure une gardienne d'enfants compétente ou une éducatrice de votre garderie. Non seulement devriez-vous faire une enquête approfondie à leur sujet, mais aussi prévoir des ressources de remplacement le cas échéant. Vous devriez aussi avoir accès à un bon pédiatre, un bon dentiste et toute personne pouvant vous aider à élever des enfants en santé et joyeux tandis que vous poursuivez votre carrière.

Les athlètes sont entourés d'un cortège d'entraîneurs, de nutritionnistes, et de consultants en performance. Leur équipe de soutien inclut des spécialistes capables de mettre au point un régime adapté à leur type corporel et aux sports qu'ils pratiquent.

Lorsque vous aurez décidé de la composition de votre équipe, vous pourrez commencer à établir et à cultiver ces relations. Assurez-vous qu'ils comprennent bien ce que vous attendez d'eux et expliquez-leur clairement ce qu'ils peuvent escompter de vous. S'agit-il d'une relation rémunérée? Quel type d'entente de collaboration est préférable dans votre situation? Dans quelles circonstances devrez-vous convoquer une réunion? Qu'attendez-vous des membres de votre équipe et comment doivent-ils vous aider à progresser et à réussir?

Et finalement, comment resterez-vous en contact et alimenterez-vous la relation? Je suggère de planifier un calendrier prévoyant des rencontres mensuelles, trimestrielles et semi-annuelles avec tous les membres de votre équipe.

LORSQUE VOUS AUREZ CHOISI LES MEMBRES DE VOTRE ÉQUIPE, FAITES-LEUR CONFIANCE

« Si vous n'avez pas d'adjoint, vous êtes celui de quelqu'un d'autre. »

RAYMOND AARON
Fondateur « The Monthly Mentor »

Lorsque vous aurez fait votre choix judicieusement, vous pourrez commencer à vous libérer graduellement de tout ce qui peut vous empêcher de vous concentrer sur votre principal atout, votre talent naturel. Vous pouvez aussi déléguer des projets de nature « personnelle ».

Lorsque Raymond Aaron a vendu sa maison pour emménager dans un logement, il a confié l'ensemble de ce projet à un collaborateur. Il lui a demandé de trouver un appartement d'une chambre à coucher dans un immeuble de luxe près de son bureau, comportant une salle d'exercices au rez-de-chaussée. « Trouvez-le, négociez le bail et apportez-le-moi pour que je le signe, lui a-t-il dit. Ensuite, faites venir les déménageurs et demandez à mon entreprise d'émettre un chèque pour les payer. Emballez les objets fragiles, surveillez la main-d'œuvre et ne la quittez pas de vue jusqu'à ce que le déménagement soit complété. »

Il avait aussi demandé à ce collaborateur d'engager à l'avance une équipe de nettoyeurs, de veiller à la bonne disposition des meubles, de déballer les boîtes, de procéder à une inspection finale des lieux, puis de l'appeler dès qu'il pourrait prendre possession de son appartement.

Et que faisait Raymond pendant son déménagement ? Il était en vacances en Floride !

Même si nous craignons parfois que les autres ne soient pas capables de faire les choses aussi bien que nous, la réalité, c'est que certaines personnes adorent faire les tâches que nous détestons. Et ils le font souvent bien mieux que nous, à un coût étonnamment bas.

PRINCIPE 42

SACHEZ DIRE NON !

« Vous n'avez pas à vous sentir terrorisé
par les attentes des autres envers vous. »

SUB PATTON THOELE
Auteure de *The Courage to Be Yourself*

Le monde est un endroit compétitif et trépidant. Il vous faut une dose toujours plus grande de concentration simplement pour remplir vos obligations quotidiennes et cheminer vers vos buts à long terme. En raison de l'explosion des technologies des télécommunications, plus de personnes que jamais ont un accès direct à nous.

De parfaits étrangers ont la possibilité de vous joindre par téléphone, sur votre cellulaire ou votre téléavertisseur, par la poste régulière ou par service de courrier exprès, ou par courriel. Si vous n'y êtes pas, ils laisseront un message sur votre répondeur automatique ou dans votre courrier électronique. Si vous y êtes, ils peuvent vous interrompre en plaçant leur appel en attente.

Il semble qu'il y ait toujours quelqu'un qui veut s'emparer d'une parcelle de votre personne. Vos enfants veulent que vous les conduisiez un peu partout, ou emprunter votre voiture ; vos collaborateurs sollicitent votre aide pour leurs projets qui ne vous concernent pas, votre patron exige que vous fassiez du temps supplémentaire pour préparer un rapport dont il a besoin ; votre sœur vous demande de garder ses enfants pendant le week-end, la direction de l'école de vos enfants veut que vous confectionniez quatre douzaines de biscuits pour marquer le jour d'appréciation des professeurs et que vous soyez volontaire lors d'une excursion de fin de semaine.

De plus, votre mère aimerait bien que vous fassiez un détour pour réparer sa porte moustiquaire, votre meilleur ami veut vous faire des confidences au sujet de son divorce imminent, un organisme de charité local vous demande de présider le comité organisateur de son banquet annuel, et votre voisin veut vous emprunter votre camionnette pour aller chercher des planches chez le quincaillier.

Et c'est compter sans l'armée de spécialistes en télémarketing qui vous harcèlent pour que vous vous abonniez au journal local, que vous fassiez un don à la réserve naturelle de votre région, ou que vous transfériez le solde de votre carte de crédit dans le nouveau compte qu'ils vous proposent. Même votre chien réclame votre attention!

Nous sommes écrasés sous le poids de trop nombreux projets et nous travaillons au-delà de nos capacités. Nous acceptons de lourds défis, dont ne nous pouvons venir à bout facilement, dans un désir inconscient de faire bonne impression, de prendre les devants ou d'être à la hauteur des attentes de notre entourage. Et pendant ce temps, nos besoins les plus importants demeurent insatisfaits.

Pour avoir du succès, atteindre vos buts et accéder au mode de vie que vous désirez, vous devez apprendre à ne pas toujours céder aux souhaits des gens et à réagir à toutes les autres sources de distractions qui, sinon, vous dévoreront littéralement. Les gens qui ont du succès savent refuser sans se sentir coupables.

NE VOUS CONTENTEZ PAS DE DÉLÉGUER, ÉLIMINEZ!

Si vous désirez améliorer votre productivité et augmenter le nombre de «journées de repos et de loisirs» dans votre vie, vous devrez éliminer les tâches, les requêtes, et les autres «voleurs de temps» qui ne sont pas rentables pour vous.

Commencez par créer ce que Jim Collins, l'auteur de *Good to Great*, appelle une liste des choses «à ne plus faire». Nous sommes pour la plupart très occupés, mais peu disciplinés. Nous sommes actifs mais nous manquons de concentration. Nous avançons bien sûr, mais pas toujours dans la bonne direction. En faisant une liste des choses à ne plus faire, parallèlement à celles qui sont importantes, nous injectons une dose de concentration additionnelle et de discipline dans nos vies.

Rédigez cette liste «d'interdits» dès maintenant. Qu'ils représentent pour vous autant de «règles de conduite». Les gens y seront réceptifs, car ils percevront ces règles comme autant de frontières et de limites à ne pas franchir. On vous respectera parce que vos principes seront clairement exprimés. Par exemple, quelques-uns des «interdits», que je ne remets jamais en cause, sont les suivants:

• Je ne prête jamais ma voiture pour quelque raison que ce soit.

- Je ne prête jamais d'argent. Je ne suis pas une banque.

- Je ne prends jamais d'engagement pour une activité sociale le vendredi soir. Ce moment est réservé à ma famille.

- Je ne discute jamais de contribution à des œuvres de bienfaisance au téléphone. Je demande que l'on m'envoie la documentation écrite.

Sur le plan des affaires, quelques-unes des choses que je refuse de faire, par principe, sont les suivantes :

- Je ne me porte garant d'aucun livre de fiction.

- Je ne prête pas mes livres car ils reviennent trop rarement. Ils sont la source de mon inspiration et, par conséquent, trop importants pour que je m'en sépare.

- Je ne m'engage jamais à faire plus de cinq présentations par mois.

- Je ne collabore plus avec des auteurs qui en sont à leur premier livre. La courbe d'apprentissage est trop longue et trop coûteuse.

- Je ne fais pas d'accompagnement ou de consultation individuelle. Il y a davantage de synergie dans le travail en groupe.

- Sauf si je suis en train de faire la promotion d'un nouveau livre, je n'accorde jamais plus de deux entrevues quotidiennes à la radio.

- Je ne prends jamais d'appels les mardis et les jeudis. Ces jours sont consacrés à l'écriture.

AVEZ-VOUS VRAIMENT BESOIN D'UN TÉLÉPHONE CELLULAIRE ET DU COURRIER ÉLECTRONIQUE ?

Aujourd'hui, un grand nombre de personnes ont choisi une approche « radicale » pour reprendre le contrôle de leur vie. Elles ont renoncé au téléphone cellulaire et au courrier électronique. La révolution technologique devait, en principe, rendre notre vie plus facile. Mais dix ans après que les téléphones cellulaires et le courrier électronique soient devenus abordables pour tous, nous voilà maintenant inondés de messages futiles (sans mentionner le fléau de la publicité diffusée massivement sur Internet).

Plusieurs gens d'affaires que je connais consacrent de trois à quatre heures par jour simplement pour répondre à leur courrier électronique. J'avais l'habitude d'être l'un d'eux. Maintenant, mon adjoint les filtre pour moi et ne porte à mon attention que les messages importants (moins de cinq par jour), auxquels je réponds. D'autres ne peuvent même pas se rendre au marché, à un dîner ni même prendre des vacances sans être harcelés par la sonnerie de leur téléphone cellulaire. Cette tendance est mondiale. Je porte toujours mon cellulaire sur moi, mais je ne le mets sous tension que pour faire des appels, et non pour en recevoir.

Parce qu'elles offrent une communication instantanée, ces technologies créent l'attente implicite d'une réponse immédiate. Les gens qui possèdent votre numéro de cellulaire savent qu'ils peuvent vous rejoindre instantanément pour obtenir votre assistance. Le courrier électronique parvient à son destinataire en quelques secondes. Son expéditeur s'attend donc généralement à une réponse tout aussi rapide.

Lorsque vous distribuez votre numéro de cellulaire et votre adresse électronique, vous accordez implicitement aux autres la permission d'exiger tout cela de vous. Mais imaginez le contrôle que vous regagneriez sur votre vie, si vous n'aviez pas à réagir immédiatement à ces appels à l'aide ou à lire des douzaines de messages sans importance.

La semaine dernière, je dînais en compagnie de quatre dirigeants d'une grande maison d'édition. Ils se plaignaient tous d'être ensevelis sous le flot incessant des courriels qu'ils recevaient, parfois jusqu'à cent cinquante par jour, et qui provenaient, pour la plupart, de l'intérieur même de l'entreprise.

Lorsque je les ai interrogés pour savoir combien d'entre eux étaient essentiels à leur travail, ils m'ont répondu que de dix à vingt pour cent seulement l'étaient vraiment. Lorsque je leur ai ensuite demandé pourquoi ils ne rayaient pas certains correspondants de leur liste, ils m'ont répondu qu'ils ne voulaient pas blesser leur amour-propre. Ils préféraient apparemment tolérer la situation, plutôt que de régler leur problème.

Réfléchissez aux implications de ne pas dire la vérité pour changer les choses. Si ces personnes parvenaient à supprimer la moitié des messages superflus, ils récupéreraient quatre-vingt-dix minutes par journée de travail. Cette économie de temps représente, sur une base annuelle, trois cent soixante-quinze heures de plus, ou neuf semaines de quarante heures, soit deux mois de temps précieux additionnel. Pouvez-vous vraiment vous permettre de ménager à tout prix la susceptibilité de quelques personnes?

Barry Spilchuk, un ami intime et coauteur d'un livre de la série *Bouillon de poulet pour l'âme*, a récemment fait parvenir un message électronique à tous ses correspondants leur demandant de cesser de lui transmettre des courriels «réconfortants», des poèmes, ou autres messages du même genre. (Tout en s'excusant de diffuser ce message à la ronde) ! S'il peut le faire, vous le pouvez aussi.

SI DIRE NON EST AUSSI IMPORTANT, POURQUOI EST-CE SI DIFFICILE?

Pourquoi trouvons-nous si difficile de refuser les requêtes de l'un et de l'autre? Enfants, nous avons appris qu'un «non» n'était pas une réponse acceptable. Refuser une demande des adultes entraînait une punition. Plus tard dans notre carrière, une attitude rebelle aurait pu entraîner une piètre évaluation de notre rendement, ou retarder notre ascension dans la hiérarchie de l'organisation.

Pourtant, les personnes à qui le succès sourit rejettent presque tout ce qu'on leur présente, qu'il s'agisse de propositions, d'échéances, de priorités discutables, ou de crises survenant dans la vie des autres. En fait, elles envisagent la décision d'accepter, ou de refuser, avec une égale sérénité.

D'autres vous diront non, mais vous dirigeront vers une personne en mesure de vous aider. Certains justifieront leur refus par un calendrier chargé, des obligations familiales, quelques échéances serrées, ou même des difficultés financières.

« Non, jeudi, ça ne va pas. Pourquoi pas jamais, est-ce que jamais vous convient? »

Au travail, les performeurs trouvent souvent des solutions aux urgences répétées de leurs collègues, plutôt que de devenir victimes eux-mêmes du manque d'organisation ou de la mauvaise planification des autres.

« MON REFUS N'EST PAS DIRIGÉ CONTRE VOUS. JE LE FAIS POUR MOI ! »

Une répartie utile que j'ai imaginée, et qui m'aide à me dégager des appels à l'aide ou de demandes dont je ne peux m'occuper, est la suivante : « Mon refus n'est pas dirigé contre vous. Je le fais pour moi ! »

Si le président de votre association parents professeurs vous demande de participer à un autre événement pour collecter des fonds le week-end suivant, vous pouvez lui répondre ceci : « Vous savez que mon refus d'y participer n'est pas dirigé contre vous, ou ce que vous essayez de faire. Il s'agit d'une cause très valable, à mon avis, mais je me rends compte que j'ai pris trop d'engagements à l'extérieur de chez moi récemment. Alors, bien que j'appuie votre initiative, j'ai décidé de consacrer désormais plus de temps à ma famille. Cette décision n'est pas dirigée contre vous ; si je refuse, c'est pour nous, tout simplement. »

Peu de personnes vous en voudront si votre refus est motivé par d'autres engagements d'aussi grande importance que celui que l'on vous propose. En fait, elles vous respecteront pour votre franchise et votre force de caractère.

Vous pouvez apprendre quelques techniques très utiles qui vous aideront à refuser sans vous sentir coupable. Je vous suggère de lire l'un des nombreux livres qui traitent de ce sujet plus en profondeur qu'il est possible pour moi de le faire dans ces pages. Les deux meilleurs à mon avis sont : *When I Say No, I Feel Guilty* (Lorsque je dis non, je me sens coupable), par Manuel J. Smith, et *How to Say No Without Feeling Guilty* (Comment dire non sans se sentir coupable), par Patti Breitman et Connie Hatch.

PRINCIPE 43

REFUSEZ CE QUI EST BIEN POUR ACCUEILLIR L'EXTRAORDINAIRE !

« Le bien est l'ennemi du mieux ! »

JIM COLLINS
Auteur de *Good to Great*

Quel concept simple, pourtant, vous seriez surpris d'apprendre avec quelle facilité des entrepreneurs prospères, des professionnels, des éducateurs et des leaders dans leur communauté se laissent envoûter par des projets, des occasions, ou des propositions très ordinaires, tandis que l'extraordinaire est sans cesse remis aux calendes grecques. Se confiner à ce qui est bien empêche souvent le meilleur de se manifester, tout simplement parce qu'il ne reste plus de temps à l'agenda pour s'en occuper.

Est-ce votre cas ? Êtes-vous à la poursuite de buts médiocres, ou occupé à exécuter des plans sans lendemain, négligeant des occasions de réaliser aujourd'hui même des percées exceptionnelles ?

LE PRINCIPE DE PARETO : QUAND 20 % DEVIENT 80 %

Si vous jetez un regard rétrospectif sur votre vie, en notant les réalisations qui vous ont valu le plus de succès, de gains financiers, d'avancement et de satisfaction, vous découvrirez qu'environ vingt pour cent de vos activités sont responsables de plus de quatre-vingts pour cent de vos succès. Ce phénomène est à la base du principe de Pareto, du nom de l'économiste anglais qui a établi que quatre-vingts pour cent des revenus des entreprises provenaient de vingt pour cent de leurs clients.[1]

---

1. Voir *The 80/20 Principle : The Secret to Success by Achieving More with Less*, par Richard Koch (New York : Currency, 1998) pour des exemples lumineux d'application de la règle du 80 / 20 pour connaître le succès.

CESSEZ DE VOUS SPÉCIALISER DANS LES CHOSES D'INTÉRÊT SECONDAIRE

Plutôt que de consacrer votre temps à des tâches secondaires, peu rentables et fastidieuses, imaginez avec quelle rapidité vous pourriez atteindre vos buts et améliorer votre situation si vous renonciez à toutes ces occupations sans valeur, pour concentrer plutôt toute votre énergie sur ce vingt pour cent d'activités qui vous procurent vos plus grands succès?

Qu'arriverait-il si, au lieu de regarder la télé, surfer sans but sur le Net, faire des courses inutiles, et vous préoccuper de problèmes que vous auriez pu éviter en premier lieu, vous consacriez ce temps à votre famille, à votre mariage, à vos affaires, à la création de nouvelles sources de revenus, ou à toute autre initiative porteuse de résultats?

LES DÉBUTS « CAHOTEUX » DE SYLVESTER STALLONE, ALIAS ROCKY

L'acteur américain Sylvester Stallone sait quand il faut dire non à ce qui n'est que « bien ». Après avoir terminé le scénario de son tout premier film *Rocky*, Stallone rencontra plusieurs producteurs désireux de porter son personnage à l'écran. Même si cette possibilité aurait été très lucrative pour Sylvester Stallone, il insista pour jouer le rôle titre également. Plusieurs acteurs connus avaient été suggérés pour le rôle de Rocky Balboa, dont James Caan, Ryan O'Neal et Burt Reynolds, mais Sylvester demeura inflexible. Après avoir trouvé quelques bailleurs de fonds disposés à investir un million de dollars dans une production de fortune, Sylvester Stallone compléta le tournage en vingt-huit jours.

Rocky s'est révélé le succès de l'année de 1976, récoltant plus de deux cent vingt-cinq millions au box-office et des oscars pour le meilleur film et le meilleur directeur, ainsi que des nominations de meilleur acteur et de meilleur auteur de scénario. Sylvester Stallone assuma l'entière responsabilité de cette occasion en or et transforma Rocky Balboa, qui devint plus tard John Rambo, en une véritable industrie qui devait générer des revenus mondiaux de plus de deux milliards de dollars.

Que se produirait-il dans votre vie si vous décidiez de renoncer à ce qui est tout juste acceptable pour accéder à quelque chose de mieux?

SACHEZ RECONNAÎTRE CE QUI EST VRAIMENT EXTRAORDINAIRE, AFIN DE POUVOIR DIRE NON À CE QUI EST SIMPLEMENT BIEN

1. **Commencez par faire une liste des choix qui s'offrent à vous maintenant. Réservez un côté de la feuille aux *bonnes occasions*, et l'autre, aux *occasions extraordinaires*.**
   Le fait de voir vos options écrites vous aidera à cristalliser vos idées, à formuler les bonnes questions, à déterminer le genre d'information dont vous avez besoin, à concevoir votre plan d'action, et ainsi de suite. Cela vous aidera à déterminer si une occasion cadre vraiment avec vos objectifs généraux, si elle excite votre passion, ou si la vie essaie simplement de vous attirer sur une route secondaire.

2. **Discutez avec vos conseillers de la valeur potentielle des initiatives que vous envisagez.**
   Les gens qui ont parcouru ce chemin auparavant ont accumulé une vaste expérience qu'ils peuvent partager avec vous. Ils sauront vous poser les questions réalistes pour lesquelles vous devrez trouver des réponses convaincantes. Ils pourront vous parler des pièges qui vous guettent et vous aider à évaluer la complexité réelle de l'entreprise, en matière de temps, d'argent, d'énergie, de stress, et de l'implication qu'elle exigera.

3. **Tâtez le terrain.**
   Plutôt que de faire le grand saut sur la foi que tout se déroulera comme vous l'imaginez, commencez par faire un essai, en consacrant un peu de temps et d'argent à votre nouvelle idée. S'il s'agit d'une nouvelle carrière que vous envisagez, essayez de trouver un travail à temps partiel, ou un contrat de consultant dans ce nouveau domaine d'activités. Si vous êtes excité par la perspective de travailler à l'étranger, ou de vous impliquer dans un projet de coopération internationale, essayez de faire un séjour de quelques mois dans le pays de vos rêves, ou faites du travail bénévole pour mettre à l'épreuve votre motivation réelle.

4. **Et finalement, décidez si cela en vaut la peine.**
   Déterminez si ces activités serviront vraiment vos buts à long terme, ou si, en y renonçant, vous récupérerez du temps que vous pourrez consacrer à des projets mieux ciblés.

PRINCIPE 44

HISSEZ-VOUS SUR LES ÉPAULES D'UN GÉANT

« *Étudiez la vie des personnages remarquables et vous découvrirez qu'ils ont toujours fait leur apprentissage avec un ou plusieurs maîtres. Par conséquent, si vous voulez atteindre les sommets, la renommée ou un succès exceptionnel, vous devez trouver un mentor.* »

ROBERT ALLEN
Millionnaire par ses propres moyens et coauteur de *Le Millionnaire minute*

En dépit de toute l'information disponible pour accomplir à peu près n'importe quelle tâche, la plupart des gens ont encore l'habitude de consulter leurs amis, leurs voisins, leurs collègues de travail ou des parents aux carrefours importants de leur vie. Trop souvent, ils cherchent des conseils auprès de personnes qui n'ont pas l'expérience pertinente pour les aider, ou qui n'ont pas encore connu de succès dans leur secteur d'activité.

Comme je l'ai indiqué au principe 9, le succès laisse sa marque. Pourquoi ne pas profiter de la sagesse et de l'expérience disponibles, en vous mettant à la recherche d'un mentor qui a déjà parcouru le chemin que vous voulez emprunter ? Tout ce que vous avez à faire, c'est de demander.

Une stratégie du succès qui a fait ses preuves consiste à être constamment à la recherche de conseils et d'avis d'experts dans leur domaine. Faites une liste des personnes que vous aimeriez avoir comme mentor. Puis, sollicitez leur aide.

DÉTERMINEZ À L'AVANCE CE QUE VOUS ATTENDEZ D'UN MENTOR

De prime abord, même s'il peut sembler terrifiant d'entrer en communication avec des personnes qui ont déjà réussi dans leur domaine pour demander conseil et soutien, les persuader de jouer le rôle de mentor auprès de vous est plus facile que vous ne le pensez.

Ce que les mentors font essentiellement, nous apprend Les Brown, le fameux conférencier et auteur de livres à succès, c'est qu'ils vous aident à découvrir des possibilités. En d'autres termes, un mentor vous débarrasse des œillères qui vous cachent certaines avenues, en vous servant de modèle. Il contribue aussi à élever vos attentes simplement en conversant avec vous.

Lorsque Les a entrepris sa carrière de conférencier au début des années quatre-vingt, il a fait parvenir une cassette de l'une de ses premières causeries à feu Dr Norman Vincent Peale, conférencier de réputation internationale et éditeur du magazine *Guideposts*. Cette initiative a mené à une longue et fructueuse relation pour Les. Non seulement le Dr Peale l'a-t-il pris sous son aile, mais il lui a aussi ouvert discrètement des portes, l'aidant à obtenir d'importants engagements de conférencier. Tout à coup, Les qui, jusque-là, était virtuellement inconnu dans le circuit des agences spécialisées, commença à voir les offres affluer vers lui. Il haussa même ses honoraires à cinq mille dollars par conférence, bien loin du modeste sept cents dollars qu'il exigeait auparavant.

Comme Les le relate avec gratitude aujourd'hui, Norman Vincent Peale fut la première personne à lui dire qu'il pourrait obtenir beaucoup de succès dans le monde des conférences.

« Il s'est davantage adressé à mon cœur qu'à ma raison, raconte Les. Tandis que je mettais en doute mes habiletés, mon éducation limitée et mon peu d'expérience, le Dr Peale me disait : « Vous avez l'étoffe. Vous avez tout ce qu'il faut. Continuez à parler avec votre cœur et tout ira bien. » »

C'est ainsi que Les a pu se rendre compte de la valeur d'un mentor. La relation entre les deux hommes se limitait pourtant à de brefs échanges téléphoniques, et, occasionnellement, à la présence de Les aux conférences du Dr Peale dans le but d'étudier son style. Mais cette relation finit par revêtir une importance beaucoup plus grande pour les deux hommes qu'ils n'en étaient conscients à l'époque.

Au cours de sa toute dernière conférence, à l'âge de 95 ans, le Dr Peale reprit à son compte une des phrases que son protégé se plaisait à répéter : « Visez la lune, parce que si vous la manquez, vous atteindrez les étoiles ! »

À l'instar de Les, peut-être avez-vous besoin de quelqu'un pour vous ouvrir quelques portes ; ou voulez-vous qu'on vous recommande un expert reconnu pour lancer un nouveau service spécialisé ? Ou avez-vous simplement besoin d'être rassuré sur votre choix de carrière ? Un mentor peut vous aider à faire tout cela, mais il faut vous préparer à lui demander des conseils précis.

FAITES VOS DEVOIRS

Un moyen très simple de connaître les noms et les antécédents de personnes qui ont réussi dans votre domaine consiste à lire les revues industrielles spécialisées, à faire de la recherche sur Internet, à entrer en contact avec les responsables d'associations commerciales, à assister à des conférences et à des congrès, à appeler des entrepreneurs œuvrant dans le même domaine, ou à communiquer avec des gens actifs dans l'industrie ou la profession qui vous intéresse.

Recherchez des mentors qui possèdent l'ensemble des qualités et l'expérience dont vous avez besoin pour atteindre votre but. Lorsque vous constaterez que les mêmes noms continuent d'apparaître régulièrement sur votre liste, vous saurez que vous avez déterminé les candidats les plus prometteurs.

Janet Switzer joue le rôle de mentor auprès de centaines d'entrepreneurs en les aidant à faire croître leurs affaires. Lorsque Lisa Miller, de CRA Management Group, entra en contact avec Janet, elle était sur le point de céder une part substantielle de ses revenus à une personne, qui, croyait-elle, pouvait l'aider à développer un nouveau secteur d'activité pour son entreprise.

Janet lui montra comment atteindre instantanément le même but sans devoir recourir aux services d'un tiers, et l'aida de plus à accroître son volume d'affaires avec sa clientèle existante. Grâce aux sages conseils de Janet, Lisa réalisa la croissance projetée de sa société quatre mois plus tôt que prévu, et récolta des centaines de milliers de dollars en revenus additionnels.

Avant d'entrer en relation avec un mentor comme Janet, et afin de vous assurer que la conversation sera fructueuse, dressez une liste des points précis que vous entendez aborder lors de votre première conversation. Précisez la raison qui motive votre choix de cette personne pour ce rôle et aussi le genre d'aide que vous attendez de sa part. Soyez bref, mais faites preuve d'assurance aussi.

En fait, les gens qui ont bien réussi aiment partager ce qu'ils ont appris avec les autres. Il s'agit d'un trait de la nature humaine. Tous n'accepteront pas de jouer le rôle de conseiller, mais certains le feront si on leur demande. Il suffit de faire la liste des personnes que vous voudriez avoir comme mentors, et de leur demander de vous consacrer quelques minutes par mois.

Certains refuseront, d'autres accepteront; demandez jusqu'à ce que vous receviez une réponse positive.

Les Hewitt, a mis sur pied le « Programme d'accompagnement des performeurs ». Un jour, il a aidé le propriétaire d'une petite entreprise de camionnage à convaincre un joueur majeur de l'industrie de le prendre sous son aile. L'homme fut ravi qu'on lui demande de jouer le rôle de mentor et il aida son nouveau protégé à faire croître son entreprise à un rythme spectaculaire. Le script original de leur premier contact pourrait vous servir de modèle :

> « Bonjour, monsieur Johnston, je m'appelle Neil. Nous ne nous sommes jamais rencontrés auparavant. Je sais que vous êtes un homme très occupé, alors je serai bref. Je suis propriétaire d'une petite entreprise de camionnage. Avec les années, vous avez réussi le tour de force extraordinaire de bâtir une entreprise qui est devenue l'une des plus importantes de notre industrie. Je suis persuadé que vous avez dû affronter de grandes difficultés lorsque vous avez commencé. J'en suis précisément à mes débuts, essayant de résoudre tous les problèmes à la fois.
>
> « Monsieur Johnston, j'apprécierais vraiment que vous acceptiez de jouer pour moi le rôle de mentor. Une conversation téléphonique d'une dizaine de minutes par mois suffirait. Je pourrais ainsi vous poser quelques questions et je vous en serais très reconnaissant. Est-ce que cette possibilité vous intéresse ? »

Si vous êtes propriétaire d'une petite entreprise, ou que vous êtes en train d'en démarrer une, vous devriez communiquer avec le bureau local de SCORE (une organisation regroupant des cadres à la retraite acceptant de mettre leur expérience à la disposition des entrepreneurs). Travaillant en partenariat avec le U.S. Small Business Administration (l'administration américaine des petites entreprises), SCORE est un réseau étendu regroupant plus de dix mille bénévoles, à la retraite ou encore actifs, qui offrent des conseils professionnels gratuitement.

Ils animent aussi des ateliers à tarifs très modiques auprès de toutes sortes d'entreprises, à chaque étape de leur développement, depuis l'idée originale jusqu'au démarrage réussi. Il s'agit d'un service public. Le réseau compte trois cent quatre-vingt-neuf bureaux. Vous en trouverez un près de chez vous en consultant le site http://www.score.org.

Une autre source de conseils d'affaires et de consultations pour les propriétaires de petites entreprises est Small Business Development Centers (Centres de développement des petites entreprises), un autre service offert par le gouvernement américain. Cette organisation compte soixante-trois bureaux disséminés sur tout le territoire des États-Unis et ses agents sont à votre disposition pour vous servir. Pour plus d'informations, consultez le site Internet http://www.sba.gov/sbcd.

SUIVEZ LES CONSEILS DE VOTRE MENTOR

Les mentors n'aiment pas qu'on leur fasse perdre leur temps. Si vous demandez des conseils, suivez-les. Étudiez leurs méthodes, posez des questions, assurez-vous de bien comprendre le processus qu'ils vous proposent et, dans la mesure de ce qui est humainement possible, imitez les méthodes de votre modèle. Vous pourriez même améliorer ses façons de faire.

DES CONSEILS DE GRANDE VALEUR

Jason Dorsey était un étudiant de collège typique lorsqu'il rencontra de façon inattendue son premier mentor, un entrepreneur de sa région venu prendre la parole dans l'un de ses cours d'administration des affaires à l'Université du Texas. Celui-ci se nommait Brad. Lorsque Brad surprit la classe en définissant le succès autrement qu'au niveau financier, Jason fut intrigué et osa lui demander de devenir son mentor.

Lors de leur premier entretien, Brad demanda à Jason de lui parler de ses projets d'avenir. Il lui répondit qu'il avait l'intention de terminer ses études au collège, puis de travailler à la Bourse de New York, d'obtenir un MBA, de démarrer sa propre entreprise et de prendre sa retraite à quarante ans. Puis, lorsqu'il serait indépendant de fortune, il avait l'intention de travailler auprès des jeunes en difficulté pour s'assurer qu'ils reçoivent une bonne éducation, leur ouvrant la porte à un emploi respectable.

Brad lui demanda quel âge il aurait lorsqu'il serait enfin en mesure d'aider ces jeunes à se faire une place au soleil. «Environ quarante-cinq ans», répondit Jason. C'est alors que Brad lui posa une question qui devait changer le cours de sa vie : «Mais pourquoi attendre vingt-cinq ans ? Pourquoi ne commences-tu pas dès maintenant ? Plus tu attendras, plus il te sera difficile d'entrer en relation avec ces jeunes que tu te proposes d'aider.»

La remarque de Brad lui ouvrit les yeux. Mais Jason n'avait que dix-huit ans et il vivait encore à la résidence des étudiants. Il lui demanda : «Et comment pensez-vous que je pourrais le mieux aider des jeunes gens de mon âge si je commençais dès aujourd'hui ?

– Écris un livre qu'ils voudront lire, lui répondit Brad. Explique-leur les raisons pour lesquelles tu te sens si bien dans ta peau, même si les gens autour de toi sont tellement négatifs. Montre-leur ce qu'ils doivent faire pour trouver un mentor. Dis-leur pourquoi tant de portes te sont ouvertes même si tu n'es âgé que de dix-huit ans. »

Le 7 janvier 1997, à 1 h 58 du matin, Jason commença à écrire son livre. Parce qu'il était inconscient de ses limites, il compléta le premier jet de *Graduate to Your Perfect Job* en trois semaines seulement. Jason publia le livre lui-même, commença à prendre la parole dans les écoles et devint mentor auprès d'autres jeunes gens. À l'âge de vingt-cinq ans, il avait déjà parlé devant plus de cinq cent mille personnes, avait été invité à l'émission *Today* au réseau NBC, et avait vu son premier livre inscrit comme manuel scolaire dans plus de mille cinq cents écoles.

Jason est un orateur si convaincant et si enthousiaste que des écoles commencent à solliciter ses services pour motiver les professeurs et les conseillers pédagogiques. Depuis peu, sa toute nouvelle entreprise aide les dirigeants et les cadres d'entreprises à stimuler et à retenir leurs jeunes employés. Mieux encore, Jason apprend toujours de ses mentors, qui sont maintenant au nombre de cinq.

Jason, qui n'a que vingt-six ans, vient de remporter le prix Austin destiné aux entrepreneurs de moins de quarante ans, dans la catégorie « éducation ». Si Jason n'avait pas assumé le risque de demander à un étranger d'être son mentor, il commencerait ses études de MBA maintenant.

SOYEZ PRÊT À RENDRE LES FAVEURS

Soyez prêt à donner à vos mentors quelque chose en retour de leurs bons conseils. De simples gestes, comme de les tenir au courant des dernières tendances de l'industrie, ou de les appeler lorsque vous croyez qu'une occasion d'affaires pourrait les intéresser, vous vaudront leur estime. Pensez à des moyens de rendre service à vos mentors. Aidez les autres aussi. Voilà la récompense la plus extraordinaire que puisse espérer un mentor : de voir ses protégés réussir et aider les autres à leur tour.

PRINCIPE 45

ENGAGEZ UN ACCOMPAGNATEUR PERSONNEL

« Je suis absolument persuadé qu'à moins d'être dirigée et conseillée,
une personne ne peut réaliser son plein potentiel. »

BOB NARDELLI
Président et chef de la direction de Home Depot

Jamais vous ne croiriez qu'un athlète puisse atteindre les Jeux olympiques à moins d'être conseillé par un entraîneur de classe internationale. Pas plus que vous n'imagineriez une équipe de football faire son entrée au stade sans une escouade d'instructeurs à ses côtés, un instructeur en chef, un entraîneur pour la brigade défensive et offensive, un conseiller pour les jeux spéciaux, etc. Aujourd'hui, les instructeurs ont fait leur entrée dans le monde des affaires et de la vie personnelle. Ce sont des gens qui ont réussi dans le domaine qui vous intéresse et qui peuvent vous aider à suivre leurs traces, ou à vous rendre plus loin encore.

L'UN DES SECRETS LES MIEUX GARDÉS DES GAGNANTS

Parmi toutes les techniques éprouvées que les gagnants utilisent pour accélérer leur progression sur le chemin de la réussite, la participation à un programme d'entraînement est toujours en tête de liste. Un coach vous aidera à clarifier votre vision et vos buts, à surmonter vos peurs, à garder votre regard rivé sur la cible, à prendre conscience de vos comportements inconscients, à toujours donner le meilleur de vous-même, à vivre selon vos valeurs, à gagner davantage en travaillant moins, et à mettre en valeur vos talents naturels.

DES CONSEILS QUI VALENT LEUR PESANT D'OR

J'ai eu de nombreux accompagnateurs dans ma vie qui m'ont aidé à atteindre mes buts : des accompagnateurs d'affaires, de rédaction, de marketing, et même des accompagnateurs de vie personnelle. Mais l'expérience d'accompagnement qui m'a le plus aidé à faire un grand bond en avant dans tous les aspects de mon existence a été le programme d'accompagnement stratégique pour les entrepreneurs de Dan Sullivan.

Et quels ont été les résultats ? D'abord et avant tout, j'ai immédiatement doublé mes moments de loisirs. J'ai appris à déléguer un plus grand nombre de tâches, à planifier mes vacances plutôt qu'à en rêver, à embaucher plus de personnel, et finalement, à positionner mon entreprise de façon à générer plus de revenus. Et cela s'est produit en quelques mois à peine.

Non seulement mon entreprise en a-t-elle bénéficié, mais ma famille également.

Pour moi, l'accompagnement n'était pas seulement un moyen de faire plus d'argent, bien qu'une grande partie de l'accompagnement soit orientée vers l'augmentation des revenus, sur les façons de mieux gérer ses actifs, ou d'accéder à la liberté par la planification financière. Dans mon cas, il s'agissait de m'aider à prendre les meilleures décisions possible pour mon entreprise ainsi que pour moi sur le plan personnel.

Le plus souvent, ce sont des personnes brillantes, voire supérieurement intelligentes, qui font appel aux services d'un instructeur. Elles sont toutefois conscientes qu'il est parfois nécessaire d'avoir recours à un conseiller objectif, honnête et créatif pour analyser les options qui se présentent à elles.

Mike Foster, président de Tech Coach, est un autre instructeur auquel je fais fréquemment appel. Mike m'a aidé à mettre à jour les technologies et les systèmes informatiques que j'utilise chez moi et dans mon entreprise. Nous disposons maintenant de la technologie la plus avancée qui soit. La plupart des gens n'exploitent que dix pour cent du potentiel de leurs ordinateurs. Engagez un formateur en technologies pour augmenter votre efficacité au travail.

POURQUOI LES ACCOMPAGNATEURS SONT-ILS EFFICACES?

« Les accompagnateurs de gestionnaires ne sont pas pour les âmes sensibles.
Les gens qui font appel à eux apprécient leurs commentaires francs et directs.
Ces personnes ont une chose en commun, elles sont intransigeantes
et axées sur les résultats. »

FAST COMPANY MAGAZINE

Peu importe si le programme est conçu en vue d'atteindre un objectif d'affaires précis, par exemple, améliorer vos stratégies de recherches dans le secteur immobilier, ou que vous recherchiez plus de clarté et d'efficacité dans votre vie professionnelle ou personnelle, un instructeur peut vous aider à :

- définir vos valeurs, votre vision, votre mission, le sens de votre vie, et vos objectifs.
- concevoir un plan d'action précis pour réaliser vos buts.
- faire le tri et à évaluer vos options.
- ne pas perdre de vue vos véritables priorités.
- atteindre un équilibre dans votre vie, tout en poursuivant vos objectifs d'affaires ou professionnels.

Comme êtres humains, nous avons tendance à ne faire qu'une partie de ce qui doit être fait, tout en ne voulant rien sacrifier de ce que nous aimons faire. Un accompagnateur personnel vous aidera à découvrir vos véritables aspirations et il saura vous orienter dans vos démarches pour les réaliser.

DIFFÉRENTS STYLES D'ACCOMPAGNEMENT

Un processus d'accompagnement peut se faire en groupe ou sur une base individuelle. Le plus souvent, il s'effectue par un contact téléphonique régulier. Des rencontres peuvent également avoir lieu, le cas échéant. Au cours de ces sessions, vous travaillerez ensemble pour développer des buts, des stratégies et un plan d'action qui est positif, souhaitable et réaliste. Un soutien supplémentaire est souvent offert par courrier électronique ou tout autre média.

À l'occasion, certains accompagnateurs organisent des conférences téléphoniques réunissant de nombreux participants. Vous avez ainsi la chance de recueillir de l'information de grande valeur, que vous pouvez ensuite appliquer à votre propre situation.

Certains accompagnateurs travailleront avec vous sur une base hebdomadaire, tandis que d'autres vous accompagneront sur une base mensuelle. Dans le cas du programme élaboré par Dan Sullivan, les rencontres se déroulaient sur une base trimestrielle, mais le travail personnel était si intense que cette expérience s'est révélée extrêmement profitable pour moi.

COMMENT TROUVER UN ACCOMPAGNATEUR

Il y a littéralement des milliers d'accompagnateurs prêts à vous offrir leurs services. On trouve des accompagnateurs personnels, de vie, et d'affaires. Certains œuvrent dans des domaines spécialisés (la dentisterie, la chiropraxie, l'immobilier, ou l'art de s'exprimer en public). D'autres se concentrent sur des fonctions particulières (les accompagnateurs de gestionnaires), ou des sujets précis (la planification stratégique, la santé et le bien-être, les finances et la transition de carrière).

Vous les trouverez, soit sur Internet, soit dans l'annuaire téléphonique, ou en vous informant dans votre entourage. Il existe des associations, telles que Coach U et International Coach Federation, qui peuvent vous aider à trouver un accompagnateur près de chez vous.[1] Consultez aussi la section en annexe : « Lectures suggérées et autres ressources pour bâtir votre succès », pour connaître d'autres organisations qui vous aideront à trouver le meilleur accompagnateur pour vous.

---

1. Consultez le site de Coach U, http://www.coachu.com et celui de International Coach Federation à http://www.coachfederation.org. Pour plus d'information sur le programme d'accompagnement stratégique de Dan Sullivan, consultez www.strategiccoach.com.

PRINCIPE 46

Réunissez un groupe de « grands esprits »

« Lorsque deux ou plusieurs personnes joignent leurs efforts dans un esprit d'harmonie et travaillent à la réalisation d'un objectif précis ou d'un projet significatif, elles se placent, par cette alliance, dans une position d'où elles peuvent puiser à la source même de l'Intelligence infinie. »

NAPOLEON HILL
Auteur de *Réfléchissez et devenez riche*

Nous savons tous que deux têtes valent mieux qu'une lorsqu'il s'agit de solutionner un problème ou d'obtenir un résultat. Alors, imaginez ce qui arriverait si vous pouviez toujours compter sur un groupe de cinq ou six personnes, se réunissant chaque semaine, afin de trouver des solutions, d'échanger des idées, de forger des relations, de s'encourager et de se motiver mutuellement.

Cette stratégie consiste à réunir autour de soi ce que l'on appelle un « groupe de grands esprits ». Il s'agit de l'un des outils les plus efficaces présentés dans ce livre. Je ne connais personne qui n'ait obtenu un succès hors du commun sans avoir eu recours à cette technique.

UNE IDÉE ANCIENNE TOUJOURS D'ACTUALITÉ

Napoleon Hill a décrit pour la première fois les « groupes de grands esprits » en 1937 dans son classique du succès *Réfléchissez et devenez riche*. Et les chevaliers de l'industrie les plus riches du monde – depuis ceux du début du vingtième siècle jusqu'aux modèles des temps modernes – ont su s'approprier la puissance irrésistible des « grands esprits ». Il s'agit de la technique à laquelle les performeurs font allusion le plus souvent lorsqu'ils énumèrent les facteurs qui les ont aidés à devenir millionnaires.

Andrew Carnegie avait son groupe d'esprits supérieurs, de même que Henry Ford. En fait, Henry Ford réunissait autour de lui un groupe, comprenant des penseurs de la trempe de Thomas Edison et Harvey Firestone. Ils se rencontraient dans leurs luxueuses résidences d'hiver de Fort Myers, en Floride.

Ces gens savaient, comme des millions d'autres l'ont découvert depuis, qu'un groupe de penseurs pouvait faire converger une énergie phénoménale dans leurs entreprises, sous la forme de connaissances, de nouvelles idées, d'un vaste réservoir de ressources, et, plus important encore, d'une grande force spirituelle. Et c'est précisément sur cette dimension spirituelle que Napoleon Hill s'est le plus étendu.

Il a écrit que si nous sommes en harmonie avec le Grand Esprit, l'Esprit supérieur – c'est-à-dire Dieu, l'origine de toute chose, la puissance universelle, ou la force infiniment puissante à l'origine de la vie – nous disposons alors d'un supplément considérable d'énergie positive, une puissance qui peut être concentrée sur notre succès. La Bible aussi parle de ce phénomène :

« Que deux ou trois, en effet, soient réunis en mon nom,
je suis là au milieu d'eux. »

(MATTHIEU 18, 20)
Bible de Jérusalem

La puissance des « grands esprits » représente, par conséquent, tant l'inspiration mutuellement partagée au sein du groupe que la lumière reçue d'une source supérieure.

UN PROCESSUS POUR ACCÉLÉRER VOTRE CROISSANCE

La philosophie de base d'un groupe de « grands esprits », c'est qu'il est possible d'accomplir davantage en moins de temps lorsque les gens travaillent ensemble. Le groupe est composé d'individus qui se réunissent sur une base régulière – hebdomadaire, bihebdomadaire ou mensuelle – pour partager des idées, des réflexions, de l'information, des réactions, et des ressources. En obtenant les points de vue, les connaissances, l'expérience et les ressources des autres participants, non seulement vous élevez-vous au-delà de votre vision limitée du monde, mais vous progressez vers vos buts bien plus rapidement.

Un groupe de « grands esprits » peut être composé de personnes œuvrant dans votre champ d'activité ou provenant d'horizons divers. Il peut être dédié à des thèmes relatifs aux affaires, de nature personnelle, ou les deux. Mais pour que votre «groupe de grands esprits» ait un maximum d'efficacité, les participants doivent se sentir suffisamment à l'aise entre eux pour se dire la vérité.

Plusieurs des critiques les plus objectives que j'ai reçues m'ont été communiquées par mon groupe. On m'a révélé sans complaisance que je promettais plus que j'étais en mesure de livrer, que je vendais mes services à rabais, que je me concentrais sur des sujets d'intérêt secondaire, que je ne déléguais pas suffisamment, que je voyais «trop petit» et que j'étais trop prudent.

Le caractère confidentiel des échanges autorise ce niveau de franchise. Dans la vie de tous les jours, nous protégeons habituellement notre image personnelle et professionnelle. Dans un comité de «grands esprits», les participants peuvent baisser la garde, révéler la vérité sur leur vie personnelle et professionnelle, et avoir confiance que le secret sera préservé.

DE NOUVELLES PENSÉES, DE NOUVELLES PERSONNES, DE NOUVELLES RESSOURCES

Lorsque vous formez votre groupe de grands esprits, envisagez la possibilité d'inviter des gens provenant d'horizons professionnels variés. Essayez aussi d'inclure des personnes qui vous «surpassent» déjà, et qui peuvent vous mettre en contact avec des réseaux auxquels vous n'auriez pas accès normalement.

Même si les avantages d'inclure des personnes n'œuvrant pas dans le même secteur d'activité dans un groupe de grands esprits ne semblent pas évidents de prime abord, la vérité, c'est qu'on a tous tendance à demeurer rivés à son propre domaine de compétences, et à reproduire les manières de faire courantes de son industrie. Mais lorsque vous réunissez des gens provenant d'autres secteurs d'activité ou d'autres professions, vous obtenez nécessairement des opinions diverses sur le même sujet.

Henry Ford était le grand expert des chaînes de montage. Thomas Edison était un inventeur prodigieux. Harvey Firestone était un organisateur de génie. Lorsqu'ils se réunissaient, leurs talents variés permettaient au groupe de jeter des éclairages complémentaires et différentes perspectives sur leurs problèmes respectifs, tant légaux, financiers, que relationnels.

Mon propre groupe de «grands esprits» est composé du spécialiste des affaires Marshall Thurber, de l'expert en marketing sur Internet Declan Dunn, du PDG de OneWorldLive, Liz Edlic, du géant de l'immobilier et maître ès succès,

John Assaraf, et finalement, de Lee Brower, accompagnateur en stratégies et président de Empowered Wealth.

Chacun apporte son point de vue, son expérience de vie, ses compétences et son réseau, et tout le groupe en bénéficie. Nous organisons une conférence téléphonique toutes les deux semaines et nous nous réunissons chaque trimestre. Lors de ces rencontres de deux jours, nous nous entraidons à atteindre nos buts personnels et d'entreprises, tout en cherchant à apporter notre contribution au bien-être de l'humanité.

D'autres groupes de «grands esprits» ont aidé leurs membres à démarrer ou à sauver une entreprise de la faillite, à changer d'emplois, à devenir multimillionnaires, à être de meilleurs parents, de meilleurs professeurs ou de meilleurs activistes pour la cause du changement social ou de l'amélioration de l'environnement, et plus encore.

COMMENT RASSEMBLER UN GROUPE DE «GRANDS ESPRITS»

Quel que soit votre but, la clé du succès est d'inviter des gens qui sont déjà arrivés là où vous voudriez être dans la vie, ou qui ont du moins quelques longueurs d'avance sur vous. Si votre but est de devenir millionnaire, et que vous gagnez actuellement soixante mille dollars par année, vous auriez tout avantage à vous entourer de gens dont le revenu est supérieur au vôtre. Si le fait que des gens qui réussissent déjà mieux que vous pourraient ne pas être intéressés à faire partie de votre groupe vous inquiète, n'oubliez pas que c'est vous qui leur offrez la chance de participer à cette activité.

Vous organisez, réunissez et fondez un forum qui répondra aux besoins de développement et de croissance des autres participants. Plusieurs personnes beaucoup plus avancées que vous s'y intéresseront, simplement parce que cela leur permettra de s'initier à un jeu qu'elles n'auraient jamais mis sur pied de leur propre initiative. Elles seront probablement ravies d'échanger des idées avec les autres participants invités, en particulier si elles y font la rencontre d'interlocuteurs de leur calibre.

QUELLE EST LA TAILLE IDÉALE D'UN GROUPE DE GRANDS ESPRITS

La taille idéale d'un groupe d'échange d'idées est de cinq ou six personnes. S'il y en a moins, il perd de son dynamisme. Avec plus de participants, il devient difficile à gérer – les réunions sont trop longues, certains participants n'obtiennent aucun soutien tangible et les échanges plus personnels sont moins fréquents. Cependant, il y a aussi des groupes qui comptent jusqu'à douze participants, se rencontrant une journée entière tous les mois, et qui fonctionnent très efficacement.

DIRIGER UNE RENCONTRE DE GRANDS ESPRITS

Les réunions doivent avoir lieu chaque semaine, ou à quelques semaines d'intervalle, et tous les membres doivent être présents. La réunion peut se dérouler à un endroit donné ou au téléphone. La durée idéale est une ou deux heures.

Dans le cadre des premières rencontres, on suggère que chaque membre dispose d'une heure pour exposer aux autres sa situation, ses perspectives, ses besoins et ses difficultés. Les autres discutent librement pour lui venir en aide. Au cours des réunions suivantes, chaque participant utilise la période de temps qui lui est allouée pour mettre les autres au courant de son évolution, demander de l'aide, et recevoir leurs réactions.

Au cours de chaque réunion, on doit observer rigoureusement le protocole qui suit pour s'assurer que les besoins de tous les membres fassent l'objet d'une étude objective afin de maintenir l'intérêt de tous. Une personne devrait avoir la responsabilité de veiller à ce que tous reçoivent le temps de parole alloué et une part équitable de l'attention du groupe ; la même personne s'acquittera de ce rôle chaque séance, ou on pratiquera l'alternance, au choix.

Étape 1 : Demander une assistance spirituelle en récitant une courte prière ou une invocation

Idéalement, les rencontres devraient débuter par l'expression d'une requête pour que le groupe soit enveloppé et inspiré par une énergie spirituelle puissante. La formule peut varier en fonction des croyances des participants. Le leader du groupe, utilisant la prière qui lui est chère, demande à la force universelle de venir en aide à toutes les personnes présentes. Une simple invocation à Dieu, ou à une puissance supérieure pourrait ressembler à celle-ci :

« Nous demandons maintenant d'être inspirés par la lumière, et que nos cœurs soient ouverts pour recevoir les conseils d'une puissance supérieure. »

Étape 2 : Partager ce qui est nouveau et bon

Un excellent moyen de tisser des liens et de maintenir l'enthousiasme à un niveau élevé consiste à demander à chacun de partager l'histoire de l'une de ses réussites. Même les petits succès obtenus depuis la dernière réunion donnent aux autres membres la sensation que le processus fonctionne et qu'il est important de continuer de s'impliquer.

Étape 3 : Négocier le partage du temps

Bien que le temps alloué à chaque participant doive être en moyenne de dix à quinze minutes, il se présentera des occasions où une personne aura besoin de plus de temps pour exposer une problématique particulièrement difficile. À cette étape, elle peut demander le temps supplémentaire dont elle pense avoir besoin.

Il se peut également que d'autres membres éprouvent des difficultés cette semaine-là et aient besoin, eux aussi, de plus de temps. D'autres, au contraire, peuvent renoncer à leur droit de parole, n'ayant rien de nouveau à annoncer. La personne désignée pour tenir le temps peut jouer le rôle d'arbitre dans la négociation qui suit.

Durant cette phase de négociation, on entend souvent des remarques, telles que : « Je viens juste de perdre mon adjoint et je voudrais en parler », ou : « Je viens de lire une nouvelle proposition et j'aimerais entendre vos commentaires à ce sujet », ou : « Je dois dénicher une entreprise qui devra se charger de l'impression de mes documents pour la Chine et je ne sais pas par où commencer ».

Lorsque cette étape est franchie et que tous sont d'accord sur la période de temps alloué à chacun, la réunion peut démarrer. Le modérateur veille à ce que le tout se déroule de manière ordonnée, et que personne ne dépasse son temps ni ne s'éloigne de son sujet. Si certains membres sentent qu'ils ne retirent aucun bénéfice de l'exercice, le groupe risque de perdre des participants. D'autres encore, les types dominants ou ceux qui ont de plus grands besoins, risquent de monopoliser la discussion ou de transformer la séance de remue-méninges en monologue.

Étape 4 : Chaque membre s'exprime individuellement tandis que les autres écoutent et proposent des solutions.

Lors d'une réunion de « grands esprits », vous devez vous attendre à des interventions qui débutent de la manière suivante : « J'ai besoin de me créer de nouvelles relations… », « Il me faut des références… », « J'ai besoin d'un expert pour développer cette nouvelle idée… », « J'aimerais que vous mettiez votre carnet d'adresses à ma disposition… », « Je dois réunir quarante mille dollars pour… », « J'ai besoin de bons conseils sur la gestion du service à la clientèle… »

Lorsque le temps alloué pour les explications, les discussions et la prospection d'idées est terminé, l'arbitre l'annonce en disant : « Le temps est écoulé ! » Le groupe passe alors à l'étude des besoins de la personne suivante.

Les discussions peuvent être de nature personnelle ou professionnelle. Tant et aussi longtemps que tous les membres considèrent que cela vaut la peine, ils continueront à s'impliquer dans les activités du groupe. Si le processus engendre des effets bénéfiques pour chaque participant, il justifie sa raison d'être.

Vous découvrirez que les groupes ont tendance à traverser des phases. Les choses débutent souvent sur une note très impersonnelle. Au fur et à mesure que les membres apprennent à mieux se connaître, toutefois, et que les sujets deviennent plus personnels : « Ma femme et moi éprouvons des difficultés », ou : « Je viens de perdre mon emploi », de nouveaux liens se créent. L'usage que vous faites de ces réunions est entièrement vôtre.

Étape 5 : Le moment des défis

Lorsque les membres ont eu le temps de présenter, de discuter, d'échanger des idées, et d'obtenir des réactions, le modérateur demande à chacun, à tour de rôle, de s'engager verbalement à poser un geste qui l'aidera à progresser vers la réalisation de son but : un défi qui doit avoir été relevé avant la prochaine réunion.

Cet engagement, présenté sous la forme d'un défi, peut avoir été inspiré par des propos entendus lors des discussions. « D'accord, je ferai au moins trois appels pour engager un nouveau vendeur », ou : « Je m'engage à téléphoner à John Deerfield, chez Consolidated, pour faire la promotion de notre nouveau service ».

De tels engagements font en sorte que tout le monde avance en direction du but qu'il s'est fixé, ce qui est, finalement, la raison d'être de ces réunions de « grands esprits ».

Étape 6 : Terminer par un moment de reconnaissance

Votre réunion peut se terminer par une prière où vous exprimerez votre gratitude. Vous pouvez faire un dernier tour de table et demander à chaque participant de nommer une chose qu'il a particulièrement appréciée lors de la rencontre. Ou vous pouvez terminer l'exercice : « Ce que j'ai envie de dire » décrit au principe 49 : « Parlez à cœur ouvert », que vous trouvez plus loin dans ce livre.

Étape 7 : Soyez responsable

Lorsque le groupe se réunit la semaine suivante, chaque membre doit expliquer ce qu'il a accompli pour relever le défi de la réunion précédente. Est-ce que tous les participants ont respecté leur engagement ? Ont-ils atteint leur objectif ?

Vous trouverez que l'un des aspects les plus valables de ces réunions est la responsabilisation des individus, car les autres participants vérifient si vous avez tenu vos engagements. Les gens sont plus productifs lorsqu'ils ont un échéancier précis et qu'ils sont responsables des résultats. Lorsque vous savez qu'on vous interrogera la semaine suivante sur l'engagement que vous avez pris et les gestes que vous avez promis de poser, vous ferez certainement ce qu'il faut avant de vous représenter devant le groupe. Voilà une bonne façon d'augmenter sa productivité.

ASSOCIÉS EN RESPONSABILITÉ

Plutôt que de créer un groupe de « grands esprits », vous pouvez travailler en collaboration avec ce que j'appelle un « associé en responsabilité ». Vous vous engagez mutuellement à réaliser un but personnel, et vous vous entendez pour vous contacter régulièrement par téléphone pour démontrer que vous avez respecté vos échéances, que vous avez atteint vos objectifs, et que vous progressez.

Vous pouvez convenir de vous appeler chaque semaine, ou à intervalle de quelques semaines, pour vous assurer que ni l'un ni l'autre ne déroge à son plan d'action. Le fait de savoir que vous devrez rendre des comptes à quelqu'un est un facteur de motivation supplémentaire. Il s'agit d'un type de relation particulièrement important à développer si vous êtes un travailleur indépendant et que vous travaillez à domicile. Lorsque vous savez que la prochaine discussion avec votre associé en responsabilité aura lieu le mercredi, le mardi devient, comme par enchantement, une journée particulièrement productive.

Vous pouvez aussi suggérer à votre associé l'échange mutuel d'idées, d'informations, et de ressources. Présentez-lui par exemple votre dernière trouvaille et demandez-lui son avis : « Qu'en pensez-vous ? », « À ma place, comment vous y prendriez-vous ? » Votre associé pourrait bien accepter de faire un appel pour vous, de vous refiler le nom d'un contact, ou de vous faire parvenir par courrier électronique de l'information qu'il ou elle possède déjà sur le sujet qui vous intéresse.

Cet associé peut aussi contribuer à soutenir votre enthousiasme lorsque vous vous trouvez devant des obstacles, des distractions, des revers, ou de nouvelles occasions. La clé du succès de votre choix est de trouver une personne qui est aussi désireuse que vous de réaliser ses rêves, une personne qui prend à cœur votre succès et le sien.

TROIS AUTRES RESSOURCES POUR LES ENTREPRENEURS ET LES CHEFS D'ENTREPRISES

Il existe un certain nombre d'organisations qui vous offrent la possibilité d'organiser des rencontres de « grands esprits » avec d'autres entrepreneurs comme vous, telles que Young Entrepreneurs Organization (créée originalement par The Executive Committee), et Young President Organization. Elles facilitent les rencontres des groupes de soutien sur une base mensuelle ainsi que la participation à des réunions régionales et nationales qui sont extraordinairement formatrices et stimulantes.

J'ai eu la chance d'œuvrer à titre de personne-ressource pour deux de ces organisations, et tous les membres que j'y ai rencontrés étaient enchantés des bénéfices qu'ils en avaient tirés, tant sur le plan personnel que professionnel. Pour obtenir plus d'information, consultez les sites Web suivants : http://www.yeo.org, http://www.teconline.com, et http://www.ypo.org.

PRINCIPE 47

PRENEZ CONSEIL DE VOUS-MÊME

*« Les chercheurs qui étudient le fonctionnement du cerveau estiment
que votre base de données inconsciente domine celle qui est consciente
dans un rapport d'au moins dix millions à un. Cette mine d'information
est la source de votre génie naturel insoupçonné. En d'autres mots,
une partie de vous est plus brillante que vous ne l'êtes. Les gens sages
consultent régulièrement cette facette de leur intelligence. »*

MICHAEL J. GELB
Auteur de *Pensez comme Léonard de Vinci : soyez créatif et imaginatif*

Selon une légende ancienne, il fut un temps où les gens ordinaires avaient accès à toute la sagesse des dieux. Mais ils persistaient à ignorer la voix de la connaissance. Un jour, les dieux se lassèrent de faire don gratuitement d'un présent dont personne ne semblait se soucier. Ils décidèrent de la cacher, de telle sorte que seuls les chercheurs les plus résolus la découvriraient. Ils croyaient que, si la sagesse était plus difficile à obtenir, on en ferait un meilleur usage.

Un premier dieu suggéra de la cacher dans les entrailles de la terre.

« Non, dirent les autres. Les hommes la découvriront facilement en creusant le sol.

« Plaçons-la au plus profond des océans ! » proposa un autre, mais son idée fut aussi rejetée. Les autres dieux savaient que les gens apprendraient à se déplacer sous l'eau et qu'ils la trouveraient un jour.

Un autre suggéra le sommet le plus élevé de la plus haute montagne, mais il n'eut pas plus de succès car on savait qu'un jour quelqu'un l'escaladerait.

Finalement, une divinité plus avisée suggéra : « Cachons la sagesse au plus profond des gens eux-mêmes. Ils ne penseront jamais à la chercher à cet endroit. » Et ce qui fut dit, fut fait. Et il en est encore ainsi aujourd'hui.

FAITES CONFIANCE À VOTRE INTUITION

Notre éducation nous a appris à chercher à l'extérieur de nous les réponses à nos questions. En effet, personne ne nous a enseigné à les chercher en nous-mêmes. Pourtant, au cours de mes recherches sur les secrets du succès, presque toutes les personnes que j'ai eu l'occasion de rencontrer suivaient leurs intuitions. Elles avaient appris à faire confiance à leurs impressions et à leur guide intérieur. Plusieurs pratiquent même une forme ou une autre de méditation pour accéder plus facilement à ce « conseiller intime », à cette voix intérieure.

Burt Dubin, autrefois un investisseur immobilier prospère et qui est aujourd'hui le créateur de Burt Dubin Speaking Success System (le Système pour connaître le succès comme conférencier), en connaît beaucoup dans l'art d'écouter ses intuitions. À un certain moment, il s'était mis à la recherche d'une propriété formant un quadrilatère à Kingman, en Arizona. Il savait qu'il s'agirait d'un bon investissement, mais aucun vendeur ne se manifestait. Un soir, il se mit au lit comme d'habitude, avant d'être tiré de son sommeil à trois heures du matin. « Quelque chose » lui disait qu'il devait se rendre à Kingman, en Arizona, tout de suite !

Burt trouva cela étrange car il avait communiqué avec un agent immobilier de Kingman plus tôt dans la journée et ce dernier l'avait assuré qu'il n'y avait pas de propriété faisant les quatre coins en vente. Mais Burt savait d'instinct qu'il devait écouter les messages mystérieux qu'il recevait « de l'intérieur ». Il se mit donc en route immédiatement et arriva à Kingman à huit heures ce matin-là. Dès qu'il fut sur les lieux, il se procura le journal local, consulta la section immobilière et trouva immédiatement ce qu'il cherchait. Il se rendit chez l'agent d'immeubles à neuf heures et, quinze minutes plus tard, le marché était conclu.

Comment cela est-il possible ? Il avait téléphoné la veille sans succès. Mais à seize heures trente, le même jour, un citoyen de New York avait fait un appel demandant qu'on vende sa propriété, car il avait un besoin pressant de cet argent. Il était trop tard pour l'inscrire sur les listes officielles, mais l'agent qui avait reçu la directive avait cru bon de placer une petite annonce dans le journal local avant la fermeture des bureaux.

Parce qu'il avait écouté sa « petite voix intérieure », Burt est parvenu à mettre la main sur un petit joyau, ayant été le premier informé de sa disponibilité sur le marché.

Lorsque le baron des affaires Conrad Hilton, le fondateur de la chaîne d'hôtels Hilton a voulu se porter acquéreur de Stevens Corporation lors d'une mise aux enchères, il fit une proposition scellée de cent soixante-cinq mille dollars. Le lendemain matin, il s'éveilla avec en tête un montant de cent quatre-vingts mille dollars. Il s'empressa de modifier son offre, qui fut acceptée, et empocha après coup un profit de deux millions de dollars. L'offre la plus élevée après la sienne était de cent soixante-dix-neuf mille huit cents dollars!

Qu'il s'agisse d'un investisseur immobilier qui «entend» une petite voix au milieu de la nuit, d'un détective qui solutionne un cas nébuleux en se fiant à son flair, d'un investisseur qui «sait» exactement quand se retirer du marché, d'un demi à l'attaque au football qui «comprend» les intentions de son quart-arrière, les gens qui ont du succès suivent leur intuition.

Vous pouvez également profiter de votre intuition pour gagner plus d'argent, prendre de meilleures décisions, solutionner des problèmes plus rapidement, libérer votre génie créateur, comprendre les motifs profonds de vos collaborateurs, imaginer des nouvelles formes d'entreprises, ou créer des stratégies gagnantes en affaires.

NOUS AVONS TOUS DE L'INTUITION, IL S'AGIT TOUT SIMPLEMENT DE LA DÉVELOPPER

« Toutes les ressources dont nous avons besoin se trouvent dans notre esprit. »

THEODORE ROOSEVELT
Vingt-sixième président des États-Unis

L'intuition n'est pas que l'apanage de certains privilégiés ou des médiums. Tout le monde en possède, et nous en avons tous déjà fait l'expérience. Vous est-il déjà arrivé de penser à votre vieil ami «Jerry», juste avant de recevoir un coup de téléphone de sa part? Vous êtes-vous déjà éveillé au milieu de la nuit, persuadé qu'un événement fâcheux était arrivé à l'un de vos enfants, pour découvrir plus tard que votre fils avait eu un accident d'automobile à ce moment précis? Avez-vous déjà senti un picotement derrière la nuque, pour vous retourner ensuite et vous apercevoir qu'on vous observait de l'autre côté de la pièce?

Nous avons tous fait l'expérience de ce genre d'intuition. La clé, c'est d'apprendre à puiser dans cette source d'information pour atteindre de plus grands succès.

SERVEZ-VOUS DE LA MÉDITATION POUR ACCÉDER À VOTRE INTUITION

« Il n'y a qu'un seul voyage : celui que l'on fait en soi. »

RAINER MARIA RILKE
Poète et romancier

À l'âge de trente-cinq ans, j'ai participé à une retraite de méditation qui devait changer ma vie à jamais. Pendant toute une semaine, nous sommes demeurés assis, méditant de six heures trente le matin jusqu'à vingt-deux heures, avec des interruptions pour les repas et des promenades en silence. Les premiers jours, j'ai pensé devenir fou. Lorsque je ne tombais pas de sommeil, parce que j'en avais tant manqué pendant des années, mon esprit vagabondait d'un sujet à l'autre, tandis que mes expériences antérieures défilaient dans mon esprit. À d'autres moments, je planifiais des améliorations pour mon entreprise, tout en me demandant ce que je pouvais bien faire dans ce lieu de réflexions, alors que toutes les personnes que je connaissais étaient ailleurs, travaillant et profitant de la vie.

Le quatrième jour, une chose inattendue et merveilleuse s'est produite. Mon esprit s'est apaisé et je me suis senti « transporté » en un lieu d'où je pouvais observer ce qui se passait autour de moi sans jugement, avec un profond détachement. J'étais conscient des sons, des sensations dans mon corps, et j'éprouvais une impression de profonde paix intérieure. Mes pensées continuaient d'aller et venir, mais le rythme et les thèmes de mes réflexions avaient changé. Mes préoccupations étaient plus profondes.

On pourrait ici parler d'intuitions, de compréhension intérieure, et de sagesse. Je faisais des liens que je n'avais jamais perçus auparavant. Je comprenais mes motivations, mes craintes et mes désirs, à un niveau plus profond. Des solutions créatives à des problèmes que j'avais affrontés toute ma vie émergeaient dans ma conscience.

Je me sentais détendu, calme, conscient, et plus lucide que jamais. La pression de performer, de prouver ma valeur, de me justifier sans cesse, de mesurer ce que je faisais d'après les standards extérieurs, de satisfaire les besoins des autres, tout cela avait disparu. J'avais repris contact avec moi-même et avec le sens véritable de ma vie. Lorsque je me concentrais sur mes buts les plus authentiques, ceux qui étaient les plus chers à mon cœur, des solutions jaillissaient spontanément dans mon esprit, des pensées claires et des images décrivant les étapes à parcourir, les personnes à rencontrer, et les façons de transcender les obstacles qui se dresseraient sur ma route. C'était vraiment magique.

J'ai appris de cette expérience que les idées, dont j'avais besoin pour accomplir toute tâche, pour solutionner n'importe quel problème, pour réaliser quelque but que ce soit, étaient en moi, à ma disposition. J'ai fait mienne cette conviction depuis ce jour.

PRATIQUER LA MÉDITATION RÉGULIÈREMENT AIGUISE VOTRE INTUITION

La pratique régulière de la méditation vous aidera à chasser les distractions et vous enseignera à reconnaître les impulsions subtiles provenant de l'intérieur. Pensez à des parents assis en bordure d'un terrain de jeu rempli d'enfants, riant et criant dans un indescriptible tintamarre. Tout parent peut, au milieu de ce joyeux vacarme, reconnaître la voix de son petit entre toutes les autres.

Votre intuition travaille de la même manière. En méditant, votre spiritualité s'éveille, vous distinguez plus clairement la voix de votre conscience, ou la voix de Dieu, qui s'adresse à vous par des mots, des images et des sensations.

_____

« L'intellect a peu d'utilité sur le chemin de la découverte. Il se produit un bond dans l'éveil de la conscience, appelez-le intuition ou ce qu'il vous plaira, et la solution vous arrive, sans que vous sachiez d'où elle vient, ni pourquoi. »

ALBERT EINSTEIN
Physicien et prix Nobel de physique

LES RÉPONSES SE TROUVENT EN NOUS

Mark Victor Hansen et moi étions à la veille de compléter notre premier *Bouillon de poulet pour l'âme*^{MD}, et nous n'avions toujours pas de titre pour notre livre. Étant tous deux adeptes de la méditation, nous avons décidé de trouver la réponse « à l'intérieur ». Pendant une semaine, chaque jour, nous méditions afin de trouver le titre de notre futur best-seller. Mark se couchait tous les soirs en se répétant « le titre d'un mégasuccès de librairie ». Au réveil, il se plongeait dans la méditation. Je demandais simplement à Dieu de m'inspirer le meilleur titre possible. Je restais assis, les yeux fermés, dans un état de sereine réceptivité, attendant simplement que la réponse vienne.

Le troisième matin, j'ai soudainement vu une main écrire le mot *poulet* sur le tableau noir de mon esprit. Ma réaction immédiate a été de me demander : « *Mais quelle est la relation entre un poulet et notre livre ?* »

Une voix en moi me souffla à l'oreille : « *Enfant, ta grand-mère te servait toujours un bouillon de poulet quand tu étais malade.* »

« *Mais ce livre ne s'adresse pas aux personnes malades* », me suis-je dit.

« *L'esprit des gens est malade*, me répondit ma voix intérieure. *Des millions de personnes vivent dans la peur et acceptent avec résignation que les choses n'iront jamais mieux. Ce livre les inspirera et les réconfortera.* »

Pendant que je continuais à méditer, le titre évolua graduellement de *Bouillon de poulet pour l'esprit* à *Bouillon de poulet pour l'âme : 101 histoires pour ouvrir son cœur et ranimer son esprit*. En entendant *Bouillon de poulet pour l'âme*, j'ai eu un frisson. Depuis, je me suis aperçu que ce frisson est l'un des signaux que mon intuition utilise pour m'indiquer que je suis sur la bonne voie.

Dix minutes plus tard, j'ai communiqué avec mon épouse et elle a ressenti la même chose. J'ai téléphoné à Mark et le même phénomène s'est produit chez lui aussi. Nous venions de mettre le doigt sur quelque chose de prometteur, et nous en étions conscients.

COMMENT VOTRE INTUITION COMMUNIQUE-T-ELLE AVEC VOUS ?

Votre intuition communique avec vous de plusieurs façons. Vous pouvez recevoir un message intérieur sous la forme d'une vision ou d'une image pendant que vous méditez, ou que vous faites un rêve éveillé. Je perçois souvent de telles images lorsque je reste étendu dans mon lit après le réveil, quand je médite ou que je reçois un massage, quand je suis assis dans un bain chaud ou que je me douche. Cela peut survenir comme un éclair venu de nulle part, comme une succession d'images qui se déroulent un peu à la manière d'un film.

Votre intuition peut s'adresser à vous par une pensée, une voix qui vous souffle à l'oreille : « *Oui, non, fais-le,* ou *pas encore* ». Cela peut prendre la forme d'un mot, d'une phrase très courte, ou d'un long discours. Parfois, vous découvrirez que vous pouvez dialoguer avec cette voix, lui demander des éclaircissements, d'autres informations.

Votre intuition cherchera parfois à communiquer avec vous par l'intermédiaire de sensations physiques. Si le message est : « *Fais attention* ou *sois prudent*, vous ressentirez peut-être un frisson, de la peur, de l'angoisse, un mal de ventre, des contractions dans la poitrine, une sensation de compression ou de mal à la tête, ou même un goût aigre dans la bouche. Un «oui» enthousiaste se manifestera par un frisson, un léger étourdissement, de la chaleur, une impression d'ouverture et d'expansion des épaules, une sensation de détente et de relâchement du stress.

Vous pouvez aussi expérimenter des messages intuitifs à travers vos émotions, comme de l'inconfort, de l'inquiétude ou de la confusion. Si l'information est de nature positive, vous ressentirez souvent un sentiment de joie, d'euphorie ou de profonde paix intérieure.

Parfois, il s'agit simplement d'une certitude. Combien de fois avez-vous entendu quelqu'un dire: «Je ne sais pas pourquoi je le sais; mais j'en suis persuadé, c'est tout» ou «Je le savais au fond de mon cœur», ou «au plus profond de mon âme»?

Si le message est d'une grande clarté et accompagné de la conviction que cela doit être, il s'agit fort probablement de votre intuition qui vous parle. La passion ou l'excitation sont d'autres indices de son intervention. Si vous envisagez un plan d'action ou une décision, et, qu'au même moment, vous vous sentez épuisé, ennuyé ou énervé, l'avertissement est clair: «N'y va pas». D'un autre côté, si vous vous sentez plein d'énergie ou enthousiaste, votre intuition vous conseille d'aller de l'avant.

PRENEZ LE TEMPS D'ÉCOUTER

Il est important de prendre le temps d'écouter vos intuitions. Votre sagesse la plus précieuse se manifeste souvent lorsque vous êtes détendu et prêt à l'accueillir. Cela peut survenir lorsque vous méditez normalement – ou lors de courtes méditations passagères pendant lesquelles nous nous laissons entraîner inopinément, assis près d'une chute ou d'une rivière, en regardant la mer, les nuages ou les étoiles dans le firmament, lorsque nous nous prélassons sous un arbre et que nous sentons la brise caresser notre visage, lorsque notre regard plonge dans un feu crépitant, en écoutant de la musique qui nous plaît, en faisant du jogging, du yoga, lorsque nous prions, écoutons le chant des oiseaux, que nous sommes sous la douche, que nous filons sur l'autoroute, en regardant un enfant jouer ou en écrivant notre journal.

«L'intuition n'est pas mystique.»
DR JAMES WATSON
Prix Nobel et découvreur de l'ADN

Vous pouvez même méditer quelques instants au cours d'une journée particulièrement trépidante. Lorsque vous avez besoin d'aide pour prendre une décision, prenez quelques instants, faites une pause et inspirez profondément, réfléchissez à la question, et laissez les impressions de votre intuition venir à vous. Arrêtez-vous aux images, aux mots, aux sensations physiques ou aux émotions que vous ressentez. Parfois, vous découvrirez que la réponse intuitive s'impose immédiatement à votre conscience. En d'autres occasions, elle peut se présenter à un moment de la journée où vous ne vous y attendez pas.

POSEZ DES QUESTIONS

Votre intuition peut apporter des réponses à toutes vos interrogations. Posez des questions qui débutent par : «Devrais-je…?», ou : «Que devrais-je faire au sujet de …?», ou : «Comment pourrais-je…?», ou : «Que dois-je faire pour…?» Vous pouvez lui poser les questions suivantes :

- Devrais-je accepter cet emploi ?
- Que devrais-je faire au sujet du moral défaillant de mon entreprise ?
- Que devrais-je faire pour augmenter les ventes cette année ?
- Que devons-nous faire pour décrocher ce contrat ?
- Devrais-je épouser cette personne ?
- Que dois-je faire pour améliorer mes performances au marathon ?
- Comment atteindre mon poids idéal ?
- Quelle est la prochaine étape pour réaliser mon objectif de devenir financièrement indépendant ?
- Que dois-je faire maintenant ?

ÉCRIVEZ VOS RÉPONSES

Assurez-vous d'écrire toutes les impressions que vous recevez. Les intuitions sont fugaces et elles «s'évaporent» rapidement, alors n'attendez pas qu'elles aient disparu avant de les écrire. Des recherches récentes montrent qu'une idée intuitive, ou toute nouvelle idée que vous ne captez pas à l'intérieur d'un intervalle de trente-sept secondes ne reviendra probablement jamais. Après sept minutes, elle s'est évanouie pour toujours. Comme mon ami Mark Victor Hansen se plaît à le dire : «Dès que vous y pensez, "encrez-la"!»

J'ai toujours avec moi un enregistreur vocal numérique (j'utilise le modèle Olympus DM-1), qui peut contenir jusqu'à dix heures de commentaires et de conversations que j'utilise lorsque je suis au travail, et quelques fiches et un stylo dans mon veston lorsque je ne suis pas en « mode » professionnel.

Plusieurs personnes obtiennent leurs plus grands succès en communiquant avec leur intuition par l'intermédiaire de leur journal intime. Commencez votre journal par les questions qui vous préoccupent. Notez ensuite les réponses aussi rapidement qu'elles vous viennent à l'esprit. Vous serez étonné de la clarté des idées qui émergent de ce processus.

AGISSEZ IMMÉDIATEMENT

Soyez attentif aux réponses que vous obtenez et réagissez le plus vite possible. Lorsque vous agissez en suivant vos intuitions, vous recevez encore davantage d'impulsions intuitives. Après un certain temps, vous profiterez d'un flot continu de ces dernières. La sagesse vous arrivera et vous lui obéirez, simplement et sans effort. Au fur et à mesure que vous apprendrez à vous faire confiance et à croire en votre intuition, cela deviendra automatique.

Les experts s'entendent pour affirmer que l'intuition est plus efficace lorsque vous lui faites confiance. Plus vous aurez foi en elle, plus vous bénéficierez de ses effets.

Je vous encourage fortement à écouter votre intuition, à lui faire confiance, et à la suivre. Faire confiance à son instinct est simplement une autre forme de confiance en soi, et plus vous aurez confiance en vous, plus vous aurez du succès.

Et rappelez-vous, ce n'est pas ce que vous pensez qui compte ; c'est ce que vous notez et les gestes que vous posez ensuite qui importent.

ELLE A SU ÉCOUTER ET ELLE A AGI

Madeline Balletta est une personne d'une grande spiritualité. Pour elle, « s'interroger intérieurement » signifie parler à Dieu et écouter ses réponses.

En 1984, la vie de Madeline et son cheminement vers le succès allaient changer de façon spectaculaire quand les membres de son église se joignirent à elle dans la prière afin de trouver une solution à sa fatigue chronique. C'est alors qu'elle entendit : « Gelée royale fraîche ». Ne comprenant pas cette directive pourtant claire, elle s'informa et découvrit qu'il s'agissait de la substance que les abeilles travailleuses apportent comme nourriture à la reine de la ruche, un liquide sain et nutritif qui commençait tout juste à être distribué en Angleterre sous forme de supplément alimentaire.

Avec le temps, l'état de Madeline s'améliora. Et bientôt, elle recommença à prier afin de découvrir si la gelée royale pouvait avoir un effet autre que le soulagement de la fatigue.

«Lance une entreprise», fut la réponse à ses prières. Et c'est ce que Madeline fit.

Aujourd'hui, Bee-Alive est une entreprise qui vaut des millions de dollars et qui distribue des produits alimentaires à base de gelée royale à des centaines de milliers de personnes dans tout le pays. Et, pendant tout ce temps, Madeline a continué à prier pour obtenir des directives, qu'elle a toujours écoutées attentivement.

«Je crois que Dieu m'a donné la vision, l'inspiration, la force et le courage de persévérer», affirme Madeline.

Au cours de sa deuxième année en affaires, les efforts de marketing de Madeline ne produisirent que peu de résultats. Alors qu'il ne lui restait plus que quatre cent cinquante dollars dans son compte en banque, son comptable lui conseilla de fermer boutique et de passer à autre chose. De retour de cette rencontre, elle s'enferma dans sa chambre et «pleura et pria, et pleura et pria».

Le troisième jour, elle entendit le mot radio, et elle décida de jouer le tout pour le tout, ses derniers quatre cent cinquante dollars, en faisant diffuser dix annonces à la radio au coût de quarante-cinq dollars chacune. En quelques jours, les ventes reprirent à un rythme soutenu.

Impressionnés par son engagement passionné envers son produit, les gens de la station radiophonique l'invitèrent à participer à un talk-show. Elle venait tout juste de regagner son domicile après l'entrevue, quand le chanteur Pat Boone lui téléphona pour lui demander de l'information au sujet de la gelée royale. Il voulait savoir si ce produit pouvait venir en aide à sa fille.

Quelques mois plus tard, Pat Boone la rappela pour lui dire à quel point il était heureux des effets de la gelée. Lorsqu'il lui dit: «Si je peux faire quelque chose pour vous, je serais très heureux de vous aider». Madeline lui proposa d'enregistrer trois commerciaux pour la radio. Pat Boone accepta et bientôt Bee-Alive était annoncé sur quatre cents postes de radio à travers l'Amérique et les ventes explosèrent.

Que pourrait-il vous arriver si vous commenciez à vous «interroger de l'intérieur»? Pour Madeline, prier, écouter sereinement et réagir immédiatement à ses intuitions a signifié le développement d'une entreprise prospère au service de centaines de milliers de consommateurs satisfaits. Cela lui a aussi permis d'accéder, avec sa famille, à un style de vie qu'elle n'aurait jamais osé imaginer.

AUTRES LECTURES ET RESSOURCES

En annexe, dans la section «lectures suggérées et autres ressources pour bâtir votre succès», vous trouverez d'excellents livres pour vous aider à suivre vos intuitions plus facilement.

QUATRIÈME PARTIE

Créez un réseau de relations gagnantes

« Les relations personnelles sont le terreau fertile d'où croissent tous les progrès, tous les succès et toutes les réalisations dans la vraie vie. »

BEN STEIN
Écrivain, acteur et animateur à la télévision

PRINCIPE 48

Soyez ici et maintenant

« Écoutez des centaines de fois.
Réfléchissez des milliers de fois.
Ne parlez qu'une fois. »

SOURCE INCONNUE

Il y a une grande différence entre entendre, c'est-à-dire recevoir passivement une information, et vraiment écouter, qui est l'art de concentrer toute son attention, l'esprit en éveil, dans l'intention de comprendre l'intégralité de ce que l'on vous communique. Contrairement à ce qui se passe lorsque vous ne faites que prêter l'oreille, la véritable écoute implique que votre regard demeure en contact avec celui de votre interlocuteur, que vous êtes attentif à son langage corporel, que vous posiez des questions, et que vous vous efforciez de comprendre tous les messages sous-entendus.

Les journalistes sont rompus à l'art de l'écoute active, il s'agit d'une technique d'interview par laquelle le reporter écoute tout en analysant l'information qu'il reçoit, ce qui lui permet de poser des questions pertinentes et plus profondes à son invité. C'est grâce à l'écoute active que les meilleurs reportages voient le jour, et c'est aussi le moyen par lequel nous pouvons améliorer nos relations avec les autres. Ce style d'écoute permet une compréhension précise et objective d'un point de vue, deux qualités essentielles du bon journalisme, et deux attributs essentiels de toute relation.

ÉCOUTER PEUT RAPPORTER GROS

Marcia Martin est accompagnatrice de dirigeants d'entreprises. L'un de ses clients, premier vice-président d'une banque importante, lui a un jour demandé si elle pouvait l'aider à accroître l'efficacité des réunions de son équipe. Il lui expliqua que ses proches collaborateurs n'utilisaient pas ces réunions comme il l'aurait souhaité. Ils ne mettaient pas sur le tapis les enjeux importants, ne se concentraient pas sur l'essentiel et ne présentaient pas leur point de vue de la bonne manière.

Lorsque Marcia lui demanda comment se déroulaient les réunions et quels étaient les problèmes rencontrés, il lui répondit qu'il amorçait toujours la rencontre en énumérant les sujets à l'ordre du jour. Il mettait ensuite en évidence les failles qu'il avait observées et ce qu'il attendait maintenant de ses collaborateurs. Lorsqu'il eut fini, Maria se rendit bien compte que ce vice-président ne faisait que marteler sans interruption ses directives aux membres de son équipe.

Marcia lui dit : « Je vous suggère de commencer la prochaine réunion par une seule phrase : « Le but de cette rencontre est de me permettre de mieux comprendre ce qui se passe au sein de vos divers services, de connaître votre opinion sur les difficultés que vous éprouvez, et ce que vous attendez de moi. » Ensuite, restez silencieux, laissez-les parler jusqu'à ce qu'ils aient complètement vidé leur sac. S'ils s'arrêtent, encouragez-les à poursuivre, en disant par exemple : « Qu'y a-t-il d'autre ? « et laissez-les encore s'épancher. »

Elle lui expliqua que ses collaborateurs n'avaient probablement jamais eu la chance d'exprimer adéquatement leurs émotions, leurs points de vue, leurs suggestions et leurs questions. Il les bombardait de trop d'informations, imposait ses opinions, et n'écoutait pas vraiment ce qu'ils avaient à dire. Elle lui recommanda de réserver deux heures pour la prochaine réunion et de ne rien dire pendant toute cette période. Il ne devait qu'écouter, prendre des notes, et faire quelques signes approbateurs de la tête, être présent, se montrer intéressé, mais éviter d'intervenir.

Trois jours plus tard, il eut un court entretien avec Marcy. Il lui confia qu'il venait d'avoir avec son équipe la réunion la plus productive et la plus animée de toute sa vie. Il avait fait exactement ce qu'elle lui avait suggéré, il avait simplement écouté pendant toute la durée de la rencontre. Ce sont ses collaborateurs qui avaient fait les frais de la discussion. Il avait ainsi appris à connaître les difficultés qu'ils éprouvaient, ce dont ils avaient besoin, et ce qu'il pouvait faire pour les aider. Cette seule réunion lui avait appris davantage que toutes ses années d'expérience comme cadre supérieur.

DISCUTER MOINS, ÉCOUTER PLUS

J'ai fait un jour la connaissance d'un photographe de New York. Il voyage constamment dans les endroits les plus luxueux de la planète, pour prendre les photographies de prestige que lui commandent des clients aussi importants que Revlon ou Lancôme. Il me confia qu'à ses débuts, même s'il était persuadé de toujours offrir à ses clients exactement ce qu'ils demandaient, il restait toujours médusé parce qu'ils n'aimaient jamais ses premières épreuves. On lui aurait demandé de photographier les pyramides d'Égypte, ajouta-t-il, il était certain qu'il aurait été contraint de les refaire.

S'emporter ou discuter avec ses clients, même s'il était persuadé d'avoir fait exactement ce qu'on lui avait dit, n'arrangeait rien, bien au contraire. Il a plutôt appris, même si entre-temps il avait déjà perdu plusieurs contrats lucratifs, que tout ce qu'il avait à faire était de répondre : « D'accord, voyons si j'ai bien compris ce que vous voulez maintenant. Vous voulez un peu plus de ceci ou un peu moins de cela, c'est bien ça ? C'est bien, j'irai refaire ces photographies, et je reviendrai vous les montrer ensuite. »

En d'autres mots, il avait appris à moins discuter avec ceux qui payaient les factures et à écouter davantage, répondant aux attentes et raffinant son produit jusqu'à ce que ses clients soient satisfaits.

SOYEZ INTÉRESSÉ PLUTÔT QU'INTÉRESSANT

Un autre piège dans lequel les gens tombent fréquemment est de chercher à tout prix à être intéressants, plutôt que de se montrer intéressés à la personne qu'ils écoutent. Ils croient que parler constamment est la clé du succès en étalant leur expertise ou leur intelligence par leurs discours et leurs commentaires.

La meilleure façon d'établir des rapports avec les gens, et de les gagner à votre cause, est de vous intéresser réellement à eux et de les écouter avec la ferme intention d'apprendre à les connaître. Quand la personne sent vraiment que vous êtes intéressé à elle, à ce qu'elle ressent, elle s'ouvrira à vous et révélera ses véritables émotions beaucoup plus rapidement.

Travaillez à cultiver une attitude de curiosité bienveillante. Intéressez-vous aux autres, à ce qu'ils vivent, à ce qu'ils pensent, et à leur vision du monde. Quels sont leurs espoirs, leurs rêves, leurs peurs ? Quelles sont leurs aspirations ? Quels sont les obstacles auxquels ils font face dans leur vie ?

Si vous voulez que les gens coopèrent avec vous, qu'ils vous apprécient, ou qu'ils se confient à vous, vous devez vous montrer intéressé à eux. Plutôt que de vous concentrer sur vous-même, tournez votre attention vers eux. Soyez attentif à ce qui les rend heureux ou malheureux.

Lorsque vous aurez appris à diriger vos pensées vers les autres plutôt que sur vous-même, vous serez moins tendu. Vous pourrez agir et réagir avec plus d'à-propos, votre productivité augmentera et vous aurez plus de plaisir au travail et dans la vie. De plus, lorsque vous vous montrez intéressé, les gens répondent toujours favorablement. Ils recherchent votre compagnie. Votre popularité grandira.

UNE QUESTION PUISSANTE

Lorsque j'ai assisté au cours de Dan Sullivan «Strategic Coach Program»[1] (le programme de «coaching» stratégique), il m'a fait découvrir l'un des outils de communication les plus puissants que je connaisse. Il s'agit d'une méthode efficace pour établir une relation et créer un courant d'empathie avec une autre personne. Elle m'a ensuite bien servi, tant dans ma vie personnelle que professionnelle. Il s'agit d'une série de quatre questions :

1. Si nous devions nous rencontrer dans trois ans, qu'est-ce que vous aimeriez avoir accompli entre-temps pour vous sentir satisfait de vos progrès?

2. Quelles sont les plus grandes difficultés que vous devrez affronter et solutionner pour réussir?

3. Quelles circonstances favorables à la réalisation de votre projet devrez-vous susciter ou exploiter pour atteindre votre but?

4. Quels atouts devrez-vous encore renforcer et optimiser? Quelles habiletés et compétences qui vous font défaut en ce moment, devrez-vous développer, si vous voulez être en mesure de saisir ces occasions favorables?

Environ une semaine après avoir appris cette méthode, je me trouvais en compagnie de ma sœur Kim, coauteure de tous les livres *Bouillon de poulet pour l'âme des ados*. Je n'avais pas l'impression que nous faisions beaucoup de progrès dans nos efforts de rapprochement. J'ai alors décidé de mettre à l'épreuve cette nouvelle technique et d'écouter attentivement les réponses que j'obtiendrais.

---

1. Pour plus d'information sur ce programme, ou les excellents livres et cours audio de Dan Sullivan, visitez son site : http://www.strategiccoach.com.

Lorsque je lui ai posé la première question, c'est comme si j'avais prononcé la formule magique, ouvrant toutes grandes les écluses. Elle me parla de ses rêves et de ses projets d'avenir. J'estime qu'elle a parlé pendant trente minutes sans interruption. Je lui ai alors posé la seconde question. Elle s'est lancée dans un nouveau monologue d'une quinzaine de minutes sans que je prononce un seul mot.

Ensuite, j'ai enchaîné avec les deux dernières questions. Au bout d'une heure, elle s'arrêta. Elle affichait un sourire radieux, paraissait calme et détendue. Elle me sourit gentiment et dit : « Je pense que c'est la meilleure conversation que nous ayons jamais eue. Mes idées sont claires et nettes maintenant. Je sais exactement ce que je dois faire. Merci. »

C'était ahurissant. Je n'avais pas prononcé une seule parole, sauf pour poser les quatre questions précédentes. C'est tout ce qu'il fallait à Kim pour mettre en branle le processus de clarification de ses propres aspirations. Elle n'avait jamais eu l'occasion de s'y livrer auparavant, et de le faire en ma présence l'avait aidée à être plus lucide et plus détendue. J'ai senti à ce moment-là les liens étroits qui nous unissaient. Avant cela, j'aurais eu tendance à intervenir, lui suggérant ce qu'elle devait faire, interrompant son processus de découverte de soi en ne l'écoutant pas jusqu'au bout.

Depuis, j'ai refait le même exercice avec ma femme, mes enfants, mon personnel, mes clients en entreprise, les personnes que j'accompagne, les participants éventuels à mes séminaires, et plusieurs associés en affaires potentiels. Les résultats sont toujours magiques.

C'EST MAINTENANT VOTRE TOUR

Prenez quelques instants pour écrire les quatre questions sur une petite fiche et gardez-la sur vous. Prenez l'habitude de répéter l'exercice en posant les questions quotidiennement, à l'heure du lunch ou lors d'un dîner par exemple. Commencez en interrogeant des amis et des membres de votre famille. Vous serez surpris de tout ce que vous apprendrez et des rapprochements que cette conversation provoquera.

Faites-en usage avec tous vos clients ou vos collègues de travail potentiels. En écoutant leurs réponses, vous apprendrez si une relation d'affaires entre vous est souhaitable. Vous découvrirez si vos produits et services peuvent les aider ou non à atteindre leurs buts.

Si vous sentez de la réticence à répondre à cette ouverture, dites-vous que ces personnes ne sont peut-être pas des associés en affaires idéaux pour vous. Ils sont incapables d'entrevoir leur avenir, ou de faire des plans d'avenir, et vous aurez plus de difficultés à leur venir en aide. S'ils refusent de se confier, ils démontrent par là que la relation de confiance n'existe pas. Sans confiance mutuelle, il est difficile d'édifier une relation d'affaires fructueuse et durable.

Une dernière suggestion : Assurez-vous de répondre vous aussi à ces quatre questions. Vous pouvez le faire seul, dans votre journal, ou verbalement, en présence d'autres personnes, avec un ami ou un membre de votre groupe de « grands esprits ».

PRINCIPE 49

PARLEZ « À CŒUR OUVERT »

« La plupart des conversations ressemblent à une partie de ping-pong où chaque personne ne cherche qu'à marquer le point suivant; cependant, prendre le temps d'apprécier les points de vue divergents, et les émotions qui les accompagnent, voilà qui peut transformer les adversaires d'hier en partenaires d'une même équipe. »

CLIFF DURFEE
Créateur du processus de la « discussion à cœur ouvert »

Les occasions de laisser libre cours à ses émotions et de les exprimer, que ce soit en affaires, à l'école, ou dans tout autre environnement, sont malheureusement trop rares. Les émotions s'accumulent à un point tel qu'il devient difficile de se concentrer sur les affaires courantes. Il y a trop «d'émotions statiques» dans l'air. C'est comme essayer d'ajouter de l'eau dans un verre déjà plein. C'est impossible, il n'y a plus de place. Vous devez d'abord vider le verre, si vous voulez faire de la place pour le nouveau liquide.

La même chose est vraie des émotions. Il est impossible d'écouter avant d'avoir été entendu. Il faut d'abord se décharger du fardeau qui nous écrase. Que vous soyez un travailleur qui rentre tout juste du travail, un parent qui reçoit le bulletin de son enfant contenant une série de «C», un représentant qui essaie de vendre une nouvelle auto, ou un PDG qui négocie la fusion de deux entreprises, vous devez d'abord laisser les autres parler de leurs besoins, de leurs espoirs et de leurs rêves, de leurs peurs et de leurs inquiétudes, de leurs douleurs et de leurs détresses, avant d'exprimer les vôtres. Cela ouvre un espace psychologique qui leur permet ensuite d'écouter et de comprendre ce que vous avez à leur dire.

QU'EST-CE QU'UNE DISCUSSION «À CŒUR OUVERT»?

Une discussion «à cœur ouvert» est un processus de communication très structuré. Elle est gouvernée par huit conventions qui doivent être rigoureusement observées. Ces règles créent un cadre rassurant où la communication peut avoir lieu, sans crainte d'être condamnée, de recevoir des conseils non sollicités, ou d'être bousculé.

Il s'agit d'un outil puissant pour faire émerger et libérer les émotions refoulées qui pourraient autrement faire écran entre la personne et la réalité, l'empêchant de s'impliquer à fond dans ce qu'elle fait. On peut s'en servir à la maison, dans les affaires, dans la salle de classe, dans les sports d'équipe et dans les manifestations religieuses pour cultiver des liens, la bonne entente et un sentiment d'appartenance.

QUAND PARLER « À CŒUR OUVERT » ?

La discussion « à cœur ouvert » est utile :

- Avant ou pendant une réunion du personnel.
- Au début d'une réunion d'affaires lorsque deux groupes se rencontrent pour la première fois.
- Après un événement chargé d'émotions, comme une fusion, un licenciement massif, une mort, une défaite crève-cœur, un désastre financier inattendu, ou même une tragédie comme l'attaque du 11 septembre 2001.
- Lorsqu'il y a un conflit entre individus ou services, au sein d'une même entreprise.
- Sur une base régulière, à la maison, au bureau, dans la salle de classe, pour améliorer la communication et créer un sentiment d'appartenance plus profond.

COMMENT MENER UNE DISCUSSION « À CŒUR OUVERT »

Une conversation « à cœur ouvert » peut être menée avec tout groupe comptant de deux à dix participants. Il est préférable de diviser les groupes de plus de dix participants. En effet, le facteur de confiance et de sécurité tend à diminuer avec le nombre, et le processus s'alourdit également.

La première fois que vous animez une discussion « à cœur ouvert », commencez par expliquer qu'il y a un grand avantage à respecter une structure de communication qui garantit une meilleure qualité d'écoute mutuelle. La formule de la conversation « à cœur ouvert » crée un espace rassurant d'où le jugement est exclu. Ce cadre stimule l'expression constructive, plutôt que destructive, des émotions qui, lorsqu'elles demeurent refoulées, peuvent saboter l'esprit d'équipe, la synergie, la créativité et l'intuition, autant d'éléments vitaux de la productivité et du succès de toute entreprise.

DIRECTIVES POUR UNE DISCUSSION À CŒUR OUVERT

Commencez l'exercice en faisant asseoir vos invités en cercle ou autour d'une table. Présentez les éléments suivants de l'entente :

- Seule la personne qui détient le « cœur » (ou tout autre objet prévu à cette fin) possède le droit de parole.
- Vous n'avez pas le droit de juger ou de critiquer ce qu'une autre personne a dit.
- Vous passez le « cœur » à votre gauche lorsque vous avez fini.
- Vous dites ce que vous ressentez.
- Toute l'information demeure confidentielle.
- Personne n'a le droit de quitter avant que la discussion n'ait été déclarée officiellement terminée.

Si vous disposez de tout votre temps, une discussion « à cœur ouvert » se termine lorsque le « cœur » a fait le tour de tous les participants et que personne ne sollicite la parole de nouveau.

Demandez au groupe d'accepter les règles. Elles sont essentielles pour empêcher que la conversation ne se détériore et ne perde toute sa valeur. Puisque seule la personne qui détient le cœur a le droit de parole, il est souvent préférable d'attendre qu'elle ait terminé avant de rappeler au groupe de respecter une règle qui aurait été transgressée. Une autre manière de procéder est d'écrire les conventions sur une feuille de papier, ou sur un tableau, et de pointer discrètement dans sa direction lorsqu'il faut rappeler quelqu'un à l'ordre.

Laissez tous les participants s'exprimer à tour de rôle au moins une fois, ou établissez des temps de parole (par exemple, quinze minutes, une demi-heure ou plus longtemps si les sujets sont lourdement chargés d'émotions). Recommencez jusqu'à ce que tout le temps alloué soit écoulé ou que personne n'ait plus rien à ajouter.

Vous pouvez utiliser n'importe quel objet pour le faire circuler, le « cœur » peut être une balle, un livre, ou tout autre article, pourvu qu'il soit bien visible aux autres participants. J'ai vraiment vu de tout, depuis des animaux en peluche (le personnel d'un hôpital), une balle de baseball (une équipe de baseball collégiale), un casque de football (une équipe disputant le championnat national) et une canne amérindienne sculptée (une excursion de rafting organisée par une entreprise pour son personnel). Je préfère utiliser le petit coussin rembourré de velours en forme de cœur que Cliff Durfee[1], le créateur de la méthode de la discussion « à cœur ouvert », vend sur son site Web, parce qu'il rappelle à tous que la personne qui parle nous livre son cœur, et que nous essayons d'aller au cœur de la difficulté que le groupe affronte.

LES RÉSULTATS QUE VOUS POUVEZ ATTENDRE D'UNE CONVERSATION À CŒUR OUVERT

Voici les résultats qu'on peut espérer obtenir d'une conversation « à cœur ouvert » :

- Une meilleure capacité d'écoute.
- L'expression constructive des émotions.
- Une plus grande compétence en résolution de conflits.
- La guérison d'anciennes rancœurs.
- Le développement du respect mutuel et de la compréhension.
- L'occasion de tisser des liens plus étroits, de créer un sentiment d'unité, de faire des rapprochements.

La technique de la conversation « à cœur ouvert » m'a particulièrement bien servi lors d'une formation d'une durée d'une semaine à Bergen, en Norvège. Nous étions sur le point de commencer la séance de l'après-midi lorsque quelqu'un annonça que l'un des participants de l'atelier avait perdu la vie dans un accident d'automobile à l'heure du lunch.

---

1. Pour plus d'information, je vous suggère de visiter http://www.livelovelaugh.com. et de commander votre exemplaire du manuel *Heart Talk Book* (le livre de la conversation à cœur ouvert) pour la modique somme de 5,95 $ (USA). Un cœur rouge cartonné est inclus dans chaque livre avec, au dos, les 8 règles clés comme aide-mémoire à consulter avant ou pendant la conversation « à cœur ouvert ». Les éducateurs peuvent également se procurer un guide du programme complet d'enseignement sur le sujet, intitulé *More Teachable Moments* (Plus d'occasions d'enseigner).

Ce fut un choc terrible et des sanglots éclatèrent un peu partout dans la salle. Comme il était impossible de poursuivre comme prévu, j'ai décidé de diviser la classe en groupes de six participants et de leur donner les directives nécessaires pour engager une conversation « à cœur ouvert ». Je leur ai conseillé de continuer de faire circuler le cœur jusqu'à ce que chacun d'eux ait renoncé à son droit de parole deux fois consécutives, signifiant par là qu'il n'y avait plus rien à ajouter.

On se confia et on pleura pendant plus d'une heure. Les gens parlèrent de leur peine, du sentiment de leur propre mortalité, du caractère si précieux et éphémère de la vie, de son côté parfois terrifiant et de la nécessité de vivre dans le moment présent, car l'avenir est toujours incertain. Nous avons alors fait une courte pause, et puis, nous avons été en mesure de suivre le plan original de cet après-midi-là. Les émotions avaient toutes été partagées ; le groupe était prêt à continuer avec ce que j'avais préparé à leur intention.

UNE CONVERSATION À CŒUR OUVERT EMPÊCHE L'ENTREPRISE FAMILIALE DE FAIRE NAUFRAGE

James est le propriétaire d'une petite entreprise familiale qui lui permet de pourvoir aux besoins de sa famille depuis des années. Sa femme et ses deux fils, tous deux mariés et pères de famille, travaillent aussi au sein de l'entreprise. Au moins une fois par semaine, ils se réunissent autour d'un grand repas, et James ne ménage pas ses efforts pour maintenir l'unité de sa famille grandissante. Il espère que l'entreprise lui survivra lorsqu'il prendra sa retraite et qu'elle continuera à faire vivre tous ses membres.

Même si ce plan semblait des plus prometteurs en surface, une grande rivalité existait depuis toujours entre les deux fils. Lorsque les deux épouses se sont jointes à l'entreprise, les choses se sont envenimées encore davantage.

Le ressentiment né de petits incidents était toujours étouffé pour préserver la paix, mais il ressurgissait constamment, sous la forme de commentaires sarcastiques ou d'explosions de colère. Lorsque les deux fils commencèrent à en venir aux mains, James comprit qu'il était urgent que les choses importantes soient dites afin de purifier l'atmosphère. Mais il craignait aussi qu'une discussion ne fasse que jeter de l'huile sur le feu, à moins que les règles du jeu ne soient très claires, et il décida d'adopter la structure de la conversation « à cœur ouvert ».

À la fin du repas familial hebdomadaire, le groupe forma un grand cercle autour de la table. Un lourd silence régnait, personne ne sachant trop à quoi s'attendre. James commença par obtenir que tous s'engagent à respecter les huit règles et la structure de la discussion. Au début, le cœur circula mais peu de paroles furent prononcées. Au second tour, l'un des deux fils exprima sa colère, et, lorsque le second frère prit la parole à son tour, l'hostilité augmenta d'un autre cran, mais les règles du jeu étaient tout de même respectées, personne ne claqua la porte et aucun objet ne vola dans la pièce.

Il ne s'agissait pas d'une discussion facile. Il y eut des moments où les participants auraient clairement préféré être ailleurs, y compris à la cuisine en train de faire la vaisselle. Mais, alors que le cœur continuait de circuler, on commença à éprouver la satisfaction d'avoir été entendu, et la colère se dissipa lentement. C'est alors que la femme de l'un des fils éclata en sanglots et affirma qu'elle était à bout. Avec toutes les frictions qui existaient dans la famille et l'entreprise, elle ne pouvait en supporter davantage.

Elle affirma que les choses devaient changer. À ce moment, les digues se brisèrent et il ne resta plus un seul œil sec dans le groupe. Alors que le cœur continuait ses multiples périples autour de la table, la tristesse fit peu à peu place à d'autres sentiments. Les membres de la famille commencèrent, timidement d'abord, à s'exprimer leur affection mutuelle et leur gratitude.

Même si on ne le saura jamais avec certitude, James croit que la discussion « à cœur ouvert » est l'événement qui a probablement évité le naufrage de son entreprise, de sa famille et de sa santé mentale.

« CE QUE J'AI ENVIE DE DIRE… » VAUT DES MILLIONS DE DOLLARS

Mon ami Marshall Thurber est formateur et consultant en gestion. Il enseigne depuis plus de trente ans l'art d'accumuler la richesse et de la protéger. Récemment, il s'est associé à Lee Brower de l'organisation Empowered Wealth pour aider des familles très riches à administrer judicieusement leur fortune afin de pouvoir la léguer aux générations futures. Marshall utilise une variation de la formule « à cœur ouvert » qu'il appelle : « Ce que j'ai envie de dire… », et dont l'efficacité est tout aussi remarquable :

> « Je commence mes réunions d'affaires en demandant à chacune des personnes présentes de répondre d'abord à cette question : « Que voulez-vous dire afin de vous libérer et vivre à fond le moment présent ? « L'une des clés du succès de cette méthode est que personne n'est autorisé à commenter ce qui vient d'être dit. Tout le monde doit observer le silence jusqu'à ce que la personne qui parle ait terminé, et prononcé le mot « Merci ! «. Le

participant suivant prend alors la parole. L'énergie qui se dégage du groupe m'indique s'il est nécessaire de procéder à un second tour. Parfois, il faut faire plusieurs tours de table. Les gens ont le droit de passer la parole à quelqu'un d'autre s'ils estiment qu'ils se sont libérés.

« Je travaille auprès d'une famille immensément riche, possédant des centaines de millions de dollars, mais qui est totalement à problèmes. Au début, les enfants ne parlaient pas à leur parents, et ils les « punissaient » en empêchant les petits-enfants d'entrer en contact avec leurs grands-parents. L'animosité, l'incapacité complète de communiquer, et le manque de coopération coûtaient des millions de dollars à cette famille !

« Un jour, j'ai convoqué une réunion et je leur ai dit : "Écoutez, il est clair que tout le monde ici porte un lourd bagage d'émotions provenant du passé, et qu'il existe un grand nombre de problèmes importants qui ne sont pas résolus. Mais si nous ne pouvons pas nous entendre et les résoudre mainte-nant, inutile de tenter de planifier un avenir meilleur."

« Lorsque je leur ai proposé de faire l'exercice "Ce que j'ai envie de dire…", ils étaient tous d'avis qu'il s'agissait d'une perte de temps absolue. Je suis enfin parvenu à les convaincre d'y participer et la discussion s'est poursuivie pendant plus de quatre heures ! Elle ne s'est pas limitée à un seul tour de table : c'était littéralement tour après tour, après tour. Mais lorsque ces heures de discussions furent écoulées, ils étaient littéralement en amour les uns avec les autres. Ils se sont tous mis d'accord pour collaborer avec l'équipe de l'organisation Empowered Wealth dans le but de créer une manière nouvelle et plus consciente de coopérer afin de faire fructifier la fortune familiale.

« La situation est toujours loin d'être parfaite, mais cette famille est partie de loin. Au départ, toute communication était impossible, puis on est passé à un état d'esprit où tous acceptaient d'oublier le passé et de vivre au présent. Et de cette nouvelle harmonie, deux éléments d'entente décisifs ont émergé : "la famille d'abord" et "ensemble, nous sommes meilleurs". C'est tout ce que nous avons fait, mais cela nous a pris toute la journée. Si nous n'avions pas fait l'exercice "Ce que j'ai envie de dire…", il n'y aurait eu aucun espoir pour cette famille. Absolument aucun ! »

Le miracle, c'est que lorsque vous vivez dans le moment présent, au-delà de la colère, du ressentiment et de la méfiance, il n'existe rien d'autre que l'amour. Et à partir de l'amour, on peut édifier tout ce que l'on veut. »

PRINCIPE 50

DITES LA VÉRITÉ TOUT DE SUITE

« *Dans le doute, dites la vérité.* »

MARK TWAIN
Auteur de plusieurs classiques américains, incluant *Tom Sawyer*
et *Les aventures de Huckleberry Finn*

La majorité d'entre nous n'aiment pas dire la vérité, car cela nous rend mal à l'aise. Nous craignons les conséquences : d'embarrasser les autres, de les blesser, ou de provoquer leur colère. Lorsque nous ne disons pas la vérité, les autres nous la cachent à leur tour, et il devient impossible de se faire une opinion fondée sur les faits réels.

Nous avons tous déjà entendu l'expression « la vérité libère ». Elle est parfaitement juste. La vérité nous rend libres de voir les choses telles qu'elles sont, et non comme nous les imaginons, comme nous les désirons, ou telles que nous les déformons par nos mensonges.

La vérité libère aussi notre énergie. Cela demande beaucoup d'efforts pour cacher la vérité, garder un secret ou jouer la comédie.

QUE SE PASSE-T-IL LORSQUE NOUS DISONS LA VÉRITÉ ?

Dans mes séminaires de niveau avancé d'une durée de quatre jours, je propose aux participants un petit exercice que j'appelle « mes secrets ». Il s'agit d'un jeu très simple au cours duquel nous passons une heure ou deux à nous révéler mutuellement nos secrets, ces choses qui, croyons-nous, nous vaudraient la critique ou la désapprobation des autres, s'ils les apprenaient. Je demande aux participants de se lever à tour de rôle et de révéler à tous quelque chose qu'ils cachent, peu importe sa nature, et de se rasseoir à la fin de leur « confession ».

Aucune discussion ou réaction n'est permise, il s'agit seulement de partager et d'écouter. Les choses démarrent lentement, les gens se mouillant timidement le bout du gros orteil avec des confidences anodines, telles que : « J'ai triché à mon examen de mathématiques en huitième année », ou : « J'ai volé un canif au magasin d'aubaines lorsque j'avais 14 ans ». Quand les participants s'aperçoivent qu'il ne leur arrive rien de déplaisant, ils s'ouvrent davantage et abordent des thèmes plus personnels.

Lorsque plus rien de nouveau n'est révélé, je demande au groupe si certaines personnes méritent d'être moins aimées ou acceptées qu'auparavant. Je pratique cet exercice depuis des années maintenant et je n'ai jamais entendu qui que ce soit répondre par l'affirmative.

Je demande alors : « Combien d'entre vous se sentent libérés, maintenant que vous vous êtes soulagés de votre fardeau ».

Tous répondent que c'est leur cas.

Et puis je demande : « Quels sont ceux qui se sentent plus près des autres personnes du groupe maintenant ? » Toutes les mains se lèvent encore une fois. Les gens se rendent compte que les « secrets » qu'ils cachaient ne sont pas si terribles et qu'ils sont généralement partagés par au moins quelques autres personnes. Ils ne sont pas seuls, simplement membres de la communauté humaine.

Mais le plus surprenant, c'est ce que les gens déclarent quelques jours plus tard.

Des migraines de toute une vie disparaissent. Des relâchements spasmodiques du côlon prennent fin et certains médicaments cessent d'être nécessaires. La dépression se dissipe et la joie de vivre renaît. Les gens paraissent plus jeunes et affichent une plus grande vitalité. C'est vraiment étonnant. Un participant a affirmé avoir perdu deux kilos et demi dans les deux jours qui ont suivi cet exercice. Il s'était libéré de bien plus que de quelques informations qu'il cachait au monde !

Cet exemple démontre qu'il faut énormément d'énergie pour dissimuler la vérité, et que cette énergie, une fois libérée, peut être canalisée pour faire de sa vie une plus grande réussite à tous les niveaux. Nous pouvons nous permettre de baisser la garde, d'être plus spontanés et davantage disposés à nous montrer sous notre vrai jour. Et lorsque nous le faisons, l'information essentielle pour réaliser les choses importantes peut être librement partagée et utilisée.

QUE DEVEZ-VOUS PARTAGER?

Dans toutes les sphères de notre vie, nous devons nous libérer du ressenti-ment accumulé, des besoins insatisfaits et des désirs inexprimés à l'origine de notre amertume et de nos jugements.

Derrière toutes les rancœurs se cachent des besoins et des désirs inassouvis. Dès que vous ressentez de l'agressivité envers quelqu'un, demandez-vous: *«Qu'est-ce que j'attends de sa part, mais que je n'obtiens pas?»* Et alors, prenez l'engagement de faire au moins l'effort de le demander. Comme nous l'avons déjà dit plus tôt, la pire chose qui peut survenir est un refus. Vous pourriez aussi recevoir ce que vous voulez. Mais vous aurez au moins la satisfaction de l'avoir demandé.

Une des habitudes les plus utiles, et aussi la plus difficile à acquérir pour bien des personnes, est de dire la vérité lorsqu'il est déplaisant de le faire. Nous avons tellement peur de blesser les autres que nous n'osons pas partager nos véritables émotions. Nous finissons par nous faire du mal à nous-mêmes.

DIRE LA VÉRITÉ EST PROFITABLE

Peu après la création de la «fondation de l'estime de soi», que j'avais mise sur pied dans le but d'en faire profiter les organismes éducatifs à but non lucratif qui œuvrent dans le milieu carcéral, auprès des services sociaux et des populations à risque, mon directeur Larry Price a découvert qu'un appel d'offres de services avait été publié par le Bureau de comté de l'éducation de Los Angeles.

On avait établi que 84 % des personnes qui assistaient à la journée d'orienta-tion du programme d'insertion au travail de l'aide sociale, ne se présentaient pas par la suite pour commencer les cours de formation au travail. On savait donc qu'un programme qui redonnerait de l'espoir et motiverait la clientèle était nécessaire, afin d'encourager les gens à compléter les cours de formation qui leur permettraient d'espérer en un avenir meilleur pour eux ainsi que pour leur famille.

Nous étions convaincus que nous pourrions concevoir un programme qui répondrait aux spécifications du comté, mais nous savions aussi qu'il ne pourrait offrir un nombre suffisant d'heures de rencontres individuelles et de renforcement pour produire les résultats souhaités. Il était clair que la façon d'envisager le pro-gramme de formation était vouée à l'échec.

Désireux d'obtenir le contrat de sept cent trente mille dollars et de procurer à notre fondation nouvellement créée l'argent dont elle avait désespérément besoin pour démarrer, nous avons décidé de présenter une proposition détaillée. Nous avons travaillé pendant des mois à préparer une présentation impeccable.

La veille du jour décisif, nous avons passé une nuit blanche à mettre la touche finale, à imprimer et à regrouper les nombreuses copies qui devaient être soumises au comité. La proposition devait certainement avoir quelques mérites puisque nous avons été sélectionnés parmi les trois finalistes et convoqués de nouveau pour l'entrevue et la présentation finale.

Alors que nous nous trouvions devant la porte des bureaux du comté, je me souviens d'avoir confié à Larry: «Tu sais, je ne suis pas sûr de vouloir remporter ce concours. Même si nous avons créé un excellent programme, je doute que, dans les conditions imposées pour le mettre en œuvre, il produise les résultats espérés. Je pense que nous devrions leur dire la vérité. Comment auraient-ils pu savoir ce qu'il fallait pour structurer un tel programme? Ce ne sont pas des experts en motivation. Comment pouvaient-ils demander des choses qu'ils ne comprenaient pas vraiment?»

Notre crainte était que les membres du comité se sentent jugés, ou critiqués, et qu'ils accordent le contrat à quelqu'un d'autre. C'était un risque énorme, compte tenu de l'ampleur de la somme en jeu. Mais nous avons décidé de jouer franc-jeu.

La réaction des fonctionnaires nous a surpris. Après avoir entendu notre point de vue, on a décidé de faire appel à nos services parce que nous avions dit la vérité. Après avoir analysé nos objections, ils en ont reconnu le bien-fondé. Ils sentaient que nous étions les seuls à avoir bien compris la problématique à laquelle ils étaient confrontés.

Les résultats ont été si remarquables que le programme que nous avons créé, le programme GOALS, fut intégré à d'autres programmes sociaux du comté, adopté par la Housing and Urban Development Authority, Head Start, et sert maintenant d'étape préparatoire à la libération des prisonniers de San Quentin et d'autres pénitenciers.[1]

IL N'Y A PAS DE MOMENT «IDÉAL» POUR DIRE TOUTE LA VÉRITÉ

Comme je l'ai appris au cours de l'expérience vécue avec le ministère de l'Éducation du comté de Los Angeles, dire la vérité a représenté la différence entre

---

1. Pour plus d'information sur les programmes GOALS, consultez la Foundation for Self-Esteem, 6035 Bristol Parkway, Culver City, CA 90230. Téléphone: 310-568-1505.

décrocher le contrat ou le perdre. Nous aurions pu compromettre notre intégrité, mais nous avons décidé de dire la vérité plus tôt, au lieu d'attendre.

Apprendre à dire la vérité tout de suite est l'une des habitudes de succès les plus importantes à cultiver. En fait, dès que vous vous posez la question : « *Je me demande quel serait le meilleur moment pour dire la vérité ?* », vous savez qu'il est arrivé.

Est-ce que vous éprouverez de la gêne ? Probablement. Est-ce que cela suscitera des réactions ? Certainement. Mais c'est la chose à faire. Prenez l'habitude de dire la vérité sans hésitation. Avec le temps, vous en arriverez à la dire dès qu'elle vous viendra à l'esprit. Et c'est à ce moment-là que vous ferez preuve d'authenticité. Les gens sauront à quoi s'en tenir avec vous. On saura qu'on peut compter sur vous pour exprimer franchement votre point de vue.

« JE NE VEUX PAS LES BLESSER »

Très souvent, l'excuse invoquée pour ne pas dire la vérité est la crainte de blesser la sensibilité de l'autre personne. Il s'agit toujours d'un mensonge. Si vous vous surprenez à penser de cette manière, dites-vous que vous essayez, en réalité, de vous protéger de vos propres émotions. Vous voulez éviter de ressentir l'effet que provoquera la colère de l'autre. C'est la façon de faire des faibles, et cela ne fera que retarder l'instant où vous devrez mettre carte sur table.

Les vérités difficiles à dire incluent celles d'annoncer aux enfants que vous allez divorcer, que la famille déménage au Texas parce que papa a un nouvel emploi, que vous devrez congédier une partie de votre personnel, que vous n'emmènerez pas la famille en vacances cette année, que vous devrez faire « endormir » le chien, que vous ne serez pas en mesure de livrer la marchandise à la date prévue, ou que vous avez perdu les économies familiales dans une mauvaise affaire à la Bourse.

Dire la vérité provoque toujours des réactions. Plus longtemps vous la garderez pour vous, plus vous vous ferez du tort ainsi qu'à toutes les autres personnes pour qui elle compte.

« VOUS NE TENEZ PEUT-ÊTRE PAS À ENTENDRE CECI, MAIS… »

« Je ne veux pas de béni-oui-oui autour de moi. Je veux que tous me disent la
vérité, même si cela peut leur coûter leur emploi. »
SAMUEL GOLDWYN
Cofondateur des studios Metro-Goldwyn-Mayer

En 1986, Marilyn Tam était gestionnaire de division, supervisant les opérations de trois cent vingts points de vente de l'entreprise Miller's Outpost. Un jour, un ami lui annonça que Nike planifiait de lancer un nouveau concept de magasins et que son président, Phil Knight, voulait l'embaucher pour superviser le projet. Nike était mécontent parce que les magasins d'articles de sport, comme Foot Locker, ne mettaient pas ses vêtements en évidence d'une façon qui reflétait convenablement « l'art de vivre selon Nike ».

Étant d'avis qu'elle ne pouvait laisser passer pareille occasion, elle fit quelques recherches avant son entrevue. Elle rendit visite à quelques détaillants offrant la gamme des produits Nike, pour être en mesure de faire des suggestions concrètes à Phil sur la manière de créer un style de magasin que Nike serait fier de présenter au monde.

Au cours de ses recherches, elle fit deux découvertes. D'abord, elles lui confirmèrent que les chaussures de sport étaient d'excellente qualité. Elles étaient fonctionnelles, durables et offertes à un prix avantageux pour le consommateur. Mais elle dut se rendre à l'évidence : la marque de vêtements Nike était un désastre. La qualité, les tailles et la durabilité n'étaient pas constantes, l'ensemble n'était pas intégré et les couleurs étaient disparates.

Elle devait découvrir un peu plus tard que le lancement de la gamme de vêtements avait été un geste improvisé pour répondre à la demande des clients qui désiraient avoir un plus grand nombre d'articles portant la marque Nike. L'entreprise avait simplement acheté une grande quantité de vêtements divers, et y avait apposé son logo. Elle s'approvisionnait auprès de différents manufacturiers sans leur imposer de normes cohérentes de tailles, de qualité ou de couleurs. L'image projetée n'était vraiment pas représentative de Nike.

Le dilemme de Marilyn était que son désir de travailler pour Nike entrait en conflit avec son jugement professionnel sur les produits de cette société. Elle craignait que, si elle disait à Phil que la gamme de vêtements ne formait pas une offre cohérente d'une réelle valeur pour le consommateur, et qu'elle ne justifiait donc pas le lancement d'une chaîne de boutiques, l'emploi de rêve auquel elle aspirait lui filerait entre les doigts.

Lorsqu'elle rencontra finalement Phil Knight en Oregon, la conversation qui s'engagea sur le potentiel du nouveau concept de magasins semblait très prometteuse. Mais au fur et à mesure que la conversation progressait, Marilyn se sentait de plus en plus inconfortable. Elle savait qu'elle devait lui dire la vérité et lui faire part de sa conviction que les boutiques seraient un échec, si on ne créait pas tout d'abord une gamme de produits au style distinctif et de qualité. Mais elle hésitait, car elle avait peur que, dans sa hâte de lancer la chaîne, le président charge simplement quelqu'un d'autre du projet.

Après deux heures de discussion, elle confia enfin ses appréhensions à Phil. «Bien sûr, lui dit-elle, les chaussures de Nike sont supérieures, mais si Nike avait l'intention de lancer une boutique de vêtements et d'accessoires, ces derniers, qui ne représentent que cinq pour cent des ventes de l'entreprise, occuperaient plus de la moitié des étalages. Le projet courait à sa perte parce que ces produits n'étaient pas à la hauteur des valeurs que Nike défendait.»

Comme elle le craignait, sa franchise provoqua une fin abrupte de la discussion. Elle s'envola en Californie, se demandant si elle avait bien fait de jouer franc-jeu. Elle sentait qu'elle avait probablement raté toutes ses chances de travailler un jour pour Nike, mais elle était également soulagée d'avoir dit la vérité.

Deux semaines plus tard, Phil Knight l'appela. Il lui dit qu'après avoir réfléchi à ses commentaires, il avait effectué ses propres recherches sur la qualité de la marchandise et qu'il en était arrivé aux mêmes conclusions. Il lui offrit l'emploi de première vice-présidente, division des vêtements et accessoires. Il lui confia son mandat en ces termes: «Venez chez nous et élaborez notre gamme de produits. Ensuite, nous lancerons nos boutiques.»

Et vous connaissez probablement le reste de l'histoire. Grâce à la décision de suspendre le lancement des boutiques Nike de près de deux ans, la division des vêtements et accessoires connut une croissance phénoménale. Le concept de magasins contribua à donner encore davantage de visibilité à Nike et une emprise toujours plus grande sur l'imagination du public américain.[2]

---

2. Je vous suggère fortement le livre très inspirant de Marilyn: *How to Use What You've Got to Get What You Want* (New York Selectbooks 2004). Elle partage l'histoire extraordinaire de sa vie et les principes du succès qu'elle a appris au sein d'une famille traditionnelle de Hong Kong, jusqu'à son ascension fulgurante au sein du monde international des affaires, oeuvrant au sein d'entreprises de classe mondiale, telles que Aveda, Reebok et Nike.

PRINCIPE 51

EXPRIMEZ-VOUS IMPECCABLEMENT

*« Le choix irréprochable des mots peut vous mener à la liberté personnelle,
au succès et à l'abondance ; il peut éloigner la peur
et la transformer en joie et en amour. »*

DON MIGUEL RUIZ
Auteur de *Les Quatre Accords toltèques*[1]

Pour la plupart d'entre nous, le choix des mots que nous employons est inconscient. Nous nous arrêtons rarement à penser à ce que nous disons. Nous lançons au hasard des pensées, des opinions, des jugements et des croyances sans considération pour les dommages ou les bénéfices qu'ils peuvent causer.

D'autre part, ceux qui ont du succès sont maîtres de leurs paroles. Ils ont appris que, s'ils ne les maîtrisent pas, ce sont elles qui les domineront. Ils sont conscients des pensées qui les habitent, et des mots qu'ils disent, tant en ce qui les concerne qu'au sujet des autres. Ils savent que pour réussir, ils doivent se servir de mots qui font croître l'estime de soi et la confiance en soi, qui nourrissent les relations et alimentent les rêves : des mots d'affirmation, d'encouragement, d'appréciation, d'amour, de tolérance, de possibilités et de visions.

Parler de façon irréprochable, c'est laisser son « moi » supérieur s'exprimer. Cela veut dire que vous vous exprimez avec sincérité et intégrité. Cela signifie aussi que vos mots reflètent fidèlement vos intentions, votre vision et vos rêves.

---

1. Je voudrais exprimer ma gratitude à Don Miguel Ruiz, l'auteur des *Quatre Accords toltèques* pour ses idées lumineuses sur la puissance des mots. Si vous voulez en savoir davantage, je vous encourage à lire son livre.

VOTRE PAROLE EST PUISSANTE

Lorsque vous choisissez les mots avec soin, ils ont un effet puissant, non seulement sur vous mais sur les autres également. Parler de façon respectueuse, c'est utiliser des mots vrais, inspirants, et qui affirment la valeur de vos interlocuteurs.

Lorsque vous apprendrez à peser le choix de tous vos mots, vous découvrirez qu'ils sont aussi la base de toute relation. Ma façon de vous parler, et de parler de vous détermine la qualité de notre lien.

CE QUE VOUS DITES *AUX* AUTRES CRÉE UNE VAGUE QUI FAIT LE TOUR DU MONDE

« De votre bouche ne doit sortir aucun mauvais propos, mais plutôt toute bonne parole capable d'édifier, quand il le faut, et de faire du bien à ceux qui l'entendent. »

(ÉPHÉSIENS 4, 29)
Bible de Jérusalem

Les gens qui réussissent emploient des termes d'inclusion plutôt que des mots d'exclusion, des mots d'acceptation plutôt que des paroles de rejet, et des mots de tolérance plutôt que ceux qui alimentent les préjugés.

Si je vous exprime de l'amour et de l'ouverture, vous ressentirez de l'amour pour moi. Si je vous juge et vous méprise, vous me jugerez sévèrement à votre tour. Si je vous fais part de ma gratitude et de mon appréciation, vous me rendrez la pareille. Si je vous manifeste de la haine, vous me haïrez sans doute à votre tour.

En vérité, les mots émettent une énergie, ou un message, qui provoque une réaction chez les autres, une réaction qui vous revient avec une force décuplée. Si vous êtes impoli, impatient, arrogant et hostile, vous pouvez vous attendre à une réaction de la même nature à votre égard.

Tout ce que vous dites produit un effet dans l'univers. Tout ce que vous dites à une personne l'affecte. Soyez conscient que vous produisez toujours un effet avec vos mots, qu'il soit positif ou négatif.

Demandez-vous toujours: *« Est-ce que ce que je m'apprête à dire servira la cause de ma vision, de ma mission, et de mes objectifs? Est-ce que mes propos*

*inspireront, motiveront et donneront de l'élan à la personne qui les entendra?
Effaceront-ils la peur, pour la remplacer par la sécurité et la confiance? Serviront-ils
à bâtir l'estime de soi, la confiance en soi, et la volonté de prendre des risques et de
poser des gestes?»*

CESSEZ DE MENTIR

Tout comme une conduite déréglée, le mensonge vous sépare non seulement
de la partie la plus élevée de votre être, mais vous risquez aussi d'être démasqué
et de fragiliser encore plus la confiance des autres.

Dans la série *Bouillon de poulet pour l'âme*[MD], nous avons énoncé une politique
qui veut qu'à l'exception des poèmes ou des histoires qui sont clairement des
paraboles ou des fables, toutes les histoires qui y apparaissent soient vraies. C'est
important pour nous, parce que si l'histoire est inspirante, nous voulons que les
lecteurs puissent se dire: «*Si eux l'ont fait, je peux le faire aussi.*»

À l'occasion, nous découvrons qu'un collaborateur a fabriqué une histoire de
toutes pièces. Chaque fois que nous apprenons une chose pareille, nous cessons
d'utiliser son matériel. Nous n'avons plus confiance en cet auteur. Ses paroles
n'ont plus aucune valeur à nos yeux, elles ne sont plus irréprochables.

En réalité, le mensonge est le produit d'une piètre estime de soi, vous croyez
que vos habiletés ne sont pas à la hauteur et ne vous permettent pas d'obtenir ce
que vous souhaitez. Il est aussi basé sur la fausse croyance que vous ne pourrez
plus vivre normalement si les gens découvrent la vérité à votre sujet, ce qui est une
autre manière de dire: «Je ne suis pas assez bon.»

Lorsque vous dites du mal de quelqu'un, il se peut que vous établissiez un lien
temporaire avec votre interlocuteur, mais cela crée aussi l'impression négative
durable que vous êtes une de ces personnes qui médisent des autres. Il se
demandera toujours, même inconsciemment, si vous n'utilisez pas ce même
poison contre lui. Cela effritera sa confiance en vous.

CE QUE VOUS DITES DES AUTRES IMPORTE ENCORE DAVANTAGE

Si nous tournons notre regard vers le passé, nous découvrirons que les individus et les maîtres spirituels les plus respectés ont toujours prêché contre la
médisance et les jugements portés sur autrui. Ils savaient à quel point les faussetés
sont dommageables. Des guerres ont été déclenchées par des paroles. Des gens se

sont entretués à cause de mots blessants. Des transactions ont échoué en raison de paroles déplacées. Des mariages se sont écroulés, victimes de paroles malheureuses.

Et qui plus est, la médisance et les jugements vous affectent aussi, car vous répandez alors un poison dans une rivière d'énergie qui devrait normalement amener vers vous ce que vous désirez vraiment.

Même si aucun mot n'est prononcé, les autres peuvent percevoir l'énergie négative des jugements que vous portez sur eux. Ce que vous racontez sur les autres finit par faire son chemin jusqu'aux personnes que vous salissez. Des gens qui m'estiment m'appellent régulièrement pour me rapporter que des personnes que je connais disent du mal de moi. Quels effets cela aura-t-il dans mes rapports avec eux? Ils commenceront lentement à se fissurer.

En outre, j'ai appris à mes dépens que lorsque je répands mon fiel sur une autre personne, cela 1) me déprime immédiatement; 2) détourne mon attention vers ce que je ne désire pas dans la vie plutôt que de créer davantage de ce que je veux; 3) gaspille mon temps et mon énergie. J'ai découvert que je pouvais me servir de ma puissance mentale et verbale pour augmenter mon pouvoir créatif, en concentrant toute la force de mes mots sur des idées d'abondance.

Pour parler de façon irréprochable en présence des autres:

- Prenez l'engagement de vous exprimer correctement lorsque vous vous adressez à quelqu'un.

- Faites un effort pour apprécier quelque chose chez toute personne avec qui vous interagissez.

- Prenez l'engagement de dire la vérité, au mieux de votre jugement, dans toutes vos interactions avec les autres. Faites-le d'abord pendant une journée, puis deux, et ensuite, toute une semaine. Si vous trébuchez, recommencez. Continuez à travailler afin de fortifier ce « muscle ».

- Essayez toujours, dans vos interactions avec les autres, de semer une parcelle de bonheur par vos paroles. Remarquez comment vous vous sentez quand vous le faites.

Souvent, nous créons des préjudices par nos paroles, non parce que nous sommes de mauvaises personnes, mais parce que nous ne faisons pas attention. On ne nous a jamais appris la puissance véritable des mots.

LE COMMÉRAGE

J'ai compris à quel point le commérage pouvait être dommageable au cours de ma première année d'enseignement au secondaire en 1968. Alors que j'entrais dans la salle des professeurs avant le début des cours, un des professeurs plus âgé m'a abordé pour me mettre en garde : « Je vois que vous avez Devon James dans votre cours d'histoire américaine. Je l'ai eu l'année dernière. C'est une vraie peste. Bonne chance ! »

Vous pouvez vous imaginer ce qui est arrivé lorsque je me suis présenté en classe et que j'ai aperçu Devon James. Je me suis mis à épier ses moindres mouvements. J'attendais les signes prouvant qu'il était la peste qu'on m'avait promis. Devon n'avait pas la moindre chance. Il avait déjà été étiqueté. J'avais déjà une idée préconçue à son sujet avant même qu'il ait ouvert la bouche. Sans doute avait-il déjà reçu un genre de message corporel inconscient de ma part : « *Je sais que tu es un fauteur de troubles* ». C'est la définition même du mot préjugé : porter un jugement sur une personne avant même de la connaître.

J'ai appris à ne jamais laisser un autre professeur, ou quiconque en fait, influencer mon jugement au sujet d'une personne avant de la connaître. J'ai appris à me fier à mes propres observations. J'ai aussi découvert que si je traite les gens avec respect, et que je leur fais comprendre ce que j'attends d'eux par mes paroles et mes actions, ils se montrent en général à la hauteur de mes attentes.

Le coût le plus élevé du commérage est qu'il vous prive de votre jugement. Les gens qui parlent dignement voient le monde clairement. Ils pensent plus lucidement et ils peuvent être plus efficaces dans leurs décisions et leurs actions. Dans son livre *Les Quatre Accords* toltèques[2], Don Miguel Ruiz compare le processus de la médisance à l'envahissement de l'esprit par un virus informatique, qui réduit petit à petit son efficacité.

Voici quelques conseils pratiques pour faire cesser le commérage, tant le vôtre que celui des autres :

1. Changez de sujet.

2. Dites quelque chose de positif au sujet de l'autre personne.

3. Éloignez-vous de l'endroit de la conversation.

4. Gardez le silence.

---

2. Publié aux éditions Un monde différent, Saint-Hubert, sous format de disque compact.

5. Dites clairement que vous ne voulez plus participer aux commérages sur les autres.

FAITES UN CONTRÔLE DE VOS PENSÉES ET DE VOS ÉMOTIONS

Comment savez-vous que vos mots sont irréprochables? Lorsque vous vous sentez bien, heureux, joyeux, calme, et en paix. Si cela ne décrit pas votre état d'âme, passez en revue vos pensées, votre discours intérieur, et votre façon de communiquer par écrit et verbalement avec les autres.

Lorsque vous commencez à faire un choix plus judicieux des mots que vous employez, des changements positifs ne tardent pas à survenir dans tous les aspects de votre vie.

PRINCIPE 52

Dans le doute, vérifiez

« Il y a peut-être un substitut aux faits véridiques,
mais si une telle chose existe, je ne la connais pas. »

J. PAUL GETTY
Auteur de *Comment être riche*

Un trop grand nombre de gens perdent un temps précieux à se demander à quoi pensent les autres, quelles sont leurs intentions ou ce qu'ils sont en train de faire. Au lieu de leur demander simplement des éclaircissements, ils formulent des hypothèses qui leur sont habituellement désavantageuses. Ils fondent ensuite leurs décisions sur de pures spéculations.

Par contre, ceux qui ont du succès ne perdent pas de temps à supposer ou à interpréter. Ils vérifient simplement les faits : « Je me demande si… », ou : « Est-il possible de …? », ou : « Pensez-vous que…? » Ils ne craignent pas le rejet. Alors, ils interrogent les autres.

DEVANT L'INCERTITUDE, ON IMAGINE TOUJOURS LE PIRE

Quel est le problème fondamental lorsqu'on fait des suppositions ? En général, il provient du fait que les gens sont effrayés par ce qu'ils ne connaissent pas. Plutôt que de vérifier les faits, ils laissent leur imagination s'enflammer, et ils érigent un système de préjugés autour de ces hypothèses. Ils prennent de mauvaises décisions en fonction de présomptions, de rumeurs et de l'opinion présumée des autres personnes.

Si vous êtes au courant de tous les faits réels, au sujet d'une personne, d'une situation, d'un problème ou d'une occasion, vous pourrez prendre une décision solide basée sur la réalité, plutôt qu'en fonction de vos préjugés.

Je me souviens d'un séminaire où l'un des participants, assis tout au fond de la pièce, donnait l'impression de vouloir être ailleurs. Il paraissait hostile et replié sur lui-même. Les bras croisés sur la poitrine, il affichait une mine renfrognée et semblait en désaccord avec tout ce que je disais. Je savais que si je n'y prenais garde, je finirais par concentrer toute mon attention sur lui et son hostilité apparente, au détriment des autres participants.

Comme vous pouvez l'imaginer, aucun conférencier n'aime apprendre qu'un membre de l'assistance a été forcé par son supérieur d'assister au séminaire, qu'il est mécontent du contenu présenté, ou, pire encore, qu'il nourrit une antipathie personnelle à l'endroit de l'animateur. D'après le langage corporel de cette personne, il m'aurait été facile de supposer que l'une de ces hypothèses était réelle.

J'ai plutôt décidé de tirer la situation au clair.

J'ai abordé l'individu au visage maussade lors de la première pause en lui disant : « Je n'ai pu m'empêcher de remarquer que vous ne sembliez pas être à votre place ce matin. Je me suis dit que l'atelier ne correspondait peut-être pas à vos attentes. Ou peut-être votre patron vous a-t-il forcé d'y assister et vous ne vouliez pas vraiment être ici. Je suis seulement un peu perplexe. »

Subitement, son comportement se modifia du tout au tout. Il s'exclama : « Oh non ! j'aime bien tout ce que vous dites. Mais j'ai l'impression de couver une vilaine grippe. Je ne voulais pas rester à la maison, car je savais à quel point cette expérience serait valable pour moi. J'ai besoin de toute ma concentration pour ne rien manquer, mais cela en vaut vraiment la peine parce que ce séminaire m'est très profitable. »

C'était une réponse étonnante à laquelle je ne m'attendais pas du tout ! Et si je n'avais rien demandé, j'aurais sans doute ruiné ma journée parce que j'imaginais le pire. Et naturellement, j'aurais eu tort.

Et vous, faites-vous souvent des hypothèses, bonnes ou mauvaises, sans vérifier si elles sont fondées ?

Par exemple, présumez-vous sans vérifier que tous les participants d'un projet important auront complété leurs travaux à temps ? Avez-vous vérifié s'ils disposaient de toute l'information nécessaire ? Supposez-vous, sans confirmation de leur part, qu'à la fin de la réunion, chacun sait exactement ce qu'il doit faire afin que les échéances soient respectées ?

Imaginez un moment comme il serait beaucoup plus facile de ne rien supposer et de dire : « John, vous devez remplir ce rapport d'ici vendredi prochain.

Êtes-vous d'accord? Et Mary, je veux que vous obteniez cette citation de l'éditeur vendredi à dix-sept heures? Est-ce que cela vous va? »

NOUS HÉSITONS SURTOUT QUAND IL POURRAIT S'AGIR DE MAUVAISES NOUVELLES

En général, c'est lorsque nous nous attendons au pire que nous ne voulons pas vérifier ce qu'il en est. Nous avons tout simplement peur du résultat. Si je rentre du travail et que mon épouse semble de mauvaise humeur, je peux très bien m'imaginer qu'elle est en colère contre moi. Je pourrais réagir en me faufilant dans la maison sur la pointe des pieds, en pensant que j'ai fait quelque chose de travers, dans l'attente d'une explosion de colère. Mais ne pensez-vous pas qu'il serait plus sain si je demandais simplement: « Tu sembles préoccupée, chérie. Quelque chose ne va pas? »

Dès que vous vous donnez la peine de vérifier, deux choses se produisent:

D'abord, vous découvrez la vérité. Avez-vous vraiment commis une bourde, ou vient-elle simplement de recevoir un coup de téléphone désagréable de sa sœur et vous n'étiez pas au courant? Ensuite, vous avez la possibilité de faire quelque chose à ce sujet, et l'aider à changer d'état d'esprit, car vous savez vraiment de quoi il s'agit.

Ceci s'applique aussi à d'autres situations qui pourraient améliorer la qualité de votre vie. Par exemple, quand vous présumez qu'il vous sera impossible d'obtenir un billet si tardivement pour le concert qui vous intéresse, ou que vous ne serez jamais admis au programme des beaux-arts, que vous ne pouvez vous permettre le meuble d'époque qui irait si bien dans votre salle à dîner.

Il est tellement plus simple de se renseigner. Vérifiez, en utilisant des phrases, telles que: « Je me demande si… », « Serait-il acceptable de… ? », « Que pensez-vous de… ? », « Est-il possible d'obtenir… ? », « Que devrais-je faire pour… ? », et « À quelle condition seriez-vous disposé à… ? », ou autres questions semblables.

VEUX-TU DIRE QUE… ?

Pour aider les gens à améliorer la communication dans leur relation de couple, je leur enseigne une autre technique qui sert à valider les hypothèses.

Je l'appelle la méthode: « Veux-tu dire que… ? »

Supposons que ma femme me demande de l'aider à faire le grand ménage du garage le samedi suivant.

Je refuse sans autre explication.

Il est possible que ma femme immédiatement tire des conclusions et pense, « *Jack est en colère contre moi. Mes besoins le laissent indifférent. Il s'en fiche que je ne puisse plus garer ma voiture dans le garage à cause de tout le désordre qui y règne…, etc.* » Mais en utilisant l'approche: «Veux-tu dire que…», elle ne présume de rien mais demande plutôt ce que je pense vraiment.

« Jack, me demande-t-elle alors, veux-tu dire que tu ne m'aideras jamais à faire ce ménage, que tu veux que je le fasse toute seule?

– Non, ce n'est pas ce que je veux dire.

– Veux-tu dire que tu préférerais faire autre chose?

– Non, ce n'est pas ce que je veux dire non plus.

– Veux-tu dire que tu seras trop occupé à cause d'un engagement dont je ne suis pas au courant?

– Oui, c'est exactement ce que je veux dire. Je suis désolé de ne pas t'en avoir parlé auparavant. Cela m'a échappé. »

Souvent, les gens n'offrent pas spontanément les motifs de leurs décisions. Ils refusent simplement, sans plus d'explication. Les hommes sont plus enclins à réagir de cette façon. Les femmes vous donneront mille et une raisons de ne pas faire telle ou telle chose; les hommes, eux, iront droit à l'essentiel, sans donner de précision. En posant la question: «Veux-tu dire …? », vous aurez une meilleure idée de la situation. Vous ne serez plus dans le doute, à vous demander ce qui se passe.

AUGMENTEZ VOS CHANCES DE SUCCÈS EN VÉRIFIANT

Vérifier le bien-fondé de vos suppositions améliore vos communications, vos relations, la qualité de votre vie. Au travail, cette stratégie améliorera votre rendement et votre productivité. Les résultats ne tarderont pas à suivre. Vos travaux seront toujours prêts à la date d'échéance et réalisés avec plus de minutie. Vous ne formulerez plus d'hypothèses sur la performance des autres. Si vous avez l'impression que Barbara ne terminera pas à temps son rapport, allez lui parler. Vérifiez toujours.

W. Edwards Deming, le brillant expert en systèmes, a grandement contribué au boom japonais après la Seconde Guerre mondiale. C'est en grande partie grâce à ses méthodes et expertises que ce pays a pu s'imposer comme chef de file dans l'industrie automobile, en électronique et dans la production de biens manufacturés, sur tous les continents. Un jour, il a dit que le premier quinze pour cent de tout projet est le plus crucial. C'est le moment ou jamais d'être concis, de réunir de l'information détaillée pertinente et de vérifier les données.

Par exemple, si vous vous engagez dans une relation d'affaires avec une autre personne, vous déterminez d'entrée de jeu – dans les premiers quinze pour cent – la façon de travailler ensemble, de résoudre les conflits, la stratégie à adopter si un des associés veut quitter la société, les critères utilisés pour garantir une participation équitable de chacun, et ainsi de suite. La plupart des conflits qui émergent en cours de route proviennent d'hypothèses qui n'ont pas été élucidées au départ. Les associés n'ont pas été parfaitement clairs et ils n'ont pas formulé explicitement tous les éléments de l'entente.

M. Deming affirme aussi, qu'au début de la plupart des projets, trop de personnes se lancent à l'eau sans d'abord vérifier les faits. Ils ne savent même pas comment évaluer le succès. Comment peut-on savoir si on a gagné? A-t-on fondé une entreprise simplement pour faire de l'argent, ou avait-on en tête un objectif social. Envisage-t-on de la vendre rapidement pour encaisser un profit et prendre sa retraite, ou parce qu'elle pourrait servir de programme politique, ou pour régler certains problèmes sociaux? Quel est votre but? Quelles sont vos valeurs fondamentales? Avez-vous une stratégie pour y mettre un terme le cas échéant?

LES RÈGLES ET LEUR INTERPRÉTATION

Bien sûr, la règle du quinze pour cent s'applique aussi à tout autre projet personnel. Vous rappelez-vous l'histoire de Tim Ferris, cet adepte du kick-boxing devenu champion après seulement six semaines d'entraînement? La morale de cette histoire, c'est qu'il n'a rien présumé au sujet des règlements de ce sport, mais qu'il a fait sa propre enquête. Il a appris, entre autres, que si l'adversaire quitte les limites de la surface de combat à deux reprises au cours du même round, il est disqualifié.

La plupart des gens identifient ce sport comme une épreuve de coups de poings et de coups de pieds. Tim Ferris, lui, avait été entraîné à la lutte. Alors, il a dit à son entraîneur : «Ne m'enseignez pas comment mettre knock-out mon adversaire. Montrez-moi comment le bousculer hors de la surface réglementaire, sans subir moi-même ses coups dévastateurs. » Et c'est en appliquant cette stratégie qu'il a gagné le championnat. Il avait fait ses devoirs et connaissait les vrais règlements de ce sport, contrairement à la plupart des amateurs qui, eux, croient les connaître.

Dans la vie, il y a beaucoup de situations où il existe une marge de manœuvre entre les règles explicites et la pratique courante. Si vous ne demandez pas, et tenez simplement pour acquis que vous ne pouvez accomplir certaines choses, il est possible que vous laissiez filer une occasion où vous auriez pu facilement réussir, en mettant à profit un point faible, en trouvant une échappatoire ou en dévoilant un fait peu connu, qui vous aurait été révélé en faisant un peu de recherche. En fait, ce que vous auriez découvert si vous vous étiez informé.

PRINCIPE 53

Soyez toujours reconnaissant

---

*« La faim d'amour et d'appréciation est bien plus grande en ce monde
que celle que l'on rassasie avec du pain. »*

MÈRE TERESA
Récipiendaire du prix Nobel de la paix

*« Je n'ai jamais rencontré personne, peu importe l'amour qu'il éprouvait
pour son métier, qui ne faisait pas un meilleur travail et qui ne fournissait
pas davantage d'efforts dans un esprit d'encouragement, plutôt que
dans une atmosphère de critiques. »*

CHARLES SCHWAB
Fondateur de l'empire de services financiers Charles Schwab & Co

Une récente étude de gestion révèle que quarante-six pour cent des employés quittent leur emploi parce qu'ils ne se sentent pas suffisamment appréciés ; soixante et un pour cent affirment que leur patron n'accorde pas assez d'importance à leurs qualités humaines, et quatre-vingt-huit pour cent se plaignent de ne pas recevoir de marques de reconnaissance pour leurs efforts.

L'exemple suivant illustre bien l'effet que peut avoir un simple geste d'appréciation. Lors du dixième anniversaire de naissance de la série *Bouillon de poulet pour l'âme*ᴹᴰ, notre éditeur, Health Communications Inc., a organisé une petite fête au cours de laquelle on a présenté un diaporama illustrant les instants mémorables de la dernière décennie. L'auteure du diaporama était Randee Zeitlin Feldman.

À la suite de la présentation, je lui ai fait parvenir des fleurs en guise d'appréciation pour le superbe travail qu'elle avait effectué. Voici le courrier électronique qu'elle m'a envoyé. L'objet du message se lisait comme suit : « Je ne me suis jamais sentie autant appréciée. »

Cher Jack,

Merci sincèrement pour les magnifiques fleurs que j'ai reçues aujourd'hui.
J'ai été si touchée que j'avais peine à croire que ce merveilleux bouquet était

pour moi. Ce fut un honneur et un privilège de travailler pour vous au cours des huit dernières années.

Je pense qu'il est merveilleux d'avoir joué un rôle (si modeste pourtant) dans la création d'un des plus grands succès de librairie de tous les temps. J'ai eu énormément de plaisir au cours de ces années et j'en ai savouré chaque instant. Je me sens fortunée et privilégiée et je veux vous remercier d'avoir pensé à moi.

Les fleurs ont impressionné toutes les personnes qui sont entrées dans mon bureau. On me demande ce que j'ai bien pu faire pour mériter un tel cadeau. Je leur réponds qu'il s'agit d'une longue histoire d'amour!

Merci encore.

Affectueusement,

RANDEE

Je n'ai jamais entendu quelqu'un se plaindre de recevoir trop de réactions positives. En connaissez-vous? En fait, c'est le contraire qui est vrai.

Que vous soyez entrepreneur, gérant, professeur, parent, entraîneur, ou simplement un ami, si vous voulez avoir du succès auprès des gens, vous devez maîtriser l'art de démontrer de la gratitude.

Chaque année, une firme de consultants mène une enquête auprès de deux cents entreprises sur le thème de la motivation des employés. Lorsqu'on leur présente dix facteurs susceptibles de les motiver, les employés choisissent

---

10 FAÇONS DE MOTIVER EFFICACEMENT UN EMPLOYÉ

Selon les employés	Selon les gestionnaires
L'appréciation	Un bon salaire
Se sentir «dans le coup»	La sécurité d'emploi
Une attitude compréhensive	Des chances d'avancement
La sécurité d'emploi	De bonnes conditions de travail
Un bon salaire	Un travail intéressant
Un travail intéressant	De la loyauté de la part de la direction
Les chances d'avancement	Des règles fermes mais justes
De la loyauté de la part de la direction	L'appréciation
De bonnes conditions de travail	Une attitude compréhensive
Des règles fermes mais justes	Se sentir «dans le coup»

invariablement l'appréciation comme étant, et de loin, le plus important. Lorsqu'on interroge les gestionnaires et les superviseurs, l'appréciation tombe au huitième rang. Il y a un fossé de perception évident entre les patrons et leurs employés, comme le montre le tableau.

Il est intéressant de constater que les trois facteurs de motivation les plus importants, du point de vue des employés : l'appréciation, se sentir «dans le coup», et une attitude compréhensive de la part de la direction ne coûtent rien en termes monétaires. Cela n'exige que du temps, du respect et de la compréhension.

LES TROIS FORMES D'APPRÉCIATION

Il est important de faire la distinction entre les trois différentes formes d'appréciation : auditive, visuelle et kinesthésique. Il s'agit des trois manières par lesquelles le cerveau enregistre l'information et il importe de reconnaître que chacun a ses préférences à ce niveau.

Les personnes auditives ont besoin d'entendre des commentaires d'appréciation, les personnes visuelles préfèrent les marques visibles de reconnaissance, tandis que les personnes kinesthésiques aiment sentir que l'on accorde de la valeur à leur travail. Si vous donnez à une personne auditive des signes visuels d'appréciation, vous n'obtiendrez pas toujours l'effet prévu. Cette personne se dira vraisemblablement : « *Il m'envoie des lettres, des cartes et des courriels, mais il ne vient jamais me voir pour m'adresser personnellement des félicitations.* »

Par contre, les visuels aiment recevoir un objet tangible, peut-être même une chose qu'ils pourront coller au réfrigérateur. Ils préfèrent les mots d'appréciation, les cartes, les fleurs, les plaques commémoratives, les certificats, et les images, des cadeaux de toutes sortes. Ils peuvent les voir et les garder en mémoire à jamais. Vous pouvez reconnaître les «visuels» par leurs tableaux d'affichage, leurs réfrigérateurs ou leurs murs, couverts de mille et un petits rappels qu'ils aiment et apprécient.

Le type kinesthésique a besoin de sentir qu'on l'apprécie par une embrassade, une poignée de main, une amicale tape dans le dos, ou même par une activité en sa compagnie, comme de lui offrir un massage, une invitation à dîner ou à une partie de balle, de faire une balade ou d'aller danser.

Si vous voulez devenir un vrai pro de l'appréciation, il vous faut apprendre à reconnaître les marques de gratitude qui auront le plus d'effet sur la personne à qui elles sont destinées. Une manière facile de le savoir est de lui demander de décrire le moment où elle s'est sentie le plus aimée dans sa vie. Demandez-lui alors de vous décrire l'événement. Vous pouvez poursuivre avec des questions comme celles-ci : « Y a-t-il une chose qui a été dite, ou un geste posé, qui vous a particulièrement touché ? Était-ce la lueur dans le regard (visuel), le ton de la voix (auditif), la douceur du toucher, ou la manière de vous enlacer sur la piste de danse (kinesthésique) ? »

Lorsque vous aurez déterminé le type dominant de la personne, auditif, visuel ou kinesthésique, vous pourrez exprimer votre appréciation dans le « langage » approprié.

Je sais que ma femme Inga est kinesthésique. Elle a obtenu un diplôme en éducation physique, elle a pratiqué le massage thérapeutique, a été formatrice personnelle et professeure de yoga pendant des années. Elle adore le vélo, l'équitation, courir sur la plage, nager, faire de la planche à voile et danser. Elle aime prendre de longs bains, recevoir des massages et pratiquer le yoga. Ces activités lui permettent de se sentir bien. Lorsqu'elle choisit ses vêtements, le toucher est pour elle plus important que l'apparence.

La meilleure manière de lui manifester mon appréciation est de la serrer dans mes bras, de lui donner un baiser ou de lui masser les pieds. Elle se sent particulièrement aimée lorsque je fais une promenade avec elle. Si je m'apprête à lui faire des commentaires, elle aime que je m'assoie vis-à-vis elle, que je la regarde dans les yeux et que je lui tienne les mains. De longues heures passées au lit ensemble suffisent pour qu'elle se sente aimée et valorisée. Mais si je commence à lui faire un long exposé sur tout ce que j'aime chez elle, elle m'interrompt habituellement avec un : « Tout ça, c'est du blablabla ! Prends-moi simplement la main ».

De son côté, Patty Aubery, la présidente de mon entreprise est une auditive. Elle aime parler au téléphone, écouter la radio, ou jouir de la paix et du silence d'une maison déserte. Elle est aussi sensible au ton de la voix. Elle aime que je lui parle d'une voix douce et compréhensive. Un bref coup de téléphone pour lui exprimer ma reconnaissance accomplit des merveilles dans son cas.

De mon côté, je suis plutôt visuel. J'aime recevoir des présents, des cartes de souhaits, des lettres, et des courriels de la part de celles et ceux dont j'ai touché la vie. Je possède toute une collection de plaques commémoratives, de photographies, de pages de couvertures de livres et des bandes dessinées au sujet de la série *Bouillon de poulet pour l'âme*[MD].

Je collectionne les couvertures de magazines qui parlent de nos livres, et les créations artistiques de mes enfants. J'aime que les choses soient esthétiques, rangées et bien ordonnées, en un mot, plaisantes à regarder. Je choisis mes vête-ments pour le style. J'ai deux caisses pleines de lettres et d'articles de journaux. Je les nomme mes «boîtes de réconfort». Les sortir du placard et en regarder le contenu me réchauffe le cœur.

Vous me toucherez beaucoup si vous me donnez un cadeau simple qui signifie : «Merci beaucoup, je vous apprécie.» Lorsque ma femme place une petite rose dans un vase de terre cuite et le dépose sur mon bureau le matin, je peux l'admirer toute la journée, et je sais alors qu'elle m'aime.

Le coauteur de la série *Bouillon de poulet pour l'âme*, Mark Victor Hansen, m'a rapporté récemment une statuette de son dernier voyage en Asie. En me la remettant, il m'a dit : «J'ai pensé à vous quand je l'ai vue et j'ai décidé de vous l'offrir». Chaque fois que je la regarde, je sais que je suis compris, estimé et apprécié.

LA COMBINAISON PARFAITE

Si vous êtes dans le doute, employez les trois types de communication : auditive, visuelle et kinesthésique. Dites-le, montrez-le et donnez ensuite une tape amicale dans le dos. Vous pouvez serrer la main de la personne, la regarder droit dans les yeux, et d'une manière sincère et chaleureuse, lui dire que vous appréciez ses efforts et ses qualités personnelles. Offrez-lui ensuite une carte ou un cadeau qu'elle pourra conserver. S'il s'agit de vos enfants, passez un bras autour du cou de votre fils, ou de votre fille, tandis que vous marchez sur la plage. N'oubliez pas de leur faire parvenir une carte pour rappeler ces bons moments à leur souvenir. Vous serez certain d'être compris sans aucune ambiguïté.

TENEZ BON JUSQU'À CE QUE VOUS Y ARRIVIEZ

J'ai assisté à quelques ateliers du Dr Harville Hendricks, le coauteur de *Getting the Love You Want : A Guide for Couples* (Obtenez tout l'amour que vous désirez : un guide à l'usage des couples). Il nous a confié comment il avait appris la bonne manière de témoigner à sa femme amour et appréciation. Parce qu'elle-même offrait généralement des fleurs pour exprimer sa gratitude, il avait supposé que c'est aussi ce qu'elle souhaitait. Un jour, il lui a envoyé une douzaine de roses. Lorsqu'il revint du travail, il s'attendait à recevoir sa «récompense» : un gros «merci» affectueux et plein de chaleur de la part de sa femme.

Lorsqu'il rentra chez lui, elle n'en fit même pas mention. Quand il lui demanda si elle avait reçu les roses, elle fit un signe affirmatif de la tête. « Tu ne les aimes pas ? lui a-t-il alors demandé.

– Pas particulièrement, répondit-elle.

– Eh bien, qu'aurais-tu préféré ?

– Une belle carte, par exemple. »

« *Très bien* », se dit-il alors. Le lendemain, il se rendit à la boutique de cartes de souhaits et acheta une grande carte à l'effigie de Snoopy avec un petit texte amusant à l'intérieur. Il la plaça ensuite bien en évidence. Ce soir-là, il attendait encore une fois sa récompense bien méritée.

Il fut déçu comme la première fois. Il ne put cacher sa déconvenue. « Tu n'as pas trouvé la carte ? demanda-t-il.

– Bien sûr, chéri.

– Et tu ne l'as pas aimée ?

– À vrai dire, pas particulièrement.

– Ne m'avais-tu pas dit que tu aimais les cartes ?

– Certes, mais pas les cartes humoristiques. J'aime le genre de cartes que l'on se procure dans les musées, avec la reproduction d'une magnifique œuvre d'art et un message inspiré et romantique à l'intérieur. »

« *D'accord* », se dit-il.

Le lendemain, il se rendit au Musée d'art métropolitain et acheta une superbe carte, à l'intérieur de laquelle il écrivit un petit mot gentil et romantique. Et de nouveau il choisit un endroit où elle ne pouvait passer inaperçue. À son retour, ce soir-là, sa femme l'attendait sur le seuil de la porte. Elle le couvrit de baisers en guise d'appréciation pour la carte de si bon goût qu'il lui avait offerte.

Parce qu'il s'était engagé à lui prouver son amour, il avait finalement trouvé le médium parfait pour transmettre son message.

Sauriez-vous nommer les cinq personnes les plus riches de la terre ou les cinq derniers récipiendaires des prix de l'Académie des arts et sciences du cinéma pour les meilleures réalisations et pour le meilleur acteur ou la meilleure actrice ? Peu d'entre nous se souviennent des grands titres de la veille. Lorsque les applaudissements se taisent, lorsque les médailles perdent leur lustre et que les réalisations sont oubliées, plus personne ne s'intéresse aux prix ou à leurs gagnants.

Mais si je vous demande de faire la liste de cinq professeurs ou mentors qui ont cru en vous et qui vous ont encouragé, cinq amis qui vous ont aidé dans les moments difficiles, qui vous ont enseigné quelque chose d'utile, avec lesquels vous vous êtes senti apprécié et unique, c'est beaucoup plus facile, n'est-ce pas?

C'est que les personnes qui laissent leur marque dans notre vie ne sont pas les plus qualifiées, les plus riches ou les plus honorées. Ce sont celles pour qui vous comptez. Si vous voulez qu'on se souvienne du rôle que vous avez joué dans la vie de quelqu'un, faites-en sorte que cette personne se sente appréciée lorsqu'elle est avec vous.

L'APPRÉCIATION VUE COMME UN SECRET DU SUCCÈS

Une autre raison pour laquelle vous devriez ressentir de la gratitude le plus souvent possible, c'est que vous êtes alors dans l'un des états émotifs qui dégage les « vibrations » les plus intenses qui soient. Lorsque vous exprimez de l'appréciation et de la gratitude, vous vous placez dans un état d'esprit propice à l'abondance. Vous êtes reconnaissant pour tout ce que vous possédez, plutôt que de vous désoler de ce que vous n'avez pas.

Et comme la loi de l'attraction nous dit que les semblables s'attirent, vous entraînerez dans votre sillage encore plus d'abondance et plus de raisons d'éprouver de la gratitude (Plus vous ressentez de gratitude, plus vous vous attirez les raisons d'être reconnaissant). Il s'agit d'une véritable spirale ascendante d'abondance sans cesse croissante, un monde qui ne fait que s'améliorer de jour en jour.

Réfléchissez à ce que cela représente. Plus les gens exprimeront de la reconnaissance pour ce que vous leur offrez, plus vous serez disposé à répéter vos dons. La gratitude et l'appréciation renforcent l'habitude de donner. Le même principe s'applique au niveau universel et spirituel, tout comme il agit à un niveau plus personnel.

TENIR LE SCORE

Lorsque j'ai entendu parler pour la première fois de la puissance de l'appréciation, cela m'est tout de suite apparu comme allant de soi. Cependant, il s'agissait d'une attitude que j'oubliais souvent d'adopter. Je ne l'avais pas encore transformée en habitude. Pour renforcer chez moi le réflexe de la gratitude, je me suis muni d'une petite fiche que j'ai insérée dans la poche de mon veston.

Dès que j'exprimais ma reconnaissance à quelqu'un, je faisais un petit crochet sur celle-ci. Je n'avais pas le droit d'aller au lit avant de l'avoir cochée dix fois. Si je n'y étais pas arrivé, j'exprimais mon appréciation à ma femme et à mes enfants, j'envoyais des messages électroniques à mon personnel, ou j'écrivais une lettre à ma mère ou à mes beaux-parents. Je faisais tout ce qu'il m'était possible de faire pour que cela devienne une habitude. Ce manège a duré six mois, jusqu'au jour où je n'ai plus eu besoin de mon petit carton pour me rappeler d'être reconnaissant.

PRENEZ LE TEMPS DE VOUS REMERCIER VOUS-MÊME!

David Casstevens, anciennement du *Dallas Morning News*, raconte cette histoire au sujet de Frank Szymanski, un joueur de centre du collège Notre Dame, qui avait été appelé à la barre des témoins dans le cadre d'une poursuite civile entendue au tribunal de South Bend, en Indiana.

«Faites-vous partie de l'équipe de football de Notre Dame cette année? demanda le juge.

– Oui, Votre Honneur.

– Et à quelle position?

– Au centre, Votre Honneur.

– Et êtes-vous un bon joueur de centre?»

Franz Szymanski se tortilla un peu sur sa chaise, mais répliqua néanmoins avec aplomb:

«Monsieur, je suis le meilleur joueur de centre que Notre Dame ait jamais connu».

L'instructeur Frank Leahy, qui se trouvait dans la salle d'audience, fut surpris. M. Szymanski avait toujours été modeste et sans prétention. Lorsque les procédures furent terminées, il prit son joueur de centre à part et lui demanda pourquoi il avait fait cette étonnante déclaration.

«Je n'aime pas parler ainsi, entraîneur, répliqua-t-il. Mais, après tout, j'étais sous serment!»

Je voudrais que vous soyez sous serment pour le reste de votre vie, que vous acceptiez de reconnaître l'être magnifique que vous êtes, les qualités positives que vous possédez et les réalisations merveilleuses dont vous êtes l'auteur ou l'auteure.

PRINCIPE 54

Soyez fidèle à votre parole

────────────

« Votre vie fonctionne dans la mesure où vous respectez vos engagements. »
WERNER ERHARD
Fondateur de l'organisation Est Training and Landmark Forum

« Ne promettez jamais plus que ce que vous pouvez réaliser. »
PUBLILIUS SYRUS

Il fut un temps où la parole donnée était sacrée. Les ententes étaient conclues et respectées avec un minimum de formalités. Avant de promettre quoi que ce soit, on réfléchissait sérieusement afin d'être sûr de pouvoir tenir sa parole. On y attachait une grande importance. Aujourd'hui, respecter ou non ses engagements semble être une affaire de chance ou le fruit du hasard.

LE COÛT ÉLEVÉ DES PROMESSES NON TENUES

Lors de mes séminaires, je demande aux participants d'accepter une liste de quinze règles de conduite à respecter pendant la durée du cours, comme d'arriver à l'heure, de choisir une place différente après chaque pause, ou de s'abstenir de toute boisson alcoolique durant la journée. S'ils n'acceptent pas ces conditions, ils ne sont pas admis dans ma classe. Je leur demande de signer un formulaire qu'ils gardent dans leur cahier d'exercices, et qui stipule : « Je consens à observer toutes ces directives et ces règles de conduite ».

Au début de la troisième journée, je demande à tous ceux qui ont enfreint une règle de se lever. Nous discutons ensuite de ce que nous avons appris de cette petite expérience. Ce qui ressort, c'est la désinvolture avec laquelle nous donnons notre parole – et celle, non moins grande, avec laquelle nous brisons ensuite nos promesses.

Ce qui est encore plus troublant, c'est qu'une majorité des participants savent qu'ils vont enfreindre au moins une des règles avant même de signer. Et pourtant, ils s'engagent à les observer de toute manière. Pourquoi? Parce qu'ils évitent ainsi les inconvénients qui pourraient survenir s'ils les contestaient ouvertement. Ils ne veulent pas être le centre d'intérêt et préfèrent éviter tout conflit, à n'importe quel prix. D'autres veulent bien participer à l'atelier, mais ne se sentent pas tenus d'en respecter les règles. Ils font donc semblant de s'y soumettre, mais ils n'ont aucune intention de les respecter rigoureusement.

Le problème fondamental n'est pas que les gens donnent et reprennent leur parole aussi facilement. C'est plutôt qu'ils sous-estiment le coût psychologique associé à un tel comportement.

Lorsque vous ne tenez pas vos engagements, vous payez un prix qui est à la fois externe et interne. Vous perdez la confiance, le respect et la crédibilité des autres – de votre famille, de vos amis, de vos collègues et de vos clients. Vous semez la confusion dans votre vie et dans celle des gens qui comptent sur vous, qu'il s'agisse d'un rendez-vous au cinéma, de remettre un rapport à temps, ou de ranger le garage.

Après avoir renié votre promesse d'aller au parc avec les enfants le week-end, et cela plusieurs semaines d'affilée, ne vous étonnez pas s'ils ne vous croient plus quand vous leur promettez quelque chose. Ils comprennent vite qu'ils ne peuvent compter sur vous. Vous perdez toute autorité et vos rapports avec eux se détériorent.

LES PROMESSES FAITES À SOI-MÊME

Toute promesse est, en dernière analyse, un engagement fait à soi-même. Même quand vous faites une promesse à quelqu'un, votre cerveau l'enregistre comme étant une promesse personnelle. Si vous ne la respectez pas, vous commencez à vous méfier de votre propre parole. Il en résulte une perte de confiance, d'estime et de respect de soi. Vous perdez foi en votre habileté à produire des résultats. Le sens de votre propre intégrité commence à s'effriter.

Supposons que vous promettiez à votre compagne que, dorénavant, vous vous lèverez à six heures trente le matin pour faire un peu d'exercice avant de vous rendre au travail. Mais après trois jours de batailles perdues contre le réveille-matin, votre cerveau se rend bien compte qu'il ne peut vous faire confiance. Bien sûr, vous pouvez penser que dormir quelques minutes de plus le matin n'est pas la fin du monde, mais, pour votre subconscient, il s'agit d'une défaite majeure.

Lorsque vous ne faites pas ce que vous vous êtes engagé à faire, vous créez la confusion et le doute en vous. Vous minez votre puissance personnelle. Cela n'en vaut pas la peine.

L'INTÉGRITÉ ET L'ESTIME DE SOI VALENT DES MILLIONS DE DOLLARS

En prenant conscience de l'importance de l'intégrité et de l'estime de soi, vous cesserez de lancer des promesses à droite et à gauche, ne serait-ce que pour qu'on vous laisse tranquille. On ne vend pas son estime personnelle pour quelques petits moments d'approbation. Ne faites pas de promesse que vous n'avez pas l'intention de respecter. Faites-en moins mais efforcez-vous de tenir celles que vous faites.

Pour illustrer cette notion dans mes séminaires, je pose cette question aux participants : « Si je vous disais que vous gagneriez un million de dollars si vous complétiez ce séminaire sans enfreindre une seule règle, croyez-vous que vous seriez en mesure de le faire ? » La plupart répondent bien sûr, sans hésitation.

Souvent, un esprit fort dira : « Pas question de m'engager sur ce terrain. Je ne pourrais rien promettre d'une manière aussi absolue. Je ne suis pas responsable du bouchon de circulation qui m'a retardé ce matin ». Ou encore : « Comment aurais-je pu arriver à l'heure alors que la personne qui devait me prendre s'est elle-même présentée en retard ? »

J'ajoute alors : « Supposons que la personne qui compte le plus au monde pour vous devait mourir si vous manquiez à votre parole. Auriez-vous la même attitude ? »

Notre esprit contestataire, qui avait soulevé la question du bouchon de circulation, comprend maintenant où je veux en venir et dit : « Naturellement, si la vie de mon fils était en jeu, je ne quitterais même pas cette pièce. Je dormirais sur le plancher plutôt que de risquer d'être en retard ».

Lorsque vous comprenez à quel point il est important de tenir parole, vous prenez également conscience que vous êtes capable de le faire. Il s'agit simplement de prendre la pleine mesure de ce que vous perdrez en ne respectant pas votre parole. L'estime de soi acquise en tenant ses promesses vaut bien plus que des millions de dollars. Si vous désirez plus d'estime de soi, de confiance en soi et de respect de soi, davantage de puissance personnelle, de clarté mentale et d'énergie, accordez à la parole donnée l'importance qu'elle mérite.

Si vous souhaitez gagner le respect et la confiance des autres, condition préalable essentielle pour accomplir de grandes choses dans la vie (incluant gagner des millions de dollars!), vous prendrez davantage au sérieux le respect de vos engagements.

QUELQUES CONSEILS POUR FAIRE ET TENIR DES PROMESSES

Voici quelques conseils qui vous aideront à faire moins de promesses, et à les tenir:

1. **Ne faites que les promesses que vous avez l'intention de tenir.** Prenez quelques secondes de réflexion avant d'accepter une proposition, afin de vous assurer que c'est vraiment ce que vous voulez faire. Posez-vous des questions. Comment vous sentez-vous par rapport à cette offre? Ne prenez pas d'engagement simplement pour obtenir l'approbation d'autrui. Si vous le faites uniquement pour cette raison, vous finirez nécessairement par le rompre.

2. **Mettez vos engagements par écrit.** Servez-vous d'un calendrier, d'un agenda, d'un cahier de notes, ou d'un fichier informatique pour enregistrer toutes vos promesses. Au cours d'une semaine, il se peut que vous preniez une douzaine d'engagements. Voilà précisément la cause de tant de promesses non tenues. Vous êtes si bousculé par le temps et vos autres activités que vous les oubliez tout simplement. Écrivez-les et consultez cette liste régulièrement pour vous rafraîchir la mémoire.

   Comme je l'ai déjà mentionné, de nouvelles découvertes sur le fonctionnement du cerveau montrent que si nous n'écrivons pas une pensée, ou si nous ne faisons pas un effort pour la stocker dans notre mémoire à long terme, nous l'oublions généralement en moins de trente-sept secondes. Vous pouvez être animé des meilleures intentions, mais si vous oubliez vos promesses, le résultat est le même qui si vous choisissiez de ne pas les tenir.

3. **Communiquez le plus rapidement possible votre incapacité de tenir un engagement.** Dès que vous constatez que vous ne pourrez tenir une promesse – votre voiture ne démarre pas, vous êtes coincé dans un bouchon de circulation, votre enfant est malade, votre gardienne s'est décommandée, votre ordinateur est en panne – avertissez les personnes concernées le plus vite possible, et renégociez votre entente. Ceci démontre votre respect par rapport au temps et aux besoins des autres.

Ils peuvent planifier à nouveau, faire de nouveaux arrangements, et limiter les dommages potentiels. Si c'est impossible, reconnaissez à la première occasion que vous n'avez pu tenir votre promesse, réparez les pots cassés, et convenez de la marche à suivre ensuite.

4. **Apprenez à dire « non » plus souvent.** Prenez le temps de bien réfléchir avant de prendre un engagement. J'écris le mot « NON » avec un marqueur jaune sur chaque page de mon calendrier, pour me rappeler que je dois toujours penser à ce que je devrai remettre, ou laisser tomber, si j'acquiesce à une nouvelle demande. Cela m'oblige à réfléchir avant d'accepter.

LES RÈGLES DU JEU

Un des ateliers de formation les plus efficaces auquel j'ai eu le privilège de participer a été conçu par Marshall Thurber vers la fin des années soixante-dix. Il avait pour thème : « L'argent et vous ». Cet événement devait changer complètement mes relations avec l'argent, les affaires et les autres.

Pour accomplir ce que vous souhaitez, vous devez gérer des relations – avec vos amis, votre famille, votre personnel, vos représentants, vos entraîneurs, vos patrons, votre conseil d'administration, vos clients, vos partenaires, vos associés, vos étudiants, vos professeurs, votre public, vos admirateurs, et bien d'autres encore. Pour que celles-ci soient fructueuses, vous devez établir ce que mon ami John Assaraf appelle, les « règles d'engagement » ; ou, ce que Marshall Thurber, D.C. Cordova, et les autres membres de l'organisation Excellerated Business School nomment de leur côté, « les règles du jeu ».

Comment allons-nous « jouer » ensemble ? Quelles sont les règles de base et les conventions qui encadreront la relation ? Marshall nous a enseigné les lignes directrices suivantes, que j'ai faites miennes depuis lors. Si vous-même, et toutes les personnes avec lesquelles vous interagissez, acceptent de les adopter, votre niveau de succès ne connaîtra pas de limites.

1. La vocation, les valeurs fondamentales, les règles de vie et les objectifs de tous et de toutes doivent être respectés en tout temps.

2. Parlez avec de bonnes intentions. Autrement, abstenez-vous. Ne cherchez pas à prendre les autres en défaut, ne vous justifiez pas, et ne défendez pas vos erreurs.

3. Si vous êtes en désaccord, ou que vous ne comprenez pas, demandez des explications. N'essayez pas de prouver que votre interlocuteur a tort.

4. Ne prenez que les engagements que vous avez le désir et l'intention d'honorer.

5. Si vous ne pouvez respecter une promesse, communiquez avec la personne concernée à la première occasion. Faites amende honorable dès que possible.

6. Si quelque chose ne marche pas, examinez d'abord le cadre dans lequel vous fonctionnez. Proposez des solutions en matière d'amélioration du système, et faites-les connaître à la personne qui peut faire quelque chose à ce sujet.

7. Soyez responsable. Ne blâmez pas les autres, ne défendez pas vos erreurs, ne vous justifiez pas, mais ne vous humiliez pas non plus.

MISEZ GROS!

Si vous voulez vraiment être rigoureux dans votre politique de respecter vos résolutions, vous pouvez utiliser une technique que m'a enseignée mon ami Martin Rutte. Imaginez une conséquence particulièrement désagréable dans l'éventualité où vous ne tiendriez pas votre promesse (comme de faire un chèque d'une somme importante au nom d'un individu que vous n'aimez pas spéciale-ment ou vous raser le crâne). L'avantage immédiat de ne pas tenir parole, (dormir une heure de plus, ou de ne pas avoir à prendre un risque) sera sans commune mesure avec le coût de rompre votre promesse. Le «prix à payer» apparaîtra telle-ment onéreux que vous ne pourrez vous y soustraire.

Martin s'est servi de cette technique pour tenir son engagement d'apprendre à plonger du haut d'un tremplin. Pour être absolument sûr qu'il ne fléchirait pas, il déclara à un ami que, s'il n'avait pas encore appris à une date donnée, il ferait un chèque de mille dollars au profit du Ku Klux Klan. Étant juif, Martin n'était pas, il va sans dire, un grand admirateur de cette organisation. Cette «contri-bution» aurait été pour lui bien plus douloureuse que la peur de plonger. Même si cela fut très difficile pour lui, Martin apprit à plonger.

Qu'est-ce qui est si important dans votre vie que vous ne voudriez en aucun cas y renoncer? Déclarez publiquement que vous n'hésiteriez pas à vous en séparer, afin de trouver l'énergie de réaliser dès aujourd'hui ce que vous vous êtes engagé à faire.

PRINCIPE 55

Ayez de la classe !

───────────────

*« Dans toute société, il existe des "modèles d'excellence", des individus dont
le comportement devient un exemple à suivre pour tous,
des êtres brillants et admirés que l'on tente d'égaler. »*

DAN SULLIVAN
Cofondateur et président de The Strategic Coach Inc.

Je vous ai déjà présenté Dan Sullivan, le créateur du « programme d'accompagnement stratégique » destiné aux individus performants gagnant plus d'un
million de dollars par année. Même si mon revenu annuel est bien supérieur
aujourd'hui, je suis toujours à la recherche d'accompagnateurs du calibre de Dan
qui m'aident à peaufiner mes techniques de succès. Je me suis donc associé au
groupe de mon ami à Chicago.

Au cours de cet atelier, Dan m'a appris un principe qui fonctionne si merveil-
leusement pour plusieurs des grands performeurs dont j'ai étudié les méthodes,
que je m'étonne de ne pas l'avoir reconnu plus tôt comme une discipline que
nous devrions tous maîtriser.

En termes simples, il s'agit « d'avoir de la classe ».

C'est bien cela. Soyez ce genre de personnes qui agit avec distinction, qui
jouit de la réputation d'être un modèle à imiter, et vous ne tarderez pas à attirer
dans votre sphère d'influence d'autres personnes qui ont de la classe.

La triste vérité du monde moderne, c'est que les personnes de grande classe
semblent moins nombreuses que jamais. On s'entend tous pour dire que l'acteur
Jimmy Stuart avait de la classe. Tom Hanks en a également, de même que Paul
Newman, Denzel Washington, Coretta Scott King et l'ex-président de l'Afrique du
Sud, Nelson Mandela. Heb Kelleher le président de Southwest Airlines est aussi,
à mon avis, un homme de grande distinction.

Mais comment sortir des rangs dans un monde où la majorité des gens ne sont pas conscients et, il faut bien le dire, sont également si « ordinaires » ? La réponse est qu'il faut vous efforcer de vous libérer des nombreuses peurs, des inquiétudes et des angoisses qui limitent l'imagination et les ambitions de la vaste majorité des gens.

Vous devez vous détacher des conventions artificielles pour accéder à un monde de conscience plus élevée, de créativité et de réussite. Mais pour y arriver, vous devez avoir un modèle pour vous guider dans vos façons de penser et de vous comporter. Dan a précisé les attitudes suivantes, qui sont communes aux personnes modèles, et dont vous devriez vous inspirer[1] :

- **Vivez selon les normes de conduite les plus exigeantes.** Les personnes « de distinction » se libèrent en vivant selon des standards personnels, intellectuels et moraux plus exigeants et astreignants que ceux en vigueur dans la société en général. Ces normes sont consciemment choisies, soigneusement décrites et rigoureusement appliquées.

- **Sachez toujours être digne et maître de vous-même, surtout sous la pression.** Cette attitude comporte trois facettes. La première, c'est l'art de demeurer imperturbable devant des situations chaotiques. Parce que vous savez vous dominer, vous êtes aussi plus apte à diriger les autres. La seconde est le calme qui inspire le courage. Votre attitude posée annonce que vous êtes maître de la situation. La troisième est une résolution inébranlable. Le plus grand exemple du vingtième siècle d'une personne qui possédait cet attribut est évidemment Winston Churchill. Au cours de la Seconde Guerre mondiale, il a pratiquement sauvé à lui seul la civilisation occidentale du naufrage face à l'Allemagne nazie. Grâce à son aptitude à garder son calme et à offrir un leadership confiant et courageux, il a réussi à galvaniser la détermination des Alliés.

- **Inspirez les autres et entraînez-les à donner le meilleur d'eux-mêmes.** Parce que l'individu « de distinction » est le meilleur modèle qui soit, les gens qui gravitent autour de lui commencent à penser et à agir à un niveau qui étonne tout le monde, y compris eux-mêmes. Une personne qui illustre

---

1. Pour une description brillante du concept d'individu « de grande classe » proposé par Dan, procurez-vous « The Class Act Models » (le module 3 de la série « Always Increase Your Confidence ») en visitant le site http://www.strategiccoach.com. Il s'agit d'une ressource précieuse que je vous encourage à utiliser. Si vous adoptez ces règles de conduite, vous aurez des années-lumière d'avance sur 99 % de la population dans votre quête de succès et d'influence.

bien ce troisième trait distinctif est Larry Bird, la grande étoile du basket-ball et membre du Temple de la Renommée. Après avoir mené son équipe, les Celtics de Boston, à trois championnats de la NBA, ses coéquipiers ont souvent fait la remarque qu'ils jouaient avec autant de conviction parce qu'ils étaient inspirés par le leadership de Larry Bird.

- **Manifestez davantage de compassion.** Parce que les personnes de grande classe sont en contact avec leur nature profonde, elles ont une meilleure compréhension de l'humanité et sont capables d'une plus grande compassion. Elles se sentent inextricablement liées aux autres, elles sont tolérantes vis-à-vis leurs faiblesses, et font toujours preuve de courtoisie lors de situations conflictuelles.

- **Améliorez la qualité de chaque expérience.** Ces gens réussissent à transformer les situations les plus banales en événements agréables, significatifs et mémorables. Ils y arrivent parce qu'ils agissent toujours consciemment. Ce sont des créateurs plutôt que de simples consommateurs. Ils enrichissent la vie des autres en faisant de chaque expérience un événement exceptionnel de grande importance, rempli de beauté et d'imagination. Le traitement qu'on vous réserve à l'hôtel Four Seasons est un bon exemple de cette attitude.

- **Faites la guerre à la mesquinerie, à la petitesse et à la vulgarité.** Ce dont il est question ici, c'est de courtoisie, de respect, d'appréciation, de gratitude et de grandeur d'âme. Un de mes exemples favoris est Pat Riley, l'ancien entraîneur des Lakers de Los Angeles, des Knicks de New York et l'instructeur actuel du Heat de Miami. Ce qui le place parmi les gens de grande distinction, à mon avis, c'est la grâce avec laquelle il accepte la défaite.

  Lorsque que Pat était instructeur du Heat de Miami lors de la finale de la NBA, son équipe perdit le match de championnat. Il invita l'équipe adverse au grand complet, y compris l'instructeur, à un barbecue chez lui. Il conversa amicalement avec chacun des joueurs, les félicita de leur magnifique saison et leur souhaita bonne chance dans leur carrière. Pat aurait pu être amer et agressif après s'être fait ravir la coupe. Il a plutôt choisi d'agir avec noblesse, en reconnaissant la grande valeur de ses adversaires. Voilà un geste qui démontre beaucoup de classe.

- **Assumez la responsabilité de vos actes et leurs conséquences.** Une personne qui a de la classe admet volontiers sa responsabilité, tandis que les autres ne cherchent qu'à se défiler ; elle ne cache jamais ses échecs, mais elle choisit de transformer la défaite en progrès.

- **Soyez intègre en toute occasion.** Les personnes modèles se fixent et atteignent des buts à leur mesure, ce qui les incite à évoluer et à s'améliorer constamment. Elles augmentent aussi leur influence dans le monde.

- **Ayez un sens plus inclusif de l'humanité.** Les individus dignes abordent toute personne, incluant eux-mêmes, dans leur unicité. Ils découvrent ainsi constamment de nouvelles manières d'améliorer leur vie, et celle des autres. En repoussant leurs propres limites, ils repoussent aussi celles des autres, leur offrant ainsi une nouvelle liberté pour exprimer leur individualité.

- **Rehaussez la confiance et renforcez les capacités des autres.** Les personnes « de distinction » créent de l'énergie plutôt que de la drainer vers eux. Ils bâtissent leur confiance en choisissant eux-mêmes leurs valeurs et leurs idéaux. Ils posent ainsi les fondations sur lesquelles leurs aspirations et leurs talents peuvent s'élever. Ces mêmes assises permettent aussi aux autres de s'épanouir pleinement, en créant un environnement qui encourage une plus grande créativité, un meilleur esprit de coopération, de progrès et de croissance.

En partageant avec moi ces réflexions, Dan m'a beaucoup appris sur « l'art d'avoir de la classe ». Mais chose plus importante encore, il m'a montré tous les avantages d'être perçu par les autres comme étant un individu « de distinction ».

COMMENT ÉTABLIR VOTRE RÉPUTATION DE PERSONNE MODÈLE

Lorsque les gens parlent de l'ex-instructeur de l'équipe de basket-ball de l'UCLA, John Wooden, ils sont unanimes pour affirmer qu'il s'agit d'un être humain exceptionnel. Et c'est bien normal parce qu'il a amplement mérité cette réputation, en faisant constamment de grands efforts pour mettre en valeur le potentiel des gens qui l'entourent. Dès qu'il fait la connaissance de quelqu'un, ses paroles et son attitude expriment le même puissant message : « Vous êtes un être spécial, vous comptez. »

Une des tâches les plus ingrates du travail d'instructeur est de procéder à la sélection finale de son équipe, de décider quels joueurs feront partie de l'alignement et les autres, moins chanceux, qui seront éliminés. La plupart des entraîneurs apposent simplement la liste de l'équipe sur un tableau d'affichage dans le gymnase, que les candidats consultent pour apprendre s'ils ont été sélectionnés ou non. Manifestant son grand respect et son amour des gens, John Wooden agit tout autrement.

Il ne se contente pas d'épingler une simple liste au mur. Il rencontre chaque joueur individuellement et explique aux candidats malheureux dans quelles disciplines ils pourraient connaître le succès. Il décrit ce qu'il estime être leurs forces, discute de leurs faiblesses et, en s'appuyant sur leurs atouts uniques, leur propose une démarche pour qu'ils continuent de se développer comme athlète et comme être humain. Il prend le temps de préciser leurs qualités et de rehausser leur estime de soi. Ces athlètes sortent de cette expérience motivés et encouragés, plutôt qu'humiliés et blessés par leur échec.

Prenez la décision de vivre selon des standards élevés. Observez ensuite les gens réagir avec enthousiasme autour de vous. Vous entendrez bientôt les commentaires que votre exemple suscitera : « Voilà vraiment le genre de personne que j'aimerais avoir comme ami », ou encore : « Voilà quelqu'un avec qui je n'hésiterais pas à me lancer en affaires ».

AVOIR DE LA CLASSE VOUS AIDERA À RÉUSSIR

En fait, il s'agit de l'un des avantages majeurs d'avoir de la classe : Les gens voudront faire affaire avec vous et solliciteront le privilège de faire partie de votre cercle d'influence. Ils vous percevront comme une personne qui a du succès, qui peut leur ouvrir de nouvelles avenues. Ils savent que vous agirez toujours avec diligence, intégrité et compétence.

L'une des façons les plus aisées de reconnaître ces individus est d'examiner leur cercle de connaissances. Voyez avec qui ils font des affaires et quels sont les gens qu'ils fréquentent socialement. Ils attirent ceux et celles qui, comme eux, sont au sommet de leur art.

Avez-vous récemment jeté un regard attentif sur vos amis, vos collègues, vos associés, vos clients et vos relations ? S'agit-il de « personnes modèles » ? Si ce n'est pas le cas, vous devrez admettre que votre entourage reflète, en partie, ce que vous êtes vous-même. Prenez la décision dès maintenant d'être un exemple à suivre, et vous verrez le genre de personnes que vous commencerez à attirer. Faites-en moins, mais faites-le mieux. Améliorez votre attitude et votre comportement. Même les plus petits gestes peuvent avoir une grande signification.

Dans mon entreprise, par exemple, nous avons remarqué que nous nous servions de gobelets de papier. Nous aurions tout aussi bien pu utiliser des verres de cristal et, de cette façon, soutenir la cause de l'environnement en réduisant les coupes forestières et l'encombrement des dépotoirs. Ce geste aurait amélioré du même coup l'atmosphère du bureau, en exprimant, par ce message éloquent à notre personnel, à nos clients et à nos invités, la haute estime que nous avions d'eux.

De la même manière, ma femme et moi organisions auparavant plusieurs fêtes par année qui, pour être franc, n'étaient pas de grandes réussites. Maintenant, nous donnons une seule réception annuelle, mais nous en faisons un événement si grandiose qu'aucun invité ne peut l'oublier. Une nourriture raffinée est servie dans un décor très élégant. Quelques hôtes de marque et des gens du monde du spectacle, triés sur le volet, donnent à la réception un cachet distinctif. Il est important pour moi de traiter mes invités avec tous les égards et le respect qu'ils méritent. Ils se sentent alors privilégiés, estimés, considérés et aimés.

Cela ne signifie pas que nous ne savourons pas à l'occasion une bonne pizza accompagnée d'une bière fraîche près de la piscine, avec nos amis intimes. Mais lorsqu'il s'agit d'une activité officielle impliquant nos réseaux sociaux élargis, nous nous efforçons de faire les choses en grand style.

LES GENS QUI ONT DE LA CLASSE ENSEIGNENT AUX AUTRES DE QUELLE MANIÈRE IL FAUT LES TRAITER

Bien sûr, la première personne que vous devriez traiter avec respect et estime, c'est vous-même. Mon ami Martin Rutte est un homme de grande distinction. Il s'habille élégamment, se nourrit sainement, et fait toujours preuve de raffinement et de bon goût. En outre, il traite tous ceux et celles qui l'entourent avec amour, dignité et respect. Conséquemment, et par sa façon d'agir, il a appris aux autres à le traiter de la même façon, avec égards et courtoisie.

Si votre tenue est négligée, si vous êtes toujours en retard et si vous ne faites pas attention à votre conduite en public, vous finirez par fréquenter des gens qui vous traiteront avec désinvolture, qui ne seront pas ponctuels et qui relâcheront leur conduite en votre présence.

Quelle est ma première réaction lorsque je sais que Martin doit venir nous rendre visite? Je m'assure d'avoir une bouteille d'un excellent vin, du poisson frais, des légumes simples mais d'excellente qualité, et des framboises fraîches pour le dessert (s'il le faut, nous nous en procurons à grands frais, importées de la Nouvelle-Zélande). Je le fais parce que c'est de cette manière que Martin m'a «formé» à le traiter.

Si un chef d'État, le pape ou le dalaï-lama devait vous rendre visite, ne feriez-vous pas le ménage de fond en comble? N'auriez-vous pas sur la table les meilleurs mets? Eh bien, pourquoi ne le faites-vous pas pour vous? Vous êtes tout aussi important!

Certaines personnes s'attirent le respect, non seulement en raison des égards qu'elles ont pour les autres, mais aussi en raison du traitement qu'elles se réservent à elles-mêmes. Lorsque nous établissons pour nous-même des normes élevées, non seulement sommes-nous mieux traités par notre entourage, mais nous commençons aussi à attirer des gens dont les standards personnels sont supérieurs.

On nous invite là où ces mêmes normes sont en vigueur, et nous avons ainsi la chance de prendre part aux activités que les gens apprécient aux échelons supérieurs de la société. Tout cela est possible, si vous vous appliquez, en toutes circonstances, à avoir de la classe.

CINQUIÈME PARTIE

Le succès et l'argent

***

« *Il existe une science pour devenir riche, et il s'agit d'une discipline exacte, au même titre que l'algèbre ou l'arithmétique. Il y a des lois qui gouvernent le processus d'acquisition de la richesse, et, lorsqu'elles sont apprises et mises en application, elles mènent toute personne à la fortune avec une certitude mathématique.* »

WALLACE D. WATTLES
Auteur de *La Science de l'abondance*

PRINCIPE 56

Cultivez une attitude saine envers l'argent

───────────

« Il existe une psychologie secrète de l'argent qui est inconnue de la plupart des gens. Cela explique leur insuccès sur le plan financier. Le manque d'argent n'est pas le véritable problème ; il est simplement le reflet de ce qui se passe en eux. »

T. HARV EKER
Multimillionnaire et président de Peak Potentials Training

Comme tous les autres sujets que j'ai abordés dans ce livre, le succès financier commence dans votre esprit. Vous devez d'abord décider de ce que vous voulez. Ensuite, vous devez croire que c'est possible et que vous le méritez. Il faut alors vous concentrer sur votre objectif, en y pensant et en le visualisant comme si vous l'aviez déjà atteint. Enfin, vous devez être prêt à payer le prix pour l'obtenir par des efforts disciplinés et persévérants.

Mais la plupart des gens ne franchissent même pas les premières étapes de l'accumulation de la richesse. Trop souvent, ils sont arrêtés par leurs propres conceptions erronées sur l'argent, et parce qu'ils doutent de le mériter vraiment en premier lieu.

DÉTERMINEZ VOS CONCEPTIONS ERRONÉES SUR L'ARGENT

Pour devenir riche, vous devez mettre en évidence, déterminer, déraciner et remplacer toute conception négative au sujet de l'argent. Même s'il peut sembler étonnant qu'une personne puisse être animée d'une prédisposition négative par rapport à la richesse, nous tenons souvent ces croyances inconscientes de l'éducation reçue dans notre jeunesse. Peut-être avez-vous entendu les expressions suivantes lorsque vous étiez enfant :

« L'argent ne pousse pas dans les arbres. »

« Il n'y a pas assez d'argent pour tout le monde. »

« Il faut de l'argent pour faire de l'argent. »

« L'argent est la source de tous les maux. »

« Les riches sont des personnes perverses et mauvaises qui n'ont aucune éthique. »

« Les gens qui ont beaucoup d'argent sont égocentriques. Ils ne pensent qu'à eux. »

« Tout le monde ne peut pas être millionnaire. »

« L'argent ne fait pas le bonheur. »

« Les gens riches ne pensent qu'à l'argent. »

« Si vous êtes riche, vous ne pouvez posséder de belles valeurs spirituelles. »

Ces messages de la petite enfance peuvent saboter ou freiner vos futurs succès financiers, parce qu'ils émettent des vibrations inconscientes qui sont contraires à vos buts déclarés.

Qu'est-ce que vos parents, vos grands-parents, vos professeurs, vos leaders spirituels, vos amis et vos collègues de travail vous ont enseigné au sujet de l'argent quand vous étiez enfant ou jeune adulte ?

Mon père m'a appris que les gens riches l'étaient devenus en exploitant les travailleurs. Il me répétait constamment qu'il n'était pas fait en or, que l'argent ne poussait pas dans les arbres et qu'il était difficile à gagner. Un hiver, mon père décida de vendre des sapins de Noël. Il loua un lot, travailla très dur tous les soirs, à partir de l'Action de grâce jusqu'à la veille de Noël. À la fin, il est tout juste arrivé à couvrir ses frais comme récompense pour son dur labeur. Dans notre famille, nous en sommes arrivés à croire que, peu importe les efforts déployés, il était impossible de prendre le dessus.

Anne était déjà dans la mi-trentaine lorsqu'elle assista à l'un de mes séminaires en Australie. Elle avait hérité de beaucoup d'argent, mais détestait sa situation. Elle avait honte de sa fortune, la cachait, ne voulait pas la dépenser. Lorsque nous avons abordé le thème de la richesse, elle se mit à vociférer que l'argent avait détruit sa famille. Son père, qui avait fait fortune, n'était jamais à la maison. Ou bien il travaillait très dur pour gagner encore plus d'argent, ou bien il était en voyage en train de le dépenser quelque part avec ses amis du jet-set. Cette situation avait poussé sa mère à l'alcoolisme. Les conflits et des disputes étaient incessantes à la maison.

Il n'est donc pas surprenant que l'enfance d'Anne ait été pour elle une expérience misérable. Mais plutôt que d'établir la cupidité de son père et son acharnement excessif au travail comme étant les causes de sa douleur, Anne décida, encore enfant, que le véritable coupable était l'argent. Comme les décisions prises en bas âge par suite d'expériences éprouvantes restent gravées dans l'esprit et augmentent en intensité avec les années, Anne avait nourri des conceptions négatives sur l'argent pendant une vingtaine d'années.

Il arrive que vous preniez des décisions malheureuses au sujet de l'argent à un moment ou un autre de votre vie. Elles agissent ensuite comme un frein, limitant votre capacité d'en gagner, de jouir de la richesse que vous méritez ou que vous désirez. En voici quelques exemples :

« Je n'ai pas le droit de gagner plus d'argent que mon père. »

Scott Schilling, le vice-président des ventes et du marketing de Pulse Tech Products Corporation à Dallas, au Texas, assistait à l'un de mes séminaires, où il était justement question de définir et de se libérer des croyances qui nous limitaient dans la vie.

Lorsque j'ai demandé aux participants de chercher dans leur enfance la source d'une telle conception, Scott s'est souvenu d'une journée en 1976. Il avait alors dix-huit ans, il venait tout juste de compléter son premier mois comme agent d'assurances, et il tenait entre ses mains un chèque de commissions, au montant de mille huit cent cinquante-six dollars. Son père, qui était au service de la même entreprise depuis quarante-six ans, et à un mois de la retraite, reçut son chèque le même jour, et celui-ci s'élevait à mille trois cent soixante dollars.

Scott raconta la scène : « Lorsque j'ai montré le chèque à mon père, il n'a pas dit un mot, mais l'expression sur son visage était éloquente ; il était profondément blessé. Je me suis alors dit : *« Comment ai-je pu faire cela à mon père ? Comment ai-je pu faire en sorte qu'un homme aussi digne et noble que lui, remette en question sa vie entière et ses valeurs ? »*

Il prit alors la décision inconsciente de ne jamais gagner davantage que son père, pour ne pas le plonger dans la même humiliation et le même embarras qu'il croyait avoir perçus en ce jour de 1976. Moins d'un mois après s'être libéré de cette décision dans mon séminaire, il reçut une proposition pour animer une semaine de formation, dont les honoraires s'élevaient à un cinquième de son salaire de l'année précédente.

« Devenir riche viole le code familial. »

J'ai grandi dans une famille de la classe ouvrière. Mon père était fleuriste et travaillait « pour les riches ». Pour une raison ou pour une autre, il ne fallait jamais faire confiance aux riches. Ils écrasaient les pauvres, ils abusaient des travailleurs. Si je devenais riche, je trahirais ma famille et ma classe sociale. Je ne voulais certainement pas devenir un de ces « méchants ».

« Si je deviens riche, je serai un fardeau. »

Mon ami Tom Boyer est un consultant en affaires qui croyait que ses revenus avaient atteint un plateau infranchissable. Grâce à l'aide de notre ami Gay Hendricks, il mit au jour une décision de son enfance qui avait fixé une limite absolue à ses succès futurs :

> « J'ai grandi dans une famille de classe moyenne en Ohio. Nous n'avons jamais manqué de nourriture ni d'autres biens essentiels, mais mon père faisait énormément de sacrifices financiers pour que je puisse poursuivre mon rêve de devenir clarinettiste.

> « J'ai commencé à pratiquer sur la vieille clarinette en métal de mon père, mais je suis bientôt passé à une Leblanc, un instrument très honnête fabriqué en bois. Lorsque j'ai vraiment commencé à exceller, mon professeur, madame Zielinski, vint voir mes parents et leur dit : "Votre fils a un réel talent. Il mérite qu'on lui achète un instrument de très grande qualité. Je vous conseille la Buffet."

> « Il est important de savoir qu'il n'existe que deux grandes familles de clarinettes sur la planète, la Buffet et la Selmer. En 1964, une Buffet coûtait trois cents dollars, environ mille cinq cents dollars aujourd'hui. Même si cela représentait beaucoup d'argent, il fut entendu que madame Zielinski allait choisir l'instrument, et qu'il serait mon unique cadeau de Noël.

> « Le matin de Noël, je suis descendu au rez-de-chaussée, j'ai défait le paquet, ouvert l'étui et découvert une magnifique clarinette en ébène poli, ornée de superbes clés en argent, lovée dans son coffret de velours bleu royal. C'était la chose la plus merveilleuse que j'aie jamais vue de toute ma vie. Plus tard, j'ai eu l'occasion d'admirer la couronne de pierres précieuses du roi Farouk, mais elle ne se comparait en rien avec la clarinette Buffet trouvée sous l'arbre de Noël ce matin-là.

> « Je me suis retourné pour remercier mes parents, mais, avant même que j'aie pu ouvrir la bouche, ma mère m'a dit : "Nous n'aurions jamais pu nous

permettre de te l'offrir si ta sœur avait vécu." (Ma sœur Carol est décédée subitement d'une encéphalite à l'âge de sept ans).

« Et c'est à moment-là qu'une croyance inconsciente s'est infiltrée dans mon esprit. Plus j'aurais du succès, plus je deviendrais un fardeau pour les gens qui m'aiment, non seulement sur le plan financier, mais aussi sur le plan émotif.

« Je sais maintenant que cette idée inconsciente m'a empêché d'atteindre le succès auquel j'aspirais. Je m'étais déclaré coupable du crime d'être un fardeau pour les autres, et, maintenant, je me punissais en ne me permettant pas d'obtenir le succès que je méritais vraiment. »

« Par conséquent, vous devez commencer à comprendre que l'état actuel de votre compte bancaire, le volume de vos ventes, votre santé, vos relations sociales, votre réussite professionnelle, etc., ne sont rien de plus que la manifestation physique de vos états d'esprit passés. Si vous voulez vraiment changer ou améliorer votre situation, vous devez commencer à penser différemment, et vous devez le faire DÈS MAINTENANT. »

BOB PROCTOR
Auteur de *The Power to Have It All*

TROIS ÉTAPES POUR MODIFIER VOS CONCEPTIONS LIMITÉES SUR L'ARGENT

Vous pouvez modifier le conditionnement hérité de la petite enfance en utilisant une technique simple, mais néanmoins très puissante, en trois étapes. Elle vous permettra de remplacer vos conceptions limitées par des notions plus positives et de reprendre les commandes de votre vie. Bien que vous puissiez faire cet exercice individuellement, il est généralement plus efficace et bien plus amusant de le faire avec un partenaire ou un petit groupe de personnes.

1. **Mettez par écrit vos conceptions limitées.**
   « L'argent est à l'origine de tous les maux. »

2. **Contestez, ridiculisez, et critiquez cette conception limitée.**
   Lors d'un exercice de remue-méninges, vous pouvez formuler de nouvelles croyances qui remettent en question celles que vous voulez remplacer. Plus vous la ridiculiserez et plus vous vous en moquerez, plus radical sera le changement qui se produira dans votre conscience.

« L'argent est à l'origine de tous les mouvements philanthropiques. »

« L'argent est à l'origine des plus belles vacances ! »

« L'argent est peut-être à l'origine de tous les maux pour une personne animée de mauvaises intentions. Ce n'est pas mon cas, car je suis une personne aimante, généreuse et bienveillante. J'utiliserai l'argent pour faire le bien dans le monde. »

Vous pouvez écrire vos nouvelles idées sur l'argent sur de petites fiches en carton, et les ajouter aux autres affirmations que vous lisez à haute voix avec passion et enthousiasme tous les jours. Cet exercice quotidien vous aidera considérablement à obtenir des succès financiers.

3. **Créez un énoncé positif qui est l'opposé de votre ancienne conception.** La dernière étape consiste à formuler un nouvel énoncé, un « antidote », qui est l'opposé de votre conception originale. Vous devez l'énoncer de telle sorte que, lorsque vous le prononcerez, un frisson de plaisir parcourra tout votre corps. Lorsque vous l'aurez trouvé, promenez-vous dans la pièce un moment, et répétez-le à voix haute avec énergie et passion. Recommencez plusieurs fois par jour, pendant un minimum de trente jours, et vous l'aurez fait vôtre pour toujours.[1]

En voici un exemple :

« À mon sens, l'argent est la source de l'amour, de la joie et du bon travail. »

Rappelez-vous toujours ceci : les idées sur le succès financier ne se forment pas d'elles-mêmes ! Il faut s'exercer à penser constamment aux thèmes qui constituent « la mentalité » de la prospérité. Prenez le temps qu'il faut tous les jours pour réfléchir à la richesse et visualiser votre succès financier. Lorsque vous rivez volontairement votre esprit sur ces idées et ces images, elles finissent par

---

1. Les émotions fortes facilitent la croissance de centaines de milliers de petits filaments microscopiques à l'extrémité des neurones, ces milliards de cellules qui composent votre cerveau. Ces petites protubérances sont à l'origine de connexions additionnelles qui forment le support physique de nouvelles croyances, qui vous aideront à réaliser vos objectifs financiers. Ce n'est pas de la magie : c'est de la neurologie ! Pour plus d'information sur les recherches scientifiques à ce sujet, consultez les ressources disponibles sur le merveilleux site Web de Doug Bench : http://www.scienceforsuccess.com. Doug est un enthousiaste de la recherche sur le fonctionnement du cerveau et sa relation avec la création du succès dans nos vies.

remplacer les pensées limitées et les images négatives qui dominaient votre esprit. Si vous voulez accélérer votre réussite financière, vous devez répéter ces affirmations positives tous les jours. En voici quelques-unes qui m'ont bien servi:

- « Dieu est un réservoir de richesses infinies. D'importantes sommes d'argent arrivent à moi rapidement et facilement, pour le plus grand bien de tous. »
- « Je dispose maintenant de tout l'argent dont j'ai besoin pour faire les choses que je veux faire. »
- « L'argent afflue vers moi par des chemins inattendus. »
- « Je fais des choix heureux dans l'utilisation de mon argent. »
- « Tous les jours, mes revenus augmentent, que je sois en train de travailler, de m'amuser ou de dormir. »
- « Tous mes investissements sont rentables. »
- « Les gens aiment m'offrir de l'argent pour faire ce qui me plaît le plus. »

Et rappelez-vous que vous pouvez implanter toute idée dans votre subconscient par la répétition constante de pensées remplies d'attentes positives et d'émotions associées au fait d'être déjà en possession de ce que vous désirez .

UTILISEZ LE POUVOIR DU « LÂCHER PRISE » AFIN D'ACQUÉRIR PLUS RAPIDEMENT UNE MENTALITÉ DE MILLIONNAIRE

Lorsqu'on prononce des affirmations au sujet de l'argent – ou sur tout autre sujet d'ailleurs –, il n'est pas rare de voir surgir dans son esprit des idées contraires (objections), comme par exemple: *Mais de qui se moque-t-on ici? Tu ne seras jamais riche. Combien de fois dois-je te le répéter: Il faut de l'argent pour espérer en gagner davantage*». Lorsque cela se produit, écrivez ces objections. Puis, fermez les yeux et libérez-vous de ces idées ainsi que des émotions qui les accompagnent.

Voici une technique simple pour « lâcher prise » qui est une version de la méthode Sedona enseignée par Hale Dwoskin. Je suis un fervent admirateur de cette approche, que je reprends dans mes ateliers. Je recommande fortement d'assister aux cours de fin de semaine, d'acheter le programme d'études personnelles de la Méthode Sedona, le programme audio, ou de lire le livre, *The Sedona Method*, par Hale Dwoskin.[2]

2. *The Sedona Method*, par Hale Dwoskin (Sedona, Ariz: Sedona Press 2003). Pour obtenir davantage d'information sur ses ateliers, ses programmes audio et les autres ressources de

Les questions de base permettant de « lâcher prise »

Notre tendance naturelle est de résister ou d'ignorer ces pensées et ces émotions, mais cela ne fait que les enraciner encore davantage en nous. Tout ce que vous devez faire, c'est de vivre pleinement les émotions qui les accompagnent, avant de les libérer. Même si vous pouvez le faire les yeux ouverts, la plupart des gens trouvent qu'il est plus facile de se concentrer sur ses émotions les yeux fermés. Choisir de lâcher prise est une décision. Et c'est beaucoup plus facile que vous ne le pensez.

Répétez simplement ce petit processus dès qu'une émotion ou une croyance négative ou paralysante au sujet de l'argent essaie de s'imposer dans votre esprit.

Qu'est-ce que je ressens maintenant?
Concentrez-vous sur les émotions qui surgissent lorsque vous faites l'expérience d'une pensée négative paralysante.

Est-ce que je peux l'accueillir et lui permettre de s'installer en moi?
Recevez cette émotion, et vivez-la aussi intensément que vous le pouvez.

Puis-je m'en libérer?
Posez-vous la question : « *Puis-je m'en libérer?* »
Oui ou non sont des réponses acceptables.

Est-ce que je désire m'en libérer?
Demandez-vous : « *Est-ce que je désire me libérer de cette émotion?* »
Si la réponse est non, ou que vous n'en n'êtes pas sûr, posez-vous alors la question : « *Est-ce que je préfère ressentir cette émotion, ou en être libéré?* »
Même si vous préférez continuer à ressentir cette émotion, passez à la question suivante.

Quand?
Demandez-vous : « *Quand?* »

---

la méthode Sedona, visitez le site http://www.sedona.com ou téléphonez au numéro 1-888-282-5656. Si vous utilisez cette démarche dès qu'une pensée ou un sentiment négatif vous assaille, vous pouvez littéralement vous « libérer » en vue d'obtenir le succès.

Il s'agit simplement d'une invitation à vous en libérer. Souvenez-vous que «lâcher prise» est une décision que chacun peut prendre quand bon lui semble.

Répétez les étapes précédentes aussi souvent que nécessaire, jusqu'à ce que vous vous sentiez libéré de cette émotion particulière.

VISUALISEZ CE QUE VOUS DÉSIREZ COMME SI VOUS LE POSSÉDIEZ DÉJÀ

N'oubliez pas d'inclure l'argent dans vos visualisations quotidiennes, en imaginant tous vos buts financiers comme s'ils étaient déjà atteints. Affirmez mentalement votre niveau souhaité de revenus, en visualisant des chèques de paie, de rentes ou de droits d'auteurs importants, vos relevés de dividendes futurs, ou des personnes qui vous donnent de l'argent. Imaginez un relevé bancaire idéal, le bilan de vos investissements boursiers et celui de votre portefeuille d'actifs immobiliers. Voyez des scènes où vous possédez ce que vous voulez acheter, ou dans lesquelles vous contribuez à des causes qui vous sont chères, parce que vous avez atteint tous vos objectifs financiers.

Assurez-vous d'ajouter les dimensions kinesthésiques et olfactives à vos visualisations, sentez la texture délicate de la soie la plus fine sur votre peau, ressentez la détente d'un massage professionnel dans la station thermale la plus prestigieuse de la planète, sentez le parfum de vos fleurs favorites qui embaument votre maison ou les fragrances délicates de votre parfum importé préféré. Ensuite, ajoutez la dimension auditive, telle que le bruit des vagues venant mourir sur la plage en face de votre maison de vacances, et le ronronnement du moteur parfaitement réglé de votre nouvelle Porsche.

Pour finir, pensez à ajouter le sentiment d'appréciation et de gratitude pour la chance que vous avez de posséder ces choses. L'impression d'abondance contribue à vous attirer une plus grande prospérité.

Alimentez constamment votre esprit d'images qui vous inspirent le bonheur et imaginez que cela est maintenant votre réalité pour toujours.

PRINCIPE 57

VOUS OBTIENDREZ CE QUE VOUS DÉSIREZ LE PLUS ARDEMMENT

« Si vous n'attachez pas de valeur à l'argent et ne recherchez pas la richesse, vous ne l'obtiendrez probablement jamais. Vous devez faire une cour assidue à la prospérité pour que celle-ci daigne s'intéresser à vous. Si vous ne brûlez pas du désir d'être riche, la richesse ne viendra pas à vous. Avoir l'intention bien arrêtée de faire fortune est le premier pas incontournable vers son acquisition. »

DR JOHN DEMARTINI
Multimillionnaire qui a fait fortune par ses propres moyens,
consultant en affaires et dans l'art de vivre pleinement

On dit que, dans la vie, on obtient ce qu'on désire le plus ardemment. Cette règle s'applique à la quête d'un nouvel emploi, au lancement d'une entreprise, à la conquête d'un honneur, mais plus spécialement pour acquérir de l'argent, de la richesse et un luxueux train de vie.

VOUS DEVEZ DÉCIDER DE DEVENIR RICHE

L'une des premières conditions pour devenir riche est de prendre consciemment la décision de faire fortune.

Lorsque j'étais étudiant de deuxième cycle à l'université, j'ai pris la résolution de devenir riche. Même si je ne savais pas trop ce que cela signifiait à l'époque, « être riche » me semblait être la voie royale pour obtenir tout ce que je désirais dans la vie : la possibilité de voyager afin de participer aux ateliers qui m'intéressaient, l'accès aux ressources nécessaires pour réaliser mes objectifs et les moyens de m'offrir mes loisirs. Je voulais pouvoir obtenir tout ce que je voulais, quand je le voulais, et tant que je le voulais.

Si vous voulez devenir riche vous aussi, vous devez décider dès maintenant, du plus profond de votre cœur, de faire fortune, sans vous préoccuper de savoir si cela est possible ou non.

DÉCIDEZ ENSUITE CE QU'ÊTRE RICHE SIGNIFIE POUR VOUS

Avez-vous décidé du montant de votre future fortune? Certains de mes amis veulent être millionnaires au moment de prendre leur retraite, d'autres se sont fixés comme objectif d'accumuler trente millions, ou même cent millions de dollars avant de se retirer. J'ai deux amis qui souhaitent être philanthropes et qui voient l'acquisition d'une immense fortune comme le moyen d'arriver à cette fin. Il n'y a pas d'objectif financier idéal en soi. Vous devez décider de ce que vous voulez.

Si vous n'aviez pas exprimé votre vision de l'avenir au principe 3 : « Décidez de ce que vous voulez » incluant vos objectifs financiers, faites-le maintenant. Assurez-vous d'inclure des buts précis comme ceux-ci :

« J'aurai une valeur nette de… $ en… »

« Je gagnerai au moins… $ l'an prochain. »

« J'épargnerai et j'investirai… $ par mois. »

« La nouvelle habitude financière que j'adopte dès maintenant est… »

« Pour ne plus avoir de dettes, je ferai… »

DÉCOUVREZ COMBIEN IL VOUS EN COÛTERA POUR FINANCER L'EXISTENCE DE VOS RÊVES MAINTENANT ET PLUS TARD

Lorsque vous pensez à créer de la richesse, rappelez-vous qu'il y a la vie que vous menez en ce moment et celle que vous voulez vivre dans l'avenir.

Votre style de vie actuel est le résultat des pensées et des actions qui appartiennent à votre passé. La vie que vous réserve l'avenir sera le résultat des idées et des gestes d'aujourd'hui. Pour accéder à la vie à laquelle vous aspirez dans un an, deux ans, ou au moment de votre retraite, calculez approximativement le montant dont vous aurez besoin pour financer la vie de vos rêves.

Si vous ne le savez pas, évaluez combien d'argent il vous faudrait pour faire et acheter tout ce que vous désirez au cours de la prochaine année. Cela pourrait inclure votre loyer ou votre hypothèque, la nourriture, les vêtements, les soins médicaux, l'automobile, les services publics, les cours, les vacances, les loisirs, les assurances, l'épargne, les investissements et vos contributions à des œuvres charitables.

Pour chaque catégorie, visualisez les articles ou activités correspondant à votre vie, et écrivez les montants que vous devrez dépenser pour vous les procurer. Imaginez-vous dans un restaurant chic, au volant de la voiture de vos rêves, en vacances dans un endroit paradisiaque, ou même en train de rénover votre maison ou d'emménager dans une nouvelle demeure. Ne laissez pas votre esprit vous suggérer que ces choses sont impossibles ou insensées. Pour l'instant, ne faites que découvrir et établir exactement ce que la vie de vos rêves vous coûtera, quelle que soit la manière dont vous vous la représentez.

SOYEZ RÉALISTE AU SUJET DE VOTRE RETRAITE

Déterminez aussi ce qu'il vous faudra pour maintenir votre style de vie actuel lorsque vous serez à la retraite. Dans mon cas, je dois admettre que je n'ai aucune intention de cesser de travailler. Mais si la retraite fait partie de vos projets, Charles Schwab estime que, pour chaque tranche de mille dollars de budget mensuel, ils vous faudra un montant de deux cent trente mille dollars en investissements au moment où vous vous retirerez. Si vous avez un million de dollars investis au taux de six pour cent, cela vous assurera un revenu avant impôts d'environ quatre mille trois cents dollars par mois.

Que ce montant soit suffisant ou non dépend de nombreux facteurs, comme le fait de savoir si votre maison sera payée ou non, le nombre de personnes que vous aurez à votre charge, ce que vous comptez recevoir de la sécurité sociale, du style de vie que vous envisagez. De toute manière, quatre mille trois cents dollars par mois ne sera peut-être pas suffisant pour soutenir le train de vie enchanteur que vous envisagez. Si vous voulez voyager et être actif, cela ne sera probablement pas adéquat. Et si vous tenez compte de l'inflation, cela pourrait bien être insuffisant.

SOYEZ CONSCIENT DE VOTRE ARGENT

La plupart des gens ne sont pas vraiment bien renseignés quand il est question de leur argent. Par exemple, connaissez-vous votre valeur nette : le total de vos actifs moins celui de toutes vos dettes ? Connaissez-vous exactement le montant de vos épargnes ? Avez-vous une idée précise de vos dépenses fixes et variables ? Avez-vous calculé le montant exact de vos dettes ainsi que les intérêts que vous payez à chaque année ? Savez-vous si vous êtes suffisamment assuré ? Avez-vous un testament ? Est-il récent ?

Les aventures de la vraie vie
par Gary Wise et Lance Aldrich

© 1993 GarLanCo/Distributed by Universal Press Syndicate

« Selon votre dernier relevé financier, si vous deviez prendre votre retraite maintenant, vous auriez suffisamment d'argent pour vivre très, très confortablement jusqu'à 14 heures demain, approximativement. »

Si vous voulez avoir du succès financièrement, vous devez être conscient de ces facteurs. Non seulement devez-vous savoir précisément où vous en êtes, vous devez aussi savoir exactement où vous voulez vous rendre. Alors, vous serez en mesure de déterminer ce qu'il vous faudra faire pour y arriver.

Première étape: Déterminez votre valeur nette

Si vous ne connaissez pas votre valeur nette, vous pouvez:

1. Demander à un comptable ou à un conseiller financier de la calculer avec vous.

2. Adhérer à une organisation comme Avedis Group (une organisation de services financiers de marketing de réseau, qui aide les gens ordinaires à mieux comprendre les questions d'argent et à devenir financièrement indépendants). Elle vous aidera à calculer votre valeur nette et vous offrira d'autres services financiers à un taux moindre que la plupart des conseillers traditionnels.[1]

---

1. Pour obtenir plus d'information sur Avedis Group, visitez le site: http://www.thesuccessprinciples.com

3. Vous procurer un logiciel de finances personnelles, tel que Personal Financial Statement, que vous pouvez commander à l'adresse : http://www.my financialsoftware.com.

Deuxième étape : Déterminez ce dont vous aurez besoin lors de votre retraite

Ensuite, calculez quels seront vos besoins financiers lorsque vous prendrez votre retraite. Sachez que, par définition, la retraite exige que vous soyez financièrement indépendant. Un bon conseiller financier peut vous indiquer le montant d'épargnes et d'investissements nécessaires pour générer suffisamment d'intérêts, de dividendes, de rentes, et de droits de toutes natures pour soutenir votre style de vie actuel, sans devoir travailler.

L'indépendance financière vous permet de poursuivre vos passions, de voyager, de participer à des activités philanthropiques et à des projets bénévoles, en fait, de faire tout ce que vous voulez.

Troisième étape : Soyez conscient de ce que vous dépensez

« *Le problème économique numéro un de la génération actuelle est le manque de connaissances financières.* »

ALAN GREENSPAN
Président de la Banque centrale américaine

La plupart des gens ne savent pas vraiment combien ils dépensent chaque mois. Si vous ne l'avez jamais calculé, commencez par faire une liste de toutes vos dépenses mensuelles fixes : votre paiement hypothécaire ou votre loyer, votre prêt auto et toutes vos autres mensualités, les primes d'assurances, votre abonnement au câble, votre fournisseur Internet, votre centre de conditionnement physique, et ainsi de suite. Faites une revue des six à douze derniers mois et calculez vos frais variables moyens : les services publics, votre compte de téléphone, la note d'épicerie, les frais d'entretien de la voiture, les frais médicaux, et autres.

Ensuite, faites le bilan de tous vos autres déboursés pendant un mois, même les plus anodins, depuis le plein d'essence jusqu'au café du matin chez Starbucks. Faites le grand total à la fin du mois de telle sorte que vous soyez conscient, plutôt qu'inconscient, de tout ce que vous payez. Séparez les dépenses nécessaires des déboursés discrétionnaires. Cet exercice vous permettra de savoir ce que vous faites de votre argent, première étape pour réaliser des économies, si vous choisissez d'épargner.

Quatrième étape : Développez une solide « culture » financière

―――――――――

« *On ne nous inculque pas de véritable culture financière à l'école. Cela prend beaucoup de temps et d'efforts pour changer de mentalité et acquérir de solides connaissances financières.* »

ROBERT KIYOSAKI
Coauteur de *Père riche, Père pauvre*[2]

Non seulement devez-vous être plus conscient de votre argent, en repassant vos objectifs financiers quotidiennement et en contrôlant vos dépenses mensuelles, mais je vous suggère en plus d'approfondir activement vos connaissances financières et en investissements en lisant, au cours de la prochaine année, au moins un bon manuel par mois traitant de ces questions.

Pour démarrer, jetez un coup d'œil en annexe à la section : Lectures suggérées et autres ressources pour bâtir votre succès, ou visitez le site : http://www.the successprinciples.com pour obtenir une liste des meilleurs titres disponibles.

Une autre manière d'acquérir une solide culture financière est d'entrer en contact avec des professionnels qui pourront vous enseigner comment gérer votre argent pour bâtir un solide avenir financier. Vous pouvez investir votre argent en actions et en obligations, qui vous paient des dividendes, ou vous pouvez placer votre argent dans des propriétés à revenus, qui génèrent un cash-flow positif de revenus de location, supérieur à vos paiements hypothécaires.

Comme la plupart des baby-boomers dans la mi-cinquantaine, Mark et Sheila Robbins étaient coincés dans leur mentalité de salariés. Ils n'avaient jamais envisagé de se créer une vie de richesses et d'abondance. Ils se contentaient de travailler dur – Sheila, comme agente de bord depuis 35 ans à la United Airlines, et Mark, comme gérant d'une concession automobile – et de mettre leur argent dans des comptes bancaires 401 (k).

―――――――――

2. Publié aux éditions Un monde différent sous format de livre et de disque compact. D'autres livres font partie de cette série chez le même éditeur.

Après avoir perdu à peu près la moitié de leur fonds de retraite en raison d'un marché boursier baissier, ils se demandèrent s'il n'y avait pas d'autres moyens de gérer leur argent. C'est alors qu'ils prirent la décision d'adhérer à une organisation financière de marketing de réseau, The Avedis Group, et de s'inscrire aux cours qu'ils offraient. Après avoir lu *Père riche, Père pauvre* de Robert T. Kiyosaki et s'être initié au jeu CASHFLOW, développé par le même auteur, ils commencèrent à maîtriser le langage de l'argent, et l'idée de devenir des investisseurs immobiliers germa petit à petit dans leur esprit.

Ils contactèrent d'abord un agent immobilier se spécialisant dans le genre de propriétés qu'ils avaient en tête et, dès l'été suivant, ils entreprirent la ronde des visites. Moins d'une année plus tard, ils étaient propriétaires de quinze maisons individuelles de location, d'une valeur excédant deux millions de dollars, et qui génèrent toutes des cash-flows positifs.

Comme il n'était pas question de s'arrêter en si bon chemin, ils sont maintenant propriétaires de leur propre concession Chrysler/Dodge/Jeep, et d'une autre entreprise à domicile. Parce qu'ils étaient disposés à investir du temps et de l'argent dans leur éducation financière, et à mettre en pratique les principes appris, leur vie a changé de façon spectaculaire pour toujours.

Pour en apprendre davantage sur Avedis et d'autres organisations qui peuvent vous initier à ces outils d'éducation à la richesse, visitez le site : http//www.the successprinciples.com.

LES NOMBREUX VISAGES DE LA RICHESSE

Lee Brower, fondateur de Empowered Wealth, et qui est aussi membre de mon club des «grands esprits», a développé un modèle pour aider les gens à gérer leur richesse sous toutes ses formes, et pas seulement leurs avoirs financiers. Si vous jetez un coup d'œil au diagramme suivant, vous constaterez qu'il comporte quatre catégories d'actifs :

La première catégorie, ce sont vos actifs humains. Cela inclut votre famille, votre santé, votre caractère, vos talents uniques, votre héritage, vos relations, vos habitudes, votre éthique et vos valeurs morales.

La seconde catégorie comprend vos actifs intellectuels. Il s'agit de vos compétences et de vos talents, de votre jugement et de votre formation scolaire, de vos expériences de vie (tant les bonnes que les mauvaises), de votre réputation, des systèmes que vous avez développés, de vos idées, des traditions dont vous

LES QUADRANTS DE EMPOWERED WEALTH

OPTIMISEZ TOUS VOS ACTIFS

Actifs humains
Enrichissement/Amour

- Famille
- Santé
- Spiritualité

- Bonheur
- Bien-être
- Éthique
- Valeurs morales

- Caractère
- Valeurs
- Compétences uniques

- Relations
- Habitudes
- Avenir
- Héritage

Actifs intellectuels
Imagination/Apprentissage

- Sagesse
- Diplômes
- Expériences de vie (bonnes ou mauvaises)
- Réputation
- Systèmes

- Relations
- Idées
- Traditions
- Alliances
- Compétences
- Talents

**Le système
Empowered Wealth**MD

Actifs financiers
Accumulation / Gains

- Argent comptant
- Actions et obligations
- Plan de retraite
- Entreprises
- Actifs immobiliers
- Objets de valeurs – vos possessions financières et matérielles

Choix et décisions

Actifs civiques
Contributions / Dons

- Taxes et impôts
- Fondations privées
- Contributions charitables d'actifs financiers, de même que de tout autre actif humain ou intellectuel

Tous droits réservés 2002 Empowered Wealth, LLC

avez héritées ou que vous avez cultivées, et des alliances que vous avez forgées avec le temps.

La troisième catégorie est celle de vos actifs financiers, c'est-à-dire votre argent comptant, vos actions et vos obligations, le capital de votre régime de retraite, vos valeurs mobilières, toutes les entreprises vous appartenant, ainsi que vos autres possessions de valeur, comme des antiquités, par exemple.

La quatrième catégorie englobe ce que Lee appelle vos actifs civiques. Souvent, elle se limite aux impôts et aux taxes que vous payez (qui financent les services et les infrastructures publics). Cela peut inclure aussi l'argent destiné originalement au fisc, mais qui peut être «redirigé» en faisant des contributions charitables. Si vous êtes vraiment très riche, vous pouvez même être à la tête de votre propre fondation privée.

Lorsque Lee demande aux familles riches de choisir les deux quadrants les plus importants à transmettre en héritage, celles-ci favorisent sans hésiter les actifs humains et intellectuels. Elles savent que si leurs enfants disposent de tels atouts, ils pourront accumuler une fortune à leur tour s'ils le désirent. S'ils ne possèdent que l'argent, mais n'ont pas d'actifs appartenant aux deux autres catégories, ils finiront par dissiper leurs avoirs. Lee et son équipe de Empowered Wealth enseignent aux familles riches à maximiser et à transmettre les actifs des quatre quadrants aux générations suivantes.

Je vous incite donc à commencer à réfléchir dès maintenant à la meilleure manière de construire et de maximiser vos actifs des quatre secteurs du modèle de Empowered Wealth. Si vous le faites, vous créerez de la richesse d'une manière équilibrée et intégrée. L'argent vous apparaîtra alors dans sa juste perspective, un moyen au service de fins plus élevées.

PRINCIPE 58

PAYEZ-VOUS D'ABORD

―――――――

*« Vous jouissez du droit divin de l'abondance, et, si vous n'êtes pas
au moins millionnaire, c'est que vous n'avez pas eu votre part. »*

STUART WILDE
Auteur de *The Trick to Money Is Having Some!*

En 1926, George Clason écrivit un livre intitulé *L'Homme le plus riche de Babylone*[1] – l'un des plus grands classiques du succès de tous les temps. Il s'agit d'une fable qui raconte l'histoire d'un homme appelé Arkad. Ce dernier est un simple scribe qui convainc un client, prêteur d'argent, de lui enseigner les secrets de la richesse.

Le premier principe que le prêteur enseigna à Arkad fut le suivant: « Tu dois toujours garder pour toi une partie de tout ce que tu gagnes ». Il poursuivit en expliquant qu'en mettant de côté au moins 10 % de ses gains, montant qui ne devait jamais servir aux dépenses, il verrait cette somme grossir avec le temps, produisant de l'argent d'elle-même. Au terme d'une période plus longue, elle deviendra très importante en raison de la puissance des intérêts composés.

Bien des gens ont accumulé leur fortune en se payant d'abord. Ce principe est aussi vrai et efficace aujourd'hui qu'il l'était en 1926.

UNE HISTOIRE ÉLOQUENTE

Je suis toujours étonné de constater que si peu de personnes pratiquent cette règle du dix pour cent pourtant si facile. L'autre soir, à mon retour de Santa

―――――――

1. Publié aux éditions Un monde différent, Saint-Hubert, 1986, 168 pages.

© 1999 Randy Glasbergen.   www.glasbergen.com

Investissements
et planification financière

GLASBERGEN

« Je prends ma retraite vendredi et je n'ai pas économisé un sou.
Voilà votre chance de devenir une légende. »

Barbara, j'ai pris la limousine de l'aéroport pour rentrer chez moi. Le chauffeur, un jeune homme qui paraissait avoir environ un peu moins de trente ans, me reconnut et me demanda de lui confier quelques principes du succès qu'il pourrait appliquer à sa propre vie. Lorsque je lui ai suggéré d'investir dix pour cent de chaque dollar qu'il gagnait, et de réinvestir les intérêts, je me suis tout de suite rendu compte que je prêchais dans le désert. Ce jeune homme était en quête d'un stratagème qui lui permettrait de devenir riche instantanément.

Même si vous devez toujours rester à l'affût d'occasions de gagner de l'argent plus rapidement, je crois que votre avenir doit tout d'abord être édifié sur les assises solides de l'investissement à long terme. Plus tôt vous commencerez, plus vite vous bâtirez votre filet de sécurité d'un million de dollars.

Alors, prenez le temps de consulter un conseiller financier, ou de visiter la myriade de sites Internet où vous n'avez qu'à entrer le montant de votre valeur nette actuelle et votre objectif financier pour la retraite, et qui calculera pour vous ce que vous devez économiser et investir à partir de maintenant pour atteindre votre but.[2]

---

2. L'un des sites qui vous aidera à calculer le temps qu'il vous faudra pour devenir million-naire est : http://www.armchairmillionnaire.com/calculator.

LA HUITIÈME MERVEILLE DU MONDE

*« Les intérêts composés représentent la huitième merveille du monde et la chose
la plus puissante qu'il m'ait été donné de connaître. »*

ALBERT EINSTEIN
Gagnant du prix Nobel de physique

Si vous n'êtes pas familier avec la notion d'intérêts composés, voici comment
cela fonctionne. Si vous investissez mille dollars à un taux de dix pour cent, vous
gagnerez cent dollars en intérêt à la fin de la première année. La valeur de votre
investissement total sera maintenant de mille cent dollars. Si vous laissez le tout
dans votre compte, l'année suivante vous toucherez dix pour cent de mille cent
dollars, soit cent dix dollars.

La troisième année, vous toucherez dix pour cent de mille deux cent dix
dollars – et ainsi de suite, tant et aussi longtemps que vous laisserez croître votre
capital sans y toucher. À ce taux, votre argent doublera à tous les sept ans. C'est
de cette façon que votre modeste dépôt initial grossit avec le temps pour devenir
une somme très importante.

Naturellement, la bonne nouvelle, c'est que le temps est votre allié lorsqu'il
est question d'intérêts composés. Plus vous commencez tôt, meilleurs sont les
résultats. Considérez l'exemple suivant. Mary commence à investir à vingt-cinq
ans et s'arrête lorsqu'elle atteint l'âge de trente-cinq ans. Tom ne commence qu'à
trente-cinq ans mais continue jusqu'à sa retraite à soixante-cinq ans. Mary et
Tom investissent cent cinquante dollars par mois, à un taux de huit pour cent
d'intérêts composés annuellement.

Mais constatez les résultats surprenants obtenus au moment où les deux
cessent de travailler à soixante-cinq ans. Mary qui a investi seulement dix-huit
mille dollars en dix ans, se retrouve à la tête d'un capital de deux cent quatre-
vingt-trois mille et trois cent quatre-vingt-cinq dollars. Quant à Tom, qui a contribué à hauteur de cinquante-quatre mille dollars en trente ans, il ne dispose que
d'un montant de deux cent vingt mille et deux cent trente-trois dollars. La personne qui a investi pendant dix ans est plus riche que celle qui a épargné sans
interruption pendant trente ans, mais qui a débuté plus tard ! Plus vous commencez tôt à mettre de l'argent de côté, plus les intérêts composés ont la possibilité de
faire jouer leur puissante magie.

FAITES DE L'ÉPARGNE ET DE L'INVESTISSEMENT VOTRE PRIORITÉ

Les épargnants les plus dynamiques font de l'investissement un élément central de la gestion de leur argent au même titre que leur paiement hypothécaire.

Pour prendre l'habitude d'épargner quelques dollars par mois, prélevez immédiatement un pourcentage prédéterminé de votre chèque de paie et placez-le dans un compte d'épargne auquel vous vous refusez le droit d'accéder. Continuez à alimenter ce compte jusqu'à ce qu'il ait assez fructifié pour investir dans un fonds commun de placement, un compte d'obligations ou dans un placement immobilier, incluant l'achat de votre propre maison. Le montant d'argent perdu en paiement de loyers et qui ne peut être consacré à l'achat d'une maison est une tragédie pour bien des gens.

En investissant à peine dix ou quinze pour cent de vos revenus, vous parviendrez à accumuler une fortune. Payez-vous d'abord, et vivez avec le reste. Cette stratégie produira deux effets : 1) elle vous forcera à commencer à édifier votre fortune ; 2) si vous désirez dépenser davantage ou faire plus d'activités, vous serez bien obligé de trouver des moyens de gagner plus d'argent pour vous le permettre.

Ne puisez jamais dans vos épargnes pour financer un style de vie plus opulent. Vous voulez que vos investissements croissent au point de pouvoir vivre des intérêts uniquement, si nécessaire. C'est seulement à ce moment-là que vous serez vraiment financièrement indépendant.

IL SE PAYA D'ABORD

Le docteur John Demartini est un chiropraticien qui dirige maintenant des séminaires pour ses collègues sur la croissance personnelle et financière. Il est l'une des personnes les plus riches que je connaisse, il nage littéralement dans l'abondance, tant en esprit, en amitiés et en aventures qu'en matière d'argent. John m'a dit un jour :

« Lorsque j'ai ouvert mon cabinet il y a plusieurs années de cela, je payais tout le monde d'abord et je prenais ce qui restait. Je ne connaissais pas mieux. Puis un jour, j'ai remarqué que ces gens qui étaient à mon emploi depuis moins de six mois recevaient toujours leur salaire à temps. Autrement dit, leur rémunération était fixe tandis que la mienne était variable. Cela me parut insensé. La personne la plus importante de la clinique, c'est-à-dire moi-même en l'occurrence, était constamment sous pression, tandis que les autres jouissaient de l'entière sécurité. Je décidai d'inverser les rôles et de me payer d'abord, ensuite venaient les impôts, le budget de mon style de vie passait en troisième, et finalement, mes factures.

« J'ai procédé par voie de prélèvements automatiques, et cela a complètement changé ma situation financière. Là-dessus, je suis inflexible. Si les factures s'accumulent et que l'argent est plus rare, je n'arrête pas mes prélèvements. Mon personnel doit trouver davantage d'engagements pour mes séminaires, ou récupérer l'argent qui nous est dû. Selon l'ancien système, s'ils ne vendaient pas de séminaires, ou si nous n'étions pas payés à temps, je devais me débrouiller. Maintenant, la situation est inversée. S'ils veulent être payés, ils doivent trouver des moyens de générer plus d'argent pour l'entreprise. »

LA LOI DU 50/50

Une autre règle d'or que John suggère d'adopter est de ne jamais dépenser plus que ce que vous épargnez. John place cinquante pour cent de tous ses gains en épargnes. S'il veut augmenter ses dépenses personnelles de quarante-cinq mille dollars, il doit d'abord générer quatre-vingt-dix mille dollars additionnels de revenus. Disons que vous voulez acheter une voiture de quarante mille dollars. Si vous n'êtes pas en mesure d'épargner un montant équivalent au même moment, vous n'achetez pas cette voiture.

Vous pouvez en acheter une moins chère, vous contenter de celle que vous avez maintenant ou gagner plus d'argent. La clé est que vous n'augmentez pas votre train de vie à moins de vous en être donné le droit en épargnant un montant correspondant. Par contre, si vos économies augmentent de quarante mille dollars, alors vous savez que vous pouvez vous permettre d'augmenter votre train de vie d'autant.

La loi du 50/50 vous permettra de vous enrichir très rapidement. Le milliardaire Sir John Templeton en a fait la base de sa stratégie pour bâtir sa fortune.

NE ME DITES PAS QUE VOUS NE POUVEZ PAS LE FAIRE !

La plupart des gens attendent pour épargner d'avoir un peu plus d'argent à leur disposition, un surplus déjà confortable. Mais ce n'est pas la manière de fonctionner ! Il faut commencer à épargner et investir pour l'avenir dès maintenant ! Et plus vous investissez, plus vite vous deviendrez financièrement indépendant. Sir John Marks Templeton a fait ses débuts comme courtier en valeurs mobilières au salaire hebdomadaire de cent cinquante dollars.

Judith Folk, sa femme, et lui, ont alors décidé d'investir cinquante pour cent de leurs revenus dans le marché des valeurs mobilières tout en continuant de faire de la dîme leur priorité. Ils ne disposaient plus que de quarante pour cent de son salaire pour vivre. Mais aujourd'hui, John Templeton est milliardaire! Il pratique toujours la même discipline et il donne aujourd'hui dix dollars pour chaque dollar gagné à des particuliers et des organisations qui font la promotion de valeurs spirituelles.

QUI VEUT DEVENIR MILLIONNAIRE?

Selon les données du gouvernement américain, il y avait en 1980 un million et demi de millionnaires aux États-Unis. En 2000, ils étaient sept millions. On prévoit que ce nombre croîtra à environ cinquante millions en 2020. On estime qu'un Américain devient millionnaire toutes les quatre minutes. Avec un peu de planification, de discipline personnelle, et des efforts, un des ces millionnaires pourrait bien être vous.

ÊTRE MILLIONNAIRE NE SIGNIFIE PAS ÊTRE CÉLÈBRE!

Même si vous croyez peut-être, à en juger par les Donald Trump, Britney Spears et Oprah Winfrey de ce monde, que la plupart des millionnaires sont des célébrités, la vérité est que quatre-vingt-dix-neuf pour cent d'entre eux sont des gens qui travaillent dur, des épargnants méthodiques et des investisseurs avisés.

Ces gens tirent leur fortune de trois sources principales: de leur propre entreprise, ce qui est le cas de soixante-quinze pour cent des millionnaires américains; de leur position de cadre supérieur dans une grande entreprise dans dix pour cent des cas; les autres sont des praticiens professionnels (des médecins, avocats, dentistes, comptables agréés, architectes, etc.). Une dernière tranche de cinq pour cent est représentée par les millionnaires de la vente et de la consultation.

En fait, la plupart des millionnaires américains sont des gens très ordinaires qui travaillent énormément, qui vivent à l'intérieur des limites de leur budget, qui épargnent de dix à vingt pour cent de leurs revenus; ils le réinvestissent ensuite dans leur propre entreprise, l'immobilier, ou le marché des valeurs mobilières. Ce sont des personnes qui sont propriétaires d'entreprises de nettoyage à sec, de concessions automobiles, de chaînes de restaurants, de boulangeries, de bijou-teries, de ranchs de bétails, de compagnies de transport, et de quincailleries.

Cependant, des personnes provenant de tous les horizons peuvent devenir millionnaires si elles apprennent à épargner et à investir suffisamment tôt dans la vie. Vous avez peut-être entendu parler de Oseola McCarty de Hattiesburg, au Mississippi, qui a dû quitter l'école en sixième année pour s'occuper de sa famille, et qui a passé quelque soixante-quinze années de sa vie à faire le lavage et le repassage des autres. Elle a mené une existence frugale en épargnant tout ce qu'elle pouvait de ses maigres revenus. En 1995, elle a fait un don de cent cinquante mille dollars, la majeure partie de toutes ses économies de deux cent cinquante mille dollars à l'Université Southern Mississippi, afin d'offrir des bourses d'études aux étudiants dans le besoin.

Et voilà sans doute l'aspect remarquable de cette anecdote : Si Oseola avait investi ses épargnes, qui étaient d'environ cinquante mille dollars en 1965, dans un fonds indiciel S&P, dont le taux de rendement est de dix pour cent et demi annuellement, en moyenne, ses épargnes n'auraient pas totalisé deux cent cin-quante mille dollars, mais bien neuf cent quatre-vingt-dix-neuf mille et six cent vingt-huit dollars, pratiquement un million de dollars, soit quatre fois plus.[3]

COMMENT DEVENIR UN « MILLIONNAIRE AUTOMATIQUE »

La meilleure manière de mettre en pratique le principe discuté dans ce cha-pitre, est d'avoir un mécanisme entièrement « automatique » – c'est-à-dire de faire en sorte qu'un pourcentage de votre chèque de paie soit automatiquement déduit et investi selon vos instructions.

Les planificateurs financiers vous diront que leur vaste expérience auprès de centaines de clients leur a montré que seulement quelques-uns, quand il y en a, persévèrent dans leur résolution de se payer d'abord, si le processus n'est pas automatique. Si vous êtes un employé, informez-vous auprès de votre employeur pour savoir s'il existe un plan de versements réguliers dans un compte de retraite, tel que le 401(k) aux États-Unis.

Vous pouvez faire en sorte que le montant soit prélevé directement de votre chèque de salaire. Si ce montant est déduit à la source, il ne vous manquera pas.

---

3. Voir « The Oseola McCarty Fribble » par Selena Maranjian, édition du 5 septembre 1997, sur le site : Motley Fool à l'adresse www.fool.com/Fribble/1997/Fribble970905.htm.

Plus important encore, vous n'aurez pas à penser à vos investissements, vous n'aurez pas à vous soumettre à cette discipline personnelle. Vos épargnes ne dépendront pas de votre humeur du moment, des urgences domestiques ou de tout autre facteur. Vous prenez l'engagement une fois et vous n'avez plus à y revenir par la suite. Un autre avantage de cette stratégie est que vos épargnes demeurent à l'abri de l'impôt tant que vous ne touchez pas à votre argent. Alors, plutôt que de n'avoir que soixante-dix sous travaillant pour vous, votre dollar au complet est mis à profit pour générer des intérêts qui se composent annuellement.

Quelques entreprises contribueront même l'équivalent des sommes mises de côté par leurs employés. Si vous avez la chance de travailler pour l'une de ces sociétés, adhérez à ce programme maintenant! Informez-vous auprès du service des ressources humaines de votre employeur pour savoir comment y participer. Lorsque vous le faites, choisissez la contribution maximale permise par la loi ou un minimum de dix pour cent.

Si vous ne pouvez absolument pas vous priver de dix pour cent de votre revenu, choisissez la part la plus élevée possible dans votre situation. Après quelques mois, analysez la situation à nouveau et déterminez si vous ne pourriez pas hausser votre contribution. Faites preuve de créativité pour sabrer dans les dépenses ou augmenter vos revenus par de nouveaux moyens.

Si votre employeur ne vous offre pas cet avantage, vous pouvez souscrire à un régime de retraite personnel dans une banque ou chez un courtier en valeurs mobilières. Informez-vous auprès d'un conseiller de votre institution financière, ou auprès de votre courtier, pour mettre sur pied un tel régime pour vous. Les démarches ne sont pas plus longues que pour l'ouverture d'un compte bancaire conventionnel. Et pour que les choses soient «automatiques», faites en sorte que les montants déduits de votre chèque de paie soient versés dans ce compte.

Pour obtenir davantage d'information sur les avantages d'un programme d'épargnes automatiques, je vous suggère fortement de lire *Le Millionnaire automatique: un plan efficace en une étape pour vivre dans l'abondance* de David Bach. David a fait un travail remarquable pour vous présenter tout ce que vous avez besoin de savoir, en plus d'inclure une foule de ressources pour mettre ses conseils en pratique, incluant les numéros de téléphone et les adresses Internet qui vous permettront de commencer depuis le confort de votre foyer.

AUGMENTEZ VOS ACTIFS PLUTÔT QUE VOS PASSIFS

« Première règle : Vous devez connaître la différence entre un actif et un passif et acheter des actifs. Les gens pauvres ou de la classe moyenne acquièrent des passifs en croyant qu'il s'agit d'actifs. Un actif est quelque chose qui met de l'argent dans mes poches. Un passif est quelque chose qui vide mes poches. »

ROBERT T. KIYOSAKI
Coauteur de *Père riche, Père pauvre*

Beaucoup trop de personnes mènent leurs affaires financières au gré de leurs dépenses et de leurs fantaisies. Pour la plupart, leur « modèle » d'investissement ressemble à ceci :

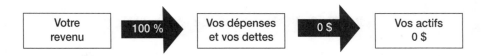

Mais observez de quel œil les gens riches considèrent leurs investissements. Ils investissent une grande partie de l'argent qu'ils gagnent dans des actifs qui génèrent des revenus, des immeubles, de petites entreprises, des actions, des obligations, de l'or, et ainsi de suite. Si vous voulez devenir riche, suivez leurs traces. Utilisez le modèle ci-dessous comme guide dans vos activités financières :

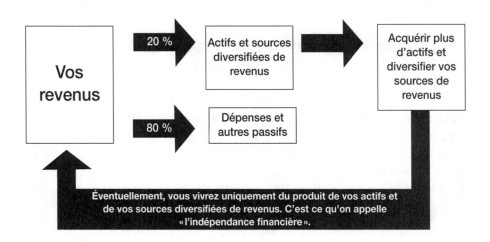

LORSQUE VOTRE PÉCULE COMMENCE À GROSSIR

Au fur et à mesure que vos économies augmenteront, vous voudrez sûrement améliorer vos connaissances en investissements. Vous voudrez peut-être aussi trouver un bon conseiller financier. J'ai fait la connaissance du mien en demandant à des amis prospères de me dire à qui ils avaient confié leurs investissements. Lorsque le même nom a commencé à revenir souvent, j'ai fait mon choix.

Si vous n'avez pas d'amis qui font appel aux services d'un conseiller financier en particulier, ou s'il n'y en a aucun qui semble faire l'unanimité, un bon endroit pour apprendre comment choisir un bon conseiller est le site : http://www.finishrich.com. Ce site (en anglais) comprend une foule d'informations utiles pour vous aider à faire vos premiers pas dans le monde de l'investissement.

PROTÉGEZ VOS BIENS EN LES ASSURANT

La triste réalité aujourd'hui, c'est que plusieurs personnes riches sont la cible de poursuites judiciaires frivoles, de réclamations et d'autres types de plaintes, le plus souvent sans raison légitime. De plus, des accidents et des erreurs peuvent survenir, et c'est la raison pour laquelle il est important de protéger vos actifs financiers avec une bonne police d'assurances. Et ceci est encore plus important si vous avez une petite entreprise.

Cherchez un bon courtier d'assurances, de la même manière que vous vous y êtes pris pour trouver votre conseiller financier ou la société qui gère vos actifs.

PROTÉGEZ CE QUI VOUS APPARTIENT PAR UN ACCORD PRÉNUPTIAL OU DE COHABITATION

Si vous vous mariez plus tard dans la vie ou que vous possédez beaucoup d'actifs au moment de votre union, la plupart des conseillers financiers vous suggéreront de conclure un arrangement prénuptial. Je sais que cela semble introduire un aspect négatif dans une expérience qui devrait en être une d'amour et de félicité, mais, de nos jours, un tel accord est presque devenu une nécessité. J'ai été témoin de trop de cas, où les hommes ou les femmes, ont perdu ce qui était leurs biens légitimes, parce qu'ils n'avaient pas osé obtenir un tel accord.

Lorsque je me suis remarié, ma future épouse était partante pour un tel accord. « Je ne veux en aucun cas te dépouiller de ce qui t'appartient au moment de notre union, m'a-t-elle dit. Tu as beaucoup peiné pour amasser ce que tu possèdes. Je veux que tu te sentes rassuré, sachant que cela continuera de t'appartenir même si notre couple échoue. »

C'est précisément cette attitude qui me fait croire que notre mariage réussira parce qu'elle m'aime, *moi,* et non mon argent. J'admire le fait qu'elle soit une personne équilibrée et rationnelle qui n'est pas là pour profiter de mon succès ou de mon entreprise.

Si vous n'êtes pas capable de discuter d'un arrangement prénuptial, vous ne pourrez probablement pas davantage aborder les sujets émotifs difficiles qui surgiront nécessairement. Cela n'augure rien de bon pour la qualité et la longévité de la relation. Trouvez un bon conseiller matrimonial et un bon avocat, dont les arrangements prénuptiaux ont résisté à l'épreuve des tribunaux, et mettez au point une entente qui vous convient. Cela peut représenter une expérience personnelle très révélatrice pour vous deux.

PRINCIPE 59

Maîtrisez l'art de dépenser

« Trop de gens dépensent l'argent qu'ils n'ont pas, pour acheter des choses qu'ils ne veulent pas, pour impressionner des gens qu'ils n'aiment pas. »

WILL ROGERS
Humoriste, acteur et auteur américain

Alors que je faisais récemment des emplettes avec mon fils de 13 ans, Christopher, j'ai vu près de la sortie un livre intitulé: *Le moyen infaillible d'épargner: le seul guide dont vous aurez jamais besoin.* Je l'ai ouvert pour le feuilleter. Sur toutes les pages apparaissait la même phrase imprimée en gros caractères: *Dépensez moins d'argent.* Un conseil judicieux, s'il en est un.

COMBIEN AVEZ-VOUS DÉPENSÉ L'ANNÉE DERNIÈRE?

Trop dépenser peut compromettre gravement l'atteinte de vos objectifs financiers. Cela vous maintient dans l'endettement, vous empêche d'épargner autant que vous le voudriez, et détourne votre attention vers la consommation, alors que vous devriez vous concentrer sur la création et l'accumulation de richesses.

Si vous n'arrivez pas à garder la main haute sur vos dépenses, je vous suggère cet exercice. Faites le tour de toutes vos armoires, vos tiroirs et les placards de votre maison et retirez-en tout ce qui ne vous a pas servi au cours de la dernière année. Cela inclut vos vêtements, vos chaussures, vos bijoux, vos ustensiles, vos appareils électronique, vos draps, vos serviettes vos couvertures, vos équipements sportifs, vos cassettes audio et vos CD, vos vidéos, vos jeux, vos jouets, vos accessoires, vos automobiles, vos outils – absolument tout ce qui vous a coûté quelque chose et qui, je le répète, *ne vous a été d'aucune utilité au cours de la dernière année.*

Rassemblez le tout en un seul endroit, dans votre salon, la salle de séjour ou le garage. Ensuite, évaluez le coût total de tous ces objets.

J'ai connu des personnes qui ont découvert des vêtements très coûteux portant encore leur étiquette, des sacs remplis de boîtes d'accessoires jamais ouvertes, des outils de grande valeur et de l'équipement qui n'avaient servi qu'une seule fois, quelques années auparavant.

En vérité, sauf les smokings, les robes de soirées, les bottes de ski et l'équipement de plongée sous-marine qui servent à l'occasion, vous n'aviez probablement nullement besoin de toutes ces choses en premier lieu. Pourtant, elles vous ont coûté beaucoup d'argent. Et si vous additionnez le prix de tous ces articles, vous découvrirez que le total excède largement le solde actuel de toutes vos cartes de crédit.

COMMENCEZ À PAYER COMPTANT POUR PRATIQUEMENT TOUT

Un des moyens les plus efficaces de réduire ses dépenses est de tout payer comptant. L'argent comptant est une notion plus immédiate. Cela vous fait réfléchir avant d'acheter. Vous constaterez probablement que vous dépensez beaucoup moins que lorsque vous utilisez votre carte de crédit. Vous évaluerez vos achats plus sérieusement, les dépenses « nécessaires » vous apparaîtront moins indispensables, et les achats importants seront reportés assez longtemps pour vous donner le temps de réfléchir à de bonnes raisons de vous en passer.

VIVEZ DANS L'OPULENCE À BON MARCHÉ

Une autre facette de l'art de dépenser est de vivre dans l'opulence, mais à bon compte. Je connais beaucoup de personnes qui le font, tout en observant un rigoureux programme d'épargnes et d'investissements, simplement en apportant quelques changements à leurs habitudes de dépenses et d'achats.

Voyons quelques exemples.

Une femme de mes connaissances parvient à se procurer son abonnement à l'opéra d'une valeur de six cent quatre-vingt-cinq dollars pour la somme de cent vingt-trois dollars. Elle a la chance d'entendre les mêmes ténors de classe internationale, la même musique bouleversante, en plus de frayer avec tous ces protecteurs des arts qui paient bien davantage qu'elle, tout en parvenant à obtenir un rabais de quatre-vingt-deux pour cent sur le prix régulier.

Comment s'y prend-t-elle ? Lorsqu'elle reçoit le programme et le formulaire pour l'achat de ses billets de saison en mars, elle choisit les opéras qu'elle désire entendre, ignore ceux qui ne l'intéressent pas, et fait parvenir son paiement accompagné du formulaire : « Taillez votre saison d'opéra sur mesure », en présumant simplement que le tout sera accepté tel quel, ce qui, bien sûr, est toujours le cas. Parce qu'elle se contente très bien d'une place au balcon, elle profite pendant une saison entière d'expériences mémorables pour l'équivalent du coût de ses pleins d'essence d'un mois.

Un autre de mes amis collectionne les voitures anciennes, pas n'importe lesquelles, mais des automobiles décapotables de marque Cadillac. Il les achète en janvier, à une époque de l'année où personne ne songerait à se procurer une voiture décapotable, et il épargne ainsi des dizaines de milliers de dollars. Grâce à cette façon de faire, ainsi qu'à d'autres stratégies d'achats originales, il a pu acquérir plusieurs propriétés de location, et, aujourd'hui, il utilise le flux de cash-flow positif qu'elles génèrent pour augmenter encore sa fortune.

Une autre dame que je connais aime porter des vêtements exclusifs très chers, mais se sent moralement tenue de les acheter dans les soldes d'entrepôts, où elle peut choisir parmi des montagnes de vêtements pratiquement neufs ou jamais portés dont les gens se sont débarrassés. Elle ne paie qu'une fraction du coût pour avoir l'air d'une vedette de cinéma.

D'autres pratiquent le troc de produits et de services, réclament des rabais même lorsqu'ils ne sont pas annoncés, s'informent toujours pour s'assurer d'acheter à meilleur marché, entrent en contact avec quatre fournisseurs différents pour le même article et comparent leurs prix, courent les magasins à escomptes pour les objets d'importance secondaire, afin d'avoir plus d'argent pour s'offrir ceux dont ils ont envie – en un mot, ils comptent chaque sou afin de pouvoir s'offrir le train de vie fastueux qu'ils apprécient.

Pour ces gens qui sont tous des épargnants méthodiques, vivre comme un millionnaire le plus économiquement possible est pratiquement un jeu.

LIBÉREZ-VOUS DE VOS DETTES MAINTENANT

Une autre facette essentielle de l'art de dépenser est de se libérer de ses dettes. Cessez de payer des frais d'intérêts et adoptez un mode de vie moins orienté vers la consommation.

L'endettement personnel que nous avons atteint, comme population, est phénoménal. Pour bien des gens, le fardeau des dettes de cartes de crédit, des paiements hypothécaires et des prêts pour l'achat d'automobiles est écrasant. La capacité d'épargner et la sécurité financière de ces personnes en souffrent. Si c'est votre cas, faites immédiatement le nécessaire pour vous libérer de vos dettes, en adoptant l'une de ces stratégies :

1. **Cessez d'emprunter de l'argent.** Si tant de personnes ne sortent jamais de l'endettement, c'est tout simplement parce qu'elles continuent d'emprunter. Même si elles remboursent leurs dettes présentes, elles font des achats à crédit, contractent de nouveaux prêts, et ainsi de suite. Cette approche est tout bonnement insensée. Pourquoi ? Parce que le coût réel de l'achat à crédit est beaucoup plus élevé que la plupart des gens le croient. Le tableau suivant indique la somme effectivement versée lorsque vous achetez un bien avec de l'argent emprunté.

Montant emprunté	10 000 $
Taux d'intérêt	10 %
Période de financement	60 mois
Total des intérêts payés	3 346,67 $
Total du pourcentage d'intérêt	33,5 %

Si vous ne voulez pas payer treize mille trois cent quarante-six dollars un article qui en vaut dix mille, payez-le comptant, achetez-en un à meilleur marché, ou voyez si vous pouvez vous en passer.

2. **N'obtenez pas un prêt sur la valeur nette de votre propriété pour rembourser vos dettes de cartes de crédit.** Lorsque vous « consolidez » tous vos paiements mensuels par un prêt à un plus faible taux d'intérêt, votre situation devient encore plus désavantageuse. Pourquoi ? Parce que vous revenez au tout début du cycle d'amortissement, précisément là où l'intérêt représente l'essentiel de vos mensualités. Au commencement de tout remboursement, une très petite partie de vos mensualités sert à rembourser le principal. Les prêts à la consommation que vous payez actuellement en sont probablement rendus au point où votre paiement mensuel est entièrement consacré au remboursement du principal.

3. **Payez vos petites dettes en premier.** Lorsque vous réglez vos petites dettes en premier, vous réussissez une percée importante, même si vous n'en avez pas l'impression. Votre estime personnelle sort toujours grandie de

l'atteinte du but, quel qu'il soit. Pourquoi ne pas commencer par un but modeste, plus facile à atteindre?

3. **Augmentez progressivement les montants consacrés au paiement de vos dettes.** Lorsque vous êtes parvenu à payer une première dette, consacrez les mêmes montants pour accélérer le remboursement de la suivante. Par exemple, si, en versant trois cents dollars par mois, vous êtes parvenu à réduire le solde votre carte de crédit à néant, prenez ce montant et ajoutez-le aux mensualités de votre prêt auto, par exemple. Vous épargnerez des milliers de dollars en frais d'intérêts, et cela vous évitera de tomber dans le piège de dépenser ces trois cents dollars maintenant «disponibles».

4. **Payez rapidement vos prêts hypothécaires et le solde de vos cartes de crédit.** Plusieurs prêteurs hypothécaires vous offrent la possibilité d'effectuer des paiements bimensuels. Ce qui veut dire que vous effectuez la moitié du paiement mensuel, à toutes les deux semaines, plutôt qu'une seule fois, au début de chaque mois. Parce que ces prêts s'amortissent souvent à chaque paiement, cela aura pour effet de ramener une hypothèque de trente ans à vingt-trois ans. Les avantages sont une économie considérable de frais d'intérêts et une libération plus rapide de cette dette. Si votre prêteur ne vous offre pas cette possibilité, pourquoi ne pas faire un paiement supplémentaire par année, ou verser un montant additionnel chaque mois? Cela réduira la période de remboursement, sans compter les années d'économie de frais d'intérêts. Vous pourriez aussi augmenter vos versements mensuels sur votre carte de crédit.

UN NOUVEAU REGARD

Lorsque vous aurez pris la décision de vivre sans dettes et d'épargner davantage, vous ressentirez un effet pratiquement miraculeux dans votre vie. Lorsque vous cesserez d'être obsédé par les dépenses et la consommation, pour commencer à apprécier les choses que vous possédez déjà et le plaisir d'épargner, vous ferez des progrès à un rythme accéléré.

Même si vous ne croyez pas être en mesure de survivre un autre mois après vous être engagé à réduire vos dettes et à épargner, vous serez surpris par votre capacité à gérer la situation et à atteindre votre but plus rapidement que vous ne le pensiez.

Vous pourriez aussi subir une profonde transformation. Vous verrez vos valeurs et vos priorités se modifier. Soudainement, vous mesurerez le succès sous l'angle de dettes réglées plutôt que sous l'angle de la consommation. Et, au fur et à mesure que votre portefeuille d'investissements croîtra, vous commencerez à évaluer chaque achat potentiel en fonction de votre but à long terme, celui d'être financièrement indépendant et libéré de toutes dettes.

Peu importe où vous en êtes dans la vie, même si votre situation vous semble sans espoir, gardez le cap et laissez ce miracle accélérer votre marche vers le succès.

PRINCIPE 60

POUR DÉPENSER PLUS D'ARGENT, GAGNEZ-EN DAVANTAGE

« Malgré toutes les éloges qu'on a pu faire de la pauvreté, le fait demeure qu'il est impossible de vivre une existence complète ou épanouissante à moins d'être prospère. »

WALLACE D. WATTLES
Auteur de *La Science de l'abondance*

En dernière analyse, il n'y a que deux manières de disposer de plus d'argent pour pouvoir investir ou s'offrir davantage de biens : en dépenser moins, ou bien, en gagner plus. Personnellement, je suis un partisan de l'approche qui consiste à essayer d'augmenter ses revenus. Je préfère gagner plus d'argent et dépenser davantage, plutôt que de me refuser ce que je désire ou en remettre l'achat dans l'attente de gains futurs plus ou moins certains.

Le fait de gagner davantage signifie que vous pouvez investir plus et vous offrir ce que vous voulez : voyages, vêtements, œuvres d'art, concerts, bons restaurants, soins médicaux de qualité, divertissements recherchés, moyens de transport rapides, formation, loisirs ainsi qu'un grand nombre d'autres services qui rendent la vie plus agréable.

Il s'agit là du simple bon sens.

COMMENT FAIRE PLUS D'ARGENT ?

La première étape pour gagner davantage est d'en décider le montant. J'ai déjà parlé longuement du pouvoir des affirmations et de la visualisation, par lesquelles vous vous imaginez déjà en possession de cet argent. Il n'est donc pas surprenant qu'une foule d'anecdotes circulent sur les individus extrêmement riches qui en ont fait une habitude journalière, afin d'attirer plus d'abondance dans leur vie.

La deuxième étape consiste à vous demander : « *Quels produits, services ou valeurs additionnelles pourrais-je créer pour générer plus d'argent ?* » Qu'est-ce que le monde, votre employeur, votre communauté, les gens d'affaires, vos compagnons et compagnes de classe, ou vos clients désirent que vous pourriez leur procurer ?

Finalement, la troisième étape est de développer et d'offrir ce produit, ce service ou cette valeur additionnelle.

SUGGESTION Nᵒ 1 POUR GAGNER PLUS D'ARGENT : DEVENEZ « INTRAPRENEUR »

Plusieurs entreprises américaines d'avant-garde encouragent l'esprit d'entreprise chez leurs employés et leurs cadres. Si vous avez la bonne fortune de travailler pour l'une d'entre elles – ou si vous pouvez convaincre votre patron de vous donner un pourcentage des profits additionnels générés par l'exploitation d'une source de revenus à laquelle personne n'avait pensé jusqu'alors, vous pouvez augmenter presque instantanément vos gains.

Par exemple, il se peut que votre employeur compte un certain nombre de clients à qui on n'a jamais envisagé d'offrir des produits et services additionnels. Ou encore, il se peut que votre service soit si efficace en gestion de projets qu'on pourrait songer à « louer » son expertise à d'autres secteurs de l'entreprise contre rémunération.

Votre employeur dispose peut-être de certains équipements spécialisés, d'une relation privilégiée avec un fournisseur, d'une stratégie de marketing négligée, ou d'un autre actif qui n'est pas exploité à sa pleine valeur. Vous pouvez mettre sur pied un plan pour transformer ces actifs en flux monétaires, et soumettre à votre employeur l'offre d'en maximiser le rendement à l'extérieur des heures normales de travail, en échange d'une prime. Une telle initiative pourrait même vous valoir une promotion bien méritée.

SUGGESTION Nᵒ 2 POUR GAGNER PLUS D'ARGENT : DÉCOUVREZ UN BESOIN ET UN MOYEN DE LE COMBLER

« Je n'ai jamais perfectionné une invention sans avoir d'abord imaginé clairement les services qu'elle pouvait rendre. Je découvre d'abord ce dont le monde a besoin, et ensuite, je l'invente. »

THOMAS A. EDISON
L'inventeur américain le plus célèbre de tous les temps

La plupart de ceux qui ont connu le succès à travers l'histoire ont été des individus qui ont d'abord su déterminer un besoin pour lequel un marché existait, et qui ont offert une solution pour le combler. Pourtant, nous ne demandons jamais ce qui serait utile ou même encore, ce qui est possible.

Si votre rêve est de gagner plus d'argent, que ce soit en démarrant votre propre affaire ou comme supplément à votre salaire actuel, déterminez un besoin qui n'a pas été comblé et comment il pourrait être satisfait.

Qu'il s'agisse de lancer un site Web pour un groupe de collectionneurs, d'offrir des cours spécialisés pour une clientèle à la recherche de compétences très pointues, de développer un produit ou service pour profiter d'une nouvelle tendance sociale, il existe toujours un besoin insatisfait que vous pouvez déceler pour créer une nouvelle entreprise ou un service inédit. Les produits et les services que nous tenons pour acquis aujourd'hui sont tous nés de cette façon. Les gens qui les ont imaginés voulaient combler un manque dans leur propre vie ou ont découvert par hasard une occasion d'affaires dans leur milieu. L'objet ou le gadget, né de leur créativité, s'est révélé ensuite utile à des millions de personnes :

- Le « Baby Jogger » a été inventé par un homme qui voulait pratiquer son jogging tout en s'occupant d'un bébé. Le produit qu'il a créé d'abord pour lui-même s'est ensuite révélé utile à tous ceux et toutes celles qui l'ont vu en action.

- Le site eBay est né en 1995 lorsque son fondateur, Pierre Omidyar, a mis à profit ses talents d'ingénieur pour aider sa fiancée à vendre ses distributrices de friandises PEZ.

- Avon a découvert que son approche de vente directe était idéale dans le nouveau marché russe en émergence. Les représentantes, en plus de conseiller les consommatrices russes peu familières avec les produits de beauté, jouaient un rôle efficace dans leur distribution, à un moment où les réseaux de ventes au détail y étaient encore pratiquement inexistants.

- Les services de rencontres en ligne ont été lancés par d'astucieux entrepreneurs qui ont mis les technologies de l'information au service des besoins de célibataires aux horaires lourdement chargés – précisément ceux et celles qui, justement, passent de dix à douze heures par jour devant leur ordinateur.

Quel besoin pourriez-vous découvrir ? Les besoins sont partout autour de vous. Que vous soyez un étudiant à la recherche d'un revenu estival, une mère au foyer qui aimerait ajouter cinq cents dollars par mois à ses revenus pour joindre les deux bouts, ou un entrepreneur à la recherche d'une occasion en or – il y a toujours un besoin qui peut représenter le point de départ d'une initiative très lucrative.

Une idée originale propulse Mike Milliorn vers la fortune

En 1980, Mike Milliorn était un représentant à l'emploi d'une entreprise d'étiquettes qui aurait bien aimé ajouter quelques dollars à son salaire mensuel. Un de ses principaux clients était la chaîne de restaurants TGI Friday, une entreprise gérée selon les règles de l'art, à la recherche d'une méthode fiable d'étiquetage de sa marchandise de façon à s'assurer que les employés utilisent d'abord les produits périssables les plus anciens : un processus appelé rotation des stocks. Avant de rencontrer Mike, elle utilisait un système de rubans à masquer et de crayons marqueurs, ou de petits autocollants colorés, accompagnés d'un tableau expliquant le code de couleurs en vigueur. Par exemple : « Les points rouges indiquent le mercredi ».

Quel était le problème avec ce système ? La colle des rubans et des étiquettes n'adhérait pas bien aux parois des réfrigérateurs.

Et c'est alors que Mike a mis au point les « Daydots » pour aliments, un système d'autocollants sûrs, conçus spécialement pour faciliter la rotation des marchandises dans un environnement réfrigéré.

Il se dit alors que si les « Daydots » comblaient les besoins de TGI Friday, d'autres restaurants seraient aussi désireux de les utiliser. Il commença à commercialiser son invention au plus grand nombre de clients potentiels que ses moyens lui permettaient de rejoindre.

Comme la plupart des gens qui ont une nouvelle idée, Mike conserva son emploi régulier. « Avec trois enfants, une hypothèque et deux voitures à payer, tout laisser tomber pour me consacrer uniquement à mon produit aurait été un trop gros risque. Et je n'avais pas d'argent à investir. Il me fallait donc imaginer un moyen de lancer mon produit sur le marché le plus économiquement possible et sans quitter mon emploi. C'est alors que j'ai pensé à la distribution par la poste. »

Mike composa un feuillet publicitaire expliquant les avantages de son système et en finança l'impression en contractant un emprunt de six mille dollars, donnant la fourgonnette de sa femme en garantie. Il fit un premier publipostage fort modeste avec le peu d'argent qu'il lui restait. Il reçut tout juste assez de commandes pour l'encourager à faire un autre publipostage, puis un suivant. Pendant quatre ans, sa femme et lui conservèrent leur emploi et gérèrent leur petite entreprise de leur résidence.

Aujourd'hui, l'entreprise de Mike expédie trois millions de catalogues par année et imprime plus de cent millions d'étiquettes «Daydots» par semaine. Mike a perçu un besoin et, avec l'aide de sa femme, de ses enfants et de ses employés, il œuvra avec zèle pour le satisfaire.

L'entreprise a évolué et Daydots fabrique et distribue maintenant une gamme complète de produits de gestion sécuritaire d'aliments périssables, comprenant des étiquettes autocollantes résistantes aux basses températures, dissolvantes et «super faciles» à décoller.

Treize ans plus tard, une grande entreprise d'une valeur de quatre milliards du *Fortune 500* offrit à Mike d'acheter son entreprise pour la somme de dix millions de dollars. Ce qui avait débuté par une simple entreprise destinée à gagner quelques dollars supplémentaires pour «payer les études de ses enfants» a atteint son objectif, et bien plus encore. Mike Milliorn a découvert l'existence d'un besoin et il a trouvé une solution originale et économique pour le combler.

We the People *(Nous le peuple!)*

Au début des années quatre-vingt-dix, Linda et Ira Distenfield se sont mis à la recherche d'un nouveau défi. Ils connaissaient tous les deux une belle carrière dans la fonction publique, mais ils avaient maintenant le goût de faire autre chose. Après quelques recherches sur les produits et les services disponibles sur le marché, ils découvrirent ce qui leur sembla être une lacune : il n'existait pas de services légaux économiques.

Évidemment, cette découverte n'avait rien d'étonnant.

À cette époque, les avocats tenaient le haut du pavé et pouvaient facturer des milliers de dollars pour produire des documents très simples à rédiger. Une faillite typique coûtait environ mille cinq cents dollars tandis qu'un simple divorce pouvait facilement exiger un déboursé de l'ordre de deux à cinq mille dollars.

«Mais pourquoi ne pas offrir un service, pensèrent alors les Distenfield, pour aider les gens ordinaires à obtenir des documents légaux simples moyennant des frais de trois cent quatre-vingt-dix-neuf dollars ou moins? De plus, un tel service aurait l'avantage de démystifier le processus légal, en expliquant au consommateur les options à sa disposition dans un langage de la vie de tous les jours, dépouillé du jargon juridique.»

Les Distenfield mirent leur projet à exécution dans un petit local de Santa Barbara. «We the People» («Nous le peuple») était né.

Aujourd'hui, l'équipe composée de la femme et du mari, possède plus de cent cinquante bureaux dans trente États. En dix ans, *We the People* a bien servi plus de cinq cent mille clients, leur offrant jusqu'à soixante catégories de services légaux différents, toujours à des tarifs que les gens de la classe moyenne peuvent se permettre.

Sans doute la preuve la plus éloquente qu'ils avaient déterminé et comblé un besoin est l'histoire d'un client particulièrement satisfait de New York, qui ne cessait d'en vanter les mérites à Michael Hess, un ancien conseiller juridique de la ville. M. Hess procéda à quelques vérifications dans les jours suivants, et communiqua ses découvertes au maire Rudolph Giuliani. Un ancien avocat lui-même, M. Giuliani fut intrigué par ce cabinet d'avocats au service des gens ordinaires, qui était parvenu à simplifier les procédures juridiques et à réduire leurs honoraires. Aujourd'hui, il est associé de We the People, faisant rejaillir son immense prestige sur l'entreprise et le rêve des Distenfield.

En fait, l'entreprise a connu un tel succès qu'une très grande société est récemment entrée en contact avec le couple avec l'intention d'acheter, We the People, et de la faire progresser davantage. L'engagement des Distenfield d'offrir un service nécessaire et accessible à leur communauté s'est révélé extrêmement profitable pour eux.

Bouillon de poulet pour l'âme[MD]

Lorsque Mark Victor Hansen et moi avons écrit notre premier *Bouillon de poulet pour l'âme*, nous avons par inadvertance comblé un immense besoin dont nous soupçonnions à peine l'ampleur. Nous savions que les gens désiraient être inspirés par des histoires positives et stimulantes, et c'est la raison pour laquelle nous avons écrit le premier livre. Mais nous ne pouvions nous douter de la profondeur de ce besoin.

Nous avons compris que nous étions devant un phénomène plus grand que nous ne l'avions anticipé, lorsque nous nous sommes mis à recevoir de cinquante à trois cents histoires par jour, par la poste, par fax, ou par courrier électronique. Tout le monde avait une histoire à raconter, et tous voulaient lire les histoires d'autres personnes.

Lorsque le public s'arracha littéralement le premier volume et que plus de huit millions d'exemplaires furent vendus, les libraires et notre éditeur réclamèrent de toute urgence une suite. Nous étions déjà prêts et nous avons continué à satisfaire ce besoin à raison de dix livres par année parfois.[1]

Les possibilités sont infinies

Dans votre vie, remarquez-vous l'existence de besoins semblables? Qu'en est-il des désirs et des aspirations des gens qui vivent autour de vous?

Y a-t-il quelque chose qui pourrait être: 1) créé; 2) solutionné; 3) réglé; ou 4) éliminé? Y a-t-il un inconvénient de la vie quotidienne que l'on pourrait supprimer ou atténuer par un dispositif que vous pourriez inventer? Partagez-vous un but ou une ambition avec d'autres personnes de votre entreprise, ou de votre cercle d'amis, que vous pourriez réaliser, si seulement vous disposiez d'un système ou d'un moyen pour en faciliter l'exécution? Pratiquez-vous certains loisirs qui seraient encore plus agréables si vous étiez en possession d'un gadget ou d'un service innovateur?

Faites le tour de votre propre vie et demandez-vous ce qu'il lui faudrait pour la rendre plus facile ou plus enrichissante.

SUGGESTION N° 3 POUR GAGNER PLUS D'ARGENT: FAITES PREUVE D'IMAGINATION

Dave Liniger, fondateur et président de RE/MAX, était un jeune agent immobilier enthousiaste. Cependant, comme tous ses collègues, il était mécontent de devoir verser la moitié de ses commissions à l'agence à laquelle il était affilié. En homme avisé et ingénieux, il commença à chercher une solution de rechange: une meilleure façon de vendre des maisons et, en même temps, de garder une plus grande portion de ses gains.

Peu de temps après, Dave apprit par hasard l'existence d'une agence immobilière indépendante qui, pour un loyer de cinq cents dollars par mois, offrait un bureau, les services d'une réceptionniste, et quelques autres services aux agents suffisamment expérimentés pour trouver leurs clients potentiels et organiser leurs propres promotions. Tout comme Dave, ces personnes n'avaient pas besoin du financement d'une entité prestigieuse pour avoir du succès. Mais contrairement aux maisons de courtage gérées plus professionnellement, cette petite «boutique»

---

1. Pour une liste complète de la série Bouillon de poulet pour l'âme, consultez le site: www.chickensoup.com.

n'offrait pas un soutien exceptionnel, un nom respecté, de nombreux bureaux ainsi que la possibilité de partager les frais entre des milliers d'agents.

« Pourquoi ne pas créer une formule hybride? se demanda Dave. Pourquoi ne pas mettre sur pied une firme qui pourrait offrir une plus grande marge de manœuvre aux agents, leur permettant de conserver plus de la moitié de leurs commissions sur les ventes et leur offrant, en même temps, l'encadrement d'une entreprise bien établie? »

Real Estate Maximum – RE/MAX – était née. Et depuis sa fondation en 1973, grâce à la vision de Dave et à sa volonté acharnée de ne pas abandonner au cours des cinq très difficiles premières années, RE/MAX est devenu un des réseaux d'agents immobiliers ayant connu la croissance la plus soutenue au monde, avec plus de quatre-vingt-douze mille agents dans cinquante pays. Les membres partagent les frais de gestion, diminuant ainsi leurs dépenses. Ils font partie d'une entité plus grande tout en conservant suffisamment d'autonomie pour décider de leur propre budget promotionnel, et de la part de leur revenu qu'ils désirent conserver après avoir payé les frais.

En conjuguant une idée originale au travail acharné, à la persévérance et à la passion, Dave Liniger a pu combler le besoin de milliers d'agents immobiliers et créer une entreprise dont les revenus annuels s'élèvent à près d'un milliard de dollars.

Jusqu'où iriez-vous si vous étiez disposé à faire preuve d'un peu de créativité dans vos solutions?

SUGGESTION Nº 4 POUR GAGNER PLUS D'ARGENT: DÉMARREZ UNE ENTREPRISE SUR INTERNET

À titre de spécialiste en création de nouvelles sources de revenus, Janet Switzer travaille avec d'innombrables entrepreneurs du réseau Internet, les aidant à gagner plus d'argent avec leur entreprise en ligne. Aujourd'hui, une entreprise ayant « pignon sur rue » sur la toile est l'une des plus faciles à démarrer et à opérer qui soit, même si vous conservez votre emploi actuel. Vous pouvez déterminer un besoin très précis et offrir une solution, sachant que même si le marché visé est très restreint, vous pouvez toujours rejoindre des dizaines de milliers, voire des millions de personnes dans le monde entier, susceptibles d'être intéressées.

Vous pouvez même y vendre des livres électroniques, des fichiers audio, des logiciels, du matériel de formation, des rapports spécialisés, des cours pratiques, et d'autres types de produits informationnels qui peuvent être téléchargés, ce qui signifie que vous n'aurez jamais à expédier une seule boîte ou une seule enveloppe. Bien sûr, il y a un nombre infini de possibilités. Il s'agit de trouver un besoin que votre produit pourrait combler, d'imaginer le meilleur moyen de rejoindre des clients, et de les convaincre de l'acheter.

De plus, la bonne nouvelle, c'est que le réseau Internet est maintenant un marché arrivé à maturité. Il existe des milliers d'autres sites Web, des bulletins d'information en ligne, et des clubs qui ont déjà des milliers de visiteurs, d'abonnés ou de membres qui pourraient se révéler être d'excellents clients potentiels pour vous. Vous n'avez qu'à offrir aux propriétaires de ces sites, ou à leurs affiliés, un pourcentage de vos revenus.

Une des meilleures ressources que j'ai trouvée pour mettre sur pied de tels partenariats en ligne est le programme de Yanik Silver, *Instant Internet Profit*, disponible sur le site : http//instantinternetprofits.com. Un des clients de Janet a reçu cinq cent soixante-dix-huit mille et six cent soixante-sept nouveaux visiteurs sur son site en moins de quatre-vingt-dix jours. Plusieurs de ces visiteurs achètent des produits et des services sur une base régulière directement du propriétaire du site Web.

Lorsque vous serez plus familier avec la mise en marché sur Internet, vous serez en mesure de vendre également les produits d'autres entrepreneurs en ligne. Un joaillier de la Floride reçut un jour la visite d'un entrepreneur qui lui demanda s'il avait déjà pensé à vendre ses bijoux sur Internet. Le bijoutier lui répondit qu'il y avait déjà songé, mais qu'il n'avait jamais trouvé le temps de le faire. L'entrepreneur offrit de concevoir le site et de le gérer en échange d'une commission sur les profits. Le commerçant accepta la proposition sur-le-champ. Il s'agissait d'une solution où les deux associés étaient gagnants.

En juillet 2001, Shane Lewis, alors étudiant en médecine, décida de créer un site Internet pour subvenir aux besoins de sa famille alors qu'il était encore aux études à l'Université George Washington. Avec l'aide de StoresOnline.com, il se mit à la recherche d'un produit qu'il pourrait mettre en marché. Il découvrit un prêt-à-monter pour un test d'urine que les parents ou les proches peuvent administrer pour détecter instantanément la présence de narcotiques chez leurs adolescents.

Ce produit, ainsi que deux autres articles de dépistage de drogue et d'alcool, lui rapportent maintenant bien au-delà de cent mille dollars annuellement. Il m'a confié : «Le premier mois, je n'ai reçu que quelques commandes, mais dès le troisième mois, nous faisions de bonnes affaires et j'avais dépassé mes objectifs de départ. Aujourd'hui, l'argent que nous gagnons permet à mon épouse de rester à la maison avec les enfants tandis que je poursuis mes études. Grâce à notre entreprise sur Internet, nous n'avons pratiquement aucune dette et nous n'avons plus à compter sur les prêts étudiants pour joindre les deux bouts. »

SUGGESTION N° 5 POUR GAGNER PLUS D'ARGENT : ADHÉRER À UNE ENTREPRISE DE MARKETING DE RÉSEAU

Il y a plus de mille entreprises qui vendent leurs produits et leurs services grâce au marketing de réseau. Il en existe sûrement au moins une ou deux qui pourraient vraiment vous intéresser au point d'en faire efficacement la promotion. Depuis les produits de santé, alimentaires, cosmétiques jusqu'aux batteries de cuisine, jouets, systèmes éducatifs et services téléphoniques, en passant par les services financiers et juridiques bon marché, il y en a pour tous les goûts.

Parce que plusieurs entreprises dans le secteur du marketing de réseau sont éphémères, renseignez-vous bien au sujet de l'entreprise et de ses produits avant de vous impliquer. Trouvez une entreprise qui existe depuis un certain temps et qui jouit d'une solide réputation. Essayez les produits et éprouvez-les sérieusement. S'ils suscitent chez vous de l'enthousiasme et si vous aimez communiquer avec les gens, vous pouvez faire énormément d'argent en utilisant l'effet de levier de vos collaborateurs en aval. Il y a très peu d'industries où vous pouvez jouir de telles possibilités de profits pour un investissement aussi minime.

L'ARGENT ACCOMPAGNE LA VALEUR

Dès que vous avez décidé de mettre l'épaule à la roue, la clé est d'augmenter votre valeur aux yeux de votre employeur et de vos clients. Vous le faites en solutionnant leurs problèmes, en distribuant leurs produits et en leur procurant des services qu'ils veulent et dont ils ont besoin.

Il est possible que vous ayez besoin de plus de formation, de développer de nouvelles compétences, de créer de nouvelles relations, ou d'y mettre du temps supplémentaire. Mais la responsabilité de devenir meilleur dans ce que vous faites et votre façon d'y arriver sont entièrement vôtres. Recherchez toujours de nouvelles occasions pour acquérir plus de formation ou d'autoformation. Si vous avez besoin d'un diplôme d'études supérieures pour progresser dans votre secteur d'activité ou votre profession, cessez d'en parler et allez l'obtenir.

CRÉEZ DE MULTIPLES SOURCES DE REVENUS

La meilleur manière de disposer de plus d'argent et de développer une véritable sécurité financière est de créer plusieurs sources de revenus. Cela vous protège de l'éventualité de voir une source se tarir, le plus souvent votre emploi, vous laissant alors sans le sou. J'ai toujours eu plusieurs sources de revenus. Même lorsque j'étais thérapeute en pratique privée, je prononçais des conférences, j'animais des ateliers destinés aux enseignants, et j'écrivais des articles et des livres.

Vous aussi, pouvez trouver des moyens originaux pour faire plus d'argent si vous vous mettez simplement à les chercher. Vous pouvez débuter de façon très simple, par exemple, en utilisant votre camionnette pour faire du transport de marchandises le week-end, en faisant du tutorat, en donnant des leçons de musique, en investissant dans des propriétés de location, en faisant de la consultation ou du marketing sur Internet.

Les possibilités de créer des sources de revenus additionnels sont infinies. Si vous êtes un lecteur vorace, vous pourriez créer un magazine en ligne (ou un « e-zine ») et y inclure des critiques des livres que vous avez lus. En liant votre site à celui d'un libraire en ligne, comme Amazon.com, vous obtiendrez un pourcentage des ventes de tous les livres vendus par l'intermédiaire de votre lien. Vous pouvez vendre sur e-Bay, ou encore acheter et vendre des œuvres d'art.

Un de mes amis, dont les revenus proviennent principalement de ses honoraires de conférencier, est un amateur d'art oriental. Deux fois par année, il voyage en Chine et au Japon pour acheter des œuvres à des prix très avantageux. Il garde ce qu'il aime et vend le reste avec un bénéfice fort intéressant à un groupe grandissant de collectionneurs qu'il fréquente. Ses voyages et ses trouvailles sont donc entièrement payés de cette manière et, qui plus est, il réalise un profit. Je connais le directeur d'une école privée qui se rend en Chine pendant ses vacances d'été pour y acquérir des meubles d'artisanat local, qu'il met en vente chez lui, dans son entrée de garage.

Ma sœur Kim a commencé à enfiler des perles comme passe-temps lorsqu'elle était dans la vingtaine, et, à l'âge de trente-cinq ans, elle avait créé son entreprise, Kimberly Kirberger Designs. Elle vend ses produits chez Nordstrom et Barneys, dans plusieurs boutiques locales et aux membres de la distribution de l'émission de télévision *Beverly Hills 90210*.

UNE DISTINCTION À RETENIR

Lorsque vous mettez sur pied plusieurs sources de revenus, concentrez vos efforts sur le type d'entreprise qui exige très peu de temps et d'argent pour démarrer et fonctionner. Votre but ultime est de mettre en place des activités dont vous pouvez vous occuper au moment de votre choix, et que vous pouvez délaisser momentanément pour vous accorder des loisirs. Si vous vous dispersez trop, vous risquez de mettre en danger votre principale source de revenus.

Les deux meilleures ressources que je connaisse pour comprendre et maîtriser l'art de créer plusieurs sources de revenus sont *Multiple Streams of Income: How to Generate a Lifetime of Unlimited Wealth*, deuxième édition, et *Multiple Streams of Internet Income: How Ordinary People Make Extraordinary Money Online*, de Robert G. Allen.

Et n'oubliez pas de mettre en pratique ce que vous avez appris jusqu'à maintenant pour créer différentes sources de revenus. Intégrez cette stratégie dans votre vision et vos buts, visualisez et affirmez que vous faites des gains grâce à ces nouveaux débouchés, commencez à lire des livres et des articles sur ce sujet et parlez-en à vos amis. Vous commencerez à vous attirer toutes sortes de bonnes occasions et idées. Alors, choisissez celles qui vous conviennent le mieux.

PRINCIPE 61

Donnez et vous recevrez

« Apportez intégralement la dîme au trésor, pour qu'il y ait
de la nourriture chez moi. Et mettez-moi à l'épreuve, dit Yahvé Sabaot,
pour voir si je n'ouvrirai pas en votre faveur les écluses du ciel et
ne répandrai pas en votre faveur la bénédiction en surabondance. »

(MALACHIE 3,10)
Bible de Jérusalem

Payer la dîme – c'est-à-dire verser dix pour cent de ses revenus à l'œuvre de Dieu – est l'une des meilleures garanties de prospérité qui soit. Plusieurs des personnes les plus riches du monde, et les gens qui ont le plus de succès, ont été fidèles à cette pratique. En la versant régulièrement, vous mettez en mouvement la puissance universelle de Dieu, qui apportera une abondance continuelle dans votre vie.

Non seulement cette pratique sert-elle les autres, mais elle est tout aussi bénéfique à celui ou celle qui donne. Ses bienfaits franchissent les frontières de toutes les religions et touchent les gens de toutes les croyances parce que le simple acte de donner crée une alliance spirituelle avec le Dieu de l'abondance, et fait naître un état d'esprit d'amour envers son prochain. Cette offrande prouve d'une façon éloquente que la richesse est ce que Dieu désire pour Ses enfants. En fait, Il a créé un monde dans lequel plus on a de succès, plus il y a de prospérité à partager. L'augmentation de la richesse d'un individu correspond presque toujours à l'accroissement du bien-être de la société en général.[1]

---

1. Voir *God Wants You to Be Rich : How and Why Everyone Can Enjoy Material and Spiritual Wealth in Our Abundant World*, par Paul Zane Pilzer (New York : Fireside, 1997).

LA DÎME QUI MIJOTE DANS LA SÉRIE
BOUILLON DE POULET POUR L'ÂME

La dîme a certainement joué un rôle important dans mes succès et ceux de la série *Bouillon de poulet pour l'âme*^{MD}. Dès la parution du premier livre de la série, nous avons versé une partie de nos profits à des organismes à but non lucratif qui avaient pour mission de guérir les malades, nourrir les pauvres, loger les sans-abri, venir en aide aux gens sans ressources, promouvoir l'éducation, et protéger l'environnement.

Conjointement avec notre éditeur et nos coauteurs, nous avons donné des millions de dollars à plus de cent organisations, incluant la Croix-Rouge, le YWCA, et la fondation Make-A-Wish. Depuis 1993, nous avons planté pas moins de deux cent cinquante mille arbres au parc national Yellowstone en collaboration avec la National Arbor Day Foundation, assumé les frais de construction de maisons pour les sans-abri avec Habitat for Humanity, nourri les pauvres par l'intermédiaire de l'organisme Feed the Children, et prévenu des millions de suicides d'adolescents grâce à notre soutien à la Yellow Ribbon International. Nous apprécions notre bonne fortune et nous tenons à remettre une partie de ce que nous avons reçu. Nous sommes fermement persuadés que ce que nous donnons nous est éventuellement rendu au centuple.

Nous faisons également don d'une partie de notre revenu personnel à notre église et à d'autres organisations missionnaires et spirituelles qui permettent à l'homme de s'élever en participant au travail de Dieu.

Un des projets les plus excitants auquel nous ayons participé fut la distribution de cent mille livres gratuits du *Bol de bouillon de poulet pour l'âme des prisonniers* à des personnes incarcérées. Ce livre n'était pas destiné au grand public, mais il a connu un tel succès que nous avons bientôt reçu des milliers de demandes de membres de familles des prisonniers, d'officiers du système correctionnel et de ministres du culte travaillant dans le milieu carcéral qui désiraient en obtenir un exemplaire.

Ce qui avait débuté comme une entreprise strictement philanthropique est devenue une fois de plus un succès de librairie de la série *Bouillon de poulet* – un autre exemple qui illustre bien que les gestes faits avec une intention généreuse sont toujours récompensés.

IL Y A PLUSIEURS FAÇONS D'OFFRIR LA DÎME

Il y a plusieurs manières de faire sa contribution. La dîme monétaire consiste à verser dix pour cent de vos revenus bruts à une organisation qui vous guide spirituellement, et dont vous voulez soutenir le travail.

Vous pouvez aussi faire don de votre temps à votre église, votre synagogue ou tout autre organisation charitable qui apprécierait votre aide. Il y a plus de dix-huit mille organismes humanitaires aux États-Unis seulement, qui ont constamment besoin de bénévoles.

SA VIE A CHANGÉ DÈS QU'IL A COMMENCÉ À PRATIQUER LA DÎME

« La nature donne tout, sans réserve, et ne perd rien ; les hommes et les femmes qui s'accrochent à leurs possessions, perdent tout. »

JAMES ALLEN
Auteur de *Path of Prosperity*

Robert Allen, l'auteur des succès *Acheter une maison sans cash : comment dénicher la bonne affaire* et *Le Millionnaire minute : en route vers la richesse*, n'a pas toujours pratiqué la dîme. Mais après avoir tout perdu, obligé de repartir à zéro, il s'est dit : *« Un instant. J'ai eu tellement d'argent dans ma vie. Je devrais être un gourou qui enseigne comment devenir riche. Mais où est-il passé ? Je dois avoir fait quelque chose de mal. »*

Éventuellement, Bob devait renouer avec la prospérité. Mais, en cours de route, il a appris une leçon de très grande valeur : *« Ou bien je crois à la dîme, s'est-il dit, ou bien je n'y crois pas. Si j'y crois, je dois faire mon offrande une fois par semaine. Je vais calculer mon revenu de la semaine et faire mon chèque tout de suite ».*

Grâce à cette fervente pratique hebdomadaire, un nouvel univers s'offrit à lui. Même s'il se trouvait devant des dettes insurmontables, il se mit à manifester de la gratitude pour ce qu'il avait. Bientôt, de nouvelles portes se sont ouvertes devant lui. Aujourd'hui, Bob dit qu'il reçoit tellement de propositions qu'il lui faudrait dix vies entières pour les exploiter. Il est persuadé que les choses doivent se dérouler ainsi dans la vie des gens qui paient la dîme régulièrement.

Mais ce qui est encore plus éloquent, c'est sa façon d'inspirer les autres à suivre son exemple. Il se rappelle d'une femme qui l'aborda pour se plaindre :

« Mon mari et moi ne pouvons nous permettre de payer une dîme. C'est tout juste si nous arrivons à rembourser notre hypothèque. Notre train de vie nous coûte cinq mille dollars par mois. Il ne reste plus suffisamment d'argent à la fin du mois pour cela. »

Bob la réprimanda en lui disant : « On ne pratique pas la générosité parce que l'on veut obtenir quelque chose en échange, mais plutôt parce qu'on l'a déjà reçue. Vous êtes si privilégiée que vous n'arriverez jamais à rembourser votre dette à l'univers. Il y a six milliards d'êtres humains sur terre qui donneraient ce qu'ils ont de plus cher pour changer de place avec vous. Vous devez payer la dîme pour exprimer votre gratitude pour les avantages incroyables et le style de vie dont vous jouissez aujourd'hui. »

Bob n'attend rien en retour de ses offrandes, car il sait que le ciel a déjà ouvert toutes grandes les portes de la générosité à son égard. Il paie la dîme parce qu'il a déjà été exaucé.

LES DONS D'ENTREPRISES

Les entreprises aussi peuvent récolter les récompenses de la générosité. William H. George, le président et chef de la direction de Medtronic, a récemment révélé lors d'une conférence donnée à Minneapolis, que sa société avait décidé de donner deux pour cent de ses profits avant impôts. Même si cette « dîme » totalisait seulement un million cinq cent mille dollars au début, la croissance spectaculaire de vingt-trois pour cent que l'entreprise a connue au cours des onze dernières années, lui a permis d'augmenter ses dons à dix-sept millions de dollars en une seule année.

Les actes de générosité les plus impressionnants des dernières années ont sans doute été l'octroi d'un milliard de Ted Turner aux Nations unies, et ceux totalisant sept milliards de dollars de Bill et Melinda Gates, par l'entremise de la Bill et Melinda Gates Foundation. Cependant, vous n'avez pas besoin d'être une grande société ou d'être super riches pour remettre une partie de ce que vous avez reçu à la collectivité.

Toute contribution, qu'il s'agisse de temps ou d'argent, sera appréciée par les gens qui la recevront, et vous en bénéficierez aussi, d'abord à cause de la joie intérieure que vous éprouverez, et ensuite par l'élargissement du fleuve d'abondance qui viendra éventuellement baigner vos rivages.

PARTAGEZ LA RICHESSE

« L'argent, c'est comme le fumier. Si vous le répandez, il fera beaucoup de bien. Mais si vous l'empilez, il empestera insupportablement. »

JUNIOR MURCHISON

Lorsque vous associez les autres à votre réussite, que vous partagez votre richesse avec eux, la productivité s'en trouve améliorée, de plus grands succès sont réalisés, et en fin de compte, tout le monde en bénéficie. La clé du succès de notre série *Bouillon de poulet pour l'âme* a été notre décision d'engager davantage de collaborateurs dans le processus. Même si Mark et moi recevions moins en droits d'auteur : trente ou quarante sous, plutôt que les soixante habituels, cela nous a permis de compléter plus de volumes, d'obtenir davantage d'attention de la part des médias, et de vendre un plus grand nombre d'exemplaires. Nous n'aurions jamais pu, à nous deux seulement, compiler, éditer, écrire et faire la promotion de quatre-vingts livres, même avec la meilleure volonté du monde.

Ce projet, qui a démarré avec la collaboration de deux auteurs et de deux secrétaires, s'est transformé en une entreprise comptant un personnel de douze personnes, dont deux éditeurs, plusieurs éditeurs adjoints, deux adjoints à la rédaction, un spécialiste en droits d'auteurs, un directeur du marketing, un directeur de licences d'exploitation, un gestionnaire de projets, plusieurs secrétaires. Il faut ajouter à cela un groupe de soixante-quinze coauteurs et plus de sept mille collaborateurs, incluant cinquante caricaturistes.

Nous avons toujours fait de notre mieux pour payer généreusement toutes les personnes impliquées. Le salaire des membres de notre personnel est plus généreux que la norme dans l'industrie de l'édition. Nous avons d'intéressants régimes de retraite et un plan de bonis très avantageux. Tout le personnel a droit à six semaines de vacances par année. Nous avons payé plus de quatre millions de dollars en droits à nos collaborateurs et donné des millions de dollars à des œuvres de charité. Nous sommes persuadés que cette volonté de partager a produit plus de richesses qu'il nous aurait été possible de générer par nos seuls efforts. En essayant de s'accrocher à toute cette abondance, nous en aurions simplement tari la source.

PRINCIPE 62

Trouvez une cause à servir

*« Une des plus belles consolations de cette vie, c'est que l'homme
ne peut sincèrement tenter d'aider son prochain, sans s'aider lui-même. »*

RALPH WALDO EMERSON
Essayiste et poète américain

Les plus grands niveaux de paix et de contentement de soi dans la vie
appartiennent à ceux et celles qui ont trouvé une façon de venir en aide aux
autres. En plus de la joie sincère que l'on éprouve, il existe un principe universel
qui veut que l'on ne peut servir autrui, sans recevoir en retour les effets de sa
propre générosité plusieurs fois multipliés.

DÉCIDEZ DE CE QUI EST IMPORTANT POUR VOUS

Prenez le temps de réfléchir aux causes et aux groupes qui sont importants
à vos yeux. Quels grands enjeux vous interpellent ? Quelles organisations suscitent
votre admiration par leurs actions ? Est-ce le sort des sans-abri, ou la protection
des arts, qui vous préoccupe le plus ?

Si vous êtes amateur de beaux-arts, et croyez que les écoles n'offrent qu'une
initiation très superficielle aux étudiants, vous pourriez organiser une cueillette
de fonds pour acheter du matériel d'arts plastiques, vous porter volontaire pour
animer une classe dans une discipline qui vous intéresse, ou proposer vos services
de conférencier à votre musée d'art local.

Si vous êtes orphelin et que la présence de votre père ou de votre mère vous
a vraiment manqué, vous pourriez agir comme grand frère ou grande sœur. Peut-
être aimez-vous les animaux et voulez-vous trouver un nouveau foyer à ceux qui
sont abandonnés ? Si vous aimez les livres, vous pourriez prêter votre voix pour

les enregistrer, et permettre ainsi aux aveugles et aux dyslexiques d'en jouir comme vous.

METTEZ BÉNÉVOLEMENT VOS TALENTS AU SERVICE DES AUTRES

Il y a plusieurs associations qui apprécieraient vos talents en affaires, en gestion, en comptabilité, en marketing, en recrutement de volontaires, en organisation de campagnes de financement, etc.

Si vous avez des talents d'organisateur, vous pourriez les mettre au service d'événements de charité. Si vous pouvez facilement convaincre les autres de la valeur de votre cause, proposez-vous pour recueillir des dons pour les fondations charitables locales. Si vous êtes un cadre d'expérience, vous pourriez servir au sein du conseil d'administration d'une association.

VOUS RÉCOLTEREZ BIEN PLUS QUE CE QUE VOUS DONNEZ

Lorsque vous faites du bénévolat, vous retirez bien plus que ce que vous donnez. Des recherches sur le volontariat ont démontré que ceux qui participent à des activités bénévoles vivent plus longtemps, développent un système immunitaire plus fort, souffrent de moins d'accidents cardiaques et ont des valeurs plus solides et plus saines que ceux ou celles qui ne le font pas.

Ces recherches prouvent également que les jeunes qui s'engagent dans les mouvements bénévoles sont plus susceptibles que les autres d'obtenir des emplois de prestige bien rémunérés plus tard. Le bénévolat est un moyen très efficace de se créer des réseaux de contacts, qui vous seront très utiles ensuite, tant sur le plan personnel que professionnel.

Le travail bénévole est un excellent moyen de cultiver des compétences essentielles pour obtenir du succès. Plusieurs grandes sociétés l'ont compris et encouragent leurs employés à participer à de telles activités. Des entreprises comme SAFECO et Pillsbury utilisent le bénévolat dans le processus d'intégration des employés, et celui-ci fait partie de l'évaluation globale du rendement du personnel.

Ce programme aide les employés de SAFECO à déterminer les habiletés qu'ils veulent développer. En consultant un site intranet prévu à cette fin, ils peuvent sélectionner les activités bénévoles qui mettent en valeur les compétences souhaitées. Une discussion a ensuite lieu avec un superviseur afin de choisir les programmes de bénévolat adaptés à leur plan de croissance personnelle et professionnelle.

De nombreux employeurs considèrent que les expériences bénévoles antérieures représentent un critère d'embauche déterminant. Le temps que vous consacrez au bénévolat pourrait bien vous aider à vous trouver un futur emploi ou à décrocher votre prochaine promotion.

L'une des clés incontournables du succès est la construction d'un vaste réseau de connaissances. Le bénévolat vous aidera à rencontrer des centaines de personnes que vous n'auriez jamais croisées autrement. Mieux encore, ces gens que vous rencontrerez sont peut-être très influents dans votre profession ou votre communauté.

DES RÉCOMPENSES INATTENDUES DANS VOTRE CARRIÈRE ET EN AFFAIRES

La compagnie de torréfaction Dillanos Coffee a comme politique de parrainer autant d'enfants du Christian Children's Fund qu'elle compte d'employés. Pour démontrer sa reconnaissance envers les pays qui rendent possibles ses activités commerciales, l'entreprise s'occupe exclusivement d'enfants de ces pays producteurs, comme le Guatemala, la Colombie et le Costa Rica. Dillanos donne une contribution de trente-cinq dollars par mois par enfant. Chaque employé correspond avec un filleul attitré, lui envoie des cartes de Noël et de fête, et entretient une relation suivie avec lui. En plus d'avoir un effet positif dans leur milieu, ce programme de parrainage s'est révélé un stimulant extraordinaire pour le moral des employés.

Et même si le but original de ce programme était purement philanthropique, il a fini par avoir des effets mesurables sur les profits de l'entreprise. Les photographies des enfants parrainés tapissent les murs de l'un des corridors de l'édifice de Dillanos. Un jour, une cliente potentielle a fait une visite des lieux et s'est informée au sujet de ces photographies. Lorsqu'on lui a expliqué qu'il s'agissait d'enfants parrainés par l'intermédiaire de la Christian Children's Fund, la dame a été si touchée, qu'avant même d'avoir goûté au café de l'entreprise, elle a décidé sur-le-champ d'accorder sa clientèle à une entreprise qui se préoccupait autant des enfants et de ses employés.

LA SÉRIE *BOUILLON DE POULET POUR L'ÂME*

Lorsque Mark et moi écrivions et compilions les histoires de notre premier *Bouillon de poulet pour l'âme*, nous nous sommes rendu compte qu'il nous manquait trente histoires pour compléter notre livre. Parce que nous avions consacré tant d'années à aider les autres bénévolement, en donnant des causeries lors de congrès d'associations professionnelles et en animant une multitude d'autres activités de motivation, nous n'avons eu aucune difficulté à recueillir plusieurs expériences inédites à ajouter à notre livre. Personne n'a demandé de compensation pour sa contribution. On désirait tout simplement nous rendre service et encourager les lecteurs à aller au bout de leurs possibilités.

Lorsque vous consacrez beaucoup de temps à soutenir des gens qui sont aussi au service des autres, vous construisez un réseau de personnes généreuses et bienveillantes qui aiment donner et avoir un effet positif dans leur milieu. Et quand vous connaissez un grand nombre de personnes comme celles-là, soyez assuré que vous pouvez accomplir beaucoup dans le monde.

LORSQUE VOUS DONNEZ, VOUS RECEVEZ TOUJOURS BIEN DAVANTAGE EN ÉCHANGE

Être au service des autres peut aussi vouloir dire encourager votre entreprise à faire des efforts pour créer des biens et services qui améliorent le bien-être de l'humanité. Sir John Marks Templeton a fait une étude auprès de plus de dix mille entreprises au cours d'une période s'échelonnant sur environ cinquante ans. Il a découvert que les meilleurs profits à long terme étaient réalisés par les entreprises qui déployaient beaucoup d'efforts à la production de biens et de services bénéfiques.

« Quoi que l'on fasse, dit John Marks Templeton, on doit d'abord se demander : *"À long terme, cela est-il profitable à la société ?"* Si la réponse est oui, on sert la communauté au même titre qu'un pasteur. Je pense que les gens en affaires peuvent se rassurer mutuellement en se disant que, s'ils consacrent leurs meilleurs efforts à servir la communauté, leur entreprise ne faillira pas, mais prospérera. »[1]

---

1. Extrait de Religion and Liberty (Novembre-décembre 2000, volume 10, numéro 6), une publication de Action Institute for the Study of Religion and Liberty, 161 Ottawa NW, suite 301, Grand Rapids, MI 49503. Téléphone : 616-454-9454; télécopieur : 616-454-9454 ; info@action.org.

Prenez en considération que si vous choisissez de faire un travail qui sert une bonne cause, qui procure aux gens des produits et des services «toujours meilleurs», que vous vous concentrez à donner plutôt qu'à recevoir, alors vous allez éventuellement récolter une manne supérieure à celle que vous avez prodiguée.

On réagit toujours plus positivement envers ceux qui donnent qu'envers ceux qui quémandent. Il existe une tendance naturelle à aider les personnes généreuses. En termes simples, ceux qui donnent, reçoivent à leur tour.

Je suis persuadé que les récompenses monétaires colossales que nous avons obtenues en raison du succès de la série *Bouillon de poulet pour l'âme* ont comme source, en partie, notre travail acharné, mais, et ceci est bien plus important, notre désir profond de rendre service, de donner autant que nous le pouvions au plus grand nombre de personnes possible. Je crois sincèrement que nos histoires contribuent à la guérison du monde, une histoire, et une personne à la fois.

Un vieux proverbe dit que, si vous nourrissez un homme avec un poisson, vous soulagez sa faim pour la journée, mais que si vous lui montrez à pêcher, vous le nourrissez jusqu'à la fin de ses jours. Il deviendra prospère et il enseignera aux autres comment pêcher à leur tour. Nous avons consacré notre vie à aider les gens à apprendre à pêcher en leur ouvrant la voie du succès, grâce aux principes et aux compétences que nous enseignons.

C'est aussi dans cet esprit que j'ai conçu les programmes destinés aux prestataires de l'aide sociale, aux prisonniers, et aux élèves des quartiers défavorisés des grandes villes: enseigner aux gens les compétences qui les rendront indépendants, de telle sorte qu'ils puissent subvenir à leurs besoins. Il s'agit en ce sens d'une sorte de ministère religieux, fondé sur l'aptitude à encourager l'autre à viser plus haut, à le motiver. Et comme Zig Ziglar, l'un des plus grands professeurs des principes du succès aime à dire: «Vous pouvez avoir tout ce que vous voulez dans la vie, si vous êtes prêt à aider les autres à obtenir ce qu'ils veulent».

SIXIÈME PARTIE

Le succès commence dès aujourd'hui

« Un savoir encyclopédique et une mémoire prodigieuse ne sont pas des garanties de succès dans la vie. Ce qui importe, c'est la compréhension de quelques idées maîtresses et leur mise en application. »

BOB PROCTOR
Auteur de *Potentiel illimité*

PRINCIPE 63

Commencez dès maintenant ! Allez-y !

————————————

« Trop de personnes s'éteignent sans avoir eu la chance d'exprimer le chant intérieur qu'elles possèdent toujours en elles. Pourquoi en est-il ainsi ? C'est qu'elles se préparent constamment à vivre. Hélas, avant même de s'en être rendu compte, le temps s'est envolé. »

OLIVER WENDELL HOLMES
Ex-juge en chef de la Cour suprême des États-Unis

Il n'y a pas de moment idéal pour se mettre en marche. Si vous croyez au pouvoir des astres et désirez que votre astrologue vous dresse la carte du ciel pour connaître le moment propice pour vous marier, ouvrir un nouveau magasin, lancer une nouvelle gamme de produits, ou commencer une tournée de concerts, c'est très bien. Je peux comprendre cela. Mais pour tout autre chose, la seule stratégie valable est de plonger dans la mêlée et de commencer. N'attendez pas de voir douze colombes formant le signe de la croix voler au-dessus de votre maison avant de vous mettre en marche. Faites-le, tout simplement.

Vous voulez devenir conférencier ? C'est fort bien. Proposez vos services pour donner une causerie gratuite devant une organisation communautaire, une école ou une église à une date prédéterminée. Le simple fait de fixer un moment vous forcera à commencer vos recherches et à écrire votre texte. Si cela représente un saut trop important pour vous, adhérez au club des Toastmasters ou suivez un cours d'art oratoire.

Vous voulez ouvrir un restaurant ? Trouvez un emploi dans la restauration et commencez à apprendre les rudiments du métier. Vous êtes passionné de fine cuisine ? Excellent ! Inscrivez-vous dans une école de haute cuisine. Posez ce premier geste, dès aujourd'hui ! Il n'est pas nécessaire de tout connaître avant de commencer. Faites votre entrée sur le terrain. Vous apprendrez au fur et à mesure.

« D'abord, élancez-vous de la falaise. Vos ailes croîtront en vol. »

RAY BRADBURY
Auteur américain prolifique de science-fiction et d'œuvres fantaisistes

Il faut évidemment faire la part des choses. Je suis un chaud partisan de l'éducation, de l'amélioration continue et du développement des compétences. Si vous avez besoin d'une meilleure formation, faites ce qu'il faut pour l'obtenir. Inscrivez-vous à ce cours ou à ce séminaire, dès aujourd'hui.

Vous avez peut-être besoin d'un mentor pour vous rendre là où vous voulez. Si tel est le cas, engagez-en un maintenant. Vous avez peur ? Et alors ? Tremblez, mais osez quand même ! La clé, c'est de vous mettre en marche. Cessez d'attendre d'être parfaitement préparé. Cela n'arrivera jamais.

J'ai commencé ma carrière de professeur d'histoire dans une école secondaire de Chicago. J'étais loin d'être parfait lors de ma première journée en classe. J'avais encore beaucoup à apprendre sur la maîtrise d'une classe, la discipline efficace, l'art d'éviter de tomber dans les pièges des petits futés, la manière de contrer les comportements manipulateurs, et de motiver un élève amorphe. Mais il fallait bien commencer. C'est en enseignant que j'ai appris à maîtriser toutes ces dimensions de ma profession.

La majeure partie de la vie est un apprentissage sur le tas. Quelques-unes des compétences les plus importantes de la vie ne s'acquièrent que par la pratique. Vous prenez des initiatives et vous obtenez des réactions positives ou négatives.. Si vous ne faites rien, de peur de faire erreur, d'être quelconque ou même lamentable, vous n'obtiendrez jamais de réactions et vous ne pourrez pas vous améliorer.

Lorsque j'ai lancé ma première entreprise, un centre de conférences et de séminaires à Amherst, au Massachusetts, le New England Center for Personal and Organizational Development, j'ai essayé d'obtenir du financement auprès d'une banque locale. On m'a d'abord dit que je n'avais pas de plan d'affaires. Comme je ne savais pas de quoi il s'agissait, j'ai acheté un livre pour apprendre à en rédiger un. Lorsque mon projet a été complété, j'ai rendu une nouvelle visite au directeur de la banque. On m'a alors dit que mon plan était incomplet. J'ai demandé ce qui manquait et je me suis remis au travail, complétant les sections confuses ou peu convaincantes.

Après avoir soumis le plan de nouveau, on m'a dit qu'il était bien conçu mais que le risque était quand même trop élevé. J'ai alors demandé qui pourrait bien être intéressé à financer ce genre d'entreprises. On m'a donné le nom de plusieurs institutions financières de la région. J'ai frappé à toutes ces portes jusqu'à ce que ma demande soit enfin approuvée et que j'obtienne le prêt de vingt mille dollars pour démarrer.

Lorsque Mark Victor Hansen et moi avons lancé notre premier *Bouillon de poulet pour l'âme*, j'ai pensé qu'il serait peut-être avantageux de le vendre à des entreprises de marketing de réseau. Ces dernières pourraient le distribuer ou le revendre à leurs représentants afin de les motiver à poursuivre leurs rêves, à prendre davantage de risques et à obtenir plus de succès dans la vente. J'ai obtenu une liste de toutes les entreprises figurant au répertoire de la Direct Marketing Association, et j'ai commencé une série d'appels auprès de chacun des membres.

À l'occasion, je ne pouvais pas obtenir la communication avec le directeur des ventes. À d'autres reprises, on m'a répondu que cela ne les intéressait pas. Plusieurs fois, on m'a raccroché la ligne au nez ! Mais peu à peu, en raffinant ma technique pour découvrir le véritable preneur de décisions, et en présentant d'une manière plus convaincante les avantages que représentait mon livre pour l'entreprise, je suis parvenu à décrocher quelques ventes. Quelques entreprises l'ont tellement apprécié qu'elles m'ont ensuite invité à prononcer des conférences lors de leur congrès national.

Est-ce que cela m'effrayait quelque peu de faire des appels téléphonique non sollicités ? Sûrement. Est-ce que je savais où je m'en allais lorsque j'ai commencé ? À vrai dire, pas tellement. Je n'avais jamais essayé de vendre des livres en grande quantité auparavant. J'ai dû apprendre en le faisant. Mais ce qui est le plus important, c'est que j'ai mis les choses en branle.

Je suis entré en communication avec les personnes que je voulais servir ; j'ai appris à connaître quels étaient leurs rêves, leurs aspirations, et leurs buts ; et j'ai essayé de découvrir comment un livre pouvait les aider à atteindre leurs objectifs. Les choses se sont mises à tomber en place parce que j'avais eu le courage de prendre un risque et de me lancer dans l'arène.

Vous aussi, vous devrez commencer, quel que soit votre point de départ, à poser les gestes qui vous mèneront là où vous voulez aller.

COMMENT POSER LE PREMIER GESTE

« *Un voyage de mille kilomètres commence par un premier pas.* »

UN ANCIEN PROVERBE CHINOIS

Le clé est maintenant de prendre ce que vous avez appris (ou réappris) dans ce livre et de le mettre en action. Vous ne pourrez tout faire d'un seul coup, mais vous pouvez commencer. Il y a soixante-quatre principes dans ce livre. Si vous n'y prenez pas garde, vous vous sentirez écrasé par le nombre. Alors, voici ce que vous devez faire :

Retournez à la première section, et relisez chaque principe, un à la fois, dans l'ordre présenté, assumez la responsabilité de votre vie à cent pour cent, tant les succès que les échecs ; clarifiez votre but dans la vie ; choisissez des objectifs précis et mesurables pour chaque partie de votre vision personnelle ; décomposez ces objectifs en tâches simples à réaliser ; formulez une affirmation pour chaque objectif et commencez à les visualiser quotidiennement, comme s'ils étaient déjà atteints. Si vous êtes astucieux, vous tenterez de convaincre une autre personne de faire le voyage avec vous. Vous vous soutiendrez mutuellement et vous créerez ainsi le noyau de votre futur « club des grands esprits ».

Ensuite, commencez à poser des gestes concrets pour atteindre vos buts les plus importants, *tous les jours, sauf pendant vos journées de repos et de loisirs.* Soyez prêt à payer le prix en faisant tout ce qui doit être fait ; demandez tout ce dont vous avez besoin sans avoir peur du rejet ; sollicitez des opinions et réagissez aux commentaires ; engagez-vous à vous améliorer sans cesse et persévérez malgré tous les obstacles qui pourraient se présenter. Et vous *voilà en marche*, vers la réalisation de vos objectifs les plus importants.

Ensuite, afin de prendre un rythme de croisière et de le soutenir, mettez sur pied un plan pour terminer vos « inachevés » ; déterminez et remplacez les croyances négatives qui vous freinent ; choisissez une habitude de succès à développer au cours du prochain trimestre ; engagez-vous à lire l'un des livres de la section : « Lectures suggérées et autres ressources pour bâtir votre succès », en annexe (et ensuite, passez au suivant !) ; procurez-vous un programme audio de motivation et écoutez-le assidûment dans votre voiture ou pendant que vous faites de l'exercice.

Ensuite, planifiez des vacances avec votre épouse ou quelques amis, et inscrivez-vous à un séminaire de développement personnel auquel vous devrez assister avant six mois. Commencez à dire « non » aux gens et aux événements qui vous distraient de vos buts principaux, trouvez un mentor, ou engagez un accompagnateur, pour vous conseiller et vous maintenir sur la bonne voie.

Enfin, commencez à cultiver une attitude saine par rapport à l'argent. Assurez-vous de mettre sur pied une procédure pour déposer automatiquement dix pour cent *ou plus* du montant de tous vos chèques de paie dans un compte d'investissements. De la même manière, mettez régulièrement une partie de votre temps et de votre argent à la disposition de l'église que vous fréquentez ou de l'association dont vous épousez la cause. Analysez et réduisez vos dépenses, et essayez d'imaginer des moyens de faire fortune, plutôt que de simplement gagner votre vie, en créant plus de valeur pour votre employeur et vos clients.

Vous ne pouvez faire tout cela d'un seul coup. Mais si vous faites de petits progrès chaque jour, vous verrez qu'avec le temps, vous aurez développé un ensemble d'habitudes et une toute nouvelle discipline personnelle. Tout ce qui a une certaine valeur prend du temps à s'accomplir. Le succès instantané n'existe pas. Il m'a fallu plusieurs années pour apprendre et appliquer les principes de ce livre. Je suis parvenu à en amadouer quelques-uns et je m'applique encore à maîtriser les autres.

Même si cela prend du temps, il n'est pas nécessaire que vous en mettiez autant que moi pour y arriver. J'ai pris des années, m'alimentant à plusieurs sources différentes, pour découvrir tous ces principes. Je vous les transmets tous en un seul emballage, grand format. Profitez du fait que je suis passé par là avant vous et que je vous ai ouvert le chemin. Tout ce dont vous avez besoin pour passer à l'étape suivante de votre vie se trouve là, à votre disposition.

Évidemment, il y a des choses à apprendre et des habiletés à développer qui sont particulières à votre situation, à votre profession, à votre carrière et à vos buts personnels, dont il n'est pas fait mention dans ce livre. Cependant, les principes fondamentaux nécessaires pour réussir dans *n'importe quel* domaine ont été exposés au cours des chapitres précédents. Prenez l'engagement de démarrer dès maintenant et d'en faire usage pour créer la vie de vos rêves.

LES EFFETS DE ROTATION

Le scientifique, inventeur et philosophe Buckminster Fuller parle des « effets de rotation » qui naissent du simple fait de se mettre au service de l'humanité. Il explique cet effet en donnant l'exemple des abeilles, dont l'objectif évident est de recueillir le nectar pour produire le miel mais qui, ce faisant, œuvrent inconsciemment à la réalisation de buts bien plus importants. En butinant de fleur en fleur, l'abeille recueille le pollen sur ses ailes et participe ainsi à la pollinisation du monde végétal.

Il s'agit d'un résultat secondaire involontaire non intentionnel de la collecte du nectar. Imaginez que vous êtes un hors-bord franchissant une étendue d'eau. Les nappes liquides à vos côtés et derrière vous sont animées par la force de votre mouvement vers l'avant. La vie, c'est un peu cela aussi. Tant que vous êtes en marche à la poursuite de vos ambitions, vous créez des effets dynamiques qui échappent à votre compréhension et à votre volonté consciente. Mettez-vous résolument en marche et le chemin des occasions s'ouvrira devant et autour de vous.

Je ne connais aucune personne riche, dont le travail a été couronné de succès (tant dans mes amis intimes que chez les soixante-dix personnes interviewées pour ce livre) qui aurait pu planifier ou prévoir la séquence exacte des événements qui se sont déroulés dans le cours de sa vie. Tous ces gens ont bien commencé avec un rêve et un plan, mais, une fois en route, les événements se sont toujours déroulés d'une manière imprévisible.

Par exemple, Mark Victor Hansen et moi n'aurions jamais pensé que la série *Bouillon de poulet pour l'âme* [MD], le titre de notre premier livre, deviendrait une marque de commerce et une expression familière en Amérique du Nord et dans plusieurs autres pays du monde. Pas plus que nous n'aurions pu prévoir que le *Bol de bouillon de poulet pour l'âme des chiens et des chats* donnerait naissance à une marque de nourriture pour animaux, une collection de cartes de souhaits, une émission de télévision, une chronique de journal et une émission de radio. Tous ces développements sont les conséquences de notre engagement initial, soit celui d'écrire un livre et de rendre service.

Lorsque Dave Liniger décida de quitter la plus grande agence immobilière de Denver pour ouvrir la sienne, il n'avait aucune idée que 30 ans plus tard, son entreprise RE/MAX deviendrait la plus grande agence des États-Unis, une entreprise milliardaire comptant quatre-vingt-douze mille agents dans cinquante pays du monde.

Quand Donald Trump construisit son premier immeuble, il ne savait pas qu'un jour il serait aussi propriétaire de casinos, de terrains de golf, de lieux de villégiature, du concours Miss USA, et de l'émission de téléréalité la plus écoutée en Amérique. Il savait seulement qu'il voulait construire de magnifiques gratte-ciel. Les autres réalisations se sont enchaînées par la suite.

Carl Tarcher a débuté avec un comptoir à hot-dogs mobile au centre-ville de Los Angeles. Lorsqu'il a commencé à réaliser quelques profits, il en a acheté un autre. Et il a poursuivi de cette façon jusqu'à ce qu'il puisse s'offrir un vrai restaurant, le précurseur de la chaîne Carl's Junior.

Lorsque Paul Orfalea a lancé son premier comptoir de photocopies pour desservir les étudiants, il n'avait aucune idée que son commerce serait le maillon initial d'une chaîne de mille huit cents magasins Kinko, qui allaient lui rapporter cent seize millions de dollars lorsqu'il la vendit plus tard.

Toutes ces personnes avaient sûrement des buts et elles avaient certainement conçu le plan le plus détaillé qu'il leur était possible d'imaginer à l'origine. Mais chaque nouveau succès leur a ouvert de nouvelles possibilités insoupçonnées. Si vous connaissez seulement la direction dans laquelle vous voulez vous lancer, foncez et allez de l'avant. Vous verrez alors les portes s'ouvrir devant vous, souvent de la manière la plus surprenante et la plus inattendue.

UNE RENCONTRE AVEC VIN DI BONA

Lorsque le premier *Bouillon de poulet pour l'âme* a paru sur la liste des succès de librairie pour la première fois, notre éditeur nous a demandé si nous étions intéressés à en écrire la suite. Il nous a aussi demandé si nous étions disposés à créer un livre de recettes de soupe au poulet. Même si cela nous semblait un thème un peu limité pour un livre – de combien de recettes de bouillons de poulet une personne peut-elle faire usage en réalité ? – l'idée d'un tel livre nous a séduits.

Une de nos bonnes amies, Diana von Welanetz Wentworth, auteure de plusieurs livres culinaires à succès, consacre sa vie à faire de ce monde un meilleur endroit où vivre. L'idée d'un livre d'histoires écrites par des personnalités célèbres, des auteurs, des grands chefs, et des restaurateurs, le tout accompagné d'une recette reliée au thème développé, a éveillé notre intérêt. Nous avons alors invité Diane à collaborer avec nous pour l'écrire. Ensemble, nous avons assemblé des histoires touchantes, ayant pour thème l'expérience d'un repas mémorable, le tout accompagné de la recette du plat servi.

La partie la plus intéressante du projet fut que Diana devait préparer chaque mets afin de s'assurer que la recette était juste et le résultat, délicieux. Toutes les deux ou trois semaines, Mark et moi nous rendions chez elle pour en faire la dégustation et choisir, parmi les centaines d'histoires et recettes à notre disposition, celles qui seraient retenues pour le livre. (Je ne me souviens pas d'avoir perdu de poids au cours de cette période) !

Un an plus tard, nous avons commencé à penser que les histoires que nous avions réunies pourraient former le canevas d'une série télévisée. À l'exception de nombreuses entrevues accordées lors d'entrevues-variétés et d'émissions pour faire la promotion de notre livre, nous n'avions aucune expérience du monde de la télévision. Nous ne connaissions ni producteur, ni directeur, ni cadre supérieur dans les réseaux. Mais nous nous sommes lancés, parce que nous avions l'intuition que ce médium représentait l'étape suivante de notre odyssée.

Nous avons alors ajouté l'émission télévisée de *Bouillon de poulet pour l'âme* à notre liste de buts, sans oublier de l'affirmer et de la visualiser quotidiennement. Quelques semaines plus tard, nous recevions un coup de fil de Diana. Elle nous dit : « Savez-vous, j'avais pensé vous présenter Vin Di Bona, le producteur de l'émission *America's Funniest Home Videos*. Il avait l'habitude de produire une émission d'art culinaire que Paul et moi animions. Je pense qu'il pourrait être intéressé à concevoir une émission sur le thème de la série *Bouillon de poulet pour l'âme*. »

Peu après, grâce aux bons offices de Diana, nous avons pu rencontrer Vin Di Bona et le vice-président de sa société, Lloyd Weintraub. Or, ce dernier était justement un fervent lecteur de cette série *Bouillon de poulet*. Il prit en main la réunion et vendit l'idée à Vin. Moins de douze mois plus tard, la production d'une série de seize émissions battait son plein. Elle devait être diffusée sur PAX TV et plus tard sur ABC. La distribution incluait des comédiens de la trempe de Jack Lemmon, Ernest Borgnine, Martin Sheen, Stephanie Zimbalist, Teri Garr, Rod Steiger et Charles Durning.

Lorsque vous vous mettez en marche et que les résultats commencent à poindre à l'horizon, beaucoup d'autres choses peuvent se produire, qui vous mèneront encore plus loin, et plus rapidement, que vous ne l'auriez cru possible.

UN RÊVE OLYMPIQUE SE TRANFORME EN CARRIÈRE DE CONFÉRENCIER PROFESSIONNEL

Après avoir finalement réalisé son rêve de prendre part aux Jeux olympiques pour la troisième fois, Ruben Gonzalez rentra chez lui au Texas, où son petit voisin de onze ans lui rappela sa promesse d'aller raconter son histoire à son école. Après avoir tenu en haleine les compagnons de classe de Will avec son histoire, le professeur lui demanda s'il serait disposé à refaire son exposé devant tous les élèves de l'école réunis. Ruben est resté une heure de plus pour décrire son odyssée olympique devant deux cents gamins.

À la fin de sa présentation, des enseignants lui confièrent qu'on invitait fréquemment des conférenciers pour parler aux enfants, et qu'il était certainement aussi bon que tous ceux qu'ils avaient entendus jusqu'à maintenant. Ils lui affirmèrent qu'il avait un talent naturel pour s'exprimer en public. Encouragé par ces réactions, Ruben décida de téléphoner aux écoles de la région de Houston et, bientôt, il eut tellement d'engagements qu'il quitta son emploi de vendeur de photocopieurs.

Tout se déroula très bien jusqu'au mois de juin. À la surprise de Ruben, les écoles faisant relâche pour l'été, il a alors vu ses engagements s'interrompre brusquement jusqu'à l'automne. Stimulé par la nécessité de subvenir aux besoins de sa famille, Ruben téléphona aux entreprises de sa région. Petit à petit, il entra sur le marché à échelle réduite au sein de la communauté des affaires de Dallas, et, alors que sa réputation de conférencier hors pair pour motiver un auditoire commençait à se répandre, la carrière de Ruben décolla pour de bon. À peine deux ans plus tard, Ruben faisait autant d'argent en deux mois qu'en une année entière dans son emploi précédent.

Sa trente-cinquième place mondiale à la luge, un sport dont presque personne n'avait jamais entendu parler, a été le premier pas décisif vers une carrière de conférencier professionnel. Il ne pouvait certainement pas prévoir tout cela alors qu'il dévalait à toute allure les pistes du centre d'entraînement de Lake Placid à New York. Il s'agissait du tout premier effet de rotation dont Buckminster Fuller parlait.

ALLEZ! PLONGEZ!

J'ai fait de mon mieux pour vous offrir les principes et les outils dont vous aurez besoin pour que vos rêves deviennent réalités. Ils ont fonctionné pour moi et pour un grand nombre d'autres personnes, et ils peuvent vous servir aussi. Mais nous avons atteint le point où l'information, la motivation et l'inspiration s'arrêtent, et où la transpiration (dont vous ferez les frais) commence. Vous, et vous seul, pouvez poser les gestes pour créer la vie de vos rêves. Personne ne peut le faire à votre place.

Vous avez tout le talent et les ressources nécessaires pour commencer dès maintenant et, avec le temps, à créer tout ce que vous voulez. Je sais que vous le pouvez. Vous le savez aussi… alors allez-y, plongez! Cela comporte autant de plaisir que de travail acharné. Alors, rappelez-vous de vous amuser en cours de route!

« *Tous ceux qui sont arrivés là où ils sont, ont dû partir de là où ils étaient.* »

RICHARD PAUL EVANS
Auteur du succès de librairie *Le Cadeau de Noël*

PRINCIPE 64

DONNEZ-VOUS LES OUTILS DU SUCCÈS EN LES ENSEIGNANT AUX AUTRES

« Si, par vos actions, vous créez un héritage qui inspire les autres à rêver plus haut, à apprendre davantage, à agir plus efficacement et à évoluer comme personne, alors vous êtes un excellent leader. »

DOLLY PARTON
Parolière, chanteuse, actrice, en nomination pour un oscar, récipiendaire d'un
Country Music Association Award et d'un Grammy. Dolly Parton gère
un empire médiatique de cent millions de dollars

Je vous encourage à lire et relire ce livre plusieurs fois. Soulignez les passages qui sont les plus importants pour vous et relisez-les. Vous allez remarquer qu'à chacune de vos relectures, non seulement vous renforcerez ce que vous savez déjà, mais vous découvrirez aussi quelque chose de nouveau, par exemple un concept que vous n'aviez pas retenu la première fois. Nous savons tous qu'il faut du temps pour assimiler de nouvelles idées. Accordez-vous ce temps.

Je vous suggère aussi de remettre des exemplaires de ce livre à vos adolescents et à vos enfants en âge de fréquenter le collège ou l'université, à vos employés, aux membres de votre équipe, et à vos superviseurs. Vous serez surpris de constater les changements radicaux qui peuvent se produire au sein d'une famille, d'une équipe ou d'une entreprise simplement parce que tous mettent en pratique les mêmes principes au même moment.

Le plus beau présent que vous puissiez offrir à quelqu'un, c'est de l'amour ou la capacité de prendre les rênes de sa vie en main. Y a-t-il une plus belle preuve d'amour que d'aider une personne à se libérer des croyances qui la paralysent et de son ignorance sur le succès, et de mettre entre ses mains les outils qui lui permettront de créer la vie à laquelle elle aspire au plus profond de son cœur ?

Un très grand nombre d'individus, partout dans le monde, vivent dans un état de résignation et de désespoir. Il est temps de changer tout cela. Nous possédons tous le pouvoir de créer la vie que nous désirons, la vie dont nous rêvons, celle pour laquelle nous sommes venus au monde. Nous méritons tous d'atteindre notre plein potentiel et de vivre notre véritable destinée. C'est notre droit, mais il faut le revendiquer et nous devons le mériter par nos efforts. Une partie de ce travail consiste d'abord à apprendre, et ensuite à vivre les principes éternels et éprouvés du succès qui apporteront dans nos vies les résultats que nous souhaitons. En général, nous ne les apprenons pas à l'école ni à l'église, et seulement un petit nombre d'entre nous les a appris à la maison.

Ils ont été transmis de bouche à oreille par des mentors, des professeurs, des entraîneurs, et plus récemment, grâce à des livres, des séminaires et des programmes audio. Vous avez maintenant entre les mains l'essence de ces principes. D'abord, servez-vous-en pour briser vos chaînes, celles de vos proches de même que celles des personnes dont les activités exercent le plus d'influence dans votre vie.

Que se passerait-il si les membres de votre famille cessaient de se plaindre, se prenaient en main et s'engageaient à créer la vie de leurs rêves? Qu'arriverait-il si tous les employés de votre entreprise mettaient ces principes en pratique? Et si les membres de votre équipe de balle molle décidaient d'envisager la vie de cette façon? Et si tous les étudiants des écoles secondaires du pays connaissaient ces principes, les pratiquaient en classe, sur le terrain de jeu, et dans leur vie sociale? Et si tous les hommes et les femmes actuellement incarcérés les apprenaient avant de retourner dans la société? Le monde serait un endroit bien différent.

Les gens assumeraient à 100% la responsabilité de leur vie et l'ensemble des résultats, tant positifs que négatifs, qu'ils obtiennent. Ils auraient une vision et des objectifs clairs. Plus personne ne serait victime des critiques ou des abus des autres. Tous feraient preuve de persévérance devant les difficultés et les défis. Les hommes et les femmes uniraient leurs efforts sur la route de l'accomplissement de soi.

Les gens demanderaient ce dont ils ont besoin, et se sentiraient libres de refuser de se plier à des exigences qu'ils ne peuvent accepter. Ils cesseraient aussi de se plaindre et se préoccuperaient plutôt de créer la vie dont ils ont envie. Ils diraient la vérité et écouteraient avec compassion parce qu'ils seraient conscients que c'est à ce moment-là que la paix, la joie et la prospérité s'épanouissent.

En un mot, le monde fonctionnerait!

La plus grande contribution que vous puissiez apporter à l'univers est d'approfondir votre connaissance de soi, de vous réaliser pleinement, et d'acquérir le pouvoir de vivre les rêves et les désirs qui vous tiennent le plus à cœur. La deuxième est d'aider les autres à faire comme vous. Que le monde serait merveilleux si nous faisions tous cela.

Mon intention était d'écrire un livre qui contribue à la création d'un monde comme celui-là. S'il le fait, j'aurai réalisé mon but qui est d'inspirer les autres à vivre leur vision la plus ambitieuse, dans un contexte d'amour et de joie.

« Si vous parvenez à connaître quelque chose à fond, enseignez-le aux autres. »
TYRON EDWARDS
Théologien américain

Une des meilleures façons d'apprendre quelque chose est de l'enseigner aux autres. Cela vous oblige à clarifier vos idées, à mettre à jour les incohérences de vos raisonnements et à ne pas vous éloigner de votre sujet. Mais plus important encore, vous devez lire, étudier, et répéter la matière à maintes reprises. La répétition renforce l'apprentissage des étudiants mais, bien entendu, le vôtre aussi.

Un des grands avantages que m'apportent la recherche et l'enseignement des principes du succès, c'est que cela me donne l'occasion de les remémorer et de me répéter l'importance de les mettre en pratique. Pendant la rédaction de ce livre, les membres de mon personnel lisaient les chapitres de ce livre au fur et à mesure que je les complétais. Cela nous donnait l'occasion de renouer notre engagement à respecter ceux que nous avions tendance à négliger. Et chaque fois que j'anime un séminaire partout au pays, je me rends compte que je m'applique davantage à les mettre en pratique dans ma vie personnelle.

ENSEIGNEZ CES PRINCIPES AUX AUTRES

À qui pourriez-vous enseigner ces principes? Pourquoi ne pas organiser un séminaire destiné aux membres de votre église; un cours dans une école secondaire ou un collège de votre localité; un atelier à votre lieu de travail; une session d'études de groupe d'une durée de six semaines se réunissant une fois par semaine à l'heure du lunch; ou une discussion avec votre famille?

Si l'idée vous intéresse, consultez le site Internet: http://www.thesuccess principles.com et téléchargez un guide d'enseignement gratuit des principes du succès contenus dans ce livre. Vos « élèves » apprendront beaucoup de votre enseignement, mais, chose certaine, vous en serez vous-même le premier bénéficiaire.

Vous n'avez pas besoin de maîtriser à fond ces principes pour diriger un atelier. Votre rôle consiste simplement à en faciliter la discussion. Dans le guide, vous trouverez tout ce qu'il vous faudra dire pour lancer des débats productifs qui aideront les participants à les adopter au travail, à l'école et à la maison.

Imaginez une famille, un groupe religieux, un club, un bureau, une équipe de ventes ou une entreprise où les gens se soutiendraient mutuellement dans le but de vivre activement ces principes. Les résultats seraient miraculeux. Et vous pouvez être la personne par qui le miracle arrive. Et si vous ne le faites pas, qui s'en chargera? Et si vous ne le faites pas maintenant, quand cela arrivera-t-il?

ÉLEVEZ LES AUTRES ET ILS VOUS ÉLÈVERONT

Et voici un autre avantage à vous lancer dans la mêlée: plus vous aiderez les gens à réussir, plus ils voudront vous aider à faire de même. Vous vous demandez sûrement pourquoi toutes ces personnes qui enseignent les stratégies du succès réussissent elles-mêmes si bien. Tout simplement parce qu'elles ont aidé tellement de gens à obtenir ce qu'ils voulaient. Les gens se portent naturellement au secours de ceux et celles qui les ont aidés. Le même phénomène se produira pour vous.

Un de mes maîtres spirituels m'a enseigné à être l'étudiant de ceux qui m'étaient supérieurs, le professeur de ceux qui m'étaient inférieurs, et le compagnon de route serviable de ceux qui sont au même niveau que moi. Je considère que c'est un bon conseil pour nous tous.[1]

AIDEZ-NOUS À LANCER LE MOUVEMENT

« Si vous pensez que vous êtes trop petit pour faire des vagues, essayez d'aller au lit quand il y a un moustique dans la chambre. »

ANITA RODDICK
Fondatrice de Body Shop (comptant mille neuf cent quatre-vingts boutiques desservant plus de dix-sept millions de clients) et une célèbre activiste pour les droits humains et l'environnement

---

1.   Si vous êtes intéressé à approfondir votre compréhension de ces principes et apprendre à les enseigner dans des ateliers interactifs, vous voudrez assister à ma session de formation d'été de 7 jours. Cette démarche accélérera votre croissance et vous enseignera des habiletés de leadership de grande valeur et des méthodes éducatives. Pour plus d'information, visitez le site :http://www.jackcanfield.com.

Je rêve d'un monde où tous sont inspirés à croire en eux et en leurs habiletés, et dans lequel tout le monde, sans exception, est pourvu des outils nécessaires pour atteindre son plein potentiel et réaliser ses rêves. Je désire que ces principes soient enseignés dans toutes les écoles et université, et pratiqués dans toutes les entreprises, petites et grandes.

J'ai formé d'autres instructeurs et conférenciers, développé des programmes d'études pour les écoles,[2] créé des programmes de formation vidéo pour les services sociaux et des associations,[3] écrit des livres, créé des programmes audio et vidéo,[4] dirigé des séminaires et des cours à distance, et développé des programmes de « coaching » et de « téléaccompagnement » pour le grand public. J'ai écrit des chroniques pour les grands journaux, j'ai aidé à la production d'une série télévisée, j'ai été interviewé, je ne sais combien de fois à la radio et à la télévision, pour partager les principes du succès.

J'aimerais que vous vous joigniez à moi pour répandre la parole. Si vous désirez faire partie de l'Équipe des principes du succès, visitez : http://www.the successprinciples.com. Inscrivez-vous en cliquant sur le lien *Success Principles Team*, et nous vous dirons comment adhérer à notre mission éducative.

2. Voir Self-Esteem in the Classroom : A Curriculum Guide, par Jack Canfield. Disponible chez Self-Esteem Seminars, P.O. Box, 30880, Santa Barbara, CA 93130. Site Web : htpp : //www.jackcanfield.com.
3. De l'information sur les programmes suivants : Goals et Star (Success Through Action and Responsibility) Program disponibles chez Foundation for Self-Esteem, 6035 Bristol Parkway, Culver City, CA 90230. Téléphone : 310-568-1505.
4. Pour une liste complète de mes livres, programmes audio et vidéo, séminaires et programme de « coaching », visitez le site : www.thesuccessprinciples.com et choisissez le lien « Jack's Success Resources ».

Allez plus loin encore…

Téléchargez
Les Principes du succès^{MD}
LES OUTILS DU SUCCÈS^{MD} GRATUITS
à www.thesuccessprinciples.com /tools.htm

GRATUIT : Le Guide de planification annuel pour vous aider à organiser vos activités, vos projets, vos lectures, l'échéancier de vos percées majeures, et plus encore. Il inclut page après page des listes de vérifications, de l'espace pour prendre des notes personnelles et inscrire vos objectifs, de nombreuses lectures suggérées et une foule de réflexions stimulantes proposées par Jack et Janet, et plus encore.

GRATUIT : Le Journal des victoires à insérer dans votre reliure à anneaux ou votre classeur. Ces feuilles de la dimension d'une lettre sont colorées, inspirantes, et conçues pour vous aider à construire votre succès, une victoire à la fois. Lorsque vous affrontez des moments difficiles, remémorez-vous vos succès avec votre propre journal du succès conçu pour être utilisé en coordination avec les thèmes du programme audio *Les Principes du succès*^{MD}.

GRATUIT : Le Guide de stratégies des « grands esprits » conçu spécialement pour les réunions de votre club de proches collaborateurs. Ce recueil de stratégies aidera votre groupe à organiser des activités et à générer de nouvelles idées. Il contient des réflexions stimulantes qui aideront les participants à réaliser de nouvelles percées dans leur quête du succès !

Les Principes du succès
LE DÉFI ANNUEL^{MD}

Chaque année, Janet et moi sélectionnons des individus qui sont parvenus à obtenir des succès significatifs dans leur vie personnelle ou professionnelle, dans une douzaine de domaines différents. Peut-être êtes-vous parvenu à surmonter un obstacle majeur, avez-vous découvert un nouveau but, vous êtes-vous engagé dans une nouvelle direction.

Vous pourriez remporter le défi du succès si vous lisez et appliquez *Les Principes du succès* dans votre vie. Pour plus d'information, visitez notre site : http://www.thesuccessprinciples.com !

Les Principes du succès
LE COURS GRATUIT DES STRATÉGIES DU SUCCÈS^{MD}

Il s'agit d'un prodigieux cours en ligne GRATUIT que vous recevez directement dans votre boîte aux lettres électronique. Vous y apprendrez des stratégies faciles d'application qui vous aideront à formuler vos buts et à les atteindre. Inscrivez-vous dès aujourd'hui : http://www.thesuccessprinciples.com.

Apportez la puissance du changement à votre organisation grâce à l'atelier : *LES PRINCIPES DU SUCCÈS*^{MD}

D es changements significatifs surviennent lorsque vos employés, cadres ou étudiants participent à un atelier des *Principes du succès*.

Non seulement votre équipe sera-t-elle inspirée et motivée pour atteindre de plus grands succès, mais elle apprendra aussi à porter ses efforts à un autre niveau, à forger des alliances stratégiques et de nouvelles relations, à cultiver une meilleure attitude et de nouveaux comportements.

L'atelier *Les Principes du succès* leur apportera des outils les habilitant à accroître leur productivité au prix d'un moindre effort qui augmentera leurs gains, renforcera leur esprit d'équipe, et les aidera à réagir plus efficacement et activement devant les défis quotidiens.

L'atelier *Les Principes du succès*^{MD} offre des outils du succès et un programme créé sur mesure pour répondre aux besoins de chaque participant. Une formation continue ou à distance peut être mise sur pied pour votre organisation. L'atelier *Les Principes du succès* est idéal pour des groupes tels que :

- Des professionnels de la vente indépendants ;
- Des propriétaires de petites entreprises ;
- Des cadres et des chefs de direction ;
- Des membres d'une association commerciale ;
- Des équipes de travail ou un groupe de nouveaux employés ;

- Des travailleurs autonomes ou en télétravail ;
- Des étudiants et des éducateurs ;
- Des représentants et des administrateurs scolaires ;
- Les employés et les dirigeants d'organisations sans but lucratif ;
- Des professionnels et leur personnel ;
- Des employés affrontant une mise à pied ou un transfert ;
- Des fonctionnaires ;
- Des membres du personnel militaire et civil.

VOS EMPLOYÉS ET VOTRE ÉQUIPE ÉCONOMISENT LORSQUE VOUS ACHETEZ LE PROGRAMME AUDIO *LES PRINCIPES DU SUCCÈS*^{MD} EN GRANDE QUANTITÉ...

Vos employés, gestionnaires, collaborateurs et étudiants pourront faire l'expérience de ce système révolutionnaire pour réaliser tous leurs buts et obtenir du succès dans n'importe quelle sphère d'activité, si vous vous procurez le programme audio *Les Principes du succès* en grande quantité. Vous bénéficierez d'escomptes substantiels du prix de détail régulier – en outre, votre équipe découvrira de nouvelles habitudes efficaces qui provoqueront des occasions étonnantes et des résultats extraordinaires.

Le programme *Les Principes du succès* comporte des exercices quotidiens qui les aideront à intégrer ces nouvelles attitudes et comportements dans une nouvelle existence irrésistible. Ensuite, observez les succès inattendus qui feront leur apparition dans leur vie : de nouvelles relations les approcheront avec de nouvelles propositions et les portes de l'abondance et de la prospérité s'ouvriront devant eux parce qu'ils auront, eux aussi, accédé à l'autoroute du succès par la pratique d'exercices comme ceux-ci :

- Découvrir le don unique que vous possédez et qui attirera vers vous les ressources et la richesse de l'univers.
- Approcher des mentors et des amis qui vous ouvriront des portes dans votre quête du succès.
- Dire « non » à ce qui est bien, pour faire de la place dans votre vie à ce qui est véritablement « extraordinaire ».

- Compléter vos projets mis en veilleuse, mettre fin avec élégance à d'anciennes relations et guérir de vieilles blessures pour pouvoir enfin aller de l'avant.

- Dire la vérité plus rapidement afin d'éviter de vous plonger dans le malheur et avancer plus rapidement vers le succès.

- Modifier l'impact d'un événement dans votre vie, simplement en modifiant votre manière d'y réagir.

- Vous préparer à accueillir au pied levé les occasions qui viennent frapper à votre porte.

- Gérer votre temps afin de consacrer l'essentiel de vos efforts à créer dans votre vie les conditions du succès.

Pour vous procurer le programme audio *Les Principes du succès*[MD], visitez notre site: http://www.the successprinciples.com. Pour organiser un atelier dans votre entreprise, téléphonez au 805-563-2935, poste 41.

LECTURES SUGGÉRÉES ET AUTRES RESSOURCES POUR BÂTIR VOTRE SUCCÈS

« Dans cinq ans, vous serez la même personne qu'aujourd'hui,
à deux exceptions près : les livres que vous aurez lus
et les gens que vous aurez rencontrés. »

CHARLIE « LE MAGNIFIQUE » JONES
Membre du Temple de la renommée des conférenciers

Je vous recommande de lire au moins une heure par jour, ce qui représente deux livres par semaine, en moyenne. La liste ci-dessous contient cent vingt livres, suffisamment pour combler vos besoins de lecture pendant au moins deux ans. Je vous suggère de parcourir la liste et de commencer par les titres qui attirent immédiatement votre attention. Laissez-vous guider par vos intérêts. Vous constaterez que chaque lecture vous suggérera des thèmes nouveaux que vous voudrez approfondir par la suite.

Il y a également vingt-sept programmes audio que je vous conseille d'écouter et des programmes de formation auxquels vous devriez certainement participer. Vous trouverez aussi un camp d'été du succès pour vos enfants.

Pour une liste plus complète, constamment remise à jour de livres, de programmes audio, et de formations, consultez : http://www.thesuccessprinciples.com.

1. LES PRINCIPES DE BASE DU SUCCÈS

La science du succès

La Force du focus : comment atteindre vos objectifs personnels avec une absolue certitude, Jack Canfield, Mark Victor Hansen, et Les Hewitt, Sciences et culture, Montréal, 2002.

Le Pouvoir d'Aladin: transformez vos désirs en réalités, Jack Canfield, Mark Victor Hansen, et Les Hewitt, Éditions de l'Homme, Montréal, 1996.

L'Univers de la possibilité: un art à découvrir, Rosamund Stone Zander, Benjamin Zander, les éditions Un monde différent, Saint-Hubert, 2003.

The DNA of success: Know What You Want…To Get What You Want, Jack M. Zufelt, New-York: Regan Books, 2002.

The Science of Success: How to Attract Prosperity and Create Life Balance Through Proven Principles, par James A. Ray, La Jolla, Calif: SunArk Press, 1999.

Le Chemin infaillible du succès, W. Clement Stone, Éditions du Jour, Montréal, 1973.

Le Succès par la pensée constructive, Napoleon Hill, W. Clement Stone, Le Jour, Montréal, 1988.

Réfléchissez et devenez riche, Napoleon Hill, Le Jour, Montréal, 1988 et aux éditions Un monde différent (version audio).

Les Clés du succès: les 17 principes de la croissance personnelle, Napoleon Hill, Éditions de l'Homme, Montréal, 1995.

Think and Grow Rich: A Black Choice, Dennis P. Kimbro, Ph.D. New York: Ballantine, 1997.

What Makes the Great Great: Strategies for Extraordinary Achievement, Dennis P. Kimbro, Ph.D. New York: Doubleday, 1997.

Les 7 habitudes des gens efficaces [ensemble multi-supports], Stephen Covey, Coffragants, Montréal, 1999.

The 100 Absolutely Unbreakable Laws of Business Success, Brian Tracy, San Francisco: Berret-Koehler, 2000.

Play to Win: Choosing Growth Over Fear in Work and Life, Larry Wilson et Hersch Wilson, Mass: American Success Institute, 2000.

Master Success: Create a Life of Purpose, Passion, Peace and Prosperity, Bill Fitzpatrick, Natick, Mass: American Success Institute, 2000.

The Traits of Champions: The Secrets of Championship Performance in Business, Golf and Life, Andrew Wood, Brian Tracy. Provo, Utah: Executive Excellence Publishing, 2000.

The Great Crossover: Personal Confidence in the Age of Microchip, Dan Sullivan, Babs Smith et Michel Néray. Chicago et Toronto: The Strategic Coach, 1994.

Succès extrême: programme en sept parties pour réussir sans lutter, Richard Fettke, New York: Fireside, 2002.

The Power of Positive Habits, Dan Robey. Miami: Abritt Publishing Group, 2003.

Pouvoir illimité, Anthony Robbins, Laffont, Paris, 1999.

Le Guide du succès, Tom Hopkins, Le Jour, Montréal, 1985.

Create Your Own Future, Brian Tracy, New York: John Wiley & Sons, 2002.

The Street Kid's Guide to Having It All, John Assaraf. San Diego: The Street Kid, LLC, 2003.

Peak Performance: Mental Training Techniques of the World's Greatest Athletes, Charles Garfield, avec Hal Z. Bennett. Los Angeles: Jeremy P. Tarcher, 1984.

Peak Performers: The New Heroes of American Business, Charles Garfield. New York: William Morrow, 1986.

How to Use What You've Got to Get What You Want, Marilyn Tam. San Diego: Jodere, 2003.

Potentiel illimité, Bob Proctor, Les édditions Un monde différent, Saint-Hubert, 1987.

La Magie de croire, Claude M. Bristol, Les éditions Un monde différent, Saint-Hubert, 1979.

La Magie de penser succès: un guide pratique pour réussir sa vie et réussir dans la vie, David Schwarz, Les éditions Un monde différent, Saint-Hubert, 1989.

Work Less, Make More, Jennifer White. New York: John Wiley & Sons, 1998.

Ask and It Is Given: Learning to Manifest Your Desires, Esther et Jerry Hicks. Carlsbad, Calif.: Hay House, 2004.

50 Success Classics, Tom Butler-Bowdon. Yarmouth, Maine: Nicholas Brealey Publishing, 2004.

Rendez-vous au sommet, Zig Ziglar. Les éditions Un monde différent, Saint-Hubert, 1977.

L'esprit d'entreprise et le succès

All You Can Do Is All You Can Do But All You Can Do Is Enough!, A.L. Williams. New York: Ivy Books, 1988.

E-Myth Revisited: Why Most Small Business Don't Work and What to Do About It, Michael Gerber. New York: HarperBusiness, 1995.

E-Myth Mastery: The Seven Essential Disciplines for Building a World Class Company, Michael Gerber. New York: HarperBusiness, 2004.

Mastering the Rockefeller Habits, Verne Harnish New York: Select Books, 2002.

1001 Ways to Reward Employees, Bob Nelson. New York: Workman Publishing, 1994.

Le Manager minute, Kenneth Blanchard, Éditions G. Vermette, Boucherville, 1987.

Start Small, Finish Big: Fifteen Key Lessons to Start – and Run – Your Own Successful Business, Fred DeLuca et John B. Hayes. New York: Warner Books, 2000.

Le succès en entreprise

Built to Last: The Successful Habits of Visionary Companies, Jim Collins et Jerry L. Porras. New York: HarperBusiness, 1997.

Tout est dans l'exécution, Larry Bossidy et Ron Charan. First, Paris, 2003.

Good to Great:Why Some Companies Make the Leap…and Other's Don't, Jim Collins. New York: HarperCollins, 2001.

Les Cinq Tentations d'un manager, Patrick M. Lencioni. San Francisco: Jossey-Bass, 1998.

Jack: Straight from the Gut, Jack Welch. New York: Warner, 2001.

Le But: l'excellence en production, Eliyahu M. Goldratt et Jeff Cox, Québec-Amérique, 1987.

Le Manager minute, Kenneth Blanchard, Éditions G. Vermette, Boucherville, 1987.

L'Ascension de l'empire Marriott: le désir de servir à la façon Marriott, J.W. Marriott Jr. et Kathi Ann Brown, Les éditions Un monde différent, Saint-Hubert, 1998.

Who says elephants can't dance?: Inside IBM's Historic Turnaround, Louis V. Gerstner Jr., New York: HarperBusiness, 2002.

Mesurer votre succès

The Game of Work: How to Enjoy Work as Much as Play, Charles A. Coonradt, Park City, Utah: Game of Work, 1997.

Managing the Obvious: How to Get What You Want Using What You Know, Charles A. Coonradt, en collaboration avec Jack M. Lyons et Richard Williams, Park City, Utah: Game of Work, 1994.

Scorekeeping for Success, Charles A. Coonradt, Park City, Utah: Game of Work, 1999.

Inspiration et motivation

Un 1er bol de bouillon de poulet pour l'âme: 88 histoires qui réchauffent le cœur et remontent le moral, Jack Canfield et Mark Victor Hansen. Éditions Sciences et Culture, Montréal, 1997.

Bouillon de poulet pour l'âme au travail: des histoires de courage, de compassion et de créativité au travail, Jack Canfield et Mark Victor Hansen. Éditions Sciences et Culture, Montréal, 1999.

Chicken Soup for the Soul: Living Your Dreams, Jack Canfield et Mark Victor Hansen. Deerfield Beach, Fla.: Health Communications, 2003.

Osez Gagner, Jack Canfield et Mark Victor Hansen, les éditions Un monde différent, Saint-Hubert, 1997.

It's Not Over until You Win, Les Brown. New York : Simon & Schuster, 1997.

Rudy's Rules for Success, Rudy Ruettiger et Mike Celizic. Dallax, Tex : Doddridge Press, 1995.

Santé et condition physique

8 Minutes in the Morning, Jorge Cruise. New York : HarperCollins, 2001.

The 24-Hour Turnaround : The Formula for Permanent Weight Loss, Antiaging and Optimal Health – Starting Today! Jay Williams, Ph. D., New York : Regan Books, 2002.

Body for Life : 12 Weeks to Mental and Spiritual Strength, Bill Phillips, New York : HarperCollins, 1999.

The Mars and Venus Diet and Exercise Solution, John Gray, Ph. D. New York : St. Martin's Press, 2003.

Stress Management Make Simple, Jay Winner, M.D. Santa Barbara, Calif. : Blue Fountain Press, 2003.

Ultimate Fit or Fat, Covert Bailey, Boston : Houghton Mifflin Company, 2000.

II. TRANSFORMEZ-VOUS POUR LE SUCCÈS

Gestion du temps et efficacité dans l'action

First Things First, Stephen Covey, A. Roger Merrill et Rebecca R. Merrill. New York : Fireside, 1995.

Getting Things Done : The Art of Stress-Free Productivity, David Allen. New York : Viking, 2001.

L'Efficacité dans le travail, Edwin C. Bliss, les éditions Un monde différent, Saint-Hubert, 1981.

Faites-le tout de suite !, Edwin C. Bliss, les éditions Un monde différent, Saint-Hubert, 1985.

Mes valeurs, mon temps, ma vie ! : gérer son temps et sa vie selon les 10 lois naturelles de Franklin, Hyrum Smith, les éditions Un monde différent, Saint-Hubert, 1996.

Ces gens qui remettent tout à demain : conseils pour vaincre la procrastination / Rita Emmett, Les Éditions de l'Homme, Montréal, 2000.

Conscience de soi, potentiel humain, paix intérieure et spiritualité

Aimer ce qui est : quatre questions qui transformeront votre vie, Byron Katie, éditions Ariane, Outremont, 2003.

The Sedona Method: Your Key to Lasting Happiness, Success, Peace and Emotional Well-being, Hale Dwoskin. Sedona, Ariz.: Sedona Press, 2003.

Les Quatre Accords toltèques, Don Miguel Ruiz, éditions Jouvence et les éditions Un monde different sous format de disque compact.

Le Pouvoir de l'engagement total: gérer son énergie et non son emploi du temps pour se ressourcer et obtenir une performance remarquable, Jim Loehr et Tony Schwartz, AdA, Varennes, 2005.

Ne vous noyez pas dans un verre d'eau, Richard Carlson, Stanké, Montréal, 1998.

The Six Pillars of Self-Esteem, Nathaniel Branden, New York: Bantam, 1994.

Life after Life, Raymond A. Moody Jr., M.D., New York: Bantam, 1975.

Stratégies de vie: faire ce qui fonctionne, faire ce qui importe, Philipp C. McGraw, Ph.D., AdA, Varennes, 2001.

Power vs. Force: The Hidden Determinants of Human Behavior, David R. Hawkins, M.D., Ph. D. Carlsbad, Calif: Hay House, 2002.

Mettre en pratique le pouvoir du moment présent: enseignements essentiels, méditations et exercices pour jouir d'une vie libérée, Eckhart Tolle, éditions Ariane, Outremont, 2002.

Eliminating Stress, Finding Inner Peace, Brian Weiss, M.D. Carlsbad, Calif.: Hay House, 2003.

Les Sept Lois spirituelles du succès, Deepak Chopra, les éditions Un monde différent version audio.

The Spirituality of Success: Getting Rich with Integrity, Vincent M. Roazzi. Dallas: Brown Books, 2002.

The Way of the Spiritual Warrior (cassette audio), avec David Gershon. Disponible sur son site Web: http://www.empowermenttraining.com.

Programmes audio

The Success Principles: Your 30-Day Journey from Where You Are to Where You Want to Be, par Jack Canfield et Janet Switzer, est un cours d'une durée de trente jours comprenant six CD ainsi qu'un cahier d'accompagnement soigneusement conçu de quatre-vingt-dix pages. Il contient plusieurs feuilles de travail et des exercices qui vont aideront à intégrer la matière présentée. Vous pouvez également écouter les enregistrements dans votre voiture pour renforcer vos nouveaux apprentissages. Pour commander, visitez le site: http://www.thesuccessprinciples.com ou http://www.jackcanfield.com ou appelez au: 1-800-237-8336.

Vous trouverez ci-dessous les programmes audio de motivation et de formation que je recommande le plus chaudement. Ils sont presque tous disponibles chez Nightingale-Conant : http://www.nightingale.com. Les exceptions sont indiquées :

Action Strategies for Personnal Achivement, par Brian Tracy.
A View from the Top, par Zig Ziglar.
The Aladin Factor, Jack Canfield et Mark Victor Hansen.
The Art of Exceptional Living, par Jim Rohn
The Automatic Millionnaire, par David Bach
Get the Edge, par Anthony Robbins
Goals, par Zig Ziglar
Guide to Everyday Negotiating, par Roger Dawson
Jump and the Net Will Appear, par Robin Crow
Live with Passion, par Anthony Robbins
Magical Mind, Magical Body, Deepak Chopra
Maximum Confidence, Jack Canfield
Multiple Streams of Income, Robert Allen
The New Dynamics of Winning, Denis Waitley
The New Psycho-Cybernetics, Maxwell Maltz et Dan Kennedy
The One Minute Millionnaire System, par Mark Victor Hansen et Robert Allen
The Power of Purpose, par Les Brown
The Power of Visualization, par Dr Lee Pulos
The Psychology of Achievement, Brian Tracy
The Psychology of Selling, Brian Tracy
Pure Genius, Dan Sullivan
Rich Dad Secrets, Robert Kiyosaki
The Secrets to Manifesting Your Destiny, Wayne Dyer
Les 7 habitudes des gens efficaces, Steven Covey
Self-Esteem and Peak Performance, par Jack Canfield (Career Track)
The Weekend Millionaire's Real Estate Investing Program, par Roger Dawson et
    Mike Summer.
Réfléchissez et devenez riche, Napoleon Hill

La programmation neurolinguistique (PNL) : La PNL est un puissant système cognitif qui accélérera la réalisation de vos buts personnels et professionnels. En passant, il s'agit de la méthodologie sur laquelle est fondée l'essentiel du travail de Tony Robbins. Pour trouver un répertoire de praticiens, de formateurs et de centres où cette méthode est pratiquée, visitez http://www.nlpinfo.com. Parmi les praticiens que j'apprécie le plus, il y a Robert Dilts et Judith DeLozier (408-336-3457) à NLP University en California, Tad James (808-596-7765) à Advanced Neuro Dynamics à Hawaii, et Steve Andreas (303-987-2224) et les gens de NLP Comprehensive au Colorado. Ils ont formé des centaines de personnes aux États-Unis et au Canada.

III. RÉUNISSEZ VOTRE ÉQUIPE DU SUCCÈS

How to Say No Without Feeling Guilty: And Say Yes to More and What Matters Most to You, par Patti Breitman et Connie Hatch. New York:Broadway, 2001.

When I Say No, I Feel Guilty, Manuel J. Smith, New York: Bentam, 1975.

Coach Yourself to Success: 101 Tips from a Personal Coach for Reaching Your Goals at Work and in Life, Talane Miedaner. Lincolnwood, Ill.: Contemporary Books, 2000.

Take Yourself to the Top: The Secrets of America's #1 Career Coach, Laura Berman Fortgang, New York: Warner, 1998.

The Portable Coach: 28 Sure Fire Strategies for Business and Personal Success, Thomas J. Leonard, New York: Scribner, 1998.

Développez votre intuition

Divine Intuition:Your Guide to Creating a Life You Love, par Lynn A. Robinson. New York: Dorling Kindersley, 2001. Visitez aussi le site de Lynn à: http://www.lynnrobinson.com.

PowerHunch, Marcia Emery Hillsboro, Ore: Beyond Words Publishing, 2001.

Practical Intuition, Laura Day. New York: Broadway Books, 1997.

The Corporate Mystic, Gay Hendricks et Kate Ludeman. New York: Bantam Books, 1997.

The Executive Mystic, Barrie Dolnick, New York: HarperBusiness, 1999.

IV. CRÉEZ UN RÉSEAU DE RELATIONS GAGNANTES

L'Amour lucide: sachez équilibrer vos besoins d'intimité et d'autonomie, Gay Hendricks et Kathlyn Hendricks, Le Jour, Montréal, 1992.

Lasting Love: The 5 Secrets of Growing a Vital, Conscious Relationship, par Gay

Hendricks et Kathlyn Hendricks. New York: Rodale, 2004.

Les hommes viennent de Mars, les femmes viennent de Vénus, John Gray, Ph.D., les Éditions Logiques, Montréal, 1994.

Real Moments: Discover the Secret for True Happiness, Barbara DeAngelis. New York: Doubleday, 1994.

Feel Alive with a Heart Talk, Cliff Durfee. San Diego: Live, Love, Laugh, 1979.

Parler pour que les enfants écoutent, écouter pour que les enfants parlent, Adele Faber et Elaine Marlish, Relations, Cap-Pelé (N.-B.), 2002.

Communicate with Confidence, Dianna Booher. New York: McGraw Hill, 1994.

How to Say It at Work: Putting Yourself Across with Power Words, Phrases, Body Language and Communication Secrets, Jack Griffin. Englewood Cliffs, N.J.: Prentice-Hall, 1998.

Boundaries: When to Say Yes, When to Say No to Take Control of Your Life, Dr Henry Cloud et Dr John Townsend. Grand Rapids, Mich.: Zondervan, 1992.

Radical Honesty: How to Transform Your Life by Telling the Truth, Brad Blanton, New York: Dell, 1996.

Practicing Radical Honesty, Brad Blanton. Stanley, Va.: Sparrowhawk Publishing, 2000.

Option vérité, Will Schutz, Le Jour, Montréal, 1990.

V. LE SUCCÈS ET L'ARGENT

Multiple Streams of Income, Robert G. Allen. New York: John Wiley & Sons, 2000.

Père riche, Père pauvre: devenir riche ne s'apprend pas à l'école!, Robert Kiyosaki, les éditions Un monde différent, Saint-Hubert, 2000.

Père riche, Père pauvre: la suite: le quadrant du CASHFLOW pour atteindre votre liberté financière, Robert T. Kiyosaki, les éditions Un monde différent, Saint-Hubert, 2001.

Le Courage d'être riche: se créer une vie d'abondance matérielle et spirituelle, Suze Orman, Ada, Varennes, 2005.

Les Lois dynamiques de la prospérité, Catherine Ponder, les éditions Un monde différent, Saint-Hubert, 1993 (livre et cassettes audio).

Le Millionnaire automatique: un plan efficace en une étape pour vivre dans l'abondance, David Bach. Ada, Varennes, 2005.

The Armchair Millionnaire, Lewis Schiff et Douglas Gerlach. New York: Pocket Books, 2001.

The Millionnaire Course, Mark Allen. Novato, Calif.: New World Library, 2003.

The Millionnaire in You, Michael LeBoeuf. New York: Crown Business, 2002.

L'Esprit millionnaire, Thomas J. Stanley, Ada, Varennes, 2000.

The Millionaire Mindset: How Ordinary People Can Create Extraordinary Income, Gerry Robert, Kualy Lumpur, Malaysia: Awesome Books, 1999.

Ma voisine la millionnaire: les nombreux parcours de femmes d'affaires américaines prospères, Thomas J. Stanley, William D. Danko. Ada, Varennes, 2005.

The Miracle of Tithing, Mark Victor Hansen. Newport Beach, Calif.: Mark Victor Hansen & Associates, 2003. Téléphonez au numéro suivant pour commander: 1-800-433-2314.

Le Millionnaire minute: en route vers la richesse, Mark Victor Hansen et Robert G. Allen, Éditions Ada, 2003.

La Science de l'abondance, Wallace D. Wattles, Éditions Jade, Montréal, 1999.

The 21 Success Secrets of Self-Made Millionaires, Brian Tracy. San Francisco: Berrett-Koehler, 2001.

Un barbier riche: le bon sens appliqué à la planification financière, David Chilton, Éditions du Trécarré, Saint-Laurent, 1993.

Secrets of the Millionaire Mind: Mastering the Inner Game of Wealth, T. Harv Eker. New York: Harper Collins, 2005.

CASHFLOW^{MD}*101* est un jeu éducatif amusant développé par Robert T. Kiyosaki. Il vous apprend les rouages de la comptabilité, de la finance et de l'investissement, tout en vous montrant comment quitter les routes secondaires embouteillées du travail pour emprunter l'autoroute rapide du succès. Vous apprendrez comment faire travailler l'argent pour vous, plutôt que de travailler pour gagner votre argent. Ce jeu est adapté à tout joueur âgé de plus de 10 ans. Vous pouvez vous le procurer en ligne à: http://www.richdad.com

AUTRES RESSOURCES

Le club de livres ededge mentionné au principe 36 : « Apprenez plus pour gagner davantage » est un moyen efficace de rester à l'affût de tout ce qui se fait de nouveau dans le domaine du livre d'affaires pratiques. Pour vous inscrire, consultez le site : http://www.ededge.com

AdvanEdge est un nouveau magazine qui se spécialise dans l'information qui touche au succès et il est publié par Nightingale-Conant. Abonnez-vous à : http://www.nightingale.com ou composez le 1-800-560-6081.

SuperCamp est une expérience de transformation qui donnera à vos enfants une longueur d'avance dans la course au succès. Consultez www.quantum learning.com pour vous informer au sujet des camps d'été de dix jours pour les enfants de neuf à dix-huit ans. Ceux qui ont participé à ce camp ont fait par la suite des réalisations remarquables.

Chicken Soup's Daily Serving (http://www.chickensoup.com) est un service de courrier électronique quotidien. Vous recevrez dans votre boîte aux lettres électroniques des histoires tirées des plus grands succès de la série *Bouillon de poulet pour l'âme*[MD].

À PROPOS DES AUTEURS

JACK CANFIELD est un auteur à succès, conférencier professionnel, animateur de séminaires, accompagnateur d'équipes de direction d'entreprises et entrepreneur. Après avoir obtenu son diplôme de l'Université Harvard, Jack amorça sa carrière comme professeur d'école secondaire en milieu urbain défavorisé de Chicago.

Dans ce rôle, Jack chercha à découvrir le secret pour motiver les étudiants en difficulté. Dans sa quête, il fit la rencontre du millionnaire W. Clement Stone, un homme qui a édifié son immense fortune par ses propres moyens et un gourou du succès. À cette époque, W. Clement Stone était éditeur du magazine *Success*, président de Combined Insurance Corporation, auteur de la méthode *Le Chemin infaillible du succès* et coauteur, avec Napoleon Hill, du livre *Le Succès par la pensée constructive*.

Jack est entré au service de la fondation W. Clement & Jessie V. Stone où on lui a confié la mission de répandre ces principes du succès dans les écoles et les clubs de jeunes garçons de la région du grand Chicago, et plus tard, dans tout le Midwest. Désireux de mieux comprendre les règles qui gouvernent la réussite, Jack retourna aux études à l'Université du Massachusetts, où il obtint une maîtrise en psychologie de l'éducation.

Après l'obtention de son diplôme, Jack devint animateur de séminaires destinés aux instituteurs, aux conseillers pédagogiques et aux psychothérapeutes. Aujourd'hui, il enseigne les mêmes principes de l'estime de soi, du rendement maximal, de la motivation et du succès aux dirigeants d'entreprises, aux gestionnaires, aux représentants commerciaux et aux entrepreneurs.

Au cours de sa carrière, Jack a écrit, seul ou en collaboration, de nombreux ouvrages dont *100 Ways to Enhance Self-Esteem in the Classroom, Osez Gagner, Le Pouvoir d'Aladin : transformez vos désirs en réalités, Heart at Work, La Force du focus : comment atteindre vos objectifs personnels avec une absolue certitude*, ainsi que la série immensément populaire de *Bouillon de poulet pour l'âme* touchant 85 thèmes différents, dont plus de quatre-vingts millions d'exemplaires ont été vendus dans le monde entier et qui ont été traduits en trente-neuf langues. Jack a aussi partagé ses principes du succès, de l'estime de soi, et du bonheur dans ses albums audio à succès *Self-Esteem and Peak Performance*, en collaboration avec CareerTrack, et *Maximum Confidence* ainsi que *Le Pouvoir d'Aladin* réalisés par Nightingale-Conant.

Parce qu'on le sollicite plus souvent qu'il lui est matériellement possible de prononcer des conférences ou d'animer des séminaires en une année, Jack a créé deux programmes de formation vidéo : le programme STAR, qui est son cours de base d'estime de soi et de rendement maximum destiné aux entreprises et aux écoles, et le programme GOALS, qui présente les mêmes principes aux populations à risques, comme les bénéficiaires de l'aide sociale et les prisonniers.

Parmi les nombreuses organisations et entreprises qui ont demandé à Jack de venir partager ses principes avec leurs membres et leurs employés, on compte Virgin Records, Sony Pictures, Merrill Lynch, Monsanto, ITT Hartford Insurance, GlaxoSmith-Kline, Scott Paper, The Million Dollar Forum, Coldwell Banker, RE/MAX, FedEx, Campbell's Soup, TRW, Society of Real Estate Professionals, the Million Dollar Roundtable, American Society of Training & Development, Ameritech, NCR, Young Presidents' Organization, Chief Executives Organization, GE, Income Builders International, U.S. Department of the Navy, Siemens, Cingular Wireless, Southern Bell, Domino's Pizza, Accenture, Bergen Brunswig Pharmaceuticals, Children's Miracle Network, UCLA, University of Michigan, the Council for Excellence in Government, entre autres.

Jack a prononcé des conférences et animé des ateliers dans les cinquante États américains, ainsi qu'au Canada, au Mexique, en Europe, en Asie, en Afrique et en Australie.

Il a aussi participé à plus de six cents émissions de radio et deux cents émissions télévisées incluant *20/20, Inside Edition, the Today Show, Oprah, Fox and Friends, CBS, Evening News, NBC Nightly News, Eye to Eye* et *CNN's Talk Back Live!* On l'a vu aussi sur les chaînes PBS et QVC.

Jack anime des ateliers d'une durée d'une journée, ou d'une fin de semaine, sur les thèmes suivants : Vivre les principes du succès, la puissance de la concentration, l'estime de soi, le rendement de pointe et la confiance en soi. Il organise un événement annuel de sept jours intitulé : Percée vers le succès, un atelier percutant qui transforme littéralement la vie des participants.

Ses cours de formation sont destinés aux gens d'affaires, aux cadres d'entreprises, aux entrepreneurs, aux représentants, aux directeurs commerciaux, aux enseignants, aux conseillers, aux entraîneurs d'équipes sportives, aux consultants, aux ministres du culte, et à tout autre groupe de personnes désireuses d'obtenir plus de succès personnels et professionnels.

Pour obtenir davantage d'information sur les séminaires et sur les ateliers de Jack, ses livres, ses programmes de formation audio et vidéo, ou pour vous renseigner sur ses disponibilités comme conférencier ou animateur, veuillez le contacter à l'adresse suivante:

The Jack Canfield Companies
P.O. Box 30880, Santa Barbara, CA 93130
Téléphone: 805-563-2935 et 1-800-237-8336; télécopieur: 805-563-2945
Site Web: http://www.thesuccessprinciples.com

JANET SWITZER, depuis son premier emploi à titre de coordonnatrice de campagne pour un membre du Congrès à l'âge de 19 ans, jusqu'à la mise sur pied d'une maison d'édition d'une valeur comptable de dix millions de dollars, dix ans plus tard, elle est l'illustration même de la réussite personnelle et professionnelle résultant de l'application des principes du succès.

Aujourd'hui, elle est considérée comme une sommité du monde du marketing. Elle est aussi la spécialiste en croissance des affaires à laquelle font appel les plus grands gourous de la réussite: l'expert international de la performance, Jack Canfield, le maître de la motivation Mark Victor Hansen, le symbole du marketing, Jay Abraham, l'expert en création de revenus sur le réseau Internet, Yanik Silver, l'auteure de *Jésus, PDG de l'an 2000*, Laurie Beth Jones, entre autres.

De plus, Janet a conseillé plus de cinquante mille entreprises et entrepreneurs à travers le monde, les aidant à mettre en valeur leurs actifs intellectuels et informationnels, ouvrant la porte à des retombées de plusieurs millions de dollars en revenus potentiels. Elle est l'auteure de la série *Instant Income*[MD] destinée à aider les petites et moyennes entreprises à générer non seulement des cash-flow instantanés mais aussi à mettre sur pied de lucratifs centres de profits. Pour plus de détails, consultez le site: http://www.instantincome.com

Janet est une conférencière de réputation internationale, fondatrice et éditrice du magazine *Leading Experts*. Elle collabore assidûment avec *Training Magazine*

Asia, plusieurs agences de presse spécialisées et de nombreuses chaînes de journaux.

Elle s'entretient régulièrement avec des milliers d'entrepreneurs, des professionnels indépendants de la vente, des employés de grandes entreprises et des membres d'associations industrielles au sujet des principes du succès, et sur la façon de générer des revenus. De plus, elle aide les performeurs d'élite, qui sont des spécialistes dans leur domaine, à atteindre le statut d'experts internationaux, et à gagner ainsi des millions de dollars de revenus additionnels, en construisant des empires de publication basés sur leurs stratégies d'affaires, leurs concepts de formation, leur expertise industrielle, et leur positionnement unique dans le marché.

Son cours multimédia rapide : « How Experts Build Empires : The Step-By-Step System for Turning Your Expertise into Super-Lucrative Profit Centers » est la référence incontournable en matière de développement et de mise en marché de produits informationnels.

Janet habite à Thousand Oaks, en Californie, où elle est membre de l'église communautaire Calvary. Elle travaille auprès de jeunes comme animatrice de projets au Club 4-H local, un rôle qui lui tient beaucoup à cœur, depuis plus de vingt ans.

Pour inviter Janet à votre prochain congrès, appelez le 805-499-9400, ou visitez le site www.janetswitzer.com. Pour vous abonner à *Leading Experts e-Magazine*, rendez vous sur le site www.leadingexperts.net.